La historia de los judíos

La historia de los judíos

Vol. I

En busca de las palabras
1000 a. e. c.–1492

SIMON SCHAMA

Traducción de
Teófilo de Lozoya y Juan Rabasseda

DEBATE

Papel certificado por el Forest Stewardship Council®

MIXTO
Papel | Apoyando la
silvicultura responsable
FSC
www.fsc.org
FSC® C117695

Un especial agradecimiento a Princeton University Press por la autorización para reproducir un extracto de *The Dream of the Poem: Hebrew Poetry From Muslim and Christian Spain 959-1492*, de Peter Cole; Gefen Publishing House por la autorización para reproducir un extracto de *Grand Things to Write a Poem On: A Verse Autobiography of Shmuel Hanagid*, de Hillel Halkin; The University of Alabama Press por la autorización para reproducir un extracto de *Jewish Prince in Moslem Spain: Selected Poems of Samuel Ibn Nagrela*, trad. de Leon J. Weinberger, y Oxford University Press, Inc. por la autorización para reproducir un extracto de *Wine, Women and Death: Medieval Hebrew Poems on the Good Life*, de Raymond P. Scheindlin

Penguin
Random House
Grupo Editorial

Título original: *The Story of the Jews*, vol. I: *Finding the Words, 1000 BCE – 1492*

Primera edición con esta encuadernación: enero de 2024

© 2013, Simon Schama
© 2015, 2024, Penguin Random House Grupo Editorial, S. A. U.
Travessera de Gràcia, 47-49. 08021 Barcelona
© 2015, Teófilo de Lozoya y Juan Rabasseda, por la traducción

Printed in Spain – Impreso en España

ISBN: 978-84-19951-20-5
Depósito legal: B-17.833-2023

Compuesto en Fotocomposición 2000
Impreso en Liberdúplex
Sant Llorenç d'Hortons (Barcelona)

C951205

Para Chaya y Avraham Osea
En memoria

Los ríos van todos a la mar, y la mar no se llena; allá de donde vinieron tornan de nuevo, para volver a correr.

Eclesiastés 1, 7

Índice

PRIMERA PARTE

papiros, óstraka y pergaminos

SEGUNDA PARTE

mosaicos, pergaminos y papel

Relación de mapas

Prólogo

No puedo decir que no me avisaran. «Hijo mío —amonesta la sabiduría glacial del predicador del Eclesiastés—, el componer libros es cosa sin fin y el demasiado estudio fatiga al hombre.» Cualquiera que se aventure a abordar la historia de los judíos debe ser plenamente consciente de las inmensas montañas de volúmenes de obras eruditas que se elevan a sus espaldas. No obstante, hace cuarenta años acepté completar una historia de los judíos que había quedado inacabada a la muerte de uno de esos eruditos, Cecil Roth, que dedicó toda su vida a este tema. Por aquel entonces, yo estaba trabajando en un libro sobre los Rothschild y Palestina. Junto con un amigo y colega de la Universidad de Cambridge, Nicholas de Lange, estudioso de la filosofía judía de la Antigüedad tardía y traductor al inglés de Amos Oz, había estado estudiando historia posbíblica en un seminario informal celebrado a cuenta de los participantes en mis habitaciones del Christ's College. Durante unas cuantas horas después de cenar, un grupo de sabios, falsos mesías, poetas y agitadores venía a visitarnos mientras cascábamos nueces y desgranábamos chistes, bebíamos vino y apurábamos la rebosante copa de las palabras judías.

Pero Nicholas y yo habíamos organizado las reuniones por un motivo muy serio. Nos parecía que fuera de las escuelas rabínicas no había ningún otro lugar en el que los estudiantes de historia y literatura se reunieran para debatir sobre la cultura hebraica, y que eso mismo era un claro indicio de cuán al margen de la corriente académica al uso estaba el tema. Cuando llegó la invitación a completar el volumen de Roth, había otras razones acuciantes para querer establecer una relación entre la historia de los judíos y el resto del mundo. Era 1973. Acababa de tener lugar la guerra árabe-israelí del Yom Kippur. A pesar de los éxitos militares cosechados por los israelíes, los ánimos estaban tan serenos como llenos de euforia habían estado siete años antes, tras la guerra de los Seis Días. Este último conflicto había sido muy reñido, especialmente durante el audaz avance de los egipcios sobre el Canal de Suez y la península del Sinaí. Eran como unas arenas movedizas; algo que hasta entonces había parecido seguro ya no lo era. Los años sucesivos verían cómo la historia de los judíos a uno y otro extremo de su milenaria cronología adoptaba una actitud ferozmente autocrítica respecto de su triunfalismo. La arqueología bíblica adoptó una postura radicalmente escéptica. Empezaron a airearse dolorosas verdades acerca de lo que había ocurrido realmente entre judíos y palestinos en 1948. Las realidades de una prolongada ocupación y, en último término, la necesidad de hacer frente a la Primera Intifada empezaron a calar hondo. Era imposible hablar a los no judíos de la historia de los judíos sin que el tema se viera desbordado por el conflicto palestino-israelí. Por encima de todo lo demás, como es comprensible, el humo de los hornos crematorios seguía tendiendo su trágico sudario. La incomparable magnitud de aquella catástrofe parecía exigir silencio ante su enormidad, tanto por parte de los judíos como de los gentiles.

Pero, al margen de lo que pueda costar romperlo, el silencio no es nunca una opción para el historiador. Yo creía que escribiendo una historia posmedieval destinada a un público general, una historia que diera todo el peso debido a la experiencia compartida, y que no fuera invariablemente un relato de persecuciones y matanzas, podría actuar como interlocutor, persuadiendo a los lectores (y a los artífices de los programas de historia) de que no había historia, independientemente de dónde y cuándo fijara su principal foco de estudio, que estuviera completa sin el capítulo correspondiente a los judíos, y de que este era mucho más que pogromos y doctrinas rabínicas, de que era una crónica de antiguas víctimas y modernos conquistadores.

Este fue el instinto con el que yo me había criado. Mi padre estaba obsesionado en igual medida con la historia de los judíos y la de Gran Bretaña, y daba por supuesto que una y otra eran perfectamente compatibles. Cogía el timón de popa de una pequeña barca en medio del Támesis, recorriendo distraídamente el trayecto entre Datchet y Old Windsor, con unas cuantas fresas, unos panecillos y un bote de mermelada en una cesta, y hablando un minuto de Disraeli como si lo hubiera conocido personalmente («¿Bautizado? ¿Y eso qué importaba?») y al siguiente del falso mesías del siglo XVII Shabbetai Zevi, a través del cual mi querido papá (y mis antepasados, los Schama) evidentemente habían visto las cosas. («¡Menudo *momser!*» [«hijo de puta» en yídish].) ¿O quién había descrito mejor a los judíos, Walter Scott o George Eliot, el Dickens caricaturesco de *Oliver Twist* o el Dickens sentimental de *Nuestro común amigo*? Amarrábamos bajo los sauces para enfrentarnos al dolor de Shylock. Fue también de mis padres de quienes heredé la idea de que el Antiguo Testamento era la primera historia que se había escrito; de que, a pesar de sus excesos poéticos con los milagros, era el libro en el que se devanaban esclavizaciones y liberaciones, engreimientos regios y rebeliones filiales, asedios y aniquilaciones, legislación y quebrantamiento de la ley; el molde al que se ajustaría cualquier otra historia posterior. Si la hubiera escrito mi padre, su historia se habría titulado «De Moisés a la Carta Magna». Pero no la escribió.

Ni yo tampoco la escribí. Desde luego, no en 1973. Lo intenté, continuando la narración de Cecil Roth, pero, por el motivo que fuera, el injerto no cuajó. Luego pasaron cuarenta años de peregrinación, no precisamente por el desierto, sino por lugares muy apartados de mis antecedentes judíos, por Holanda y Carolina del Sur, Skara Brae y el París jacobino. Sin embargo, durante todo ese tiempo, las líneas del relato que habría debido contar permanecieron vagamente presentes en mis pensamientos y en mis recuerdos, como parientes que me tiraran con amabilidad, pero con insistencia, de la manga en las bodas y funerales familiares (algo que efectivamente hicieron a veces). No subestimen nunca el poder de una tía judía, y menos aún el reproche silencioso y paciente de una madre.

Pues bien, cuando Adam Kemp, de la BBC, organizó en 2009 un encuentro para hablar de una idea sobre cierta nueva serie de documentales para la televisión «que te encantará o que detestarás», supe de algún modo, antes de que saliera una sola palabra de su boca, lo que había en perspectiva. Lo admito: por un fugaz momento, fue como la historia de Jonás. Una voz interior me dijo: «Huye a Jope, reserva una litera en el primer barco que zarpe para Tarsis». Pero ¿de qué le había servido? Así que agarré aquel proyecto abandonado hacía tantas décadas con la gratitud y el temor que cabe imaginar. Esta vez, la narración iba a tener tras de sí el persuasivo poder de la televisión, y a través de ambos medios —la escritura y el cine— orgánicamente interconectados, pero no idénticos, yo esperaba construir con exactitud el puente entre el público judío y el no judío que parecía habérseme escapado de las manos cuarenta años antes.

A pesar de los inmensos retos que suponía todo ello (tres mil años de historia en cinco horas de filmación y dos libros), ha sido y sigue siendo una gran prueba de amor. Aunque no esté a la altura de la tarea que comporta contar esta historia, se trata de un relato que me encanta narrar, entre otras cosas porque los materiales en los que se basa, tanto visuales como textuales, se han transformado muchísimo a lo largo de las últimas décadas. Los hallazgos arqueológicos, especialmente las inscripciones del período bíblico, nos han dado una nueva impresión de cómo nació ese texto, que se convertiría en legado de una gran parte de la humanidad. Desde un extremo al otro del mundo judío se han desenterrado mosaicos que modifican radicalmente no solo nuestra idea de lo que eran una sinagoga o el culto judío, sino cuánto tenían en común en sus formas esa religión y el paganismo o el cristianismo primitivo. Sin forzar el relato para convertirlo en beatería autocomplaciente, y sin restar importancia a las múltiples penalidades que han salpicado la narración de lágrimas, la historia que se desarrolla es la del heroísmo de la vida cotidiana y de las grandes tragedias. Este libro y los telefilmes que lo acompañan están llenos de esas pequeñas revelaciones cuya suma da toda una cultura, lo prosaico junto con lo poético: un garabato en una hoja con los ejercicios de hebreo de un niño procedente de El Cairo medieval; una batalla de gatos y ratones en una Biblia suntuosamente ilustrada procedente de España; la dote conmovedoramente escasa que aporta una esclava egipcia del siglo v a. e. c. casada con un judío empleado en un templo local; la irritación de un suboficial en una situación apuradísima en un fortín situado en lo alto de una colina mientras los babilonios lo rodean; los resonantes versos de la bendición sacerdotal grabada en hebreo arcaico en un diminuto amuleto de plata de los tiempos del rey Josías.

Todo ello compone la pequeña materia de la experiencia común. Pero las peripecias de los judíos son cualquier cosa menos un lugar común. Lo que los judíos han vivido —y, en cierto modo, a lo que han sobrevivido para contarlo— ha sido la versión más intensa que haya conocido la historia de la humanidad de unas adversidades sufridas también por otros pueblos; de una cultura resistiendo perpetuamente a su aniquilación, reconstruyendo sus hogares y sus hábitats, escribiendo la prosa y la poesía de la vida, a través de una sucesión de desarraigos y agresiones. Eso es lo que hace esta historia particular y universal a la vez, legado común de judíos y de no judíos, una explicación de la humanidad que compartimos. En todo su esplendor y en toda su miseria, en sus repetidas tribulaciones y su infinita creatividad, el relato expuesto en las siguientes páginas no deja de ser, en muchos sentidos, una de las grandes maravillas del mundo.

PRIMERA PARTE

papiros, óstraka y pergaminos

1

En Egipto

En el principio —no en el principio imaginario de los patriarcas y los profetas, y desde luego tampoco en el principio de todo el universo, que solo es el principio documentado de los judíos normales y corrientes—, en ese principio un padre y una madre se preocupaban por su hijo.

Ese hijo, un niño soldado, se llamaba Shelomam, la versión aramea de mi nombre hebreo, Shelomo. El nombre de su padre era Osea, que era el segundo nombre de mi propio *aba*.[1] Esto sucedía hace dos mil quinientos años, en 475 a. e. c., en el décimo año del reinado de Jerjes, rey persa de la dinastía aqueménida, que, por mucho daño que le hicieran los griegos, seguía siendo rey de Egipto, donde vivían Shelomam y Osea. Jerjes seguiría ocupando el trono otros diez años antes de ser asesinado por el oficial en quien más confiaba, Artábano el hircanio, que llevó a cabo su acción en complicidad con un eunuco. Jesús de Nazaret tardaría medio milenio en nacer. Si hubiéramos de creer a los autores de la Biblia hebrea, habían pasado cerca de ochocientos años desde que Moisés había librado de la esclavitud a los israelitas y los había sacado de Egipto para conducirlos a las montañas del desierto, donde, en posesión de las leyes entregadas directamente por Yavé —escritas de hecho por el dedo de Dios—, se convirtieron, a pesar de sus constantes devaneos con la idolatría y de su apego a muchos otros dioses, en algo bastante parecido a los judíos.

El éxodo desde el valle y la llanura de aluvión del Nilo y el fin de la esclavitud en tierras extrañas eran presentados por los autores de la Biblia como la condición para convertirse en verdaderos israelitas. Imaginaban ese viaje como una ascensión geográfica y moral. Era en las alturas rocosas, en las paradas en el camino hacia el cielo, donde YHWH —forma en que se escribe el nombre de Yavé— se había revelado (o al menos había mostrado su espalda), quemando la faz de Moisés y volviéndola radiante al reflejar su esplendor. Desde el comienzo (tanto en la versión bíblica como en la arqueológica), los judíos se convertían en judíos en un paisaje montuoso. En hebreo, emigrar a Israel sigue llamándose *aliyah*, esto es «subir». Jerusalén era inimaginable en una llanura fluvial baja. Los ríos estaban turbios a consecuencia de las tentaciones, y el mar era incluso peor, rebosante como estaba de monstruos cubiertos de escamas. Los que moraban en sus riberas o navegaban sobre sus ondas (como los fenicios o los griegos) debían ser aborrecidos por ser tortuosos, idólatras e impuros. Volver a Egipto, pues, a ojos de aquellos para quienes el éxodo era el comienzo mismo de todo lo judío, era una caída, un descenso a la idolatría más descarada. Los profetas Ezequiel y Jeremías —este último después incluso de ir a Egipto— habían avisado de esa reincidencia, de semejante «desjudaización». Los que sucumbieran, advertía Jeremías, serían «objeto de execración, de horror, de maldición y de oprobio».

Los israelitas hicieron caso omiso, y no sería la primera vez ni la última que desobedecieran, regresando a Egipto en manada. ¿Y por qué no, si el reino del norte, Israel, había sido aplastado por los asirios en 721 a. e. c., y un siglo después el reino de Judá sería igualmente pulverizado por los babilonios? Todas estas desgracias podían ser interpretadas por los autores de los relatos bíblicos —y de hecho lo fueron— como un castigo de YHWH a la reincidencia. Pero las víctimas del castigo podían ser perdonadas por pensar: «¡Cuánto bien nos ha hecho!». Unos treinta mil carneros y ovejas sacrificados en el templo por el rey Josías con motivo de la Pascua; el pueblo rasgándose en masa las vestiduras en penitencia por adorar a falsos dioses; de nada serviría defenderse de los diabólicos conquistadores procedentes de Mesopotamia, con sus tirabuzones, sus panteras y sus innumerables escuadrones de arqueros y lanceros.

Así pues, los israelitas bajaron de sus colinas de Judea, del color de la piel del león, a los terrenos de aluvión de Egipto, a Tafnis, en el delta, y a Menfis, un poco más abajo, y especialmente a Patros, el país del sur. Cuando llegaron los persas en 525 a. e. c., trataron a los israelitas no como a esclavos, sino a menudo como propietarios de esclavos y sobre todo como a soldados profesionales curtidos de los que cabía fiarse, igual que a los arameos, caspios o griegos de Caria, procedentes de la costa occidental de Anatolia, útiles para sofocar las sublevaciones de los egipcios contra los persas. Se encargarían también de controlar las turbulentas fronteras del sur, donde comenzaba el África nubia.

Shelomam, el hijo de Osea, era uno de esos jóvenes, un mercenario —el trabajo de mercenario no era más que un medio de vida como otro cualquiera— que había sido destinado al sur, a la guarnición de la *Hayla hayahudaya*, la Tropa Judía, en la isla de Elefantina, un poco más abajo de la primera catarata del Nilo. Tal vez fuera destinado a un convoy de caravanas, vigilando el tributo en forma de colmillos de elefante, ébano y muchachos etíopes que estaba obligada a pagar Nubia al faraón, y que ahora se enviaba en su lugar al gobernador persa.

Su padre, Osea, escribía desde Migdol, lugar situado probablemente en el ramal oriental del delta del Nilo, donde Shelomam había estado estacionado anteriormente. Su carta, enviada río arriba unos ochocientos kilómetros más al sur, a la espera de que se produjera la llegada del niño soldado a Elefantina, estaba escrita en arameo, la lengua cotidiana de la región y de todo el imperio, sobre una lámina de papiro, hecha con juncos prensados. A pesar de la tosca elaboración de este ejemplar en concreto, el papiro tarda mucho en descomponerse. La escritura de trazos cuadrados, el mismo elegante estilo en el que se escribiría el hebreo desde los tiempos del Segundo Templo hasta nuestros días, sigue siendo claramente legible. En la memoria de los judíos es como si Osea hubiera escrito su carta ayer mismo. Un padre preocupado es un padre preocupado. No puede evitar hacer saber sus sentimientos al muchacho, inmediatamente, nada más comenzar la carta: «Bienestar y fuerza te mando desde aquí, pero desde el mismo día en que te marchaste, mi corazón no se encuentra muy bien». Y luego el detalle crucial inevitable, las cuatro palabras que Shelomam debía de saber que iban a venir a continuación, aunque Osea no las hubiera escrito, la frase que todos los chicos judíos oyen en un momento u otro, la frase a partir de la cual se desarrolla toda la historia: «Y el de tu madre igual».

El típico golpe preventivo. Mi propio padre, Arthur Osea, solía recurrir descaradamente a él cuando, como le había ocurrido al Osea egipcio, se hallaba en apuros, preocupado por si las noticias que se disponía a dar no eran totalmente del agrado de su hijo. «No te preocupes… Tu madre está un poquito inquieta por esto, pero…» Pues bien, ¿qué podía sacar tanto de quicio a su querido Shelomam, motivo de orgullo y alegría para su padre? ¿Problemas con la paga y su equipo? ¡Que no cunda el pánico! «La túnica y la ropa de la que me hablabas en tu carta ya están hechas, ¿de acuerdo? No te irrites conmigo por no haber podido llevártelas a Menfis a tiempo (para tu viaje al sur). Te las llevaré para que las tengas en el viaje de vuelta.» ¿La paga? Sí, bueno, algunos problemillas al respecto, hijo. «Cuando te fuiste de Migdol, no nos mandaron tu dinero.» Peor aún, cuando Osea intentó hacer averiguaciones sobre los atrasos que se le debían, recibió la respuesta brusca e insolente que por definición suelen dar los subalternos de cualquier imperio. Lo siento muchísimo, en realidad yo no tengo nada que ver con esto, ¿sabe usted?, pero, por favor, presente usted la queja a las autoridades competentes. «Cuando vuelvas a Egipto, justifícaselo y te darán tu paga.» Bueno, escucha, hijo mío, continúa diciendo Osea, borrando de un plumazo cualquier idea de que haya podido fallar a su hijo en el asunto trascendental de su equipamiento, «no llores. Sé un hombre… Tu madre, los niños, todos están bien».

Convendría saber con más detalle cómo vivía Shelomam en el mundo fronterizo de los soldados judíos destacados en Elefantina, pero la carta se quedó ahí, de modo que quizá el muchacho no llegara nunca a la isla ni recibiera jamás su túnica ni su paga. O quizá sí, y se dejó allí la carta cuando se marchó. En cualquier caso, allí se quedó durante dos mil quinientos años, hasta que un egiptólogo aficionado estadounidense, ex periodista del *New York Herald Tribune*, Charles Edwin Wilbour, compró en 1893 ciertas vasijas de cerámica llenas de papiros a unas mujeres que buscaban fertilizante *sebagh* escarbando en los montículos de restos arqueológicos de la isla. «Todos estos papiros procedentes de Kom me los mostraron tres mujeres distintas en diferentes momentos», dice Wilbour en su diario. Pero cuando comprobó que se trataba de documentos escritos en arameo y pertenecientes a la XXVII dinastía, perdió el interés. Lo que él perseguía eran antigüedades faraónicas más vistosas y antiguas.

Veinte años atrás, había abandonado precipitadamente Manhattan cuando su viejo amigo, el rey de los sobornos de la ciudad, Boss Tweed, que había conseguido algunos suculentos contratos para la papelera propiedad de Wilbour, fue expulsado de la política. En París, Wilbour encontraría una nueva vida en el antiguo Egipto, cuya grandiosa historia aprendió con el eminente erudito Gaston Maspero. Armó una *dahabiya* para poder navegar con todas las comodidades por el Nilo en compañía de su esposa, la apasionada sufragista Charlotte Beebee, deteniéndose para participar en las excavaciones de Karnak, Luxor y Tebas. Reputados egiptólogos alemanes, franceses e ingleses encontraron divertido, y a veces incluso útil, el entusiasmo de aquel yanqui. En alguna ocasión Wilbour iría a visitar a Flinders Petrie en su rudimentaria tienda, y llegó a pensar que el arqueólogo británico llevaba una vida ostentosamente espartana al instalarse en un campamento como un árabe.

Luciendo una barba profética, Wilbour hizo del Nilo su sala de estar durante casi dos décadas. Cuando, casi al final de ese período, se detuvo en los tells de Elefantina junto a las mujeres que escarbaban en ellos, sabía perfectamente que el *sebagh* que buscaban para sus huertas eran los escombros pulverizados de antiguos ladrillos de barro mezclado con suficiente paja para darles el fuerte potencial en nitrógeno que poseían. Pero, desde luego, no era consciente de que bajo sus pies se hallaba una ciudad judía en ruinas, la primera que podemos reconstruir en el vibrante bullicio de su vida cotidiana: sus disputas por la fijación de la propiedad de cuartos y casas, de salidas y accesos; sus casamientos y sus divorcios; sus testamentos y contratos matrimoniales; su comida y sus vestidos; sus juramentos y sus bendiciones. Ignorante de todo ello, Wilbour cogió los papiros, debidamente plegados y cosidos, con el nombre de sus destinatarios en el exterior, como habían estado en los siglos v y iv a. e. c., y se los llevó a su residencia de París, donde moriría en 1896.

Diez años después fueron encontrados más tesoros por las expediciones alemanas, que se llevaron su contenido a Berlín y a París, y publicaron unos pocos más. Ni que decir tiene que los británicos, que habían hecho de Egipto uno de los dominios de su imperio, no se quedaron atrás. Numerosos papiros y fragmentos de cerámica con inscripciones —óstraka— fueron a parar a los destinos de rigor —Oxford y el Museo Británico—, y cuando los procónsules de la arqueología decidieron mostrarse magnánimos, a El Cairo. Algunos papiros fueron publicados a comienzos del siglo xx, pero fue al llegar el tesoro de papiros al Museo de Brooklyn cuando realmente se descorrió el telón que escondía la maravilla de la Elefantina judía.

Se conservan algunos fragmentos de cartas e inscripciones trazadas sobre cascotes de cerámica en hebreo lineal clásico (dos o tres siglos anteriores a los papiros de Elefantina), una serie de gritos y lamentos judíos medio perdidos entre las ráfagas del viento de los tiempos: un labrador de cuyas ropas se ha incautado un acreedor sin escrúpulos; un oficial de intendencia acorralado que se enfrenta a la llegada inminente de una horda de babilonios y que necesita urgentemente grano y aceite; un oficial de rango inferior de otra fortaleza que escruta en vano el horizonte intentando ver las señales de aviso enviadas por medio de hogueras desde las fortalezas de las colinas circundantes.

¿Y la Biblia hebrea? A menos que supongamos (como los judíos ultraortodoxos y los cristianos) que es la palabra de Dios dictada directamente a Moisés y los profetas, la mayor parte de la espléndida narración poética de las Sagradas Escrituras no es más que lo que otro arqueólogo ha llamado un «eco» de la verdad histórica. Y a veces, como sucede con la historia del éxodo, totalmente indocumentada, escrita casi medio milenio después de la época en la que supuestamente tuvo lugar el acontecimiento, es probable que no sea ni siquiera eso. De hecho, hay un punto en el que el relato y la realidad de la historia judía convergen, pero la Biblia hebrea es la impronta de la mentalidad judía, la representación de su progenie y de sus orígenes imaginarios; es la epopeya del tratado de alianza de Israel con YHWH, el Dios único e incorpóreo que se mueve a través de la historia, y al mismo tiempo el tesoro original de su imaginación espiritual.

Los tostados papiros de Elefantina, con su escritura clara y profesional, nos ofrecen algo del todo distinto, algo más terrenalmente humano y profano: el relato cotidiano de las vidas de unos expatriados de Judea e Israel a los que podemos acompañar de una forma tan natural y material como si estuviéramos viviendo entre ellos; tipos duros, madres angustiadas, esposas esclavas, individuos curiosos y quisquillosos que pleitean por las lindes de sus fincas o que redactan contratos matrimoniales, escribas, empleados del templo, menores que se muestra indignadas por haber sido inducidas a caer en la trampa, peces gordos y gente de poca monta. Conocemos sus nombres, nombres habitualmente judíos terminados en el sufijo teofórico *yah* (-ías), que implantan a YHWH en su identidad pidiendo que proteja sus vidas: Berechiah (Berequías), Ananiah (Ananías), Delaiah (Delaya), Mahseiah (Masías), Shemaiah (Semeías), Gedaliah (Godolías), Jedaniah (Jedanías), Mibtahiah (Mibtaías), Pelaliah (Pelayas), Malchiah (Malaquías), Uriah (Urías), Jezaniah (Jezonías), Gemariah (Gamarías), Azariah (Azarías), Zechariah (Zacarías).

Allí estaba el pueblo de YHWH, reunido en aquella islita en forma de maza en medio del Nilo. Tal vez no fuera la morada de los lotófagos, pero, en definitiva, no era un sitio tan malo; bien provisto de sombra en medio del calor abrasador; famoso por sus higueras, que nunca perdían las hojas, y por sus características palmeras dum con su penacho de hojas alargadas, que solo se encuentran en la zona sur del Nilo, con cañaverales bordeando la orilla del río y acacias, cinamomos y moreras un poco tierra adentro. Era una densa concentración de verde en el punto en que las tierras de aluvión cultivables de la margen izquierda del río se reducían a una estrecha franja al pie de las dunas doradas. En la margen derecha, todavía más árida, se elevaban las canteras de Siene, junto a las cuales se hallaba un campamento de soldados y canteros arameos. Los bloques de granito gris de la zona, con manchas de color rosa o rojo sangre, eran laboriosamente cargados en barcas y barcazas y enviados río abajo para que los maestros de obras construyeran templos y mausoleos, como si los nobles egipcios fueran todavía señores faraónicos y no, desde que el país fuera conquistado por Cambises a finales del siglo VI, meras hechuras del capricho de los persas. Uno de esos bloques era tan grande que con él pudo construirse un edículo entero, o al menos eso dice Heródoto (al que acaso podamos acusar de exagerar un poco). Añade que el bloque en cuestión era tan enorme que se tardaron tres años en llevarlo río abajo hasta su destino, Sais, en la parte occidental del delta, y que se necesitaron dos mil conductores para su transporte.

Elefantina —Yeb para la población local, nombre derivado del egipcio *Iebw*, que significa «lugar de elefantes» (aunque nadie, ni siquiera Heródoto, sabía por qué, si bien las piedras peladas, de color grisáceo y forma redondeada, que hay en el río recuerdan desde luego a los lomos de unos paquidermos revolcándose en el agua)— era famosa por constituir los confines del verdadero Egipto, el límite de la civilización antes de que esta se evaporara en las arenas y los pedregales de Nubia.

Era allí donde el río letárgicamente plagado de barro, arrastrando su cargamento de lodo fertilizante, sufría de repente un cambio radical de personalidad, saltando enloquecidamente por encima de los afloramientos de granito que precipitaban a los barcos hacia la catarata. Solo los «barqueros de las aguas bravas», vecinos de los judíos, la brutalidad de cuyos modales era comparable a todas luces a la de las turbulentas aguas del río, eran capaces de dominar su furia, navegando río arriba en medio de la espuma y los torbellinos ayudándose de cuerdas atadas a las piedras que bordeaban el río. El geógrafo Estrabón —cualquier viajero griego que se preciara llegaba hasta la Elefantina del siglo v a. e. c.— los presenta realizando saltos acrobáticos en el agua para deleite de los turistas. El torrente espumoso guardaba celosamente muchos misterios —como la rapidez de la vida egipcia—, pues entre las cimas de las montañas gemelas de Crofi y Mofi que se elevaban a una y otra orilla del río —o al menos eso asegura Heródoto que le había contado un sacerdote egipcio— se hallaban las mismísimas fuentes del Nilo, tan insondables que nadie era capaz de alcanzar su fondo. Y así lo pudo constatar el faraón Psamético I, que hizo trenzar una cuerda de muchos miles de brazas, la lanzó a las profundidades de las vertiginosas aguas y no logró tocar fondo. Aquella fuerza que corría por debajo de la superficie era la válvula fluvial que dividía la corriente, enviando una parte hacia el sur, a la ardiente Nubia, y otra hacia el norte, a alimentar el valle de aluvión. En Elefantina era venerado el dios Jnum, de cabeza de carnero, pues era él el que aseguraba la inundación anual, sin la cual los labradores de la zona estaban condenados a morir de hambre. Los carneros sagrados de Jnum tenían en la isla su propio mausoleo, y sus momias descansaban allí donde a los escultores les apetecía tallar en la piedra caliza animales de aspecto lustroso y lanudo. Un nilómetro situado en la escalinata que conducía a la orilla del río medía la constancia de la benevolencia de Jnum.

Del mismo modo que con el río llegaban a la isla fortificada mitos y rituales, también lo hacían hombres, dinero y armas. Junto con Siene, Elefantina había sido la guardiana del país del sur, la válvula de presión del Egipto clásico. Necesitaba mantenimiento, vigilancia, control; pero ¿qué clase de faena era esa para los judíos? ¿Qué hacían allí? ¿Habían sido sordos a las advertencias de Jeremías? Aun así, en la época en que los expatriados de Israel y Judá, procedentes del norte y del sur de Palestina, volvieron a bajar al valle del Nilo, probablemente a finales del siglo VII a. e. c., los libros de muchos profetas todavía no habían sido escritos y menos aún habían empezado a circular.

La identidad judía se formaría finalmente entre los dos polos culturales del Nilo y del Éufrates, pero la aguja magnética de atracción y repulsión oscilaba de forma desigual. La redacción de la Biblia tuvo lugar en Judea y Babilonia, no en Egipto. En la mente y en los escritos de los doctores, los escribas y los profetas hebreos —todos aquellos que, entre los siglos VII y V a. e. c., compilaron y redactaron los recuerdos, las tradiciones orales, el folclore y los escritos que acabarían convirtiéndose en la Biblia canónica— había una emigración buena (a Mesopotamia) y otra mala (a Egipto). Las dos eran cautiverios a manos del despotismo de las tierras del agua; las dos sostenían a pujantes poblaciones urbanas procedentes de las llanuras regadas por la crecida de los ríos; las dos producían grano y frutos en las tierras de aluvión. Los dos estados, llenos de ciudades, disfrutaban de riqueza y orden gracias a los jeroglíficos y las letras, las leyes y las epopeyas, las pirámides y los zigurats. Aunque los dos eran exterminadores brutales, ambos estaban dominados por cultos sacrificiales (Marduk y Ra) y los dos eran víctimas de una idolatría voraz, el país situado entre el Tigris y el Éufrates nunca figuró en la mentalidad protojudía con unos rasgos tan demoníacos como el valle del Nilo. Si hay algo en lo que coinciden los memorialistas y los autores de la Biblia hebrea es en la dificultad de la vida de los judíos en Egipto.

Vivir en Egipto era hacerlo de manera impura o en servidumbre; así es como pintaban la vida los autores del Génesis y del Éxodo. En el Deuteronomio, el libro que más que ningún otro define las obligaciones de la memoria judía, Dios es definido del mismo modo que en el Éxodo, como aquel «que te sacó de la tierra de Egipto». Todo esto fue escrito en torno a los siglos VII-VI a. e. c., precisamente en el momento en que los judíos volvieron a ella. Para los «deuteronomistas», que reelaboraron también la historia oral y la convirtieron en el relato de los libros de los Jueces y de los Reyes, cualquier regreso de ese estilo habría supuesto una violación escandalosa de la alianza.

El destierro en Babilonia tras el saqueo de Jerusalén en el siglo VI a. e. c., por otra parte, de alguna forma misteriosamente punitiva, era reconocido por el Dios que lo había ordenado como una vuelta a la fuente primigenia, al manantial del deseo de alianza. Los autores del Génesis, que rastrean el viaje de Abraham hacia una comunión visionaria con YHWH, y el origen de la idea de un pueblo aparte bajo la guía y la protección especiales de Dios, situaban la cuna de Abraham en Caldea, en Mesopotamia. Pues bien, la primerísima cuna del monoteísmo era la ciudad-estado de Ur. Eso era lo que daba una importancia especial a la destrucción, fruto de la corrupción, del Templo de Jerusalén a manos de los babilonios, capitaneados por Nabucodonosor, en 587 a. e. c. El pueblo del que los israelitas se habían apartado por primera vez para abrirse camino en la historia, era convertido ahora en el instrumento del modo en que YHWH volvía a ponerlos en contacto con la alianza primitiva. Babilonia eliminaba el Templo. De Babilonia —o del imperio que la sucediera, el de los persas— provendría su restauración purificada, cuando, tras medio siglo de destierro, Ciro, el rey de los persas, ordenara que se les permitiera volver a Jerusalén.

En la mentalidad de los autores de la Biblia, Babilonia-Persia había sido elegida como instrumento de la voluntad divina. Egipto era siempre el enemigo obstinado de los planes que tenía YHWH para la historia. Este sentimiento de enemistad perpetua e irreconciliable probablemente fuera mutuo. La primera vez que aparece «Israel» en un objeto histórico es a finales del siglo XIII a. e. c., en la famosa inscripción triunfal del faraón Merneptah, hijo de Ramsés II, este último identificado tradicionalmente con el monarca «duro de cerviz» del Éxodo. «Israel ha sido asolado —reza la inscripción—, su semilla ya no existe», y el jeroglífico deja meridianamente claro que por «Israel» se entiende un pueblo, no un lugar. La historia de Egipto escrita por el sacerdote y gramático Manetón (redactada en el siglo III o II a. e. c., y conocida por nosotros gracias a la obra del historiador judeo-romano Flavio Josefo, del siglo I e. c.) relata la salida de los israelitas de Egipto, pero como la expulsión de una población impura de parias, esclavos y quizá bandoleros, no como el éxodo victorioso de los Hijos de Dios, los protegidos de YHWH.

En este sentido, la epopeya de liberación de la Torá (el Pentateuco cristiano, los cinco libros de Moisés con los que comienza la Biblia) era una inversión de esa indignidad; la identidad de Israel establecida no solo como una separación de la servidumbre de Egipto, sino también como una inversión del metarrelato triunfal de Egipto. Puede que Babilonia destruyera Jerusalén y el Templo, pero no erradicaría la fe; el plan divino del destierro contribuiría incluso a sostenerla. Egipto era otra cosa completamente distinta; volver a él, como advertía Jeremías cuando lo llevaron allí, era exponerse a la perdición espiritual y física. No había que volver nunca al Nilo.

Y, sin embargo, eso fue precisamente lo que hicieron los judíos, una y otra vez, tan a menudo y de forma tan incorregible que cuesta trabajo pensar en la historia de los judíos como algo separable de Egipto. Egipto era en último término los otros, «ellos»; pero, generación tras generación, Egipto ha sido también inequívocamente «nosotros». El más judío de los nombres, el de Moisés el libertador, en cuya epopeya fue definida por primera vez una nación, era posiblemente egipcio. Qué más da que una de las esposas del rey Salomón fuera la hija del faraón. «No vayas a Egipto a por caballos», le advertía Isaías a Ezequías, rey de Judá, pues sabía que eso era lo que habían venido haciendo durante siglos los habitantes de Israel y de Judá, comprar caballos para las grandes cuadras del norte de Palestina.

Fueran cuales fuesen los riesgos que comportara, cuando los asirios se habían lanzado a llevar a cabo devastadoras conquistas fuera de Mesopotamia a finales del siglo VIII a. e. c., la relación con Egipto sería trascendental para la supervivencia de los reyes y del pueblo de Israel y de Judá. Por entonces los últimos reyes de Israel, cuya capital se encontraba en Samaria, forjaron una alianza táctica con Egipto (aunque al final no supusiera impedimento alguno para su destrucción, sino probablemente al revés). En los últimos años del siglo VIII a. e. c., acorralado en Jerusalén por el ejército asirio de Senaquerib que lo asediaba, el rey Ezequías construyó los acueductos en forma de túneles subterráneos que marcarían la diferencia entre la capitulación y la supervivencia, pero seguiría necesitando la ayuda de Egipto.

Qué sucedió cuando el imponente ejército de Senaquerib cercó Jerusalén en 715 a. e. c. constituye uno de los grandes misterios. La Biblia y Heródoto nos cuentan que el ejército asirio sucumbió a una plaga imposible de identificar (Heródoto afirma curiosamente que un tropel de ratones royeron sus aljabas, sus arcos y los brazales de sus escudos). La propia inscripción triunfal de Senaquerib se jacta de las numerosas ciudades de Judá destruidas y saqueadas por su ejército, y de haber encerrado a Ezequías en su ciudadela real «como a un pájaro en su jaula», pero reconoce que no logró vencerlo. Lo más chocante —aunque verosímil desde el punto de vista histórico— es la afirmación que aparece en las fuentes egipcias, según las cuales fue un ejército capitaneado por un faraón nubio de la XXV dinastía el que rompió el asedio asirio y preservó el reino de Judá y su capital, Jerusalén. Egipto se convirtió en el salvador de Judá.

Durante los dos siglos siguientes —la época en que empezó a escribirse la Biblia—, Judá se quitó de encima a los mesopotámicos y a los egipcios enfrentándolos entre sí. El momento decisivo del reasentamiento de los judíos en Egipto se produjo tras el primer asedio de Jerusalén por Nabucodonosor en 597 a. e. c., cuando buena parte de la élite de Judá —sacerdotes, nobles y escribas— fue deportada al Éufrates, lo que obligó a la gente sencilla —labradores, pastores y artesanos— a defenderse sola. Diez años después, los babilonios asestaron el golpe de gracia al destruir Jerusalén y el Templo de Salomón y causar una devastación terrible en las zonas rurales. Muchos de los que prefirieron no quedarse en aquel paisaje desolado de cenizas y ruinas emigraron al sur, a las colonias de judíos por entonces ya firmemente asentadas en Tafnis, Menfis y la que Jeremías llama Patros, la provincia del sur, cuya capital era Elefantina.

Consciente de que los judíos habían regresado a Egipto para salvarse de las dificultades, la hambruna y el terror que se precipitaron sobre Judá, Jeremías fue también a Egipto para advertirles de que no abrigaran falsas esperanzas de disponer de un refugio. «Si volvéis vuestros ojos a Egipto, para iros allá y habitar en él, la espada que teméis os alcanzará sobre la tierra de Egipto, el hambre que receláis os sobrevendrá en Egipto y os hará morir allí.» El delirante profeta Ezequiel, que escribió sus advertencias en un campo de trabajo babilonio a orillas del canal de Quebar, adopta en ellas un tono más feroz si cabe cuando fulmina a los que confían en los egipcios. Canalizando la voz de YHWH a través de la suya, se dirige al propio faraón en los siguientes términos:

> ¡Heme aquí contra ti, oh Faraón, rey de Egipto! Cocodrilo gigantesco, echado en medio de tus ríos, te dijiste: «Míos son los ríos, yo mismo los he excavado». Yo pondré un aro en tus quijadas y te sacaré de en medio de tus ríos, con todos los peces que hay en ellos, pegados a tus esca-

mas, y os arrojaré al desierto a ti y a todos los peces de tus ríos … y te daré en pasto a las fieras de la tierra … Yo haré del Egipto desierto y soledad, desde Migdol hasta Siene, hasta las fronteras de Etiopía. No pasará por él pie de hombre, ni pie de animal pasará por allí, y quedará por cuarenta años deshabitado.

A pesar de lanzar aquella perorata en Babilonia, parece que Ezequiel sabía, mejor aún que Jeremías, dónde se habían establecido exactamente los expatriados de Judá tras la destrucción de Jerusalén, en concreto «en la tierra de Patros», que se convertiría, según advertía de nuevo el profeta adoptando la voz de YHWH, en «el más humilde de los reinos». Pero los judíos del país del sur no perecieron en un territorio condenado a cuarenta años de desolación; antes bien prosperaron. De modo que cuando se produjo la conquista persa, en 515 a. e. c., capitaneada por Cambises, el hijo de Ciro, los militares judíos de Elefantina se encontraban en una situación que les permitió hacer algo extraordinario: construir un templo, una Casa de YHWH, o Jehú en arameo, la divinidad a la que llamaban Dios de los Cielos. Y lo hicieron a pesar de la prohibición estricta y explícita (recogida en los libros de los Reyes y de las Crónicas, y expresada no una vez sino dos, la primera durante el reinado de Ezequías y luego de nuevo durante el reinado del reformista Josías, a finales del siglo VII a. e. c.) de que hubiera templos fuera de Jerusalén.

Más aún, para los soldados judíos y sus familias, y para toda la floreciente comunidad que los rodeaba, el Templo de Elefantina no era un centro provincial que funcionaba clandestinamente. Tampoco siguió el modelo de lo que se conocía del Primer Templo por la Biblia; sus cinco puertas de piedra daban a un amplio patio con un santuario en el centro para el Arca de la Alianza y la Torá. La puerta del sanctasanctórum interno tenía goznes de bronce y un techo de cedro, y en su interior se guardaban vasos de oro y plata.[2] Peor aún, en una flagrante violación de las prohibiciones bíblicas, se hacían regularmente en él sacrificios de animales y ofrendas de grano e incienso, pues al fin y al cabo era la morada de YHWH y (casi como si de una divinidad local más se tratara) había que cubrir sus necesidades.[3] Así que eran numerosas las aspersiones con sangre y las columnas de humo procedentes de las «ofrendas ardientes», por lo general ovejas y corderos, detalle que, teniendo en cuenta el predominio del culto de Jnum, el dios carnero, en el templo egipcio situado justo al otro lado de la «vía del Rey», resultaba peligrosamente inapropiado. Debía de constituir, además, una ofensa a las autoridades de Jerusalén, recientemente restituidas en su puesto (los sacerdotes, los escribas y los autores de los libros proféticos). Pero los judíos de Elefantina no se arrepentían de nada y estaban muy orgullosos de su templo, del que decían que era tan importante que, cuando Cambises destruyó los santuarios de los egipcios, se encargó de conservar intacta la Casa de YHWH.

Para que entendamos cómo eran los judíos en ese momento embrionario de su existencia colectiva, que hubiera un templo de YHWH en el Alto Egipto significa dos cosas: o bien que eran unos judíos prebíblicos, esto es, que conocían solo algunos de los códigos jurídicos de la Torá y algunos elementos de la epopeya fundacional, pero todavía no habían aceptado el Deuteronomio, el libro escrito doscientos años antes, aparentemente el legado oral que Moisés había dejado a los israelitas cuando murió a los ciento veinte años, que codificaba con mayor rigor los mandamientos mucho más vagos y a menudo contradictorios del Levítico; o bien que los judíos de Elefantina conocían en efecto los preceptos y las represiones mosaicas del Deuteronomio, y quizá incluso estaban perfectamente al tanto de las reformas de los reyes Ezequías y su bisnieto Josías, que hacían del Templo de Jerusalén el único centro de sacrificios rituales y de peregrinación, pero no estaban dispuestos a rendirse a su monopolio. Los *yahudim* de Elefantina eran yaveístas que no iban a atenerse ni mucho menos a la observancia al pie de la letra de lo establecido por los jerosolimitanos, del mismo modo que, pongamos por caso, la inmensa mayoría de los judíos actuales que creen ser observantes, a su modo, de la ley, tampoco están dispuestos a aceptar de los ultraortodoxos que les enseñen lo que significa ser judíos (o, peor aún, quién es judío y quién no lo es).

Es posible incluso que los sacerdotes, los ancianos y los empleados que se encargaban del cuidado del Templo de Elefantina, y que constituían la élite de la isla, creyeran que su santuario era más fiel al original salomónico que el modesto edificio reconstruido en Jerusalén (y que no se completó hasta 515 a. e. c.). Algunos quizá llegaran a Egipto en el siglo VII a. e. c., como consecuencia de una reacción hostil a la vuelta al politeísmo propugnada por el rey Manasés, y puede que construyeran un edificio siguiendo el modelo y las proporciones del santuario del tabernáculo descrito en la Biblia.[4] Como en Palestina, las sinagogas, los lugares donde reunirse y orar, todavía eran desconocidas. El templo era el único centro monumental de la comunidad, la manifestación arquitectónica de su religión. Es probable que en medio hubiera una columna de culto, una *masebah*, muy parecida a la que había en otro santuario, el de la fortaleza de Arad, en el extremo norte del desierto del Néguev. Y puede que hubiera una mesa sacrificial de piedra rematada con cuernos, habitual también en los santuarios templarios fuera de Jerusalén.

Aun así, como es comprensible que preguntara una madre judía a su hijo, el comisario de la exposición del Museo de Brooklyn, acerca de los papiros Wilbour hace algunos años, aquellos judíos egipcios prebíblicos, que habían viajado tanto, ¿eran «realmente judíos»? Sus nombres —Zacarías, Gamarías, Jedanías, Ageo, Masías o Mibtaías— proclamaban inequívocamente que eran *yahudim*, y poner nombre en el mundo antiguo no era algo banal. Tenían el mismo calendario lunar que sus padres, con los hermosos nombres de sus meses (marjeshván, kislev, tishrei, nisán…), y para ellos el tiempo estaba dividido del mismo modo que lo está actualmente para los judíos dos mil quinientos años después. Parece que circuncidaban a sus hijos, pero por entonces así lo hacía todo el mundo en Egipto, aunque no en la infancia, y mucho menos al octavo día del nacimiento.[5] Lanzaban bendiciones y a veces maldiciones, prestaban solemnes juramentos, firmaban contratos jurídicos y concluían sus cartas invocando al «Dios del cielo y de la tierra»: «Te bendigo por YHWH», «Que YHWH te bendiga», «Quiera YHWH que recibas buenas noticias todos los días», «Quiera YHWH que este día sea bueno para ti». Aunque se sabe que a veces invocaban a divinidades arameas, fenicias e incluso egipcias cuando se suponía que era una cuestión formal, hacía tiempo que en la propia Judea no había ningún problema en profesar la propia devoción a YHWH y a la diosa que habitualmente se consideraba su consorte, Asera. Las reprimendas de los profetas más exclusivistas, como el llamado «Segundo Isaías», que añadió veintitantos capítulos al libro de Isaías quizá dos siglos después de que fuera redactado el original, y que exigía una devoción «solo a Yavé», quizá no tuvieran efecto sobre los judíos de Elefantina, cuyos antepasados habían llegado a Egipto embebidos de las tradiciones y la magia de la religión popular israelita.

Aunque en el Deuteronomio no se alude en ningún momento al sabbat (ni tampoco al día de la Expiación), sabemos que los judíos de Elefantina lo guardaban (o, como la mayoría de los judíos en la actualidad, sabían que se suponía que se debía guardar). En la colonia había muchos individuos llamados Shabbetai (aunque algunos tal vez fueran arameos que respecto al día de descanso quizá tuvieran las mismas ideas ambiguas que en lo concerniente a los negocios y la misma flexibilidad que mostraban los jerosolimitanos cuando permitían a los mercaderes tirios no judíos vender sus mercancías el sábado, dentro y fuera de los muros de la ciudad). Si en la actualidad las actitudes respecto a lo que está permitido o no hacer el sábado son asombrosamente distintas en Tel Aviv y en Jerusalén, era irremediable que Elefantina se pareciera más bien a la moderna Tel Aviv. Sin embargo, una carta escrita en un cascote de cerámica y dirigida a un tal Islah, residente en la ciudad, revela claramente cuánto podía llegar a preocuparse la gente por lo que había que hacer antes de que el trabajo se interrumpiera con la llegada del sabbat: «Mira, mañana te envío las verduras. Ve allí [al muelle] mañana antes de que llegue el barco debido al sabbat [*bsbh* en arameo], para que no se estropeen. ¡Si no lo haces, te juro por la vida de YHWH que te mato! No te fíes de que se ocupen de ellas Meshullemeth o Shemaia [de nuevo dos nombres teóforos judíos]. A cambio, véndeme la cebada». Y por si Islah no lo ha entendido bien, se repite la amenaza: «Ahora, por vida de YHWH, si no lo haces, lo pagarás».

Más clara que la observancia del sabbat era (y es) la reunión con motivo de la Pascua, que es lo que hace verdaderamente judíos a los judíos. La Pascua en Elefantina debía de ser un poquito rara, pues su YHWH se definía como el libertador de Egipto, y el éxodo era concebido como el verdadero momento de la separación, del nacimiento religioso y nacional, como la condición necesaria para recibir la Ley que distinguía a los judíos como un pueblo aparte. Pero, evidentemente, los judíos de Elefantina no eran del todo una población segregada, y desde luego no pensaban irse a ninguna parte, en cualquier caso *motu proprio*. La primera Hagadá, el ordenamiento narrativo del rito del Séder al comienzo de la Pascua, data del siglo IX e. c., así que se desconoce lo que recitaban o no recitaban los judíos egipcios —de Tafnis y Menfis, aparte de los de Elefantina— la víspera de la Pascua. (El propio «orden» formal del Séder fue, como tantos otros elementos supuestamente de fecha inmemorial, una institución de los rabinos no anterior al siglo III e. c., probablemente una respuesta a la eucaristía de la Pascua cristiana, y no su modelo.)

Los ancianos de la Jerusalén del siglo V a. e. c., preocupadísimos como estaban por las contaminaciones «foráneas», quisieron poner el sello de su autoridad a las indisciplinadas prácticas de los judíos del extranjero. Esdras, el «Escriba del Dios del Cielo», fue enviado por el rey Artajerjes para corregir las prácticas poco rigurosas de los que se habían quedado en Palestina tras la destrucción del Templo, y sobre los cuales los desterrados de Babilonia abrigaban sospechas de que tenían costumbres impuras, de que se habían entregado a los hábitos paganos y de que se casaban con «extranjeras». En 419 a. e. c., un tal Hananiah (Ananías), muy probablemente hermano o pariente de Nehemías, el gobernador de Judea recién llegado del destierro, escribió una carta al jefe de la comunidad judía de Elefantina, Jedaniah bar Gemariah (Jedanías, hijo de Gamarías), exponiendo cuál era la ley sobre la observancia de la Pascua.[6] Y quizá llevara la carta a Egipto en persona. En un momento determinado, Ananías hizo su aparición en Elefantina, y con él llegaron los problemas.

No es raro que, en momentos de la historia de los judíos como este, encontremos a un judío diciéndole a otro cómo se supone que hay que hacer las cosas. Ananías se encarga de no reproducir el tono amenazador de Ezequiel y Jeremías exigiendo la salida inmediata del país maldito —¿qué sentido habría tenido?—, pero los detalles de las correcciones de Ananías nos sugieren una visión muy lúgubre de la falta de rigor con la que los judíos de Elefantina celebraban la fiesta de la partida. Una carta escrita en un óstrakon en la que un individuo le pregunta a otro que le diga «cuándo celebrarás la Pascua», da a entender que se trata de una fiesta movible según la conveniencia de cada uno. De ese modo, Jedanías recibe instrucciones de Ananías sobre qué día en concreto del mes de nisán comienza el banquete (el 15), cuánto tiempo dura y que lo fundamental es comer exclusivamente pan sin levadura, la *matzá*. Como los egipcios de esta época eran grandes consumidores de pan, este precepto habría supuesto sin duda una ruptura total con su rutina doméstica. En cuanto al otro elemento habitual de su dieta, la cerveza, durante la Pascua debían abstenerse de la «bebida fermentada». La observancia moderna ha compensado esa prohibición del alcohol exigiendo la presencia de cuatro copas de vino en el Séder. «No trabajes el día 15 ni el día 21 del mes de nisán». Y «sé puro». El sexo no tenía nada de impuro en la tradición judía (a menos que se practicara durante la menstruación), de modo que este último precepto suponía, o bien una orden de realizar el sacrificio de los animales en consonancia con los rituales de purificación del Templo de Jerusalén, o bien evitar por completo cualquier contacto con los muertos, algo que en un país lleno de momias embalsamadas como Egipto no resultaba fácil. ¿Qué había que hacer con los *jametz*, los distintos tipos de hogazas, cortezas y migas de pan, o cualquier cosa que hubiera estado en contacto con ellas, tan radicalmente eliminadas en la actualidad de las casas judías ortodoxas cuando se acerca la Pascua? Sorprendentemente para los modernos guardianes de la ley, Ananías ordenaba que los *jametz* entraran en las casas de los judíos, fueran almacenados en vasijas y ollas, y guardados mientras durara la fiesta. Esta costumbre desconcertaría por completo a los modernos observantes del Talmud, para quienes la invisibilidad no significa nada, aunque la Misná (la primera versión escrita de la Torá oral) y el Talmud (la inacabable antología de comentarios en la que se incluye la propia Misná) permiten la «venta» temporal de alimentos con levadura y otros objetos a los vecinos no judíos.

No podemos tener la seguridad de si Jedanías, hijo de Gamarías, hizo lo que se le había dicho e indujo a los judíos de Elefantina a seguir una observancia más estricta de la Pascua o no, pero la misión llevada a cabo por Ananías para imponer a los judíos de Egipto su sumisión nos indica un alto grado de preocupación entre los jerosolimitanos por las costumbres poco ortodoxas que tenían. Y no se equivocaban del todo al mostrarse tan suspicaces, pues en otro aspecto trascendental, en un asunto que iba al fondo de la cuestión de lo que significaba ser judío —las condiciones bajo las que los judíos podían contraer matrimonio con gentiles—, los soldados y sus compañeros habían adoptado una postura decididamente relajada; además, sus superiores persas los animaban a crear familias. No nos imaginemos unos cuarteles polvorientos de mozos solteros que se ganan la vida con el sudor de su frente en el fin del mundo, perdidos en medio de la miseria, la ebriedad y el aburrimiento. Elefantina era, a su modo (como las cosmopolitas guarniciones del Muro de Adriano), una ciudad de familias, y se suponía que sus soldados originarios de Judá engendrarían hijos que, cuando crecieran, prestarían servicio a su vez en la «brigada», el regimiento de la frontera. Aparte de la guarnición, había judíos —servidores del templo, escribas, mercaderes y artesanos— que vivían en casas de adobe de color pardo, a menudo de dos plantas, con hogares para cocinar y establos en la planta baja, y habitaciones sorprendentemente espaciosas en la de arriba. Las puertas de la casa daban a calles más estrechas de lo que puedan dar a entender nombres grandilocuentes como «vía del Rey», pero lo cierto es que las excavaciones llevadas a cabo desde la última década del siglo XX han desenterrado una verdadera ciudad; había peldaños de losas de piedra que conducían de un nivel a otro, muros altos, vías largas y rectas y callejones tortuosos. No hace falta demasiada imaginación para caminar por las calles de Elefantina, oyendo los chismorreos y oliendo los vapores que exhalaban las ollas. No se trataba de un barrio cerrado de judíos. Estos tenían vecinos persas, caspios y, naturalmente, egipcios. Y a veces, como nos revelan los contratos conservados en los papiros, se casaban con las hijas de sus vecinos. La cosa resultaba más fácil si las extrañas entraban a formar parte de la comunidad de YHWH, pero aun así los libros del Éxodo y del Deuteronomio manifiestan una opinión adversa respecto a semejantes prácticas («no contraigas matrimonios con ellas, no des tus hijas a sus hijos», Deuteronomio 7, 3), como harían otros libros posteriores de la Biblia y el Talmud.

Pero mientras Judea era víctima de invasiones y deportaciones, cuando buena parte de su población se hallaba en Babilonia o en Egipto, y la propia Palestina era el patio de armas de soldados mercenarios, es natural que los que se sentían obligados a preservar y restablecer la religión del único Dios «de los Cielos y de la Tierra» se pusieran a la defensiva. Los escribas y los profetas pensaban que los habitantes de Judá y de Israel que se habían quedado en los montes y los valles de Palestina eran especialmente vulnerables a volver a incurrir en el paganismo. Si contraían matrimonio con «edomitas» u otras mujeres paganas de dudosas costumbres, su determinación de obedecer los preceptos de la Ley se debilitarían por el evidente apego de sus cónyuges a sus «abominaciones». Comerían carne de cerdo; la influencia egipcia o fenicia convertiría a YHWH en el dios de la luna en cuarto creciente; empezarían a aparecer tres columnas en sus casas y en sus sepulcros. No serían mejores que las naciones paganas. Buena parte del libro de Esdras, escrito más o menos por la época en que floreció Elefantina, a mediados del siglo V a. e. c., y más o menos contemporáneo de los hechos que describe, se dedica a ordenar a los habitantes de Jerusalén y de Judea que se habían quedado en la zona tras la destrucción del Templo y que habían contraído matrimonio con la población local, que «repudien» a sus esposas extranjeras.

No así los habitantes de Elefantina, que, a su juicio, tenían una forma totalmente distinta de ser fieles seguidores de YHWH. Uno de sus empleados, un *lechen* del Templo de Jehú, Ananías bar Azarías, tenía en tan poco aprecio —o, mejor dicho, conocía tan poco— las estrictas prohibiciones establecidas en Jerusalén que contrajo matrimonio con su sirvienta, una esclava egipcia adolescente, Tapemet, llamada Tamet.[7] Pero Tamet no era la esclava de su marido. En el antebrazo izquierdo llevaba un tatuaje con la marca de su propietario, Meshullam, otro destacado personaje del abigarrado mundo de Elefantina. Es muy probable que Meshullam adquiriera originalmente a Tamet como garantía colateral por un préstamo de monedas de plata hecho a una mujer judía, Jehohen. Estas garantías humanas eran una práctica habitual, y en este caso Meshullam, que cobraba un 5 por ciento de interés por el préstamo y que en el contrato especificaba que si los atrasos en el pago se prolongaban más de un año se incautaría de cualquier posesión que quisiera de la mujer, decidió hacer efectiva dicha cláusula.

Cómo conoció Ananías, hijo de Azarías, a su futura esposa es una mera conjetura, y cualquiera pude hacer la suya. La mía es la siguiente. Tamet quizá estuviera en casa de Meshullam cuando Ananías fue a visitarlo, pues los dos se conocían bien. Por lo que respecta al propietario de la esclava, debía de darle igual que Ananías quisiera a la egipcia como concubina, incluso, como sucedió, cuando la muchacha tuvo de él un hijo llamado Pilti. Por su parte, Ananías habría podido quedarse en eso, en un padre que visitara de vez en cuando a su hijo. Pero no lo hizo; antes bien, en 449 a. e. c. se casó con Tamet la egipcia. «Es mi esposa y yo soy su marido de hoy en adelante», dice el «documento jurídico de toma de esposa». Fuera cual fuese el afecto que indujera al liberto Ananías a contraer matrimonio con la esclava, no tuvo nada que ver con consideraciones mercenarias de ningún tipo. Todo lo que Tamet aportó al matrimonio como dote fue «un vestido de lana», un espejo barato (no olvidemos que estamos en Egipto), un par de sandalias y un poco de aceite balsámico (material precioso) y de aceite de ricino (no tanto, aunque no hay que menospreciarlo), todo ello valorado en siete miserables siclos. Eso es todo lo que la joven madre tenía, lo que pudo aportar a aquel matrimonio a todas luces por amor. Es evidente que Meshullam, el propietario de la novia, no se dejó conmover. Desde el punto de vista legal, el nuevo estatus de Tamet como esposa no significaba que quedara libre de su amo, aunque se fuera a vivir a casa de su marido. Pero Meshullam supo regatear muy bien y exigió (al fin y al cabo era un hombre práctico) que, si la pareja se divorciaba, él conservaría sus derechos de propiedad sobre el pequeño Pilti. Si el padre o la madre fallecían, se quedaría con la mitad de las posesiones que pudiera poseer la pareja. Los recién casados no estaban dispuestos a aceptar estas condiciones, pleitearon y consiguieron una nueva versión del contrato. Si Meshullam reclamaba a Pilti, tendría que pagar una cuantiosa multa, y quedaba excluido de todo derecho a la mitad de las posesiones de la pareja si uno de los dos fallecía; un resultado sumamente satisfactorio para Tamet y Ananías.

No se sabe adónde se fueron a vivir ni si vivieron juntos desde el primer momento. Estamos ante documentos jurídicos, no ante el diario de un matrimonio. Aun así, doce años después de casarse con Tamet, Ananías compró una casa destartalada, perteneciente a unos caspios, Bagazushta y Whyl, que consiguió por el precio realmente bajo de catorce siclos. Desde luego, no era gran cosa; se trataba de un simple edificio en ruinas situado no lejos del Templo. Aunque solo constaba de un patio fangoso y no tenía más que los marcos de las ventanas, pero no las vigas para la cubierta, aquella chabola se convirtió —a decir verdad con bastante retraso— en el domicilio de la pareja. Tres años más tarde, cuando Ananías la hizo habitable, concedió formalmente a Tamet un «aposento» (de hecho, una sola habitación). Algo así no solía suceder con las esclavas, por mucho que se adaptaran a las normas kosher. Casi con toda seguridad, el motivo de que ocurriera todo esto fue el nacimiento de un segundo vástago, una niña llamada Jehoishima.

No sabemos cómo, en aquel mundo de callejuelas de elevados muros, semejantes a los de una fortaleza, el propietario de la esclava, la antigua esclava, el servidor del Templo y sus hijos se convirtieron en una familia en sentido lato. En 427, cuando Jehoishima solo tenía siete años, su propietario legal, el implacable Meshullam, tras recibir quizá algún empujoncito pecuniario, manumitió a la niña y a su madre, Tamet, y, concediéndoles una libertad parcial no del todo incondicional, las «soltó», según la curiosa expresión egipcia, «de la sombra al sol». Naturalmente había una pega. La niña formaría parte de la familia de Meshullam, y sus hijos, si así lo deseaban, podían reclamar sus servicios. No obstante, todos los indicios parecen sugerir que al menos uno de sus hermanos adoptivos, Zaccur, hijo de Meshullam, se convirtió para la niña en un verdadero hermano. Siete años después, cuando Jehoishima tenía ya catorce y se casó con un hombre que se llamaba igual que su padre, Ananías, fue Zaccur quien se encargó de que la boda se celebrara con bastante más pompa que la de su madre. Para empezar, tuvo lo que cualquier novia adolescente habría necesitado, un vestuario adecuado: un vestido nuevo de lana con estampado de rayas, un mantón largo, una túnica de lino, un «vestido adornado con una franja», una «cesta de hoja de palma» para guardar todas estas prendas, así como otra de papiro y una tercera para las joyas, vasos y utensilios de bronce, sandalias persas de colores y, además de los aceites de rigor, uno del que se dice que estaba perfumado. Gracias a su hermano mayor, la novia adolescente dispuso de una buena dote. Y además tendría un sitio para vivir, pues antes de la boda su padre le concedió el derecho a residir en la mitad de la casa que no estaba ocupada por su hermano mayor, Pilti.

Dieciséis años después, en 404, cuarenta y cinco después de que contrajeran matrimonio la joven esclava y el *lechen*, Ananías transfirió legalmente a su hija la propiedad de la casa, para entonces todo un verdadero hogar, al menos en parte en consideración al «apoyo» que la muchacha había prestado a su padre durante su vejez. Buena chica, esta Jehoishima. Al final de la descripción de la propiedad, cuidadosamente delimitada, el documento dice con sequedad: «Estas son las medidas de la casa que doné a Jehoishima, mi hija querida». Además, esta no tendría que esperar al funeral de su padre para disfrutar de todos sus derechos sobre la casa. Un año y medio después, Ananías modificó el documento para que fuera efectivo desde ese mismo instante. «Tú, Jehoishima, hija mía, tienes derecho a ella desde este mismo día en adelante, y tus hijos tienen el mismo derecho después de ti.»[8] Quizá para entonces el viejo Meshullam estuviera ya en el cementerio de la isla, y por fin la esclava y su hija hubieran sido plenamente «soltadas de la sombra al sol».

Puede que Elefantina fuera una ciudad de soldados, pero sus mujeres eran personajes mucho más poderosos, desde los puntos de vista jurídico y social, que las de Jerusalén y Judea. «La señora» Mibtaías, hija de Masías bar Jezonías, procedía del extremo de la escala social opuesto al de Tamet.[9] La familia de Mibtaías era una de las principales de la comunidad, y sus miembros se contaban entre los notables del Templo. Eso no impidió que dos de sus tres maridos procedieran de la población egipcia de la zona (los dos eran maestros de obras). Uno, Eshor (rebautizado Natán), es llamado «constructor del rey». A lo largo de su dilatada vida, Mibtaías —tan segura de sí misma y tan sofisticada como Tamet modesta y sencilla— acabaría teniendo tres casas además de tres maridos (empezó por unirse a su vecino, Jezonías). Los regalos nupciales que recibió fueron muy costosos; aparte de diversas joyas y cestas, una cama de papiro. Pero, además, llegó al matrimonio como dueña de su propia casa, regalo de su acaudalado padre, que se la entregó a título de propiedad. «Puedes dársela a quien tú quieras, y también tus hijos después de ti», como reza el documento de cesión de bienes. El marido, por su parte, en caso de que no poseyera un domicilio, tenía solo el uso de la casa mientras durara el matrimonio (que, por cierto, no duró mucho debido a la muerte prematura de Jezonías).

El segundo matrimonio, con un egipcio llamado Peu, no funcionaría, y los documentos relacionados con el acuerdo de divorcio ponen de manifiesto que en el Egipto judío, a diferencia de lo que prescribía (y sigue prescribiendo) la Torá, las mujeres tenían derecho a iniciar los trámites de separación. El Deuteronomio (24, 1-4) concedía al marido el derecho unilateral a divorciarse mediante la entrega de una declaración de que había encontrado en su mujer «algo de torpe»; ese simple libelo de repudio ponía fin al matrimonio, y con eso «la mandará a su casa». Pero las cosas no se hacían así en Elefantina; en cualquier caso, no fue lo que hizo la señora Mibtaías, cuya sustanciosa dote tuvo que ser restituida. Mibtaías y Peu fueron a los tribunales con motivo de la división de sus bienes, pero fue Mibtaías quien ganó el pleito tras prestar juramento por la diosa egipcia Satis, originaria de la región, algo que les habría perecido terrible a los guardianes de la Torá en Jerusalén, pero que era una cuestión formal para los judíos del Nilo.

Pues bien, en esta primera sociedad judía de la que conocemos algunos detalles, las familias de los soldados podían ser judías a su propio estilo, o sea, estaban abiertas a las costumbres de los egipcios, pero sin renunciar a sus creencias, y mucho menos a sus nombres y a su identidad. La misión de imponerles la uniformidad llevada a cabo por Ananías —ya que no pudo o no quiso pedirles que abandonaran Egipto, como querían los profetas— chocó con una población que había seguido durante varias generaciones unas prácticas atestiguadas por los papiros de Elefantina, y que se resistió a acatar sus órdenes. Al fin y al cabo, la suya era una comunidad que se había formado antes de que las leyes de la Torá se hubieran consolidado, y existía la distancia suficiente para permitir que sus costumbres y sus leyes se convirtieran en un legado compartido.

En otras palabras, por mucho que una ciudad habitada por una guarnición militar a orillas del Nilo, en los confines del Alto Egipto, no parezca un caso ejemplar para el posterior desarrollo de la historia judía, en realidad lo fue. Como tantas otras sociedades judías establecidas en medio de los gentiles, el judaísmo de los habitantes de Elefantina era mundano, cosmopolita, vernáculo (arameo), no hebreo, obsesionado con la ley y la propiedad, marcado por una mentalidad crematística, pendiente de las modas, muy preocupado por las posibilidades de contraer o disolver matrimonios, por cuidar a los hijos, por las sutilezas de las jerarquías sociales y por los alicientes y las obligaciones del calendario ritual judío. Y no parece que fuera muy libresco. La única literatura que encontramos en el archivo es el «Libro de la Sabiduría», las Palabras de Ahiqar. Y en el corazón mismo de su comunidad, irguiéndose de forma monumental por encima de las calles atestadas de gente que compartían con sus vecinos arameos, caspios y egipcios, estaba su templo, tal vez un poco ostentoso, pero indudablemente suyo.

Son la cotidianidad y la normalidad suburbana de todo este material lo que resulta, por un momento, absolutamente maravilloso, una historia más o menos judía sin mártires, sin sabios, sin torturas filosóficas, sin que el sañudo Todopoderoso se ponga demasiado en evidencia; un lugar de banalidad feliz, enzarzado en disputas en torno a la propiedad, preocupado por el vestido, las bodas y las fiestas; muchachos duros del ejército viviendo puerta con puerta al lado de los barqueros *goyishe* de las aguas turbulentas, todavía más duros si cabe que ellos; un poblado perdido lleno de ungüentos y de callejones, donde se tiran piedras al río y se descansa entre las palmeras; un tiempo y un mundo totalmente ajenos a las fantasías del sufrimiento. Pero, por si alguien lo dudaba, los problemas acabarían por llegar de todas formas.

Como tantas comunidades judías similares que se establecerían fuera de Palestina durante los siglos y aun los milenios por venir, los habitantes de Elefantina quizá fueran un poco confiados en su cómoda convicción de que las relaciones entre sus vecinos y ellos eran tan buenas como cabía esperar, si no mejores, y que permanecerían inalterables mientras el benigno poderío persa estuviera allí para protegerlos de las odiosas envidias locales. Pero ese era precisamente el problema. Cuando las potencias imperiales empiezan a desgastarse en sus extremos, los grupos étnicos considerados beneficiarios de su confianza empiezan a parecer extraños, no nativos, por mucho tiempo que lleven establecidos en un sitio. Eso fue exactamente lo que sucedió a finales del siglo v a. e. c., cuando Egipto, que ya se había sublevado en 486 y 464-454 a. e. c., y de nuevo a finales de siglo, empezó una vez más a sentirse a disgusto con sus dominadores, los persas, que, por lo demás, se veían desbordados. De repente (como sucedería una vez más dos mil quinientos años después, en el Egipto del siglo xx), los judíos de Elefantina fueron estigmatizados y tachados de colonialistas, de meros instrumentos de los ocupantes persas, sus prácticas sociales fueron consideradas anómalas y su religión, una intromisión y una profanación. Si la tolerancia persa les había permitido prosperar y convertirse en sus secuaces, el rasgo característico de la rebelión de la población egipcia autóctona consistiría en estigmatizarlos y tildarlos de ocupantes, en marginarlos e intimidarlos, en arrancarlos y extirparlos del conjunto de la cultura local.

Los papiros dan testimonio de alborotos y saqueos, una antigua modalidad de protopogromo. Seis mujeres que estaban esperando a sus maridos en la puerta de Tebas —todas ellas casadas con judíos, pero algunas, como solía ocurrir en Elefantina, con nombres egipcios, como, por ejemplo, Isireshwet— fueron detenidas sin más explicaciones. Mauzías escribe a Jedanías que le habían tendido una trampa y le habían hecho comprar una joya robada que había sido hallada en manos de los mercaderes, de modo que lo habían encarcelado, hasta que la injusticia quedó tan patente que finalmente tuvieron que soltarlo. Pero el tono de su carta es de crispación y nerviosismo. Lleno de agradecimiento por la ayuda recibida y por haberlo sacado de la cárcel, le dice a Jedanías que busque a los que lo han salvado. «¡Dales lo que quieran!»

Durante la última década del siglo v a. e. c., muchas cosas que habían parecido seguras se volvieron de repente inciertas. Los *yahudim* de

Egipto señalaban con el dedo las interferencias de los forasteros recién llegados de Judea que no comprendían su modo de vida. Mauzías echaba la culpa de todo a la presencia de Ananías, el legado procedente de Jerusalén con motivo de la Pascua, quien habría provocado a los sacerdotes de Jnum y conseguido que se volvieran agresivos, incluso contra la propia guarnición judía. El pozo utilizado para abastecer de agua potable a las tropas cuando eran movilizadas y llamadas a la fortaleza fue cegado. De forma tan repentina como misteriosa, apareció de pronto un muro que aislaba el recinto de la guarnición. Pero aquello no eran más que provocaciones. La verdadera calamidad vendría a continuación.

Tres años después del desastre, Jedanías, el jefe de la comunidad, junto con «los sacerdotes que hay en Elefantina», comunicaba al gobernador persa de Judea, Bagavahya, la triste historia de la destrucción del Templo de YHWH en el año 410 a. e. c. El tono de la carta es exactamente el mismo que el de las Escrituras, una crónica teñida por la cólera y los lamentos. La comunidad todavía estaba aterrada, aún iba vestida de duelo con ropas de penitencia. «Ayunamos, nuestras esposas parecen viudas [es decir, han dejado de prestar el débito conyugal]. No nos ungimos con aceite ni bebemos vino.»

Los disturbios que acabaron con el Templo de Jehú quizá fueran inevitables. Al fin y al cabo, se había especializado en matar cabezas de ganado, la mayoría de ellas sin duda ovejas, exactamente los animales venerados por sus vecinos en el templo de Jnum, en cuyas puertas había esculpidas unas hermosas cabezas de carnero. La actividad en el interior del recinto habría sido constante: humo, sangre y cánticos. Y, como si quisieran quitar de en medio a sus irreverentes vecinos, los sacerdotes de Jnum empezaron a ampliar su recinto, chocando con las estrechas lindes que separaban las dos moradas rituales. En realidad, parece que en algunos lugares las paredes de una y otra eran contiguas. En un momento determinado, los sacerdotes de Jnum azuzaron el odio contra los soldados judíos, presentados como mercenarios de los persas, de modo que había que quitar de en medio su templo, ya que no era posible quitar de en medio a las tropas y a sus familias. Convencieron al comandante de la isla, «el malvado Vidranga» (como lo llama la carta de queja y de lamento de los judíos), de que actuara. El hijo de Vidranga, Nafaina, el oficial al mando de la guarnición egipcia y aramea de Siene, recibió una carta ordenando a sus soldados atacar y demoler el Templo de YHWH.

«Entraron a la fuerza en el templo, lo asolaron, demoliendo las columnas de piedra … las cinco puertas de piedra labrada fueron arruinadas; todo lo demás lo quemaron: las puertas y sus goznes de bronce, la techumbre de madera de cedro. Los vasos de plata y oro y todo lo que encontraron se lo repartieron.»

Apelando a la susceptibilidad de los persas, Jedanías habla en tono emotivo de la antigüedad del Templo, construido en tiempos de los reyes de Egipto y respetado por el rey Cambises cuando conquistó el país. Recuerda al gobernador persa que ya ha enviado una carta a Jerusalén, dirigida al señor Bagavahya, al sumo sacerdote Jeojanán y a «los nobles de Judá» que hay en la ciudad, pero nadie se ha dignado contestar. (¿Es posible que a los jerosolimitanos, cada vez más empeñados en asegurar el monopolio del culto para su propio templo, no les disgustara lo más mínimo la destrucción del edificio levantado sin su autorización en Elefantina, caracterizado por su poca ortodoxia?) Los ancianos de Elefantina tampoco habían recibido ninguna respuesta a la carta enviada a los hijos de Sanballat, el gobernador de Samaria.

Sin embargo, sus oraciones no quedaron sin respuesta. Los culpables, empezando por «Vidranga, el perro», habían sido castigados, el fruto de la rapiña de Vidranga le fue arrebatado, «y todos los que causaron mal al Templo fueron ejecutados y ahora los miramos por encima del hombro». Pero la única verdadera satisfacción no era la venganza, sino la restitución del templo de YHWH, el Dios. Entonces serían presentadas las «ofrendas de comida; el incienso y los holocaustos serán ofrecidos en el altar de YHWH, el Dios, en tu nombre, y oraremos por ti eternamente; nosotros, nuestras esposas y nuestros hijos».

Por fin llegó una respuesta. Se concedió más o menos el permiso solicitado. Se daba autorización para reconstruir el Templo «tal como era antes y en su mismo sitio». El permiso se concedía directamente con la estricta condición de que en adelante las ofrendas fueran solo de grano e incienso, sin que se hicieran sacrificios de animales. En Jerusalén alguien había hablado con el gobernador; o quizá los judíos de Elefantina quisieran reconciliarse con los jerosolimitanos y atraerlos a su causa. En cualquier caso, aceptaron el principio de que los sacrificios se hicieran solo dentro de los recintos sagrados del Templo de Jerusalén. Aceptando su rango secundario, tal vez con el alivio de haber sido autorizada a construir un templo, algo que seguía suponiendo una violación del monopolio del culto ostentado por Jerusalén, «la Junta» —Maui, Semeías, dos Osea y el propio Jedanías— prometía que dejarían de hacerse sacrificios de «ovejas, bueyes y cabras». Para facilitar las cosas, ofrecían un incentivo en forma de plata y envíos de grano y cebada.

Efectivamente, se reconstruyó el Segundo Templo de Elefantina, pero duró solo lo que lo hizo el poder de los persas en Egipto. Fue arrasado por otra sublevación egipcia en 400 a. e. c., y a mediados del siglo IV a. e. c. se había venido completamente abajo, antes de que se hicieran con el poder Alejandro Magno y sus generales. La ruina del Egipto persa arrastró consigo a la guarnición judía y su mundo de soldados, esclavas, aceites e incienso, litigios por cuestiones de propiedad y alianzas matrimoniales, mercaderes, notables del Templo y barqueros; todo desapareció en la tiniebla documental, bajo las piedras de esta isla del Nilo.

Fuera de un pequeño círculo de eruditos, esta primera historia judía, a pesar de ser tan rica, prácticamente no ha cuajado en la memoria común de la tradición hebraica. Y quizá no sea de extrañar, pues si esa historia se plantea desde el principio como la de un mundo marcado por una neta separación, la mezcla del mundo judeo-egipcio-persa-arameo de Elefantina tiene que parecernos por fuerza una anomalía, una curiosidad marginal, algo que nada tiene que ver con la creación de una cultura judía pura y claramente diferenciada. Se cree que más o menos por la misma época en que florecía Elefantina, se escribieron en Jerusalén dos libros formativos de las Sagradas Escrituras hebreas —Esdras y Nehemías— con el objetivo expreso de purificar a la sociedad judía de elementos «foráneos»: la eliminación de las mujeres extranjeras, de los cultos extranjeros y de las costumbres extranjeras, incluso aunque llevaran mucho tiempo conviviendo con la sociedad de Judá. Los autores de esos libros y sus sucesores quizá pensaran con horror en el episodio egipcio —en su templo heréticamente desprovisto de autorización, en la audacia con que se atrevía a ofrecer sacrificios, o incluso a llamarse a sí misma una sociedad de *yahudim*—, y se dijeran que lo que al final le había pasado no había sido más que la voluntad de YHWH, un castigo más de aquellos que se apartaban de la senda estrecha.

Pero supongamos que existe otra historia judía completamente distinta, una historia en la que la línea de separación entre lo extraño y lo puro fuera mucho menos estricta; en la que el hecho de ser judío no comportara el requisito de cerrar la puerta a las culturas vecinas, sino, hasta cierto punto, convivir con ellas; una historia en la que fuera posible ser judío y egipcio, como luego sería posible ser judío y holandés o ser judío y estadounidense, en la que fuera posible (no necesariamente fácil ni sencillo) vivir un tipo de vida en equilibrio con el otro, no ser menos judío por el hecho de ser más egipcio, más holandés, inglés o estadounidense.

Este segundo tipo de historia no pretende desplazar al primero. Estas dos modalidades —la exclusiva y la inclusiva, Jerusalén y Elefantina— han coexistido siempre que ha habido judíos. Si las dos son sendas formas legítimas de concebir la historia de los judíos, de contar sus peripecias, Elefantina podría ser considerada no una anomalía, sino un precedente. Y, naturalmente, no fue el fin de una verdadera historia de los judíos en Egipto, sino solo otro principio.

2

Las palabras

Nehemías, según dice el libro que lleva su nombre, sale a caballo en plena noche.[1] No puede dormir. Las murallas en ruinas de Jerusalén, a la que ha regresado, le producen una impresión desoladora.

Estamos en 445 a. e. c., casi un siglo y medio después de la catástrofe de Nabucodonosor y del cautiverio de los israelitas en Babilonia. Aunque hace ya mucho tiempo que los babilonios abandonaron Jerusalén, la piedra caliza de la ciudad, del dorado color de la miel, sigue tiznada de hollín. Al otro lado de las murallas, la provincia persa de Yahud sigue estando muy poco poblada; una tras otra, las aldeas han sido abandonadas o han quedado reducidas a un nivel de subsistencia absolutamente primitivo.[2] La ciudad es sucia, pobre, veinte veces menos populosa de lo que lo había sido durante los últimos años de los reyes de Judá, y los habitantes que siguen en ella se han retirado a unas cuantas casas amontonadas junto a las murallas medio derruidas.

Han pasado varias décadas desde que Ciro, rey de Persia, siguiendo una política consistente en devolver a los deportados a sus países de origen y en restablecer los cultos locales (con la esperanza de que esa deferencia le asegurase su lealtad), autorizó el regreso de los israelitas a Yahud en un edicto publicado «en el año primero» de su reinado, según el libro de Esdras.[3] Zorobabel, que se jactaba de pertenecer a la antigua familia dinástica de David, había sido nombrado líder de los cuarenta y tantos mil judíos que habían regresado a Jerusalén, junto con el sumo sacerdote Josué. Se iniciaron las obras de un segundo templo en el solar en el que se había levantado la Casa de YHWH edificada por Salomón. «Cuando los obreros pusieron los cimientos de la casa del Señor, asistieron los sacerdotes revestidos, con trompetas, y los levitas, los hijos de Asaf, con címbalos, para cantar al Señor ... Todo el pueblo lanzaba gritos con grandes clamores.»[4] Cuando concluyeron los trabajos en 515 a. e. c., se vio que era una reconstrucción modesta, pero suficiente para que se hicieran las aspersiones con sangre y los sacrificios que exigía el Código de Pureza del Levítico, y suficiente también para inspirar respeto a los peregrinos durante las fiestas de la cosecha.

El edicto de Ciro seguía constituyendo una autorización valiosísima, hasta tal punto que el libro de Esdras llega a dramatizar la búsqueda del texto original muchos años después, durante el reinado de Darío, en los archivos de Babilonia, para acallar las objeciones de los malévolos.[5] Naturalmente, se encuentra una copia en la que se especifican las dimensiones y la altura que deberá tener el Templo reconstruido, y se decreta que el tesoro real costee íntegramente los gastos y que se devuelvan los vasos de oro y plata que fueron saqueados por Nabucodonosor. Y, lo que es más halagador, el edicto amenaza a todo aquel que se atreva a desobedecer mínimamente su mandato; se arrancará de su casa una viga, que se alzará para colgarlo en ella, y la casa «será convertida en un montón de escombros». Como se han identificado algunos fragmentos del texto del cilindro de Ciro en una tablilla cuneiforme (hallada en unas excavaciones en 1881), es perfectamente posible que Esdras y sus contemporáneos poseyeran una copia que recogiera los detalles del decreto de autorización.[6]

Los hijos y los nietos de los que regresaron habrían necesitado aferrarse a las promesas y las seguridades del edicto de Ciro, pues en el día a día seguían viviendo en medio de los restos deleznables de la destrucción. Y además eran poquísimos, probablemente no más de dos mil almas. Nehemías contempla apenado el panorama mientras pasa junto a las ruinas. Tras él, envueltos en las sombras, cabalgan desconcertados unos cuantos fieles, a los que ha levantado de la cama para que lo acompañen. El resto de los habitantes de Jerusalén, lo que queda de ella —los sacerdotes, los escribas, los notables de la ciudad, los edomitas y gentes por el estilo, que dirigen despóticamente a los judíos harapientos, engreídos con la crispada autoridad que imaginan que les viene de la corte persa—, roncan con tranquilidad, sumidos en la indolencia. Nehemías es el copero del rey de Persia, Artajerjes, en su palacio de Susa, su hombre de confianza y gobernador delegado. A los descendientes de Joaquín, rey de Judá, que fue depuesto y deportado por los babilonios, sigue gustándoles darse aires de grandeza y presentarse como vástagos de la Casa de David, pero lo cierto es que ya no hay rey en Judá, y la corte de pacotilla que vive en el destierro depende de los burócratas babilonios para recibir sus raciones de aceite.[7] Así que Nehemías es la segunda mejor opción, el hombre que sostiene en sus manos los decretos con los nombres de los emperadores persas grabados en ellos.

Va erguido sobre su cabalgadura, que con cuidado consigue abrirse paso entre las piedras diseminadas por el suelo. Nehemías atraviesa la Puerta de la Escombrera. Las estrellas brillan sobre su cabeza; el frescor de la noche estival de Judea es muy agradable. Pasa junto al profundo pozo en el que, según dice la gente, hay un dragón que solo permite salir el agua cuando está dormido con las alas plegadas y las garras recogidas bajo su cuerpo escamoso; pasa por la Puerta de la Fuente, junto a la piscina de Siloé y el torrente Cedrón, esquivando los montones de escombros y la sinuosa línea de ruinas, hasta que su cabalgadura no tiene ya sitio por donde pasar entre los cascotes, ni al paso ni mucho menos al trote. Nehemías guía al animal entre tanta desolación y regresa a las callejuelas de la ciudad. Ya puede descansar. Sabe lo que tiene que pasar.

En Elefantina, por aquel entonces, los judíos viven tan bien como cabría esperar que lo hicieran rodeados de egipcios. Sus vecinos siguen siendo arameos, carios, caspios y griegos. Tienen su propio templo, siguen su propia senda. Nehemías lo sabe perfectamente, pero esa senda no es la suya y, según dice en su «memorial» (uno de los textos más vigorosos de la Biblia), tampoco cree que sea la senda de YHWH.

Al día siguiente convoca a una reunión a los sacerdotes, a los jefes del pueblo y a los escribas. «Bien veis el lamentable estado en que nos hallamos. Jerusalén está destruida y sus puertas, consumidas por el fuego. Vamos, pues, a reedificar las murallas de Jerusalén, y no estemos más en el oprobio.» Animados por sus palabras, siguen a aquel hombre que parece hablar con la autoridad del rey. «¡Andando, a edificarla!» Cuando ve que los magistrados locales —Sanbalat, el joronita, y Guezem, el árabe— se burlan de su temeridad, Nehemías se muestra tenaz y dice: «El Dios de los cielos nos hará triunfar. Nosotros, sus siervos, nos levantaremos y haremos la edificación. Vosotros no tenéis parte, ni derecho ni recuerdos en Jerusalén».

El libro de Nehemías, breve pero excepcionalmente enérgico, es llamado «memorial» incluso por los especialistas más ponderados. A diferencia de otros libros de la Biblia hebrea (pero al igual que el libro de Esdras, con el que siempre se equipara, hasta el punto de que ambos se leen como un solo relato), fue escrito casi con toda seguridad muy cerca cronológicamente de los hechos que describe.[8] Las extensas citas de los decretos reales persas y de los edictos a los que se hace referencia en Esdras se corresponden de modo harto persuasivo con el estilo jurídico-cortesano de la Persia de mediados del siglo v a. e. c. De hecho, son citas directas. La impresión general que da el libro es de inmediatez documental, y la carga material de hierro, piedra y madera que hay en él parece físicamente de su tiempo.

La significación formativa de ese tiempo —mediados del siglo v a. e. c.— es muy fuerte. Es una época en que se construye algo, y no solo edificaciones materiales, aunque en Nehemías se lleva a cabo de hecho una edificación; se alinean las vigas de madera, se pulen lastras de piedra, se retiran escombros, vuelven a ponerse puertas adornadas con grandes goznes y cerrojos, los cerrajeros están atareadísimos. Nehemías enumera detalladamente las cuadrillas de trabajadores y sus jefes, y nombra a los gerifaltes de cada distrito de la ciudad en ruinas. «Malquiya, hijo de Recab, jefe del distrito de Bet Maquerem, reedificó la Puerta de la Escombrera, poniendo sus puertas, sus cerrojos y sus goznes. Salum, hijo de Col José, jefe del distrito de Mispá, reconstruyó la Puerta de la Fuente, la levantó, la cubrió, puso las puertas con sus cerrojos y sus goznes ... Después de ellos los tecoítas repararon otra porción, frente a la gran torre en saliente, hasta el muro del Ofel.» Es como si acompañáramos a Nehemías en una visita de inspección; el martilleo incesante, el gobernador asegurándose de que su escriba anota cuidadosamente las cosas para que no olvide a ninguno de los responsables de las labores de construcción y de embellecimiento, como los patrocinadores modernos que esperan ver sus nombres puntualmente escritos en las placas de agradecimiento.

Los trabajos continúan a buen ritmo a pesar de la oposición de parte de la población, tan irritada que las cuadrillas de operarios tienen que trabajar con armas a su alcance por si los atacan. Nehemías no tiene más remedio que proveer de armas a los obreros, que se ven obligados a trabajar con la llana en una mano y la espada en la otra, o apoyada contra la pared. Tiene que vigilar que los labradores y los mercaderes no se aprovechen de la repentina necesidad de víveres subiendo abusivamente el precio de los alimentos; o, peor aún, tiene que impedir que la élite judía de la ciudad despoje a los que se han visto obligados a hipotecar sus olivares y sus campos para participar en los trabajos. Las obras de reparación de las murallas quedaron concluidas en cincuenta y dos días.

Las murallas separan; pueden encerrar y excluir. Aunque el mensaje de Nehemías a Sanbalat, el joronita, y a Guezem, el árabe, es hostil —«vosotros no tenéis parte, ni derecho ni recuerdos en Jerusalén»—, no debemos hacer de él un impulsor de las barreras de seguridad en pleno siglo v a. e. c., aunque es innegable que sus murallas tenían por objeto dar a la ciudad derruida y expuesta una forma y una delimitación (como siguen teniendo por objeto hoy día), y una idea de comunidad compartida a las personas que vivían dentro de ellas, así como a los que acampaban fuera de ellas y en las colinas de Judea, en los bosques y en los valles de las zonas rurales. Esa idea, sin embargo, no deben transmitirla solo la piedra, la madera, los ladrillos, el hierro y el mortero. En último término, la casa del destino común estaba construida —como lo estaría a lo largo de miles de años— con palabras. De ese modo, un mes después de que concluyeran las obras de reconstrucción de las murallas, se convoca una nueva acción ceremonial.

Según la fantástica enumeración de Nehemías, el primer día del mes de tishri fueron convocados en la plaza, ante la Puerta de la Fuente recién restaurada, exactamente 42.360 judíos de Jerusalén, sin contar a sus siervos y siervas, que eran 7.337, ni tampoco a los 245 cantores y cantoras (pues no había, y sigue sin haber, religión israelita sin música). Aunque estas cifras son una exageración absurda (por entonces probablemente había menos de cuarenta mil judíos viviendo en toda Judea y Samaria), debió de reunirse una gran multitud.

En el centro de aquel acto orquestado como un segundo momento de autodefinición está Esdras, que, de forma harto singular, es a la vez sacerdote y escriba. Esta doble vocación era muy importante, pues lo que estaba a punto de santificarse era la escritura a manos de un doctor de la ley. Esdras trae consigo «el libro de la Ley de Moisés, dada por el Señor a Israel». La asamblea (que Nehemías considera importante especificar que se hallaba compuesta de mujeres y hombres, como hacen las fuentes más antiguas, sin el menor rastro de segregación) sabía que estaba a punto de producirse un momento solemne. Esdras estaba de pie en un estrado de madera, tal vez levantado para la ocasión, junto a las murallas reconstruidas. A su derecha y a su izquierda había una multitud de sacerdotes y levitas vigilando a la multitud que aguardaba en silenciosa expectación. Cuando Esdras abrió el volumen, todo el mundo se puso en pie. Antes de proceder con la lectura, «bendijo entonces Esdras al Señor, Dios grande, y todo el pueblo, alzando las manos, respondió: "Amén, amén", y postrándose adoraron al Señor, rostro a tierra». Entonces el escriba dio comienzo a la lectura. Para los que no podían oírlo, por estar demasiado lejos, había levitas encargados de repetir sus palabras, y Nehemías enumera cuidadosamente sus nombres como si ellos mismos participaran en la producción de las palabras, como en efecto hacían. Puesto que la primera lengua de muchos de los presentes debía de ser el arameo, no el hebreo, los levitas eran necesarios «para hacer al pueblo la explicación», encargándose de la traducción y la aclaración del texto.

Por mucho que la lectura no fuera exactamente un acto de llamada y respuesta, fue desde luego un acto intensamente participativo. El público no era un mero receptor de las palabras de Dios. Nehemías (a quien todos reconocen como promotor oficial del acto) dice que el propio pueblo se reunió «como un solo hombre», tomó la iniciativa y pidió a Esdras que sacase el libro de la Ley de Moisés. Esta relación activa entre oyentes y lector era algo bastante nuevo en el mundo del antiguo Oriente Próximo, donde el pueblo era habitualmente convocado para que se asombrase ante el poder y la sagrada grandeza de las palabras del rey, y lo único que se le pedía era que asistiera a sus juicios y que venerara su imagen de culto llevada en procesión. Pero las procesiones del judaísmo tienen como centro de devoción un libro en forma de volumen lleno de palabras (tratado con todo fervor y veneración y besado a través del velo de oración, como se habría hecho con una estatua de culto). Además, aquel era un momento en el que no había rey, y la ansiedad de los oyentes y el elevado tono de la declamación aceleraban la congregación unificada de los presentes. En el erudito afán de allanar las diferencias entre la religión israelita y las convenciones, las prácticas y las imágenes de sus vecinos, resulta fácil perder de vista lo trascendental que es ese protagonismo típicamente judaico del «pueblo» en alianza directa, inseparable, con su único Dios, cuya presencia se encarna en las palabras sagradas. Tanto cuando anda descarriado como cuando se muestra obediente, tanto si hace penitencia como si actúa con despreocupación, el pueblo es el actor de su propia historia, no solo un coro carente de rostro que es convocado o rechazado por sus sacerdotes, sus príncipes o sus escribas. Desde el primer momento, el judaísmo —algo singular en esta época— es concebido como una religión del pueblo.

La lectura pública ante la Puerta de la Fuente era la repetición de viejas costumbres de recitación oral. La palabra hebrea para designar la lectura presupone la vocalización de un texto ante un público; el término *qra* significa literalmente «exclamar», y *miqra*, que deriva de él, es la forma nominal que designa a una reunión de oyentes y lectores.[9] Esa misma obligación de la lectura se convertiría en la práctica característica de la observancia judía fuera del Templo, donde el espectáculo del sacrificio definía la pertenencia a la comunidad de los creyentes. Mientras que el sacrificio del Templo era un acto organizado jerárquicamente en manos de la casta sacerdotal, la lectura era una experiencia intrínsecamente común, compartida, y el efecto de su ejecución en voz alta ni siquiera dependía del conocimiento de la lectura y la escritura. Lo que se decía se convertía en una literatura escrita, pero eso significa que la forma escrita exaltaba paradójicamente una larga y venerada historia de dictados que se remontaba al propio Moisés, que tomó al dictado directamente las palabras del Todopoderoso. El Deuteronomio imaginaba cómo Moisés recibía la orden de «leer esta ley [la Torá] ante todo Israel, a sus oídos. Reunirás al pueblo, hombres, mujeres y niños, y a todos los peregrinos que se hallen en tus ciudades, para que la oigan y aprendan».[10] La elevación de Esdras por encima de la multitud embelesada no solo es una reiteración de aquella primera transcripción mosaica, sino también una reconstrucción consciente de ella. Nehemías la describe como si viniera a familiarizar de nuevo al pueblo que había perdido aquellas palabras con la sustancia de su contenido; la ley y la historia reveladas como si acabaran de ser entregadas al pueblo, traídas a la vida por el fulgor de la voz pública. El propio libro también tuvo que ser significativo: el volumen compacto de una memoria portátil, algo que tenía la oportunidad de ser transportado a través de las llamas del desastre.

Nehemías, el responsable de orquestar este espectáculo, sabía lo que estaba haciendo. Aunque los códigos jurídicos de Mesopotamia tenían una importancia enorme a la hora de erigir al rey en adjudicador supremo, los rituales cortesanos de Babilonia y Persia, ejecutados a menudo ante estatuas monumentales, tenían por objeto sobre todo asombrar a la vista. La actuación confiada a Esdras va enteramente de los labios a los oídos, tiene que ver con la fuerza viva de las palabras. Establece, desde fecha muy temprana, la filosofía judía de la lectura como un acto no silencioso. La lectura judía, según la Biblia hebrea, en los albores de la autoconciencia de este pueblo, no se lleva a cabo en una soledad callada (invención del cristianismo monástico) ni se realiza para el enriquecimiento de la conciencia reflexiva (aunque esto es algo que no se excluye por completo). La lectura judía se efectúa literalmente en voz alta; es un acto social, vocinglero, animado, declamatorio, un acto público de demostración, que pretende del lector que pase de la abstracción a la acción. Es una lectura que tiene unas implicaciones humanas necesarias, inmediatas; una lectura que pide discusión, comentarios, preguntas, interrupciones e interpretaciones; una lectura que no se calla nunca. La lectura judía se niega a cerrar el libro ante nada.

La actuación de Esdras traslada la austeridad de un código de leyes —la Torá— al ámbito del teatro público colectivo; se convierte en un espectáculo sagrado. Es el punto culminante de un drama de reconsagración y nuevo despertar en tres actos: primero, la restauración de las murallas de Jerusalén; luego, la construcción de un segundo Templo *in situ*, y por último la manifestación pública de la Ley de Moisés, sin la cual los otros dos actos habrían carecido de significado. Ninguna de estas acciones era puramente ritual. Juntas venían a ser la afirmación de una singularidad judía sin paliativos, la diferencia yaveísta. Las murallas reconstruidas eran una declaración arquitectónica de que Jerusalén era la ciudadela de David, de que el núcleo del culto real yaveísta había vuelto a ponerse en pie aunque ya no hubiera reyes en Judea. La Casa de YHWH reconstruida se erguiría como el único templo verdadero de los judíos, como árbitro de lo que era o no la observancia verdaderamente apropiada, y la Ley autorizada como, de hecho, la constitución judía. Las palabras de la Torá, que otorga al pueblo el contenido rector de su singularidad, no necesitaban un rey, y mucho menos un rey-dios, para gozar de autoridad. Tras ellas estaba la creencia en un YHWH invisible, al que los talmudistas presentarían mucho después consultando una Torá preexistente, antes de proceder a crear el universo.[11]

Ya en el siglo XVII, Baruch Spinoza, que instauró la crítica bíblica al insistir en que el Pentateuco era un documento histórico escrito por autores humanos muchas generaciones después de que tuvieran lugar los hechos descritos en él, identificaba a Esdras como el candidato más probable a esa primera autoría.[12]

Todo esto fue necesario porque Esdras y Nehemías eran profundamente conscientes de las dificultades a las que se enfrentaban a la hora de redefinir quién era y quién no era un verdadero miembro de esa comunidad de YHWH. Tanto el escriba como el gobernador pertenecían a la élite erradicada por Nabucodonosor junto con la estirpe real, con sus jueces y magistrados, quizá la mayoría de la clase culta, conocedora de la lectura y la escritura, deportada a Babilonia en 597 a. e. c. Tal vez una buena parte de la población judaica (cuyo número se incrementaría con los descendientes de los miles de habitantes de Israel, el reino del norte, que habían llegado a Jerusalén tras la destrucción de su estado en 721 a. e. c.) se sumara al séquito de esa élite. Al fin y al cabo, hubo tres deportaciones en masa: una en 597, otra en 587 y otra de nuevo en 582 a. e. c. Los testimonios arqueológicos ponen de manifiesto una reducción indiscutiblemente brutal del número de aldeas en las montañas de Judea durante el siglo VI a. e. c. Los viñedos, los olivares y las tierras de pasto fueron convertidos en páramos. Los soldados se vieron obligados a defenderse solos cuando, una tras otra, cayeron las fortalezas establecidas en lo alto de las colinas de Judea, y luego a emigrar, como da a entender el libro de Jeremías, a Egipto, a las ciudades del Nilo y a Patros, el país situado al sur, más allá de la primera catarata.

Aunque la disminución de la población fue enorme, Judea y Samaria no quedaron vacías del todo. Varios millares de personas debieron de permanecer aferradas a sus campos en terrazas y a sus viejas aldeas con la esperanza de sobrevivir cuando las llamaradas de la guerra se apagaran y se convirtieran en cenizas. En las dramáticas circunstancias de las ofensivas de Babilonia, tenemos buenos motivos para suponer que los que se quedaron cifraron su consuelo y sus esperanzas no solo en YHWH, sino también en las divinidades domésticas y los dioses locales, así como en los cultos de sus antiguas tradiciones. Se han conservado columnas rituales, amuletos e incluso inscripciones con alusiones a divinidades distintas de YHWH —empezando por su consorte Asera— procedentes de una generación anterior, incluso de la época en que los libros escritos por los doctores hacían todo lo posible por fomentar el monoteísmo más intransigente. Particularmente en Samaria, donde debieron de refugiarse algunos de los que se vieron más afectados por la feroz invasión babilónica, los supervivientes se habrían mostrado abiertos a otras divinidades distintas de aquel dios único que tan claramente había sido incapaz de defenderlos de Nabucodonosor.

El objetivo de las proclamas públicas anunciando el imperio de la Torá organizadas por Esdras y Nehemías eran los supervivientes sospechosos de haber adquirido junto con sus esposas «extranjeras» prácticas culturales igualmente «extranjeras». Lo cierto es que era el feroz monoteísmo sostenido por el libro que proclamaba que «Yavé es el único» lo que constituía una novedad, y no el hábito ancestral de tener en casa una figurilla de la diosa del hogar con los pechos desnudos o, en las mansiones de mayores dimensiones, una pequeña columna con una inscripción. Pero el exclusivismo de Esdras-Nehemías situaba ahora a sus correligionarios en un nivel más estricto, y los dos presentaban su versión del culto de YHWH como si siempre hubiera sido tan exigente, aunque históricamente no lo hubiera sido. Por primera vez (y no sería la última), se planteó el debate de «quién es judío», con la segregación absoluta y despiadada por parte de Esdras de los que se consideraba que estaban contaminados por los cultos «extranjeros». Y eso ocurrió precisamente en el momento —mediados del siglo v a. e. c.— en que los *yahudim* de Elefantina, desconocedores del nuevo puritanismo de Judea, contraían matrimonio con miembros de la población egipcia y en sus votos solemnes invocaban alegremente a los dioses paganos de sus vecinos arameos, a veces al mismo tiempo que juraban por YHWH. El debate entre una visión estricta de lo que significa ser judío y otra más amplia estaba servido.

Esdras, inflexible, se negaba a comer y beber, desolado como estaba por el hecho de que «los hijos del cautiverio» hubieran tomado «mujeres extranjeras», añadiendo así «prevaricación a la iniquidad de Israel». En consonancia con su idea de que los que habían contraído matrimonios mixtos tenían que avergonzarse de su pecado, los últimos veinticinco largos versículos del libro de Esdras no son más que una lista de los autores de la ignominia, entre ellos numerosos sacerdotes y levitas. (Ni que decir tiene que no se nos dan los nombres de sus infortunadas esposas.) Los culpables «se comprometieron, dando su mano, a echar a sus mujeres y a ofrecer un carnero por su pecado». En realidad, debieron de ser muchos millares de personas. La motivación de Esdras era precisamente erradicar la heterodoxia, hacer de Jerusalén el único templo, meta de las peregrinaciones y escenario de las fiestas y los sacrificios, y poner en manos de los sacerdotes del Templo el veredicto de quiénes podían y quiénes no podían ser admitidos en aquella nación renacida, que había renovado la alianza.

El propio libro de la Ley era el objeto supremo de la lealtad ortodoxa, exaltado por Esdras como código jurídico y como historia. Fueron el culto institucionalizado del Libro y la obligación de su lectura común en voz alta, más que el culto de un solo dios, los que hicieron de la religión yaveísta de los israelitas un fenómeno único en aquel tiempo y en aquel lugar. En Egipto, Akenatón, faraón de la XVIII dinastía, también había proclamado el culto exclusivo de un solo dios del sol y había eliminado todas sus imágenes excepto la del disco solar. Los cultos egipcios, babilonios y zoroástricos estaban encarnados en estatuas y esculturas en relieve, en santuarios fijos y templos concretos, y las grandes inscripciones épicas que proclamaban las sentencias divinas y la sabiduría de los reyes estaban también grabadas —en caracteres cuneiformes— en grandes monumentos de piedra totalmente inamovibles. Cuando los ejércitos asirios y babilonios entraban en batalla, lo hacían con las imágenes de sus dioses y sus reyes divinizados, para que les dieran fuerzas. Los israelitas, en cambio, tenían la orden de llevar consigo sus libros sagrados.[13]

La genialidad de la clase de los sacerdotes y escribas de Israel y Judá (junto con sus comparsas voluntarios, los profetas y visionarios itinerantes y los reyes que los patrocinaban, con quienes a menudo estaban enemistados) consistió en sacralizar un texto escrito, susceptible de ser llevado de un sitio a otro, fijado en el alfabeto hebreo estándar, como portador exclusivo de la ley de YHWH y de la visión histórica de su pueblo.[14] Codificado y fijado de este modo, el libro proclamado (y memorizado) podría sobrevivir, y de hecho sobreviviría, a los monumentos y la fuerza militar de los imperios. Fue confeccionado para constituir la posesión común tanto de la élite como de la gente sencilla, y para adaptarse a las vicisitudes de las contingencias políticas y territoriales. El tabernáculo, el santuario del desierto que, según se decía, había albergado originalmente la Torá, y por lo tanto había sido la morada de YHWH en medio de su pueblo, no era más que una tienda de dimensiones modestas, aunque ricamente engalanada, y en su interior, los detalles que se nos dan acerca del cofre que contenía el Arca, hacen que nos parezca más pequeño que cualquier moderno armario de cocina. Pero los israelitas que crearon la religión del libro estaban obsesionados con hacer de la Torá algo ubicuo, inevitable, no solo algo situado en un lugar sagrado, sino algo accesible, aunque fuera en miniatura, como una propiedad personal. En vez de la imagen de un ser divino o de una persona divinizada colgada de las jambas de la puerta para espantar a los demonios, eran los versículos de la Torá escritos en la *mezuzá* los que se encargaban de mantener sanos y salvos a los judíos. Las cajitas de cuero llamadas filacterias, o *tefillin*, estaban fabricadas de tal modo que las palabras que contenían estuvieran atadas a la cabeza o al brazo de los fieles mientras oraban. Los amuletos benéficos colgados del cuello o atados al pecho para atraer la suerte y asegurar la salud, que en otros cultos habrían llevado la imagen de un dios, incluían ahora también las palabras de la Torá. No había parte alguna de la vida, ni de la casa ni del cuerpo, que estuviera libre del libro.

La Torá, pues, era historia, ley, sabiduría, canto poético, profecía, consuelo y consejo fortificador, en forma compacta y susceptible de ser llevada de un sitio a otro. Del mismo modo que el santuario podía ser levantado bajo circunstancias seguras y desmantelado en momentos de crisis, el volumen parlante tenía por objeto sobrevivir incluso a su incineración, pues los escribas que lo habían compuesto y editado habían memorizado sus tradiciones orales y sus textos como parte de su educación básica. Se ha producido cierto debate en torno a la naturaleza exacta del papel desempeñado por el *mazkr*, traducido de forma harto inadecuada como «heraldo» en la *Biblia del rey Jacobo*. Y es que los israelitas no tenían heraldos. La raíz del vocablo es *zkr*, o *zakhor* en hebreo rabínico, que significa «memoria», de modo que semejante individuo, laico o sacerdote, habría sido «el que guarda en su memoria», «el que recuerda». Sincronizando la escritura y la memoria humana, el pueblo de YHWH podía ser destruido y sacrificado, pero su libro permanecería infatigablemente vivo.

No debería extrañarnos, por tanto, que el Libro, como objeto físico, aparezca en algunas de las escenas más poderosas de la Biblia hebrea. Naturalmente no era parecido a un libro moderno, con páginas ordenadas y consecutivas, el tomo que, en su forma primitiva de códice compuesto por folios cosidos y doblados, no aparecería hasta la época de los romanos. El volumen o rollo aparece en la Biblia hebrea en formas potentísimas, mágicas. El extravagante profeta y sacerdote Ezequiel (que probablemente escribiera en el destierro, aferrándose por tanto a sus volúmenes con especial ahínco) experimenta una visión en la que una mano le tiende un rollo, lleno de advertencias y lamentaciones, pero uno de los cuatro seres vivos, provistos de cuatro rostros y cuatro alas cada uno, que salen en el sueño, le ordena que no lo lea, sino que se lo coma, que lo mastique y se lo trague sin más. «"Hijo de hombre, come eso que tienes delante, come ese rollo, y habla luego a la casa de Israel." Yo abrí la boca e hízome él comer el rollo, diciendo: "Hijo de hombre, llena tu vientre e hincha tus entrañas de ese rollo que te presento. Yo lo comí y me supo a mieles".» Solo cuando el comedor de biblias se ha llenado físicamente la boca con el contenido del libro y ha digerido literalmente su contenido, esa misma boca puede convertirse en un órgano de elocuencia profética.

Se trata de un asunto espeluznante, pero el mismo rollo hace una aparición todavía más dramática durante el reinado del rey niño Josías. Su historia es contada dos veces en la Biblia, primero en Reyes 2, 22-23, y luego en la versión más elaborada del autor de las Crónicas 2, 34-35. Ambos textos fueron redactados en momentos de una prolongada crisis. El relato original del libro de los Reyes fue escrito con toda probabilidad a finales del siglo VIII o comienzos del siglo VII a. e. c., cuando el recuerdo de la destrucción del reino del norte, Israel, a manos de los asirios en 721 a. e. c., estaba todavía muy vivo. La refacción, muy posterior, de las Crónicas habría sido compuesta a mediados del siglo V a. e. c., por la misma época de Esdras y Nehemías, de modo que constituye un prólogo consciente a la lectura pública de la Torá junto a la Puerta de la Fuente.

La historia de Josías es una fábula sobre la inocencia recuperada. Josías comienza a reinar con solo ocho años, tras uno de los momentos más bajos conocidos en la historia de Judá: el largo reinado de su abuelo Manasés, que, según los autores de la Biblia, no tuvo igual en su afán de profanar el Templo con «abominaciones» paganas, y el de su padre, Amón, llamado así en honor al sol adorado en Egipto, algo que dice ya bastante de su carácter. Fueron alternándose generaciones de piedad y de impiedad. Anteriormente, el padre de Manasés, el rey Ezequías, había sido un reformador purista, considerado retrospectivamente por los autores del libro de los Reyes como un enemigo de los ídolos, que oyó las advertencias de Isaías, y como un patrono de los escribas y doctores encargados de componer los libros de lo que sería la Biblia. Analistas posteriores —la vocación erudita iba por familias— atribuirían el hecho de que Jerusalén se librara por muy poco de la invasión de los asirios (que sucumbieron a una plaga) al celo yaveísta de Ezequías.

Manasés eligió el camino opuesto. Viviendo peligrosamente entre Egipto y Asiria, no solo se había mostrado indiferente al purismo yaveísta, sino que, para disgusto de los escribas de la casta sacerdotal, había sido un entusiasta del politeísmo; erigiendo altares al dios fenicio Baal, se prosternó ante «todo el ejército de los cielos» (las divinidades astrales), alzó una imagen de Asera y un bosque pagano, «observaba los sueños y los augurios», «se dio a la magia, teniendo cerca de sí magos y encantadores», y, lo que es peor, llevó a cabo sacrificios humanos, incluido el de su propio hijo, al que, según las palabras horrorizadas de los autores de la Biblia, «pasó por el fuego» y entregó a Moloc. La respuesta a todo este catálogo de iniquidades (en buena parte, por supuesto, formado por el repertorio habitual de lo que era la religión popular de toda Palestina) es la promesa de YHWH de «fregar Jerusalén como se friega un plato».

Dejemos un rato en suspenso el fregoteo celestial. El Segundo Libro de los Reyes fue escrito (o reescrito) casi con toda seguridad por unos historiadores «deuteronomistas», la generación de sacerdotes y escribas de los siglos VI y V a. e. c., fuertemente comprometida no solo con YHWH como divinidad suprema, sino también con su identidad exclusiva de Dios único. El del Deuteronomio había sido añadido a los cuatro primeros libros de la Torá como la colección de consejos orales de despedida dados por el propio Moisés moribundo, en los que se reiteran (y se manipulan) los detalles de la ley entregada en el Sinaí (incluidos los Diez Mandamientos), se ofrecen consejos de política exterior a las tribus («Guardaos de tener querellas con Edom», «No hostiguéis a los moabitas»), se formalizan bendiciones y maldiciones, tradición habitual en Oriente Próximo («Maldito quien yace con su suegra»), y se solemniza una alianza renovada, aunque también con el mandato expreso de recordar y repetir (en voz alta) la historia del éxodo. Hay una clara línea de desconfianza —en la capacidad del pueblo de atenerse estrictamente a la ley mosaica y, como ocurre en el caso de los peregrinos crímenes y transgresiones de Manasés, en la predisposición de los monarcas de la Casa de David a asegurar el cumplimiento de lo que es justo— que recorre todo el Deuteronomio y luego todo el libro de los Reyes. Lo que se discute es si Ezequías o Manasés representan la norma de los reyes de Judá pertenecientes a la estirpe de David. La historia de Josías nos da la respuesta definitiva.

El drama se desarrolla mientras Josías es todavía joven y sucede en el trono a su padre, el inicuo Amón, tras el asesinato de este. El libro de los Reyes hace que el suceso fundamental para Josías se produzca cuando tiene dieciocho años; anticipándose a la posibilidad de que se planteen preguntas incómodas en relación con los diez años transcurridos entre su ascensión al trono y el descubrimiento de su vocación, el autor de las Crónicas adelanta la epifanía a los doce. Pero el fondo de la historia es el mismo. El Templo se encuentra en un estado lamentable de deterioro y corrupción, abandonado y profanado por Manasés. El rey niño repudia las «abominaciones» de su descarriado abuelo y su menosprecio de las censuras del Padre Celestial, y ordena que se recauden impuestos en forma de plata entre el pueblo de Judá para restablecer la pureza y la hermosura del Templo. (Y, por si cabía alguna duda, se conservan óstraka con la orden de que se efectúen esos pagos.) Los trabajos de restauración comienzan por los «carpinteros, maestros de obras y albañiles», bajo la supervisión del sumo sacerdote Helcías, personificación de la ortodoxia yaveísta.

Pero mientras avanzan los trabajos de reconstrucción, curiosamente, resulta que Helcías se encuentra por casualidad un «Libro del Señor» perdido, medio enterrado entre los escombros. Se lo da al escriba y consejero Safán, que no pierde el tiempo y lo lee en voz alta ante el joven rey. Josías queda fulminado por las palabras que escucha y siente además cierta inquietud, entre otras razones porque el libro en cuestión (¡oh sorpresa!) es el Deuteronomio, con su exhaustiva lista de maldiciones: «Maldito serás en la ciudad y maldito en el campo. Maldita tu panera y maldita tu artesa … El Señor te herirá con las úlceras de Egipto, con almorranas, con sarna, con tiña, de las que no curarás». No es de extrañar que Josías pensara: «Grande es la cólera del Señor, que se ha derramado sobre nosotros, por no haber guardado nuestros padres la palabra del SEÑOR y no haber puesto por obra todo lo que en este libro está escrito».

El rey no se queda ahí. Anticipándose a la lectura pública organizada por Esdras ante las puertas de las murallas de Jerusalén, Josías reúne a los sacerdotes, a los levitas «y a todo el pueblo, desde el más grande al más chico», y lee «delante de todos las palabras del libro de la alianza que había sido encontrado en la casa del Señor». Está el rey «sobre su estrado», y hace ante toda la asamblea una declaración pública de arrepentimiento y renovación de la alianza. Después, en torno al año 620 a. e. c., emprende una operación de limpieza general, empezando por el Templo, donde celebra la Pascua que pone fin a todas las Pascuas. Se reúnen treinta mil corderos y cabritos, exactamente dos mil seiscientas cabezas de «ganado menor» y trescientos bueyes, para que todo el mundo pueda celebrar la Pascua como es debido. Se lleva a cabo la matanza sacrificial a lo largo de todo el día; el derramamiento de sangre es abundantísimo, y luego la carne asada se reparte entre la gente. «Ningún rey de Israel —exclama el autor de las Crónicas un tanto superfluamente—, había celebrado una Pascua semejante a esta que celebró Josías.» Y con el Templo redimido de las profanaciones perpetradas por Manasés, el rey (o los sacerdotes y sus consejeros) decreta que sea el único sitio donde se celebren los sacrificios rituales y las peregrinaciones con motivo de las festividades que componían el calendario de la observancia religiosa.

La historia del redescubrimiento fortuito del Libro por Josías constituye la más retorcida reelaboración deuteronomista de la identidad judía/israelita para adaptarla a la imagen del exclusivismo yaveísta. En el fondo de esta ficción sagrada se encuentra la negación por parte de los escribas y doctores de su autoría de la Biblia deuteronomista. Su pretensión literaria es que existió siempre desde tiempo inmemorial y, por supuesto, independientemente de la mano del hombre; incluso Moisés se limita a escribir al dictado. De modo que las Palabras, la Escritura y el Libro tienen una vida completamente al margen de los reyes que son sus guardianes, nombrados provisionalmente a tal efecto, pero que en su mayoría se muestran rebeldes e indignos de confianza y se dejan corromper fácilmente por las prácticas de los forasteros y de las mujeres extranjeras, como en el caso de las mil esposas de Salomón, entre ellas una princesa egipcia. (Las mujeres, atrapadas en la paranoia de Jezabel que sufren los autores deuteronomistas, son presentadas una y otra vez como demonios tentadores.) Repudiando a su malvado abuelo, el niño Josías logra recuperar el legado de David y Salomón (pasando por alto las numerosas transgresiones de estos) para restablecer las credenciales de los descendientes de la Casa de David como dignos custodios del Libro.

Sin embargo, es el propio Libro parlante el que es el agente de la reforma, permaneciendo a la espera del «descubrimiento» de Helcías y de la verdadera mayoría de edad de Josías, una especie de *bar mitzvá*, como heredero consciente de la Ley mosaica y del relato de su revelación. Era Moisés el que hablaba de nuevo, directamente a través de Josías, del mismo modo que Dios había hablado a través de Moisés. Así pues, es la deslumbrante mística de ese Libro perdido, sus palabras esperando unos ojos que las lean y una boca que las recite, medio sepultado entre los escombros de la falta de fe, esperando la resurrección, lo que constituye el núcleo de la narración. La economía del misterio es lo más genial del relato. Su fuerza radica no en esculturas triunfales, en minas de metales preciosos o en un ejército innumerable, sino en un mero rollo lleno de palabras; ese es el motivo de que el término griego «Deuteronomio» («Segunda Ley») sea una traducción mejor del título hebreo *dvarim*, que significa «Estas son las palabras». Desde el momento en que se tuvo conciencia de la propia cultura, ser judío fue ser libresco.

No obstante, pese a las repetidas promesas que hace YHWH de poner a los poderosos a los pies de los miembros de la alianza, el Libro nunca garantizó la invulnerabilidad, ni siquiera al autor de su redescubrimiento, Josías. Puede que el libro ofreciera muchos detalles acerca de qué aves estaba permitido comer y cuáles no (ni pigargo, ni quebrantahuesos, ni milano, ni águila, y nada de avefría, ni murciélago ni búho), pero no resultó muy útil como guía estratégica para la apurada situación de los reyes de Judá de finales del siglo VII a. e. c. Tras librarse de la amenaza de los asirios, dos generaciones más tarde el pequeño reino montuoso quedó comprimido entre dos potencias fluviales agresivas y expansionistas, la del Nilo y la del Éufrates. En Mesopotamia, los babilonios prácticamente habían acabado con Asiria y, dándose cuenta de la amenaza que ello suponía, el faraón Necao II (que con toda verosimilitud había establecido a sus mercenarios judíos en Elefantina) decidió en 609 a. e. c. acudir en ayuda de los asirios acorralados y enfrentarse a los babilonios antes de que fuera demasiado tarde para impedir que sus ejércitos se convirtieran en una potencia hegemónica incontestable. Obligado a escoger, Josías apostó por Babilonia y puso el ejército que capitaneaba directamente frente al de los egipcios en su camino hacia el norte.

El autor de las Crónicas, que escribió su obra después del desastre, dramatiza la historia haciendo que Necao envíe a Josías unos embajadores para suplicarle que se mantenga al margen. «¿Qué hay entre tú y yo, rey de Judá? No es contra ti contra quien voy yo ahora; es contra una casa con la que estoy en guerra … No te opongas, pues, a Dios, que está conmigo, no te destruya.» Pero es probable que Josías no diera credibilidad a la palabra de Dios salida supuestamente de labios de un faraón, y presentó batalla a los egipcios en Megiddó, en el norte del país. Una flecha de un arquero egipcio acertó en el blanco. Herido de muerte, Josías fue trasladado a Jerusalén. «Murió y fue sepultado en el sepulcro de sus padres. Todo Judá y Jerusalén lloraron a Josías.»

El reinado de Josías fue un falso principio de alianza entre la santidad y el poder; por el contrario, fue el preludio de una catástrofe. Tras el desastre de Megiddó, Joajaz, el hijo de Josías, fue coronado rey en lugar de este, pero fue destituido sin contemplaciones por Necao y llevado en cautividad a Egipto, siendo colocado en el trono su hermano Joaquim, fiel aliado de Egipto. Cuatro años más tarde, en 605 a. e. c., las dos catastróficas derrotas sufridas por los ejércitos de Necao a manos de los babilonios en Carchemish y en Hamath, indujeron a Joaquim a replantearse su estrategia de supervivencia. Durante casi una década, jugó a enfrentar entre sí a las dos grandes potencias, pero nunca fue capaz (algo, por lo demás, acaso comprensible) de decidirse, situándose en cada momento al lado de aquel que le parecía que gozaba de superioridad militar. Cuando lo hizo, bien por mano de un asesino o bien en defensa de Jerusalén en la primavera de 597 a. e. c., había empezado ya a pagar el precio de suponer prematuramente que lo peor de la amenaza babilonia había pasado.

Tras la destrucción final, el libro de Jeremías (cuyo autor es con toda probabilidad Baruc, el secretario-escriba del propio Jeremías) nos ofrece una elocuente explicación erudita de la muerte de Joaquim: se tapa los oídos y se niega obstinadamente a escuchar los dictados del Libro. En una de las escenas más vívidas de Jeremías, correspondiente al capítulo 36, el rey, que ha ignorado las advertencias del profeta, se encuentra «en las habitaciones de invierno». Está sentado ante un brasero encendido y, aunque a regañadientes, permite a su consejero Judí que le lea las últimas sentencias siniestras del Libro. «Y según iba leyendo Judí tres o cuatro columnas del volumen, lo iba rasgando el rey con el cuchillo del escriba y lo arrojaba al fuego del brasero, hasta que lo quemó todo.» Ni que decir tiene que Jeremías recibe de YHWH la orden de mandar a Baruc reescribir el volumen quemado —con algunos añadidos—, anunciando que el cadáver de Joaquim será arrojado al calor del día y al frío de la noche. Puede uno taparse los oídos, quemar el Libro, ignorar sus advertencias y hacerlo añicos, pero al final su mensaje se hará oír, alto y claro.

Sin un nuevo Ezequías y sin un nuevo Josías (los reyes que prestaron atención a las palabras del Libro), no habría «milagro asirio». El hijo de Joaquim, llamado, como para inducir a error, Joaquín, permaneció tres meses en el trono antes de ser derrotado por Nabucodonosor y deportado en cautividad, junto con los «príncipes» y los «hombres de Judá», a Babilonia. En su lugar fue puesto en el trono el tío del joven rey, Sedecías, el último hijo de Josías y, de hecho, el último rey de Judá.

Sin embargo, no acabó ahí la cosa. El reino se había convertido en un estado títere de los babilonios, pero ni Sedecías ni el pueblo de Judá se resignaron a su sometimiento, algo que irritaba sobremanera a profetas como Jeremías, que predicaban que Babilonia había llevado a cabo el castigo de YHWH. Puede que esos profetas vituperaran a Sedecías, pero su opinión no era necesariamente compartida. Tenemos testimonios documentados de que, al menos durante diez años, Sedecías y las gentes del territorio montañoso del sur y del oeste de Jerusalén amagaron con sublevarse y causaron continuos disgustos a los babilonios. Casi al final de la década, las fortalezas con las que desde los tiempos de David los reyes habían guarnecido las cimas de los montes, bien abastecidas de provisiones por las fértiles tierras de la Sefela, resistieron incluso cuando en 588 a. e. c. la propia Jerusalén fue sitiada. La esperanza de los oficiales al mando de esas fortalezas debía de ser que, si Sedecías aguantaba y los acueductos de Ezequías seguían en pie, el nuevo faraón, Apries (tal vez con la ayuda de mercenarios judíos de las colonias del Nilo), aliviara la situación. Por una vez las esperanzas de Judá se cifraban en Egipto.

Pero Apries estaba más interesado en asegurar su frontera meridional frente a los nubios y etíopes, y abandonó Siria y Palestina en manos de los babilonios. Era solo cuestión de tiempo que la enorme maquinaria del poderío militar babilonio arrasara lo que quedaba del reino de Judá. Y justamente a partir de esa época, en 588-587 a. e. c. —los últimos años de la independencia de Judá—, oímos hablar de un judío de primera fila en unas cartas fragmentarias escritas en hebreo sobre cascotes de arcilla por un oficial, Hoshayahu, en la gran fortaleza amurallada de Laquis, que domina la ruta que va desde Ascalón, en la costa, hasta Hebrón, en la zona montañosa.

Hoshayahu, como todos los habitantes de Judea en el angustioso verano de 587 a. e. c., aguarda impacientemente la ocasión propicia. Su voz, cuya tosquedad coloquial nos transmite con toda fidelidad el escriba, suena comprensiblemente irritada teniendo en cuenta su situación, e intenta obtener noticias de otro oficial de rango superior destinado en otro lugar. Hoshayahu no tiene pelos en la lengua y a menudo, si no toma el nombre de YHWH en vano, desde luego lo usa sin demasiados miramientos. Respondiendo supuestamente a las preguntas de un oficial superior, el «señor Yaush», que pide información acerca de sus tropas y su abastecimiento, Hoshayahu dice: «¿Por qué piensa en mí? (Al fin y al cabo) no soy más que un perro. Que YHWH le ayude a recibir las noticias que necesita». De momento, el camino de Jerusalén, de importancia capital, sigue abierto, pero cuando el horizonte se oscurece, las cartas de Hoshayahu aparecen salpicadas de arrestos, confiscaciones y ominosas interrupciones de la correspondencia. Una de ellas, casi al final, comenta que desde Laquis no puede verse la señal que con hogueras encendidas envían desde otra ciudadela en lo alto de una colina más próxima a Jerusalén, Azekah. Algunas interpretaciones románticas han explicado este detalle como un indicio de que las hogueras habían sido apagadas a raíz de la toma de la fortaleza por los babilonios, pero podría tratarse perfectamente de una expresión de la actitud defensiva con la que Hoshayahu comprueba la visibilidad de las señales de Azekah junto con las de las demás guarniciones.[15]

Así pues, nos llegan dos relatos judíos pertenecientes a la misma época de turbulencias, escritos contemporáneamente, uno perteneciente al repertorio arqueológico y otro fruto de la infinita labor de edición, corrección, compilación y revisión que acabaría formando la Biblia hebrea. Uno constituye un testimonio poético; el otro, un relato prosaico, pero no menos vívido, de la vida judía. Uno ensalza el nombre de YHWH; el otro lo utiliza de forma despreocupada (aunque, a diferencia de los judíos de Elefantina, no aparezca unido a los de otras divinidades locales), como parte de la lengua vernácula. Uno tiene la voz de un hombre curtido y práctico; el otro, la de un individuo que recuerda a un vidente, de tonos poéticos y altisonantes. Uno se preocupa por el aceite y el vino, por la colocación de las tropas y las señales luminosas de defensa; el otro canta con entusiasmo las alabanzas de YHWH o estipula cuántos sacrificios de animales son suficientes, inculcando en los pupilos de YHWH la obligación de observar las barreras impuestas por los mandamientos con los que Moisés se despide de los suyos. Una voz intenta que la oigan los judíos situados en la colina que tiene enfrente; la otra intenta llegar a los judíos hasta la eternidad. Una es incapaz de imaginar el futuro tras un apocalipsis; la otra tiembla febrilmente ante su inminencia.

Nunca sabremos con absoluta seguridad qué partes de los libros de la Biblia hebrea ni cuáles de ellos fueron escritos antes de la deportación en masa de 597 a. e. c. y de la destrucción final de Jerusalén diez años más tarde, ni qué partes lo fueron después. Pero la composición de los elementos más antiguos (cantos épicos de triunfo como el «Canto del mar» de Éxodo 15, que expresa el regocijo por la muerte del faraón y de su ejército, ahogados mientras persiguen a los israelitas) ha sido identificada por algunos eruditos ya en el siglo XI a. e. c.; en otras palabras, antes del reinado de David.[16] El estilo del himno —«Cantemos al Señor, porque se ha mostrado en toda su gloria. Él arrojó al mar al caballo y al caballero»— ha sido asociado de forma harto convincente a la poesía mítica cananea en la que el dios rival Baal conquista el mar con una gran tormenta. De ese modo, mientras que los primeros editores y escribas que componían sus relatos, quizá ya a finales del siglo X a. e. c., pretendían resaltar a YHWH como su divinidad local suprema, algunos de sus pasajes más característicos demuestran cuánto debían a la tradición poética de sus vecinos. Cuando pasaron a escribir sus historias de los acontecimientos relativamente más recientes, se encargaron de incorporar en ellas esas formas antiguas de corales y estribillos, de dar al libro escrito que venía a formar su identidad un valor de memoria oral heredada desde tiempo inmemorial. No es una casualidad que en su paroxismo épico lleguen a recordarnos a los cantos de guerra casi contemporáneos que aparecen en la *Ilíada*, pero en el caso hebreo–israelita se nos presentan como un legado compartido para un público común. Resuenan poderosamente en ellos ecos de cantos y endechas auténticamente arcaicas («Cántico de Débora», Jueces 5: «Los que montáis blancas asnas, los que os sentáis sobre tapices, los que presidís en juicio, los que ya vais por los caminos, cantad. El que fue lugar de rapiña es ya lugar de regocijo ... Despierta, despierta, Débora. Despierta, despierta, entona un canto»), o el trágico «Lamento de David» de 2 Samuel 1, por la muerte de Saúl y de Jonatán («No lo propaléis en Get; no lo publiquéis por las calles de Ascalón. Que no se regocijen las hijas de los filisteos ... angustiado estoy por ti, ¡oh Jonatán, hermano mío! Me eras carísimo, y tu amor era para mí dulcísimo, más que el amor de las mujeres. ¿Cómo han caído los héroes? ¿Cómo han caído los fuertes guerreros?»).[17]

Los poemas y cantos épicos dieron a las compilaciones eruditas del relato bíblico un aire de profunda antigüedad, de modo que pudieran tener un efecto retroactivo y pasar de la historia reciente de David (un siglo y medio anterior), recogida en Samuel, a la de los Jueces y las conquistas de Josué, hasta llegar al gran mito seminal de la fundación contado en el Éxodo, y luego continuar hasta los orígenes patriarcales, con sus sinuosas entradas y salidas de Egipto, dando traspiés a través de las epifanías de juicios y alianzas: el embarazo de Sara a los noventa años; el episodio de Isaac, que está a punto de ser sacrificado; el modo en que Jacob se aprovecha del hambre de Esaú; el manto de ricos colores de José y la interpretación de los sueños del faraón. Todas estas fábulas en torno a los orígenes siguieron siendo embellecidas, enriquecidas, modificadas y repetidas a lo largo de numerosas generaciones, para dar a los israelitas una acendrada sensación de historia ordenada por Dios y proveerlos de una genealogía colectiva imaginaria, que los escribas y sacerdotes consideraban requisitos imprescindibles para mantener una identidad común ante la amenaza de la dolorosa realidad histórica.

A finales del siglo XIX fueron identificados cuatro hilos narrativos distintos por los estudiosos alemanes de la Biblia, en particular por Julius Wellhausen, el formidable iniciador de la «hipótesis documental», según la cual los cinco primeros libros de la Biblia se originaron a partir de culturas independientes, cada una de las cuales presentaba de forma diferente a la divinidad suprema. Cada uno de esos hilos ofrece versiones características de los mismos sucesos —incluso de la Creación—, que son escritas dos veces, y diferentes acentos tonales que dan testimonio de sus respectivas preocupaciones.

El primitivo texto yaveísta o «J» llama al Dios de Israel YHWH, y como en el sur de Canaán y en el mundo del desierto aparecen formas de ese nombre, se cree que este relato se inició entre escribas originarios del sur. El texto elohísta o «E» llama a Dios «El», el mismo nombre de la divinidad suprema fenicio-cananea, rasgo que lo caracteriza como obra de una cultura más septentrional. En el siglo VIII a. e. c., probablemente durante el reinado del monarca reformista Ezequías, ambos textos fueron unidos. Puede que los escribas responsables de la confección del texto «E» o sus descendientes (por motivos vocacionales o familiares) se trasladaran al sur y llegaran a Jerusalén tras la destrucción del reino de Israel por los asirios en 721 a. e. c., y trabaron su relato con el del texto «J» originario de Judá. En un momento determinado a lo largo del siglo VII a. e. c., probablemente como reacción al politeísmo flagrante de Manasés, se compone un texto de carácter conscientemente sacerdotal o fuente «P», marcado por una obsesión compulsiva por la corrección en lo tocante a las minucias de la observancia, la estructura del Templo y la jerarquía sagrada de las tribus y del pueblo. La misma estruendosa nota de trompetas del Deuteronomio resuena a finales de siglo, cuando Josías reanuda las reformas de su bisabuelo Ezequías, y con ella se produce una vigorosa reelaboración y ampliación de las historias de los libros de Josué, Samuel, los Jueces y los Reyes; se trata de la versión deuteronomista o «D».

Pero luego, con los profetas posteriores, aparece un tercer hilo, más poéticamente altisonante y más visceralmente hermoso que cualquiera de las fuentes anteriores, aunque a veces adopte una delirante vena ezequieliana, que lo deja a uno alucinado. Esta variante llega a su punto culminante con el autor —independientemente de quién fuera— del «Deutero-Isaías», esto es, los últimos veintiséis capítulos del libro de Isaías. Las alusiones a los decretos de Ciro, rey de Persia, datan este añadido en el siglo VI o posiblemente incluso en el V a. e. c., y a todas luces su redacción constituye en buena parte una respuesta a la experiencia vivida en un mundo de colosos paganos y la veneración de las imágenes y estatuas de culto.

El Deutero-Isaías es el primer libro de la Biblia hebrea que insiste de forma inequívoca no solo en la supremacía de YHWH, sino también en el carácter exclusivo de su realidad. «Sí, yo soy Dios, y no hay ningún otro; yo soy Dios, y no tengo igual —dice el libro que afirma el Señor—. Yo soy el primero y el último, y no HAY otro Dios fuera de mí.» Pero estos capítulos no se limitan a realizar una mera declaración o a lanzar advertencias contra la idolatría, cuyo absurdo se describe en el capítulo 44. Se nos presenta a un carpintero trabajando, con su regla, su compás y su cepillo, haciendo la estatua «a semejanza de hombre hermoso». El autor nos da a continuación una imagen de cipreses, cedros y robles, que caen a golpe de hacha, para que ese mismo carpintero cueza pan y ase carne. «Una parte quemará en el fuego, con otra parte comerá carne, asará asado y se hartará. Caliéntase luego diciendo: "Me caliento, siento la lumbre"; y con el resto se hace un dios, un ídolo que adora, postrándose ante él, y a quien suplica diciendo: "Tú eres mi dios, sálvame".» En cambio, YHWH «verdaderamente eres Dios que te encubres», un dios sin forma humana ni de ningún otro tipo, un dios de voz y de palabra. «El Señor, Dios, me ha dado lengua.»

El Deutero-Isaías es consciente de que sus palabras están haciendo algo nuevo; no solo reciclan unos recuerdos que datan de tiempo inmemorial, una orden de obediencia de la ley mosaica, sino que constituyen un himno de consolación («Consolad, consolad a mi pueblo»), de expectación y de esperanza paciente. Recorre sus versículos una vena de desprecio por el poder mundano de los imperios que no podría chocar más con las inscripciones triunfales de Egipto, Asiria y Babilonia. «Mirad, son las naciones como gota de agua en el caldero, como un grano de polvo en la balanza … Todos los pueblos son delante de él como nada, son ante él nada y vanidad.» Se trata de hecho de una voz en consonancia con las necesidades de los impotentes, los «cautivos» y los desarraigados. El «cántico nuevo» que entona parece hecho a la medida de los que están destinados al desalojo, a los viajes incesantes y a los paraderos inciertos. En sus versos ondean las aguas y centellean los fuegos de Mesopotamia. «Cuando pasares por las aguas, yo seré contigo, y en los ríos no te ahogarás. Cuando pasares por el mismo fuego, no te quemarás ni las llamas te consumirán.»

Un hecho fundamental, posiblemente el hecho fundamental de la Biblia hebrea, es que no fue escrita en un momento de apogeo, sino a lo largo de tres siglos de turbulencias (del VIII al V a. e. c.). Eso es lo que da al libro su sobriedad acumulativa, su poética aleccionadora, y lo que lo salva de la tosquedad de la autocomplacencia triunfal que encontramos en las culturas imperiales. Incluso cuando afirma tener unos lazos de unión con YHWH de los que ninguna otra nación puede presumir, cualquier tentación de jactarse de dicha excepcionalidad se ve abortada por la frustrante sucesión de divisiones, traiciones, trastornos, engaños, atrocidades, desastres, transgresiones y derrotas que se desarrolla a lo largo de sus páginas. El hijo bien amado de David, Absalón, perece de un modo particularmente horroroso cuando se rebela contra su padre. El reino de Salomón, que crece hasta alcanzar dimensiones casi imperiales, no dura ni una generación después de su muerte. El rey Manasés instituye el espanto del sacrificio de niños arrojados al fuego. Los egipcios están siempre en la puerta delantera y los imperios mesopotámicos, en la trasera.

Ello no significa, sin embargo, que la Biblia fuera compuesta primordialmente como un documento de consolación, que desde el primer momento sus páginas estuvieran regadas con lágrimas. Sería una interpretación en retrospectiva, equivaldría a reforzar la impresión anacrónica de que la historia de los judíos se halla ensombrecida desde el primer momento por una presciencia trágica, de que sus palabras fueron escritas siempre con el presentimiento de una aniquilación inminente (en tiempos de los babilonios y de los romanos, en la Edad Media, durante el fascismo). Sería respaldar la tradición romántica del hebreo que se lamenta constantemente, que se mesa los cabellos, que se da golpes de pecho, del *schreiyer* cubierto de cenizas. Eso no quiere decir que no haya nada que lamentar en el largo relato que viene a continuación —de hecho, la Biblia hebrea y buena parte de la historia posterior pasarían a menudo por las sombras del valle de la muerte—, pero sus páginas y la historia milenaria de los judíos abandonan los campos plagados de huesos para entrar en lugares mejores, y las voces judías cambian de tono y pasan de la elegía lúgubre al canto a pleno pulmón más a menudo de lo que cabría suponer.

Las múltiples generaciones de autores bíblicos redactaron su libro no dando por supuesto lo peor, sino preparándose para la posibilidad de que ocurriese. Y eso, como puede decir cualquier judío, constituye una gran diferencia; la diferencia, de hecho, entre la vida y la muerte. Muchos pasajes del Libro parlante no son un ensayo del dolor, sino una lucha contra el carácter inevitable del dolor, lo cual constituye otra gran diferencia. Es lo contrario del fatalismo, no lo que lo permite.

No es como si los largos años durante los que surgió la Biblia hebrea estuvieran envueltos en un velo de silencio tras las celdas en las que la compusieron los escribas. Durante más de un siglo, la arqueología ha liberado del silencio y del olvido un sorprendente parloteo de voces hebreas que se dejan oír junto a las sonoridades de la dicción bíblica. Irremediablemente, sus frases son fragmentarias, están rotas, como los cascotes de cerámica sobre los que a menudo aparecen escritas. A veces no son más que el equivalente de un leve trino en hebreo, que comunica que tal o cual ánfora de vino o de aceite pertenece a fulano de tal, o (con mucha frecuencia) una impresión con el sello *lmlk*, que indica que se trata de una propiedad del rey. Pero a veces (y los historiadores debemos este mágico descubrimiento a la perseverancia de los epigrafistas) esos leves trinos se convierten en verdaderos textos: historias de quejas, angustias, profecías, jactancias. La mera abundancia cacofónica de esas voces, la confusión de tanto ajetreo, pone de manifiesto que en Judá y en Samaria —el territorio del viejo reino unido— había vida, una vida distinta del núcleo narrativo de la Biblia y no absolutamente dominada por él. Esa es la diferencia entre el pergamino y el óstrakon; por un lado, la piel de animal estirada, acondicionada, cuidadosamente escrita y destinada al recordatorio ceremonial y a la recitación pública; por otro, unos trazos escritos con tinta sobre el primer cascote o fragmento de cerámica que se tuviera a mano. Eran estos unos materiales sencillos, pobres, improvisados, al alcance de cualquiera que quisiera usarlos. Imaginémonos montones de ellos apilados de cualquier manera en un rincón de un cuarto o de un patio. El mero hecho físico de esos textos profusamente escritos, las letras de casi un milímetro de altura, apelotonadas en el espacio disponible del óstrakon, la mano retorciéndose sobre la superficie a menudo abombada del cascote, su disponibilidad ocasional, constituye por sí solo una prueba del ardiente deseo de comunicar, de la locuacidad singularmente irrefrenable de la cultura hebrea y judía. A veces, la escritura es tan maravillosamente profusa en los fragmentos de cerámica que parece el equivalente de un grupo de judíos amontonados (todos los hemos visto alguna vez) hablando unos con otros, sin dejar meter baza al vecino. Aprovechar esos cascotes está también al alcance de cualquiera.

Ese parloteo incesante no estaba completamente al margen del hebreo clásico, hablado o escrito. Utilizaba el mismo alfabeto normalizado; más o menos las mismas formas de las letras, la misma gramática y la misma sintaxis, aunque se escribiera de derecha a izquierda, o bien al revés. Pero el hebreo de la vida cotidiana, una evolución de la lengua cananeo-fenicia, no está retocado; lo encontramos fragmentado, saturado de torpe energía exclamatoria. La elocuencia de la Biblia es poética; la de los fragmentos de cerámica y de los papiros es social. Pero su alboroto mundano atraviesa los muros de la meditación de las Escrituras para que el relato de los judíos sea contado de un modo absolutamente singular entre los libros del monoteísmo. Puede que la Biblia moldeara el hebreo, pero no lo creó. Antes bien, como ha dicho de manera harto esclarecedora Seth Sanders, viaja a través de una animada lengua primitiva que, en el siglo VIII a. e. c., está ya en condiciones de ser reelaborada para diversos fines: para la historia, la ley y las necesidades de genealogía y de alcurnia; esto es, para todas las respuestas a las preguntas eternas: ¿quiénes somos?, ¿por qué nos pasa lo que nos pasa?[18] Los cruces —entre el lenguaje sagrado y el social, entre la lengua oral y la escrita, entre lo que es típicamente hebraico-yaveísta y lo que está muy cerca de las culturas vecinas (moabita, fenicia o incluso egipcia)— van en los dos sentidos, retroalimentando la escritura y la sociedad. Si la Biblia debe su infinita vitalidad, su pulso de vida terrenal en medio de tantas visiones y misterios (el carácter retorcido de Jacob, la irritabilidad de Moisés, el vigoroso carisma de David, la cobardía de Jonás, pero también sus arpas y sus trompetas, sus higos y su miel, sus palomas y sus asnos) al hecho de que tome de la animada matriz del hebreo hablado y escrito versiones deliciosamente poco heroicas de humanidad, también es innegable que la vida cotidiana de Judá estaba marcada por la Biblia, por sus oraciones y sus portentos, por sus leyes y sus sentencias.

La sensual exuberancia del texto bíblico debe mucho a una escritura que no usurpa su puesto a la lengua hablada, sino que cohabita con ella, conservando su animada energía y dinamismo. El hecho de que esos relatos trascendentales del Libro descubierto una y otra vez impliquen la existencia de un lector y una lectura, no significa que los oyentes permanezcan en un estado de obediencia pasiva (como tampoco sucede hoy día, pongamos por caso, durante la lectura del texto de la Hagadá durante la Pascua). A veces se ofenden por la simple idea de que alguien les tenga que leer algo. Hoshayahu, por ejemplo, nuestro oficial del ejército, acorralado en la ciudad-fortaleza de Laquis justo antes de la invasión de los babilonios, encuentra tiempo para indignarse ante la idea de que su superior, el señor Yaush, dé por supuesto que es analfabeto. Tras las frases de cortesía preliminares de rigor («Que YHWH te traiga buenas nuevas»), Hoshayahu hace que el señor Yaush se entere de lo que hay. «¿Y ahora quiere explicarme qué quiere decir exactamente con la carta que me mandó la otra noche? Estoy en vilo desde que la recibí. "¿No sabe leer una carta?", decía. Por Dios que nadie ha tenido que leerme nunca una carta … ¡Se la puedo recitar de pe a pa, palabra por la palabra!»[19] Esta carta en cuestión —una de las dieciséis halladas en una garita de guardia junto a la puerta monumental de Laquis cuando se excavó la ciudad en la década de 1930— no es la única prueba de que el conocimiento de la escritura estaba extendido en Judá más allá de la élite de los escribas, los sacerdotes y los cortesanos, sino que militares corrientes como Hoshayahu, tan dado al estilo vernáculo de un veterano «hijo de perro como yo», hacían de su capacidad de leer todo un punto de honra. Esta carta nos permite responder a la pregunta de quiénes podían ser los lectores de los volúmenes escritos de la Biblia y quién podía ser el público oyente de esa lectura.

La educación al menos en los rudimentos de la lectura y la escritura se remontaba al menos a unos trescientos años antes de que naciera el impetuoso Hoshayahu. Recientemente se ha descubierto un «abecedario», el alfabeto lineal y la escritura semítica occidental que evolucionó del cananeo a un hebreo reconocible como tal (base del alfabeto griego y de toda la escritura alfabética posterior), en Tel Zayit, tierra adentro a corta distancia del puerto de Ascalón, que data del período davídico-salomónico (esto es, del siglo X a. e. c.), y otro en la avanzadilla de Kuntillet Ajrud, en el norte del Sinaí, correspondiente al siglo VIII a. e. c. Los dos tienen las veinticuatro letras del alfabeto hebreo (aunque con algunos cambios de orden significativos), que marcan una neta ruptura con los sistemas dominantes de escritura de sus grandes vecinos, el cuneiforme de asirios y persas, y los jeroglíficos egipcios, más antiguos aún.[20]

Es posible que estos alfabetos confeccionados para la práctica y el adiestramiento fueran un elemento de la educación en la lectura y la escritura, y (forzando un poco los testimonios) se ha sugerido que pudiera haber escuelas de escribas establecidas por todo el país en el siglo VIII a. e. c. Pero lo que de hecho resulta sorprendente y original a un tiempo es el carácter tópico de estos abecedarios, la fuerte sensación de que son tablillas para la ejercitación, cuadernitos de piedra —todavía con variaciones en la dirección de la formación de las palabras (de izquierda a derecha o, como es habitual hoy día en hebreo, de derecha a izquierda)—, y no una especie de asignatura oficial.

Tanto Tel Zayit (donde las letras están grabadas en un canto de piedra caliza) como Kuntillet Ajrud llaman la atención por ser lugares provincianos desde el punto de vista cultural, pero al mismo tiempo nudos de tráfico comercial, cruces de movimientos militares y centros de cultos locales. Por lo tanto, es perfectamente posible que la mayor simplicidad del alfabeto lineal respecto a la escritura cuneiforme supusiera que el arte de la escritura —aunque a menudo ejercitado en mensajes funcionales totalmente prosaicos— se propagara más allá de los círculos elitistas y por debajo de ellos. El conjunto de bendiciones, maldiciones, himnos de alabanza y —lo que resulta más curioso— dibujos estilizados (de mujeres tocando la lira, una vaca amamantando un ternero, etcétera) encontrados en Kuntillet Ajrud nos hablan de una especie de exuberante algarabía que se desarrolla entre el reino de lo sagrado y los asuntos de la vida cotidiana. En ese mismo sentido, un famoso almanaque agrícola del siglo IX a. e. c. encontrado en Gézer, en la Sefela, a unos treinta kilómetros de Jerusalén, con los meses divididos en función de las labores agrícolas rutinarias («mes de hacer heno / mes de recogida de la cebada / mes de poda de las viñas / mes de los frutos estivales»), nos indica también un tipo de escritura completamente al margen del estilo erudito y burocrático formal que constituía el monopolio de los que gestionaban el estado monárquico en otros puntos de la región. Sanders califica de forma muy convincente este fenómeno de arte de la escritura casero, y no lo considera fruto de ningún tipo de «ilustración salomónica».

Algo de mucho calado sucedió entre los siglos VIII y V a. e. c., cuando se compuso la Biblia, en el mundo paralelo que rodeaba a los escribas y a los sacerdotes del Templo. Como medio de escritura, el hebreo evolucionó a partir del fenicio-cananeo y se convirtió en una forma estándar que constituía una misma lengua en toda Palestina (y más al este, al otro lado del Jordán); una lengua unificada, aunque los reinos de Israel y de Judá estuvieran divididos (o, en el caso de Israel, hubiera sido destruido). Era una lengua que se extendía más allá de los reinos yaveístas, pues la lápida de Mesha, rey de los moabitas, del siglo IX a. e. c., en la que se celebra la liberación de su pueblo del yugo de Israel, fue esculpida también en un vigoroso hebreo clásico, la lengua del enemigo.

En Judá y Samaria, ese mismo hebreo ya no divide, sino que pone en contacto a distintos tipos de población. Los que redactan peticiones y los que las reciben no están separados por mundos lingüísticos distintos. Esa continuidad quizá se deba en parte a la forma en que se expresan los escribas que copian las solicitudes en nombre de los peticionarios, pero es innegable que una misma lengua hebrea vive en muchos lugares distintos, social y geográficamente. Se ha encontrado (y los hallazgos no cesan en la que ha resultado ser una generación de excavaciones excepcionalmente fructífera) en los almacenes de Arad, otra ciudad-guarnición militar en el norte del Néguev, cuyo intendente general, Elyashib ben Eshyahu, obligado a enfrentarse a la amenaza babilónica, recibe una tras otra cartas solicitando el envío de asnos cargados de aceite, vino, trigo y harina.[21] Aproximadamente unos veinte años antes, un labrador de la región fronteriza de la costa, cerca de Asdod, donde una fortaleza del reino de Judá resistía frente al avance de los egipcios contra Josías, apelaba a la autoridad de un miembro de la guarnición para solicitar la devolución de una camisa o manto que le habían quitado como garantía colateral de un préstamo, a pesar de la prohibición bíblica de realizar confiscaciones de ese estilo.[22] «Cuando acabé mi cosecha hace unos días, tomó la prenda de tu servidor [forma en que el solicitante se describe a sí mismo] ... Todos los compañeros que estaban recogiendo la cosecha conmigo al calor del sol atestiguarán que lo que he dicho es cierto. Soy inocente de cualquier delito ... Si tu gobernador no considera que su obligación es devolverle la prenda a tu servidor, hazlo tú por compasión. No debes permanecer en silencio.» Es una historia muy triste, pero nos habla de algo más que de la desesperación de un humilde jornalero por recuperar la camisa que, a su juicio, le habían robado quitándosela literalmente de encima. Da a entender también que el peticionario conocía algo del código de leyes de la Biblia, especialmente las prescripciones del Levítico y del Deuteronomio en contra del maltrato dispensado a los pobres. Es como si algunos elementos de los mandamientos «sociales» consagrados en la Torá hubieran sido ya interiorizados, no solo como preceptos jurídicos semioficiales, sino en cierto modo como parte de las expectativas de la gente, protegidas por la figura del rey yaveísta.

La escritura alfabética la comparten Dios y los hombres. YHWH, que, en el siglo VI a. e. c. como muy tarde, se dice que es el único Dios verdadero, quizá carezca de rostro y de forma, pero hay ocasiones en que decide adoptar un aspecto revelado: el dedo que escribe. En uno de los relatos de la teofanía ante Moisés, ese dedo escribe los mandamientos directamente en las tablas de piedra, y en el libro de Daniel ese dedo escribe en la pared su aviso durante el festín de Baltasar. Dios es el dedo; Dios es la escritura; Dios es, ante todo y sobre todo, palabras. Pero no se las guarda para sí. Cualquier intento por parte de los sacerdotes del Templo de supeditar la escritura a la obediencia religiosa es derrotado por la versatilidad liberada de la forma. El genio ha salido de la botella. De hecho, estaba suelto y andaba circulando ya antes de que la Biblia lo introdujera por primera vez en ella. De modo que esa escritura hebrea, como tantos otros elementos de la vida judía que vendrían después, está asociada a la observancia religiosa, pero no vinculada servilmente a ella. Está libre y posee su propia vida portentosa, gárrula, porfiadora e indisciplinada.

No hay ejemplo más espectacular de ese vigor independiente que una inscripción hebrea tallada en la pared del extremo sur del túnel abierto por los ingenieros militares del rey Ezequías para llevar agua de la fuente de Guijón a la piscina de Siloé, alimentando por ese conducto un gran depósito-cisterna situado dentro de las defensas de la ciudad. La creación del acueducto formaba parte de los preparativos estratégicos dispuestos por Ezequías para hacer frente al asedio de los ejércitos asirios de Senaquerib a finales del siglo VIII a. e. c., cuando decidió confiar en YHWH (cuyo Templo había purificado de ritos e imágenes paganas) y desafiar las incesantes exigencias de tributos de los reyes asirios. Con todo, a pesar de constituir una hazaña extraordinaria —con una longitud de 643 metros, tallado en la piedra caliza, sin ayuda de ninguna abertura vertical que diera aire o luz, formando parte de un sistema hidráulico desconocido en cualquier otro punto del mundo antiguo de la época—, solo se hace una brevísima mención al nuevo conducto en 2 Reyes 20 («Hizo el estanque y el acueducto y trajo las aguas a la ciudad») y, de modo algo menos somero, en la versión muy posterior de 2 Crónicas 32 («Este mismo Ezequías fue el que cubrió los manantiales de las aguas de Guijón de Arriba, y condujo las aguas bajo tierra a occidente de la ciudad de David»). Pero hay otra forma de describir, o más bien de dramatizar, lo que sucedió en la culminación de las propias obras. Curiosamente, se presenta como un relato verídico, como una historia en miniatura, la primera que tenemos de unos judíos normales y corrientes que acaban una labor:

> Y esta es la historia [*dvr*] del túnel … mientras los hombres empuñaban los picos, cada uno al lado de su compañero, y cuando todavía faltaban tres codos por recorrer, se oyó la voz de un hombre llamando a su compañero, pues había una grieta a la derecha y [a la izquierda]. Y ese día lograron abrirse paso, los picadores golpearon [la roca], cada uno al lado de su compañero, pico junto a pico. Y el agua corrió desde la fuente hacia el estanque por espacio de mil doscientos codos. Y la altura de la roca por encima de las cabezas de los picadores era de cien codos.

Estas palabras conforman la inscripción en hebreo clásico antiguo más larga y completa que conocemos, y el tema del que trata, a diferencia de las lápidas de Babilonia y Egipto, o incluso del pequeño país de Moab, no son las hazañas y la gloria de un soberano, ni lo invencibles que son sus dioses. Celebra, por el contrario, el triunfo de unos judíos normales y corrientes, de unos trabajadores (unos picadores para más exactitud). No tiene por objeto convertirse en un espectáculo público monumental, sino que va dirigida a los que un día den casualmente con ella, tras atravesar aquel húmedo conducto. Es una especie de apuesta anti-Biblia; algo que se deja a la posteridad, pero con la espontaneidad informal de quien hace una pintada en una pared, aunque, a diferencia de las pintadas y grafitos, ha sido tallada en la roca en perfectas letras hebreas de buen tamaño (casi dos centímetros). Todo lo cual supone también una historia judía.

3

Escarbar, adivinar…

¿Cómo pudo pasárseles a todos por alto la historia de los que abrieron aquel túnel hace dos mil quinientos años? ¿Cómo es posible que la comitiva de anglosajones de cara sonrosada —estudiosos de la Biblia, misioneros, ingenieros militares, cartógrafos y topógrafos, armados con sus cintas métricas, sus velas, sus cuadernos de notas, sus álbumes de dibujo y sus lápices, acompañados de sus suboficiales y sus guías nativos, todos ellos obligados a recorrer aquel túnel cavernoso lleno de agua, chapoteando, vadeando y, finalmente, por fuerza incluso a gatas— no reparara en esas seis líneas en hebreo talladas en la pared de piedra? ¿O es que, por si no era ya bastante difícil abrirse paso por aquel sinuoso callejón, intentando respirar con el agua literalmente al cuello, con la mano que sujetaba la vela extendida para que el pabilo no se apagara, había que estar atento a las inscripciones, que por lo demás habría cabido esperar que estuvieran al aire libre, a la luz del día, y no que fuera preciso vislumbrarlas en las tinieblas de un subterráneo?

De ninguna de estas dificultades se libró en 1880 un simple escolar de apenas dieciséis años, Jacob Eliyahu.[1] Había nacido en Ramala, adonde había ido su madre huyendo del cólera que causaba estragos en Jerusalén. Sus padres eran unos judíos sefardíes que habían llegado a Palestina procedentes de Turquía, pero que se habían convertido al cristianismo debido a los esfuerzos de la London City Mission. Políglota y curioso por naturaleza, Jacob llevaba largo tiempo intrigado por los relatos acerca del acueducto que se decía que serpenteaba a más de sesenta metros por debajo de la roca del monte del Templo, desde el manantial llamado fuente de la Virgen hasta la piscina de Siloé. Los rumores que hablaban de un fantasma o de un dragón (el mismo que dio nombre al pozo del Dragón ante el cual pasó a caballo Nehemías cuando fue a inspeccionar las murallas) que acechaba en su interior, no hicieron más que espolear su imaginación. Se decía también que el túnel había sido construido por cuadrillas de operarios que habrían emprendido su tarea cada una desde un extremo para acabar encontrándose a mitad de camino. Así pues, el muchacho se puso de acuerdo con un amigo llamado Samson que debía entrar en el túnel por la fuente de la Virgen, mientras que él empezaría su exploración por la piscina de Siloé, donde la entrada tenía casi dos metros de altura.

A sabiendas de que no tardaría en convertirse en un espacio muy pequeño, oscuro y angosto, Jacob se preparó debidamente; cogió velas que dispuso en trozos de madera a modo de balsas, para que flotaran en el agua, y una buena provisión de cajas de cerillas, que llevaba colgadas alrededor del cuello. Sin embargo, a medida que se internaba por aquella senda húmeda, las cerillas empezaron a mojarse, y las velas flotantes se convirtieron en una causa perdida, de modo que el joven se vio obligado a avanzar lentamente, abriéndose camino a ciegas, apoyándose en la pared con la punta de los dedos, mientras el agua cubierta de verdín, a modo de lavazas, se volvía cada vez más profunda. Nadie sabía por qué los picadores que habían abierto el túnel habían hecho el pasadizo tan retorcido, aunque se especulaba que tal vez pretendieran sortear las tumbas de los reyes de Judá, ocultas debajo del Templo.

A unos treinta metros de la entrada de Siloé, Jacob notó un brusco cambio en la superficie de la roca, que fue suavizándose hasta convertirse en lo que parecía una especie de repisa tallada que se hundía unos dos centímetros en la superficie de la pared. Dentro de ese espacio había unas letras, varias líneas de letras. Las líneas continuaban hasta alcanzar la altura del agua, quizá incluso por debajo de ella, y sus dedos podían incluso notar pequeñas hendiduras talladas en la pared, separando los grupos de letras que formaban cada palabra.

Los chicos de dieciséis años suelen interesarse por los mensajes secretos. A saber quién había escrito este con su misteriosa mano, ni cuándo lo había hecho. ¿Un espía? ¿Un preso? ¿Un soldado? Lleno de curiosidad y de entusiasmo, Jacob continuó chapoteando hasta llegar a la fuente de la Virgen para comunicarle la noticia a su amigo Samson. Pero este, que era mucho menos audaz, no había tardado en dar la vuelta para salir de nuevo a la superficie. Todavía deslumbrado por la luz del exterior, Jacob se abalanzó alegremente sobre aquella figura en forma de niño que suponía que era su amigo. Solo cuando la mujer árabe se puso a gritar ante aquel espíritu de las aguas que salía chorreando del interior del túnel, el muchacho se dio cuenta de su error, aunque no lo suficiente para quitarse de encima a las otras mujeres que estaban lavando ropa en la fuente de la Virgen, y que se pusieron a propinarle golpes todas a la vez. Cuando logró zafarse de sus gritos y de sus puñadas, el chico fue corriendo a comunicar la noticia a su profesor de la Escuela Industrial de Jóvenes de la London Mission, Herr Conrad Schick.

Aunque enseguida tuvo una fuerte corazonada acerca de su importancia, Schick no pudo descifrar inmediatamente aquella inscripción paleohebrea. Tendría que aguardar a la inspección llevada a cabo por el erudito profesor Archibald Sayce, el asiriólogo de Oxford que se trasladó a Jerusalén desde Chipre y que se vio obligado a meterse en el agua para examinar las letras que decoraban la pared, quejándose todo el rato de la incomodidad de la tarea, mientras su paciente ayudante, John Slater, sostenía la vela y era devorado por los mosquitos. A pesar de las dificultades de la lectura, pues las letras talladas en la roca habían sido oscurecidas por el silicato cálcico que había depositado en ellas el agua del túnel, Sayce se dio cuenta por algunos detalles, como la «*vav* conversiva» —la letra «v» escrita con tres trazos, con una breve raya horizontal atravesando la línea vertical más larga— o la línea horizontal larga en la parte inferior de la *bet*, rasgo singular característico del hebreo de los siglos IX al VI a. e. c., de que se trataba de una inscripción anterior a la caída del reino de Judá. Schick, que colaboró con Sayce en la publicación del hallazgo, no tenía la menor duda de que la inscripción había sido hecha por los operarios de Ezequías encargados de abrir el túnel. Habían encontrado la voz perdida del reino de Judá del siglo VIII a. e. c.

Como cualquier otra persona interesada en la historia de Jerusalén, Schick había leído las *Investigaciones bíblicas* publicadas por el decano de los estudios bíblicos modernos, el doctor Edward Robinson, un estadounidense de Connecticut que había sondeado las profundidades del acueducto en 1838 junto con su erudito compañero, el reverendo Eli Smith. Había sido Robinson quien había llegado a la conclusión de que habrían sido precisas dos cuadrillas de obreros que emprendieran el trabajo desde los dos extremos del túnel para abrirse paso a través de los más de quinientos metros de roca. Robinson y su compañero no habían tenido más remedio que bajar dos veces al túnel, dondes se vieron obligados a «quitarnos los zapatos y las medias y a levantarnos los pantalones hasta más arriba de las rodillas», y a avanzar de pie a lo largo de los primeros doscientos metros, hasta que el techo de roca empezó a bajar y el agua a subir de manera tan alarmante que, incluso arrastrándose a cuatro patas, resultaba imposible seguir adelante sin mayor preparación. De modo que los señores Robinson y Smith trazaron «las iniciales de nuestros nombres con el humo de la vela», dieron media vuelta y regresaron tres días después para recorrer toda la extensión del túnel. Aunque todo el tiempo estuvo muy atento, a Robinson se le pasó por alto la inscripción, pero vio lo suficiente para convencerse de que el acueducto de Ezequías era una prueba de que la Biblia, o al menos los libros de los Reyes y de las Crónicas, en los que se hace mención del túnel, no era solo el texto de las Sagradas Escrituras, sino una realidad histórica, empíricamente verificable. Gracias a tales descubrimientos, escribió Robinson, «estamos autorizados a salvar otra realidad histórica antigua del largo olvido —o mejor aún, del descrédito— en el que había caído durante tantos siglos».[2]

Hacer de la Biblia una realidad, y no solo un hecho de fe, era también la obsesión de Conrad Schick. De joven, en 1846, como miembro de la Hermandad de Peregrinos de Württemberg, había realizado algunos paseos en solitario por los alrededores de las murallas de Jerusalén, explorando la ruta que había seguido Nehemías en su cabalgada nocturna a mediados del siglo v a. e. c. Conocía cada centímetro de las murallas y de sus puertas, y nadie, ni siquiera los ingenieros del ejército británico que habían elaborado el mapa del Ordnance Survey entre 1867 y 1870, poseía la familiaridad de topo que tenía Schick con el laberinto de túneles y pasadizos que había debajo del Haram al-Sharif, el monte del Templo. Entre 1873 y 1875, siempre que podía librarse de sus obligaciones docentes en el banco de carpintero de la Escuela Industrial, se dedicaba a estudiar los millares de túneles y conducciones, así como los depósitos, cisternas y aljibes que permitían almacenar millones de litros de agua, situados debajo de los edificios de la Explanada de las Mezquitas.

Schick llevaba mucho tiempo soñando con aquel lugar, sagrado y profano a un tiempo, por encima y por debajo de la superficie, incluso desde que era un hermano más de la Misión de Peregrinos de Santa Chrischona, el seminario fundado en Basilea por el banquero evangélico C. F. Spittler, que imaginaba a sus jóvenes discípulos poblando una cadena de ermitas misioneras por el gran rift que se extiende desde Jerusalén y el mar Muerto hasta Etiopía. Como primer paso, Spittler envió a Conrad a Jerusalén, donde el joven estuvo viviendo frugalmente con otro peregrino menos afortunado, Johannes Ferdinand Palmer, y se dedicó a recoger de la calle a pilluelos y huérfanos árabes con la intención de sacarlos de la mendicidad; cuando podía, atendía además el torno y la garlopa, construyendo figuritas de madera de olivo con la esperanza de vendérselas a los monasterios, junto con los ocasionales relojes de cuco.

La carpintería bíblica era su verdadera pasión. ¿Acaso no le había parecido bien a Dios que el Salvador se criara en un taller de carpintero? Pues bien, Conrad Schick encontró su verdadera vocación trabajando como modelista bíblico. La primera pieza que realizó (y que, curiosamente, todavía se conserva) fue una maqueta del Haram al-Sharif, tallada cuando aún era un joven seminarista en Basilea; pero no cejó en su afición y construyó muchas más. Tan delicadas y complejas eran sus maquetas a escala que dejaban con la boca abierta de admiración a las clases acomodadas de la ciudad sórdida, violenta y ruinosa que era por entonces Jerusalén, y daban credibilidad a la otra pretensión que tenía Schick, la de ser un verdadero constructor, de hecho un arquitecto de Jerusalén. A través de algunos socios empresarios, tanto judíos como gentiles, consiguió que un banco suizo-alemán lo financiara y le permitiera construir modelos de viviendas (no precisamente del tamaño de una maqueta) para los judíos pobres, sin ninguna otra obligación, aunque la vertiente evangélica del dinero esperaba naturalmente que admitieran la Luz del Evangelio además del beneficio en especie. El barrio, que luego se llenaría de judíos ultraortodoxos, pasó a llamarse Mea Shearim, y a muchos de sus habitantes actuales les sorprendería saber que fue obra de un ferviente cristiano.

Las maquetas de Schick fueron muy elogiadas por los cónsules de Gran Bretaña, Alemania y Austria, de forma tan exagerada que al gobernador turco, Izzet Pachá, se le ocurrió que podía ser una gran idea que Schick realizara otro modelo en miniatura del Haram al-Sharif para llevarlo a la Exposición Universal de 1873, que estaba a punto de celebrarse en Viena, haciendo así, de manera elegantemente indirecta, una buena publicidad del escrupuloso cuidado con el que el gobierno otomano afirmaba que mantenía los santos lugares de las tres religiones monoteístas. Schick aceptó la propuesta y, además del salario que le correspondía, se le dio acceso especial —algo extremadamente insólito— al interior de los patios de la Explanada de las Mezquitas (el Haram) y a las excavaciones que se llevaron a cabo en la década de 1870 con motivo de las obras de restauración de los cimientos de la Cúpula de la Roca. Deslumbrado, el topo bajaba arrastrándose a las galerías de construcción, cuando lograba enderezarse un poco, tomaba las detalladas notas que esperaba que le permitieran construir el modelo de todos los modelos, no solo de los edificios de la superficie, sino también de lo que, en su torpe inglés, llamaba «las subestructuras» inferiores.

Los anglosajones —especialmente los ingenieros enviados por la Fundación para la Exploración de Palestina para estudiar Jerusalén tanto sobre el terreno como bajo tierra— habían llegado antes que él a las «subestructuras», compensando con su audacia militar y su precisión técnica aquello de lo que carecían, el conocimiento minucioso de Schick. Uno de ellos, el capitán Charles Warren, recorrió todo el alcantarillado montado en una puerta de madera a modo de balsa. Cuando el nivel del agua subía y el techo resultaba demasiado bajo, tenía que abandonar la balsa y se veía obligado a hacer la marcha a pie, con las inmundicias salpicándole el rostro. La fuerza inesperada de la corriente obligó a Warren a tragarse el lápiz que sujetaba entre los dientes, provocándole un ataque de asfixia que a punto estuvo de acabar con él. Solo la oportuna ayuda de su fiel sargento Birtles le salvó la vida; y menos mal, pues, como escribiría Warren en *Underground Jerusalem*, «¿qué honor iba a suponer morir boca abajo, como una rata en una alcantarilla?».

Todos esos robustos caballeros victorianos que desafiaron las inmundicias subterráneas comentaron que debía ser posible separar las aguas sucias de Jerusalén de las limpias. Para demostrar su tesis, el doctor Robinson, con la audacia propia de un yanqui, probó su sabor y pudo afirmar que no era ni mucho menos desagradable. Al fin y al cabo, procedían del manantial de Guijón, en el valle del Cedrón. Sobre el terreno, sin embargo, el agua a la que tenía acceso la población de Jerusalén estaba asquerosamente contaminada con vísceras y despojos de animales, aparte de toda clase de residuos e inmundicias, un magnífico caldo de cultivo para el desarrollo del cólera, que cada pocos años se cobraba una terrible cantidad de víctimas. Las lluvias, que durante el invierno y la primavera caían en abundancia sobre Jerusalén según los patrones de Oriente Próximo, se limitaban a limpiar someramente la piedra, a falta de conductos y depósitos sistemáticos que permitieran almacenarla. Los que conocían la superficie y la subestructura de la ciudad vieja veían en este detalle otro ejemplo sorprendente de lo bajo que había caído Judea desde lo alto de su regia antigüedad.

Era una época en que para los europeos, especialmente para la pálida raza de los países del norte, la virtud pública se medía por los niveles de higiene y limpieza pública. En la Inglaterra victoriana, Disraeli —turista en Jerusalén, autor de novelas ambientadas en Tierra Santa y líder de los conservadores— había proclamado que de las mejoras en los sistemas de limpieza pública se derivaban «la mayoría de los elementos civilizadores de la humanidad», y estaba seguro de que su lema «sanitas sanitorum, omnia sanitas» había salvado muchas vidas. Y si esas mejoras eran posibles en la Jerusalén británica, ¿por qué no iban a serlo en la de verdad? El turismo a Tierra Santa estaba experimentando un gran auge a mediados del siglo de las mejoras. Todos los años se publicaban libros sobre viajes por el Nilo y el Jordán destinados a un mercado aparentemente insaciable. El motivo era evidente. La inquietante profecía de Thomas Carlyle, según la cual la «edad de la máquina» aplastaría el espíritu, no se había materializado, sino más bien al contrario. Cuanto más industrial se volvía la sociedad europea —y especialmente en su primera línea, las islas Británicas—, más ardientes se volvían sus entusiasmos religiosos y espirituales. Puede que las máquinas no tuvieran alma, pero los que las sufragaban y los que trabajaban con ellas, suponía la opinión más generosa, sí.

Las máquinas podían incluso poner al alcance de la gente las verdades de la Biblia con más eficacia que antes. Hacia 1850 se imprimían en láminas de gran tamaño las primeras fotografías de Tierra Santa, sustituyendo o mejorando las litografías, las pinturas y los huecograbados, que hasta entonces habían constituido los medios convencionales de ilustración. Hasta la invención de los semitonos en la década de 1880, esas fotografías no podrían reproducirse en los libros, pero mientras tanto podrían verse en exposiciones y álbumes comerciales. El aspecto de Palestina, de sus ruinas, de su paisaje y de sus habitantes de las tres religiones, quedaría grabado en la mente de los victorianos.[3] En 1862, cuando el príncipe de Gales fue enviado a hacer un viaje de penitencia y enmienda cristiana a Tierra Santa en compañía del deán de Westminster, Arthur Stanley (la reina consideraba muy doloroso tener que permanecer en la misma habitación que su hijo Bertie, a cuyos devaneos amorosos culpaba de la muerte de su padre, el príncipe Alberto), toda Gran Bretaña pudo conocerla, y algunos llegaron a ver las fotografías tomadas por Francis Bedford durante el viaje.

Pero la tentación de relacionar antigüedad bíblica y mejoras modernas, de hermanar renacimiento espiritual y reforma sanitaria —y política—, de llevar la salud a la decaída Palestina, resultó irresistible para las personas buenas, cuando no excelentes, de la Inglaterra victoriana. Además, los más entusiastas eran los que planteaban de un modo menos literal y fundamentalista la recuperación (palabra muy utilizada por ellos) de la Biblia para la vida moderna. Como los eruditos alemanes (y por supuesto judíos) de su época, que afirmaban frente a los creyentes en el sentido literal de la palabra que el Libro era enteramente obra del dictado divino, los ingenieros del espíritu renovado se burlaban de las pretensiones milagreras más pueriles para reforzar la realidad esencialmente histórica del núcleo de la Biblia hebrea y del Nuevo Testamento. Este último necesitaba a la primera como requisito previo indispensable. Jesús era —fundamentalmente, no de forma incidental— un judío; el Antiguo y el Nuevo Testamento estaban unidos de manera orgánica. La historia de los judíos era la madre de la historia de los cristianos.

Con ese espíritu, científico y teológico a la vez, aquellos hombres necesitaban conocer la verdad verificable de la Biblia hebrea. Pensaban que el conocimiento, no la superstición ciega, debía ser el que, como si fuera una comadrona, ayudara a la fe a nacer. Y un conocimiento firme, incontrovertible, de lo que realmente les había sucedido a los judíos durante los siglos que constituían la época de la Biblia solo podía alcanzarse mediante el contacto directo e inmediato con la propia Tierra Santa. Eso es lo que quería decir Edward Robinson con el título de sus *Investigaciones bíblicas*, obra que se hizo bastante popular. Según decía, se había criado oyendo habitualmente nombres como Samaria, Jerusalén, o Belén y todos ellos generaban en él «los sentimientos más sagrados», pero «en mi caso luego se habían asociado con un motivo científico.

Llevaba mucho tiempo meditando la preparación de una obra sobre geografía bíblica».

Dos fueron las obras sagradas que guiaron a los geógrafos bíblicos más fervientes, el Antiguo Testamento y *El asistente de ingenieros y maquinistas*, esta última escrita por David Scott y publicada en 1853, la década inicial de la exploración continua de las tierras de la Biblia y del turismo erudito. La generación que fue tras los pasos de misioneros y eruditos como Robinson, los hombres que con más energía impulsaron los esfuerzos modernos por entender la Biblia como una historia factual, fueron ingenieros antes que arqueólogos.

El más dinámico e incansable de ellos fue George Grove. Hoy día se le recuerda casi exclusivamente por el asombroso logro que supuso su *Diccionario de música y de músicos*, pero aunque su vida en el campo de la música fue prodigiosa —como defensor de Schubert, hasta entonces muy poco apreciado, como promotor de la música y de los conciertos del Palacio de Cristal, en el barrio de Sydenham, y como director del Royal College of Music—, Grove tuvo otra vida como erudito bíblico, y le fastidiaba mucho que no se reconociera esa faceta suya. «La gente seguirá pensando insistentemente en mí como músico, cosa que en realidad no soy en lo más mínimo —se lamentaba—. Me interesé muchísimo por los rasgos naturales y las pequeñas localidades de Palestina que estudié para el *Diccionario de la Biblia* de Smith o para el manual *Sinaí y Palestina*, de Arthur Stanley, ... si no más.»

William Smith, el extraordinario lexicógrafo, había contratado al infatigable Grove para que lo ayudara a elaborar las concordancias de los topónimos hebreos recogidos en la Biblia, labor que Grove ya había llevado a cabo en compañía de su esposa al tiempo que se encargaba de la música para la Exposición Universal y, cuando esta concluyó, en el Palacio de Cristal. Lo que a él le gustaba era mezclar las cosas, ya tuvieran que ver con la Biblia o con la mecánica. Tras estudiar ingeniería civil (la única carrera victoriana que cabría considerar tan bien vista como la eclesiástica), Grove se había especializado en la construcción de faros de hierro fundido en las Antillas, había trabajado con Robert Stephenson en la instalación del puente Britannia que cruza el estrecho de Menai, era amigo y colega de todos los prohombres de la ingeniería (Brunel y sir Charles Barry, además de Stephenson) y mantenía excelentes relaciones con las grandes personalidades de la Inglaterra victoriana, como el conde de Derby y el duque de Devonshire, el erudito William Thompson, arzobispo de York, el editor John Murray y —circunstancia trascendental— el filántropo judío sir Moses Montefiore, promotor de muchas innovaciones. Especialmente este último estaba decidido a sacar a los judíos de Palestina de lo que él consideraba su letargo, su degradación y su desgraciada miopía, y a encauzarlos hacia las bendiciones del mundo moderno; bendiciones que, a su juicio, habían demostrado en su propia persona que eran perfectamente compatibles con el progreso. Al fin y al cabo, una empresa de Montefiore había llevado la iluminación de gas para dar luz a muchas regiones del mundo que iban dando tumbos en medio de las tinieblas. Le gustaba pensar en los mismos términos en la luz de la cultura y en la luz de la técnica. No es de extrañar que Grove y él se llevaran bien. Los dos habían visitado personalmente Palestina; Grove más recientemente, en 1859 y 1861.

Otro turista bíblico y práctico a un tiempo, que visitó Palestina para realizar un proyecto de modernización del país (incluida la reconstrucción del puerto de Jaffa, o Jope), fue el ingeniero de obras públicas John Irwine Whitty, quien, gracias a los buenos oficios del cónsul británico James Quinn y de su hijo Alexander, obtuvo permiso para bajar a los túneles y examinar lo que llamó «un gran lago subterráneo» y (citando a Tácito) una «fuente de agua perenne». En 1862, durante la visita real a Tierra Santa, coincidió con el deán Stanley, con quien pegó la hebra y no paró de comentar que la falta de salubridad y los horrores mortales de la ciudad (todo el mundo se quejaba de sus efluvios nauseabundos) acabarían para siempre si el antiguo sistema de acueductos de los reyes de Judá era renovado y puesto al servicio de los tiempos modernos. De vuelta en Londres, Whitty se convirtió en un defensor infatigable de las aguas de la Jerusalén nueva y vieja, pronunció conferencias sobre el tema en la Sociedad Siro-egipcia a comienzos de 1864 y luego publicó sus ideas visionarias en un artículo «The Water Supply of Jerusalem, Ancient and Modern» («El abastecimiento de agua de la Jerusalén antigua y moderna»), aparecido en el número del *Journal of Sacred Literature and Biblical Record* correspondiente a la primavera de 1864.[4] Incluso hoy día, para cualquier persona interesada en la historia y el destino de la sanidad pública, tema que no ha dejado de preocupar con el paso del tiempo, el artículo de Whitty constituye una lectura de lo más atrayente. Se trata de una obra de imaginación hidráulica y de diligencia constructiva con el espíritu del gran ingeniero romano Frontino, cuyos pasos Whitty era consciente de estar siguiendo.

Whitty hablaba de las necesidades de agua de los veinte mil habitantes de Jerusalén como una continuación de los esfuerzos realizados para subsanar las carencias de la numerosísima población de Londres y Nueva York. Describía Jerusalén como «la metrópolis de la nación cristiana y de la hebrea», pasando curiosamente por alto, algo por lo demás habitual, el hecho de que los musulmanes quizá pensaran que al-Quds (el nombre árabe de Jerusalén) lo era también de la suya. Jerusalén, decía para impresionar a sus lectores, contaba entre diciembre y marzo con una pluviosidad superior a la que tenía Londres en todo el año (alcanzaba la escalofriante cifra de 1.650 mm). Pero esa agua se ensuciaba inmediatamente en las sórdidas calles por las que discurría, muchas de ellas con sistemas de evacuación a la intemperie, y eran esas aguas peligrosamente contaminadas las que luego se almacenaban en las cisternas y aljibes que constituían el único medio de conservación del agua que había en la ciudad. Dicha agua, decía el Ordnance Survey de Jerusalén, «puede beberse con seguridad solo tras ser filtrada y depurada de las numerosas larvas e insectos que se crían en ella». Y además, en cualquier caso, al comenzar el verano la mayor parte de las cisternas estaban secas. Los habitantes de Jerusalén que no disponían de aljibes subterráneos en su propia casa no tenían más remedio que, o bien comprar el agua a los vendedores que la extraían de la piscina de Siloé (donde las mujeres seguían haciendo la colada) y que la transportaban en odres hasta el mercado o por las calles, o bien ir a buscarla ellos mismos a la piscina.

¿Qué podía hacerse para mejorar la situación? La respuesta, pensaba Whitty, estaba en la Biblia, y particularmente en los acueductos construidos debajo del monte del Templo por Ezequías y ampliados en tiempos de los asmoneos y de Herodes el Grande en el siglo I a. e. c. Si esos conductos y túneles podían ser despejados de los escombros y detritos que los obstruían, y se prohibía arrojar en ellos restos de animales y otras inmundicias y residuos contaminantes, sus aguas podrían calmar la sed de la ciudad, y gracias a ello se produciría un resurgimiento de Jerusalén como no se había visto desde que la ciudad fuera destruida por los romanos. «Es evidente —decía—, que Jerusalén posee en sí misma los elementos de fuerza y prosperidad necesarios y que, sin necesidad de milagro alguno, la gente puede quedar satisfecha con ella y convertirla en una ciudad más gloriosa de lo que ha sido.»

Los grandes nombres de la virtud victoriana prestaron mucha atención a sus palabras. El deán Stanley, que ya había vendido doscientos mil ejemplares de su libro sobre Tierra Santa, afirmaba que el plan de Whitty estaba rodeado de un verdadero «halo de santidad». El hecho de que fuera económicamente viable con solo 8.000 libras atrajo los aplausos de todo el mundo, desde el Athenaeum Club hasta el *Jewish Chronicle*. Se insistió mucho en que el proyecto de Whitty iba a ser una empresa conjunta de judíos y cristianos. En 1864 se creó una Sociedad para el Socorro al Aprovisionamiento de Agua de Jerusalén, patrocinada por los Montefiore y los Rothschild, así como por algunos miembros del clero y la nobleza de Gran Bretaña.

Un año más tarde, el 12 de mayo de 1865, algunos de los más apasionados defensores de la unión de la Antigüedad bíblica con la sociedad moderna se reunieron —¿dónde si no?— en la Sala Jerusalén de la abadía de Westminster, ricamente decorada con láminas de madera (en ella había fallecido el rey-usurpador Enrique IV en vez de impulsar una cruzada penitencial a la ciudad santa). Además del deán Stanley, asistieron el erudito y ardoroso arzobispo de York, William Thompson, que, como Stanley, había visitado en dos ocasiones Palestina y era autor de otro libro sobre Tierra Santa, y George Grove. Estuvo también presente la segunda mujer más rica de Inglaterra (después de la reina Victoria), Angela Burdett-Coutts, hija de un destacado miembro del radicalismo parlamentario y nieta de un banquero, destinada, pues, a convertirse en una auténtica zelota social, creadora de un modelo de hogares para los habitantes de los suburbios del East End, amiga de Dickens y de las mujeres descarriadas, y promotora de la instauración de clases nocturnas para los pobres de Londres (por no hablar de su labor como patrocinadora de la Sociedad Caprina Británica y como presidenta de la Asociación de Apicultores Británicos y de la recién creada Sociedad de Relojería). Dos pasiones habían hecho que tuviera lugar aquella reunión tan extraordinaria: la pasión por la Biblia y la pasión por la ciencia, pues en la Inglaterra victoriana no solo era posible, sino que se esperaba que los miembros de aquellos círculos fueran entusiastas de una y de otra.

Como Edward Robinson, en cuya topografía precursora se basaban todos, los creadores de lo que sería la Fundación para la Exploración de

Palestina creían que, aunque era prudente conservar cierto grado de sano escepticismo ante los milagros más improbables narrados en el Antiguo Testamento (por ejemplo, la detención del sol sobre Ai para que Josué sacara provecho militar de ella, o los días que pasó Jonás en el vientre de la ballena), la ciencia moderna —sobre todo las ciencias de la cartografía minuciosa y de la arqueología erudita— debía reivindicar la Biblia esencialmente como la verdadera historia de los israelitas y, por tanto, de los antepasados del Salvador. La Fundación, una vez creada (y bendecida, como no podía ser de otra forma, por la reina Victoria), pondría sus poderes al servicio del único imperio que importaba, el del saber. El trazado del mapa de Tierra Santa, expresión que prefería usar la institución con el permiso del infatigable Robinson, apenas había empezado y estaba todavía lleno de grandes lagunas y de vacíos sin determinar en el desierto. La obra que pretendía suministrar información sobre los lugares bíblicos, el *Diccionario de la Biblia* de William Smith, estaba muy bien, pero no era más que un almanaque de gabinete. Grove, el editor adjunto, era el primero en reconocerlo. Lo que se necesitaba era una observación de primera mano estrictamente minuciosa. La Fundación sería la que apadrinaría aquella vigorosa labor de cartografía, topografía, identificación y publicación. De ello saldría una verdadera historia de los hebreos, que viviría para uso y disfrute de los tiempos modernos junto con su sagrado Testamento.

De ese modo, contando con la generosidad de lady Burdett-Coutts, se creó la Fundación para la Exploración de Palestina. George Grove sería su principal impulsor y, si la música no lo entretenía en algún otro lado, también su secretario.[5] Se enviaron ingenieros militares a efectuar un estudio topográfico de Tierra Santa empezando por Jerusalén, pero en realidad abarcaría la totalidad de lo que llamaban «Palestina occidental», desde el monte Hermón hasta el sur del Néguev, y desde el Jordán hasta el Mediterráneo.

Posteriormente, el Sinaí, el desierto de la teofanía, escenario de la aparición de Dios a Moisés y de la recepción de la Ley —en aquellos momentos una zona absolutamente en blanco en el mapa del conocimiento humano—, recibiría el mismo tratamiento riguroso. Nadie tenía la seguridad de poder trazar en un mapa los viajes de Abraham y de los patriarcas desde Caldea hasta Canaán y Egipto —el Génesis era lamentablemente vago en lo relativo a rutas y topónimos, con la excep-

Las calles y las casas de Elefantina, siglo v a. e. c., hechas de barro, adobe y un poco de granito; el mundo hacinado y comprimido del contingente de tropas judías y sus familias.

La ciudad-fortaleza de Jirbet Qeiyafa, asomada al valle de Ela.

Altar en miniatura encontrado en Jirbet Qeiyafa, que data de los siglos XI o X a. e. c. En el tejado hay vestigios de figuras de palomas, y también puede apreciarse un motivo textil que sugiere la existencia de una cortina o colgadura.

Amuleto de plata con una inscripción en hebreo arcaico procedente de una de las cámaras funerarias de Ketef Hinnom, de finales del siglo VII a. e. c.

Inscripción del túnel de Siloé, datada en el reinado de Ezequías, en el Israel del siglo VIII a. e. c., en la que los constructores del túnel cuentan la historia de lo que hicieron; el primer documento encomiástico de unos simples obreros judíos.

«Aseras», figurillas de columna de los siglos IX-VII a. e. c. encontradas por toda Palestina y Judea. El gesto de las manos sujetando los senos simboliza la fertilidad.

Fotografía del equipo de la Fundación para la Exploración de Palestina encargado del estudio topográfico del Sinaí, 1868, tomada por el sargento James MacDonald. En el centro de la imagen, al fondo, puede verse sentado a Charles Wilson, y a su derecha a Edward Palmer.

La llanura de Er Raha vista a través de la hendidura de Ras Sufsafeh, en los montes del Sinaí, supuesto escenario de la entrega de la Ley a Moisés, fotografiada por el sargento James MacDonald.

Osario de piedra caliza del siglo ɪɪ/ɪ a. e. c., decorado como si fuera una casa helenística.

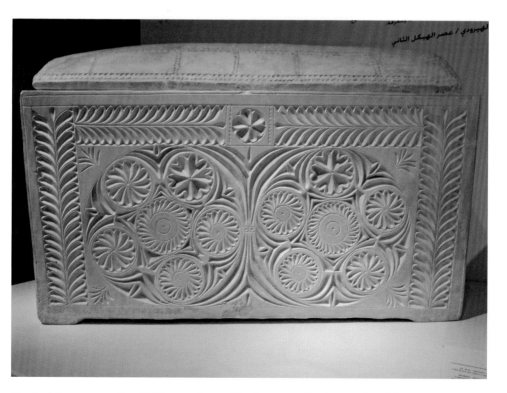

Osario del sumo sacerdote Caifás, con decoración de rosetas, datado entre los siglos ɪ a. e. c. y ɪ e. c.

Iraq al-Amir, en Jordania, el palacio-fortaleza de los tobíadas, del siglo II/I a. e. c. Columnas de piedra caliza, panteras, fuentes y columnatas evocan la magnificencia de un magnate aristocrático emparentado con los sumos sacerdotes.

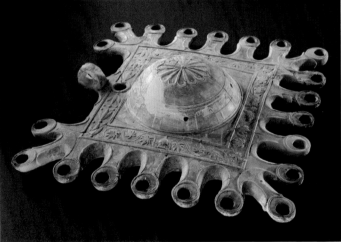

Candelabro de cerámica del siglo II/I a. e. c.

Prutá o pequeña moneda de la época de los asmoneos con decoración de cornucopias y una granada.

León amamantando a sus cachorros. Relieve del tejado de Iraq al-Amir.

La «tumba de Zacarías», de estilo helenístico, en el valle del Cedrón, a las afueras de Jerusalén. Su elegancia monumental, realmente espectacular, demuestra que los judíos de la época de los asmoneos seguían el estilo cultural predominante del mundo pagano.

Friso del Arco de Tito, en Roma, en el que aparecen los despojos del Templo de Jerusalén, siglo I e. c.

Sillares colosales del muro occidental del Templo de Jerusalén, arrancados por las tropas romanas a raíz del asedio.

ción de Betel y las encinas de Mambré—, pero del éxodo sinaítico, un poco mejor marcado, no cabía la menor duda. Allí era donde se habían originado realmente todos los elementos formativos del judaísmo y por ende del cristianismo, que era su descendiente más puro. Los análisis estadísticos distinguirían la realidad de la ficción, y establecerían exactamente cuál había sido la verdad de la Biblia hebrea y de la historia antigua de los israelitas. En concomitancia con las mediciones topográficas irían las pesquisas que suelen llevar aparejadas: la arqueología y la investigación botánica, zoológica e hidráulica. Como se trataba de una empresa moderna de búsqueda de los antepasados más remotos, una cámara registraría los pasos que fueran dándose. Pero, ante todo, tenía que haber mapas.[6]

George Grove se hizo cargo inmediatamente de la Fundación en calidad de secretario honorario (su secretario a efectos prácticos sería Walter Besant) y maniobró para dirigirla hacia la unión de las ciencias prácticas —topografía e ingeniería— y la historia bíblica. Lo que se necesitaba eran tropas sobre el terreno; una hueste de héroes, de jóvenes generosos que, sin pensar en su salud ni en las riquezas, se dedicaran voluntariamente a cartografiar, abrir zanjas y excavar para la Fundación. Se pidió la colaboración de los graduados de la Real Academia Militar de Woolwich, muchos de los cuales se dedicaban ya a la elaboración de mapas para el British Ordnance Survey. La Fundación para la Exploración de Palestina necesitaba que fueran jóvenes cuya inteligencia e integridad corrieran parejas con el coraje físico y la perseverancia que cabía esperar que tuvieran los hombres enviados a las fronteras del imperio del saber. De hecho, algunos murieron a causa de alguna enfermedad, especialmente de fiebre amarilla; otros fueron asesinados en el desierto o, como Claude Conder —el brillante joven miembro del Ordnance Survey, compañero de Kitchener en su *Estudio topográfico de Palestina Occidental*, llevado a cabo en la década de 1870—, fueron víctimas de ataques tan brutales que no llegaron nunca a recuperarse del todo de sus heridas.

Los bravos zapadores de Woolwich siguieron adelante a pesar de todo. El primero y más importante de ellos fue Charles Wilson, natural de Liverpool, que fue enviado para emprender la exploración autorizada de los túneles, los aljibes y los cursos de agua de Jerusalén, antes incluso de la creación formal de la Fundación para la Exploración de

Palestina. Su labor, llevada a cabo con la ayuda y la experiencia de Conrad Schick, fue lo bastante importante como para que le encargaran un estudio sobre el terreno de la «viabilidad» de un informe topográfico completo de «Palestina occidental».

Durante el invierno y la primavera de 1866, Wilson y su pequeña hueste, armados de sus teodolitos y sus cadenas de medición, emprendieron la marcha desde el Líbano y el sur de Siria hasta llegar a Galilea, donde tuvieron la gran alegría de identificar algunas sinagogas datadas en tiempos de Cristo o muy poco después. Los resultados de la expedición permitieron a Wilson obtener la bicoca de ser nombrado ingeniero jefe del Ordnance Survey de Escocia, dejando a sus sucesores —Charles Warren, Claude Conder y el joven Herbert Kitchener— la labor de cartografiar Palestina.

Pero a Wilson, que languidecía en los brezales de Escocia, le sacaba de quicio no ser más que un simple miembro del comité directivo de la Fundación para la Exploración de Palestina. En 1868, cuando se propuso continuar las labores topográficas más allá de Palestina propiamente dicha por los páramos del Sinaí, no dudó en postularse para el cargo. Para los que deseaban obtener respuesta a la cuestión más relevante de todas —¿cuál fue la ruta del éxodo? (o, para las mentes más audaces, ¿ocurrió realmente como lo cuenta la Biblia?)—, aquella sería la expedición más importante. ¿Quién lo sabía? Quizá encontraran fragmentos del Tabernáculo, restos de los antiguos campamentos israelitas. En algún lugar, en medio de las montañas del desierto, debía de haber respuestas al modo en que los israelitas pusieron una marca distintiva a la historia del mundo, al modo en que Moisés (cuya realidad histórica no había nadie en las brigadas de la Fundación para la Exploración de Palestina que pusiera en duda) recibió directamente de Dios las leyes que crearon el primer monoteísmo patriarcal y que convirtieron a los israelitas en judíos.

El deán Stanley formuló la pregunta que guiaría a la expedición emprendida por Wilson en 1868-1869: «¿Puede rastrearse la existencia de alguna relación entre el escenario, los rasgos físicos, la … situación del Sinaí y Palestina y la historia de los israelitas?».[7] Y la composición del cuerpo expedicionario reflejaba la mezcla de piedad bíblica e investigación moderna: Edward Palmer era un lingüista y arabista extraordinario (la primera lengua extranjera que había aprendido había sido el romaní, y lo había hecho en los campamentos de gitanos de las inmediaciones de Cambridge, donde se había criado); el reverendo F. W. Holland, especialista en la Biblia; el naturalista Wyatt, que buscaba gacelas y cabras montesas; otro oficial del cuerpo de ingenieros, H. S. Palmer (que no tenía nada que ver con el Palmer lingüista), y, como no podía ser de otra manera, el sargento portaestandarte James Macdonald, que hacía las funciones de fotógrafo y que, con sus planchas de colodión húmedo —mantenerlas en tal estado constituía una labor dificilísima—, obtuvo una serie de imágenes valiosísimas de los avances de la expedición por el Sinaí.

Cuando la expedición de Wilson llegó a Egipto a finales de 1868, se había desarrollado ya entre los nativos una pujante industria dedicada a atender las necesidades de los que iban tras las huellas de Moisés. Era preciso comprar camellos, contratar guías y comprar provisiones que pudieran sobrevivir al calor sofocante y a las tormentas de arena arrastradas por el *qhamsin*. En El Cairo, un establecimiento propiedad de Carlo Peni, cómodamente situado cerca del consulado británico, se convirtió en el lugar al que había que ir a comprar café, aceite, tabaco, lentejas, dátiles y albaricoques secos, velas, linternas, odres debidamente curtidos para que el agua no adquiriera un desagradable sabor a cabra y las indispensables botellas de coñac, mucho más apetecibles que la cerveza o el vino del país. Guías vocingleros competían entre sí ofreciendo conocimientos exhaustivos de primera mano del emplazamiento de uadis y oasis no señalados por ningún mapa, familiaridad (según decían sus guardianes) con la toponimia, las leyendas y las tradiciones arábigas, que podían hacer de esa roca la misma de la que Moisés había sacado agua golpeándola con su cayado, o de aquel valle el mismo en el que había caído el maná.

Los integrantes de la expedición no eran, como es natural, tan crédulos. Ya en la década de 1830, Edward Robinson llegó armado no solo con un par de viejos mosquetes, sino también con un alto grado de sagaz escepticismo respecto a aquellas «tradiciones» orales y con una pequeña biblioteca que representaba la sabiduría acumulada por las generaciones anteriores de viajeros eruditos: *Viajes a Siria y Tierra Santa*, de Johan Ludwig Burckhardt; *Palaestina ex monumentis veteribus illustrata*, del catedrático holandés del siglo XVII Adriaan Reland, y *Voyages de l'Arabie Pétrée*, de Laborde, que llevaban grandes mapas plegables del

Sinaí. Otros libros favoritos de los viajeros de la siguiente década (1840) serían las obras de Samuel Sharpe, el egiptólogo de la Iglesia unitaria, y el *Libro de Moisés ilustrado con monumentos egipcios*, del teólogo alemán Ernst Wilhelm Hengstenberg. Robinson y Smith viajaron de una forma muy sencilla, a lomos de caballo, con su cocinero en una mula y los guías y criados árabes en los ocho camellos que componían la reata encargada de cargar con el equipaje. Cuando el pintor W. H. Bartlett llegó para redactar «Cuarenta días en el desierto tras las huellas de los israelitas», el séquito y los pertrechos que se recomendaba llevar habían aumentado notablemente, y para entonces se consideraba de rigor ir montado en dromedario y escribir un libro sobre las experiencias (casi nunca agradables) del viaje para los lectores de la metrópoli. El equipo del Ordnance Survey de Wilson era una verdadera caravana compuesta por cien camellos recorriendo en fila el desierto.

Ya fueran eruditos, dibujantes aficionados, «geógrafos bíblicos» o ingenieros, las cuestiones que determinaban su itinerario eran siempre las mismas. ¿Dónde estaba exactamente la «tierra de Gosén»? ¿Dónde estaba el emplazamiento más probable del paso del mar Rojo? ¿Podía explicarse aquella fuga milagrosa por las tormentas provocadas por vientos del este? (Se publicaron volúmenes enteros que intentaban ofrecer explicaciones modernas de las diez plagas de Egipto: la sangre del Nilo era una cantidad insólita de sedimentos rojos transportados por el río; la pestilencia del ganado era… pestilencia del ganado; la oscuridad se debía a un eclipse, etc., etc.) ¿Cuál de entre las diferentes fuentes y manantiales había producido las «aguas amargas» de Mara que los israelitas se vieron obligados a beber antes de emprender la travesía del desierto? (Los viajeros siempre se empeñaron en beber las aguas de Ayn Musa, el pozo de Moisés, para probar su amargor, y habitualmente sus conclusiones fueron indiscutibles.) ¿Cuál de los dos candidatos más probables a ser el verdadero monte Sinaí (cuestión complicada por el hecho de que el Deuteronomio lo llamara monte Horeb) era el auténtico, Djebel Musa, el pico más alto, emplazamiento del famoso monasterio de Santa Catalina, o Djebel Serbal, situado a cierta distancia, con sus espectaculares barrancos y sus numerosas crestas? ¿Cuál de los dos tenía a sus pies una llanura suficientemente grande para dar cabida a los dos millones de israelitas (seiscientos mil hombres con sus mujeres e hijos, si contamos de la forma en que lo hace la Biblia), por no hablar de sus rebaños y sus manadas de ganado, que se dice que congregaron al otro lado del mar Rojo, y permitir una clara visión de Moisés bajando cargado con las tablas de la Ley?

Los que iban tras las huellas de Moisés se consideraban hombres modernos, pero también, lo mismo que el deán Stanley, estaban ansiosos por rendirse al arrebato de la identificación con los israelitas y su líder. «Estábamos indudablemente siguiendo las huellas de los israelitas», afirmó entusiasmado el deán en 1852; creía que las acacias espinosas silvestres que crecían aquí y allá en el desierto eran la madera de *shittim* que Éxodo 30 ordena que se queme en el Tabernáculo, y que también tenían que ser la Zarza Ardiente. Una parte del erudito clérigo quería mantenerse en guardia frente a los cuentos ridículos, pero en Ayn Musa —que, según aseguraba, era el lugar del desembarco y de la partida— Arthur Stanley se deshizo en un auténtico himno victoriano a las Sagradas Escrituras. «Esta noche, al atardecer, cuando salieron las estrellas, y luego otra vez a la luz de la luna, he contemplado el desierto de arena blanca en el que me encontraba, el profundo río negro como el mar y las borrosas montañas plateadas de Atakah al otro lado.»[8]

La expedición topográfica de Wilson tuvo su propio excéntrico poeta lírico y su experto en etnografía de los beduinos en Edward Palmer, estudioso de las variantes musulmanas y de las tradiciones de la epopeya de Moisés. Albergaba un saludable escepticismo en torno a las bobadas difundidas habitualmente por los guías y los monjes entre los peregrinos y los turistas que iban al Sinaí, pero había lugares en lo más profundo de las montañas en los que hasta él mismo se rendía a las ideas extáticas más caprichosas. «Pensemos lo que pensemos de la autenticidad de algunas de estas tradiciones no podemos despojarnos de un profundo respeto.» Ante una hendidura en la roca delante de Ras Sufsafeh, Palmer relegó la ciencia al fondo de su cerebro y se rindió ante la teofanía, manifestada en un estallido poético dedicado a las montañas a la manera de Ruskin. «Una majestuosa masa de aspecto imponente, como si levantara su gigantesca frente sobre la llanura para contemplar desdeñosamente el mundo que tiene a sus pies. ¿Qué escenario más apropiado para presenciar la proclamación de la ley primigenia que estas encanecidas peñas?»[9] No tardaron en llegar aclaraciones, una detrás de otra. «En aquel punto apartado, Moisés debió de separarse de los ancianos, pues no hace falta mucha imaginación para creer que los Diez Mandamientos fueron pregonados por aquella hendidura … ¿Quién puede decir que no fue en esta tierra ennegrecida situada ante nosotros donde Israel, hambriento, se vio tentado a pecar y se comió las ofrendas de los muertos?»

El optimismo de la «geografía sagrada», como se la llamaba, empezó a prevalecer sobre las obligaciones de la ciencia. Incluso cuando el Ordnance Survey publicó su mapa del Sinaí en sus grandes volúmenes azules en tamaño folio en 1870, sobre los topónimos fueron reproducidos los capítulos y versículos relevantes del Éxodo. Así pues, sobre la llanura de Raha se puso la inscripción «Éxodo XIX 12», para identificarla como el lugar donde se congregaron los israelitas ante el verdadero monte humeante, el Sinaí/Horeb. La optimista teoría de Palmer según la cual los cimientos de piedra encontrados en un oasis del desierto eran los restos intactos de un campamento israelita no fue puesta en entredicho por nadie. Y, en otro aspecto fundamental, el trabajo del Ordnance Survey en el Sinaí sirvió para hacer del éxodo un acontecimiento «real» en las mentes de los que siguieron sus pasos —arqueólogos, topógrafos y militares—, así como en la inmensa mayoría del público lector de Europa y América, a través de las estupendas fotografías de James Macdonald.

A pesar de las enormes dificultades físicas que comportaba el hecho de mantener húmedas las planchas de colodión en medio del calor abrasador del desierto, y permitir así los interminables tiempos de exposición y la posterior labor de revelado en su tienda, las sublimes y espectaculares imágenes de los montes del Sinaí que tomó Macdonald se grabaron en la imaginación de quienes deseaban visualizar el lugar donde Moisés se había levantado y había recibido de Dios los mandamientos y la ley. Macdonald sabía exactamente lo que estaba haciendo al localizar pequeños anfiteatros naturales aislados del valle situado a sus pies y auténticos acantilados que se elevaban en forma de picachos semejantes a fortalezas militares que parecían tocar el cielo. Es posible que el sargento portaestandarte, al igual que Edward Palmer, se sintiera sacudido por una fe absoluta, pero no cabe duda de que los que compraron su portentoso álbum de cien estampas (de las trescientas fotografías que llegó a tomar) o las imágenes estereoscópicas, incluso más espectaculares, pensaron que estaban contemplando el lugar donde se había producido la creación del verdadero monoteísmo mosaico.

Fue, pues, la alianza de palabra, imagen, topografía y cartografía lo que actualizó este momento formativo de la historia, que solo de manera instrumental era de los israelitas, pero que, a juicio de los geógrafos sagrados, había tenido lugar para toda la humanidad. El relato era meridianamente claro. Liberado del mundo pagano, un pueblo esclavo al que los patriarcas habían puesto en contacto de manera incompleta con la alianza de Jehová en la Antigüedad más remota, había renacido, casi con toda seguridad en torno al siglo XIII a. e. c. durante el reinado de Ramsés II, a través de la teofanía del éxodo. La ley recibida por Moisés y, según contaba el Deuteronomio, transmitida como legado poco antes de su muerte en el monte Nebo, dio a los israelitas el sentido de su singularidad marcada por la alianza cuando entraron en Canaán en compañía de Josué, el conquistador, y acabaron por crear el estado davídico con centro en Jerusalén. Esa singularidad se diferenciaría por su devoción a un único Dios sin forma y sin rostro en medio de los imperios del politeísmo, quedaría codificada en la Biblia, instituida físicamente en el Templo, y perduraría más allá de cualquier destrucción mundana.

El hecho de que estas verdades fundamentales fueran expresadas en el lenguaje de la ciencia moderna, revestía a la Biblia de toda su historicidad. Puede que los milagros más improbables hubiera que descartarlos como mera licencia poética, pero, del mismo modo que los filólogos empezaban a identificar y datar *grosso modo* los distintos hilos que componían el texto bíblico, también aquella generación de finales del siglo XIX calculaba que estaba emprendiendo el redescubrimiento de la Biblia como historia. Fue aquel el momento en que vio la luz la arqueología bíblica, inocente de cualquier idea de incongruencia u oxímoron. La reivindicación empírica que había esperado el deán Stanley en el momento de la creación de la Fundación para la Exploración de Palestina, se convirtió en la vocación de generaciones de arqueólogos, desde Charles Flinders Petrie entre finales del siglo XIX y comienzos del XX hasta los soldados-arqueólogos israelíes como Yigal Yadin, pasando por William Foxwell Albright, que era hijo de un misionero, entre las dos guerras mundiales.

Para decepción de todos, y a pesar de la búsqueda continua que se llevó a cabo durante un siglo y medio, no saldría nunca a la luz el menor rastro de que los israelitas salieran de Egipto y erraran por el desierto del Sinaí cuarenta días, y mucho menos cuarenta años antes de conquistar Canaán desde el este. La única alusión egipcia a los israelitas que date de la época de la XVIII dinastía es la triunfal proclamación de su derrota y su dispersión. Pero claro, como han señalado los optimistas de la Biblia, ¿por qué iban a querer los egipcios conmemorar la aniquilación de su propio ejército?

Pero antes de ver en el éxodo una simple ficción épica, no se puede dejar de plantear una cuestión, por mucho que sea especulativa. No se han producido debates eruditos sobre la antigüedad arcaica de los elementos más vetustos de la Biblia hebrea, el Cántico del mar y el Cántico de Moisés. Existe un gran consenso en que su forma coincide con otros «cantos» arcaicos similares de Oriente Próximo de finales de la Edad del Bronce, en torno al siglo XII a. e. c. Si eso es así, aunque el Cántico del mar tenga mucho en común con la epopeya fenicia de la conquista del mar por Baal, dios de las tormentas, ¿por qué habrían creado los primeros poetas israelitas, quizá un siglo después de que tuvieran lugar los hechos supuestamente ocurridos, su propia epopeya de identidad, en la que el elemento degradante de la esclavitud y la liberación es completamente distinto de otros arquetipos, si no hubiera en ella nada que estuviera profundamente enraizado en la memoria popular? La teoría más escéptica presupone la existencia de un subconjunto indígena de cananeos establecidos en las colinas de Judá, que se diferenciarían del resto de las tribus y estados cananeos a través de una historia mítica de separación, emigración y conquista, provista toda ella de una topografía excepcionalmente detallada. Pero ¿por qué esa historia?

Pues bien, ahí es donde estamos en la verdadera historia de los judíos. Fuera de la Biblia hebrea no existe prueba alguna que haga del éxodo y de la entrega de la Ley unos hechos históricos fidedignos, en el sentido moderno del término. Pero eso no significa necesariamente que al menos algunos elementos de la historia —el trabajo en condiciones de esclavitud, la migración, quizá incluso la posterior conquista— no hubieran sucedido bajo ninguna circunstancia. Y es que algunos capítulos del relato bíblico, como hemos visto, aunque sea en las profundidades del acueducto de Ezequías, eran indiscutiblemente ciertos.

Sin embargo, la historia no puede construirse a partir de ausencias o de deducciones negativas. En 1973 fue otro paso del mar Rojo, en este caso de su brazo septentrional, el de Suez (donde los victorianos creían que los ejércitos del faraón habían sido aplastados), el que desencadenó una oleada de escepticismo académico agresivo en torno a las premisas en las que habían basado sus investigaciones los arqueólogos bíblicos desde los tiempos de los cartógrafos de la Fundación para la Exploración de Palestina. Durante la festividad del Yom Kippur, los ejércitos egipcios cruzaron las aguas en un ataque por sorpresa contra las posiciones avanzadas de las Fuerzas de Defensa Israelíes en el canal. Se desencadenó entonces una guerra cruel y difícil. El poderío de Israel sobrevivió, pero el país quedó irremisiblemente estremecido por la conmoción del éxodo al revés.[10]

Asimismo, las excavaciones arqueológicas emprendidas durante las décadas de 1950 y 1960 con el fin de profundizar las relaciones de Israel con su Antigüedad más remota fueron objeto de ataques por hacer de esta disciplina una simple rama de la reivindicación bíblica. Según se decía, la arqueología en Palestina debía dejar a un lado su obsesión por el hallazgo de la verificación de las conquistas de Josué y los restos de la ciudadela de David o del Templo de Salomón, por la sencilla razón de que una arqueología independiente no encontraría nunca lo que buscaban los fantasiosos soñadores bíblicos, pues la cruda realidad científica era que, fuera de las ficciones literarias del Libro, no había existido nada de eso.

Mirando las cosas fría, imparcial y desapasionadamente, ¿qué podía decirse del repertorio arqueológico que fuera fiable? Que, según afirmaba él mismo, un faraón egipcio había cosechado un triunfo sobre Israel en una campaña en el norte llevada a cabo en el siglo XIII a. e. c., y no al revés; que por esa misma época se había producido una destrucción masiva de las antiguas ciudades opulentas de Canaán, en Palestina, como Hazor, pero que lo más probable era que toda esa devastación fuera obra de los «pueblos del mar», nó de los israelitas errantes de las montañas; que los asentamientos de los siglos XII y XI a. e. c. en las colinas de Judea no hablaban más que de poblados rudimentarios de pastores; que la propia Jerusalén, construida sobre los restos de otras estructuras jebuseas, era un enclave rústico bastante modesto; que no había rastro alguno de estructuras imperiales davídicas o salomónicas, y mucho menos de nada que se pareciera realmente a un estado de Israel-Judá, con una burocracia conocedora de la escritura semejante a la de

Egipto, Fenicia o Mesopotamia. Las puertas monumentales, las murallas, los almacenes y los supuestos establos excavados por Yadin en Megiddó y otros lugares parecidos eran una prueba no ya de la grandeza salomónica, sino obras que databan de finales del siglo IX a. e. c., según sostenía el decano de la crítica defensora de la «cronología baja», Israel Finkelstein. De esta forma, habrían sido obra de los descendientes de Omrí, soberano de Israel, el reino del norte. El constructor más probable sería el monarca que es objeto de los ataques de Elías en el libro de los Reyes, Acab, cuya esposa fenicia, Jezabel, reintrodujo en la religión israelita el politeísmo pagano de su país natal. Según esta postura escéptica, las poderosas construcciones de Megiddó y Hazor no habrían podido ser obra de los reyes de la «monarquía unida», que se extendería desde el norte de Galilea hasta Beerseba, por la sencilla razón de que semejante reino no existió nunca. Más bien hubo dos minirreinos distintos, Israel y Judá, que se desarrollaron uno junto a otro; el primero, más ambicioso desde los puntos de vista político y arquitectónico, es también más probable que coqueteara con el paganismo fenicio, y que fuera lo bastante sofisticado como para construir sus propias ciudades-fortaleza en lo alto de las colinas.

Por supuesto, las consecuencias de esta desalentadora «arqueología negativa» se dejaron notar tanto en el ámbito político como en el académico. El relato de la singularidad de los judíos, de un «pueblo especial» separado de las «naciones», sobre todo de los egipcios y de un pueblo del mar como los filisteos, en virtud del éxodo, de la entrega de la Ley en el Sinaí y de su conquista de Canaán en cumplimiento de la alianza de Abraham, era considerado ahora profundamente antihistórico. La epopeya del autodescubrimiento, de la separación en pro de la singularidad (si no de la unicidad), era, según esta tesis, una invención retrospectiva de la Biblia hebrea escrita en el destierro, y desde luego no la verdadera historia de los israelitas. La historia real revelaría un subconjunto tribal de cananeos indígenas que, tras el colapso de su cultura a finales de la Edad del Bronce, se trasladaron al este (no al oeste desde Transjordania), a las colinas más seguras pero más primitivas de Judea, y que finalmente conquistaron la antigua ciudadela jebusea de Jerusalén. Pero semejante versión de unos cananeos marcados por cierta diferencia habría diluido la singularidad israelita en vez de acentuarla del modo que exigen los mitos de los orígenes étnicos. Los judíos se convertirían así en una variedad más de semitas occidentales, carentes por completo de peculiaridades, y así permanecieron durante muchos siglos en su rusticidad tribal. Con toda probabilidad, según esta postura escéptica, el rey David no habría vivido ni reinado nunca, excepto en la imaginación romántica de los autores de la Biblia durante el destierro en Babilonia.

Lo que añadieron los historiadores de la religión israelita primitiva contribuyó a subvertir todavía más el mito de la singularidad. En vez de una espectacular conversión en masa al culto exclusivo de YHWH, el dios sin forma ni rostro, más o menos por la época de la revelación en el Sinaí, los testimonios arqueológicos de Palestina demostraban cuán cerca estaba la religión israelita —sobre todo en el que se pensaba que había sido su período formativo, desde el siglo XII al X a. e. c.— de la de sus vecinos más próximos.[11] «El», la palabra usada en hebreo para designar a Dios en el texto «E» de la Biblia —y posteriormente en las oraciones judías—, era compartida con la religión fenicia, lo mismo que el derivado «Elohim», en el que resuenan ecos de una pluralidad. El dios de las tormentas que se aparece a los israelitas envuelto en una nube de humo volcánico y que aparta el mar, era asimismo casi idéntico al fenicio Baal. Los propios objetos, imágenes y prácticas de culto que los profetas vituperan y tachan de idolatría en los libros de los Jueces, los Reyes y las Crónicas —árboles estilizados y figurillas de «columna» con forma de mujer con grandes pechos desnudos (y que debían de tener un fuerte vínculo con la fertilidad)— aparecen en toda Palestina, en el norte y en el sur, incluidas Jerusalén y Judea, al menos hasta el siglo IX a. e. c.[12]

Esas figurillas han sido relacionadas a menudo con la persistencia del culto de Astarté o «Asera», la esposa consorte de Dios, habitual en toda la región.[13] Una famosa inscripción del siglo VIII a. e. c. encontrada en Kuntillet Ajrud menciona a «YHWH de Samaria y su Asera», lo que no deja lugar a dudas de que en la religión del pueblo, ya que no en la decretada por los sacerdotes del Templo, Asera y YHWH no eran vistos como dos deidades que se excluyeran mutuamente, sino de hecho como una pareja celestial.[14] Por supuesto, los profetas bíblicos no paran de despotricar contra la constante vuelta de los veleidosos israelitas y hebreos al culto de los ídolos y los falsos dioses. La impresión que da la Biblia es la de una oscilación cíclica entre el culto a múltiples dioses y el culto a un solo Dios exclusivo, YHWH. Pero puede que hubiera un dilatado período en el que YHWH fuera venerado como

Dios supremo y no como único Dios. Incluso el Primer Mandamiento dice: «No tendrás dioses ajenos delante de mí», lo que da a entender que había otros; cuestión de superioridad, más que de exclusividad. Solo con el «Deutero-Isaías», ya en el siglo v a. e. c., se explicita la primera afirmación categórica de un «Yavé único». Durante muchos siglos, hubo una religión mucho más pluralista y sincrética —del hogar doméstico, de la hacienda rústica y de la ciudad, reflejada especialmente en las columnas cultuales y en las piedras exentas sin más decoración llamadas *masebot* que se encuentran por toda Palestina— que coexistió con las represiones de la ley sacerdotal procedentes del Templo. En Arad, la ciudad-fortaleza situada al norte del Néguev, se ha identificado un pequeño «templo» del siglo x a. e. c., construido en el emplazamiento de un lugar de culto anterior, provisto de un altar de piedra, con los habituales cuernos en las esquinas, para el sacrificio de cuadrúpedos y aves, y en un nicho situado a más altura dos *masebot*, uno de ellos pintado de rojo. Los fragmentos de cerámica con inscripciones (óstraka) encontrados en las inmediaciones llevan nombres de familias sacerdotales de Jerusalén mencionadas en los libros de Jeremías y Esdras. El minitemplo de Arad era precisamente el tipo de lugar de culto de transición, lleno de objetos rituales, con el que intentaron acabar las purgas de Ezequías y Josías. Cuando se excavó el yacimiento, los pequeños altares subsidiarios se encontraron volcados y tapados con yeso, detalle que efectivamente indica el cierre oficial de aquel templo satélite en adelante desautorizado.[15]

¿Qué quiere decir todo esto? La tesis de estos ultrarrevisionistas es que la Biblia debería ser tratada ni más ni menos que como la fantasía de los desterrados, trasladada retrospectivamente en el tiempo, que respondería a la necesidad de un mito de «nacimiento» como pueblo diferenciado. Esa epopeya bíblica del linaje cuenta la historia de una nación plenamente formada en el momento de devenir los adoradores del Dios único, que después se llevan consigo ese culto a Canaán y lo instituyen en el Templo de Jerusalén. Y eso no hay que confundirlo con la historia.

Pero ese «minimalismo» supone un ejercicio de ultracorrección enorme por parte de los especialistas, que en estos momentos se encuentran desconcertados ante los hallazgos arqueológicos más recientes y la revisión más sensata de testimonios ya conocidos, como la inscripción del acueducto de Ezequías. Ya ha quedado claro que la tesis «minimalista», que ve la Biblia como una obra enteramente de ficción y completamente al margen de la realidad histórica, puede ser un error tan grande como la interpretación al pie de la letra del texto bíblico que el «minimalismo» pretende superar. Aunque sea obra de muchos siglos y de muchas generaciones, la Biblia hebrea no pudo haber empezado en el destierro de Babilonia, y menos todavía haber sido escrita en su mayor parte más tarde aún, durante el período de los persas y el de los asmoneos, como pretenden los ultrarrevisionistas. Y es que, en 1979, el arqueólogo Gabriel Barkay encontró en uno de los sepulcros rupestres de Ketef Hinnom, al sudeste de Jerusalén, un amuleto precioso en forma de dos diminutos rollos de plata, uno de los cuales llevaba una inscripción con los versos hebreos de la bendición sacerdotal, originalmente recogida en el libro de los Números, y que todavía en la actualidad se utiliza en los servicios religiosos de la sinagoga en los días de fiesta. Con toda probabilidad, estos volúmenes se llevaban enrollados en la parte superior del cuerpo, a modo de talismán, para invocar la bendición de Dios frente a los malos augurios y las desgracias. Independientemente de quién los llevara, las palabras de la Torá habían sustituido en ellos lo que en otro lugar habría sido la imagen de una divinidad protectora. Y, curiosamente, han sido datados de forma irrefutable, con absoluta precisión, a finales del siglo VII a. e. c., época que se corresponde con el reinado del monarca que purificó el Templo y «descubrió» el Libro, Josías.

Así pues, aunque los primeros textos completos de libros de la Biblia que poseemos son los Manuscritos del Mar Muerto, los Rollos de Qumrán, datados con toda seguridad en los siglos IV y III a. e. c., los rollos de plata de Ketef Hinnom adelantan la fecha de su redacción a la época de la monarquía tardía de Judá. Como el arameo sustituyó en gran medida al hebreo como lengua hablada y escrita en el siglo IV a. e. c., parece poco probable que la mayor parte de la Biblia pudiera ser escrita en esa fecha. Aun cuando el hebreo hubiera sido conservado como lengua de la clase de los sacerdotes y los escribas, se sabe, por los libros apócrifos y sapienciales de fecha muy posterior encontrados entre los Rollos del Mar Muerto, que el hebreo «moderno» de la época helenística tiene un carácter y un estilo drásticamente distintos del hebreo «clásico» en el que está escrita la mayor parte de la Biblia. Siempre resultó harto improbable que, en medio de la destrucción y la despoblación que siguieron a la devastación de los babilonios, pudiera florecer en los siglos VI y V a. e. c. el tipo de exuberancia y potencia literarias necesario para componer la Biblia. Tiene mucho más sentido ver los textos bíblicos surgir del hebreo pujante —compartido por la lengua del pueblo, la poesía de los sacerdotes y el arte de los escribas— del reino de Judá y de la monarquía de Ezequías a finales del siglo VIII a. e. c. Las rigurosas represiones de los deuteronomistas de época posterior —su religión de «trono vacío», purificada de todo tipo de imágenes de culto, con el sagrario ocupado solo por la Torá y el *kabod* (la gloria inefable de YHWH)— dieron a la Biblia su forma más severa, dos siglos después, antes y después del desastre provocado por los babilonios.

Con cada descubrimiento nuevo se perfila una imagen más matizada de la primitiva historia de los judíos, una imagen que, por supuesto, no es idéntica al relato que cuenta la Biblia hebrea, pero que tampoco está completamente disociada de ella. En 1993 se descubrió en Tel Dan, en el norte de Israel, una estela de piedra del siglo IX a. e. c. con una inscripción aramea del rey Hazel de Aram celebrando su victoria sobre el rey de Israel y concretamente, según reza la línea 31, la «Casa de Dwt». Vaya esto para la tesis minimalista de que David y su dinastía fueron una invención imaginaria de posteriores generaciones de escribas. El relato de la aparición de un estado israelita distintivo y de una cultura de lengua hebrea tiene que desligarse del relato del monoteísmo judío, elaborado por los autores de la Biblia como si, desde el principio, el primero viniera definido por el segundo. Y, evidentemente, no es ese el caso. Pero los dos elementos de una historia judía claramente distintiva —estado y relato— evolucionaron y lo hicieron de alguna forma en común, enlazándose uno con otro, a menudo chocando, a veces incluso separándose por completo, mucho antes de que encontraran la tupida trama del texto bíblico canónico.

Ya no cabe duda alguna de que el miniestado centrado en Jerusalén —con una población en tiempos de Josías y Ezequías probablemente de unas cuarenta mil personas solo en la ciudad— era algo más que un «poblacho de mala muerte», en gran medida analfabeto, condición a la que lo habían relegado los ultraminimalistas. Ciudades-fortaleza de provincias como Gézer y Hazor eran centros formidables, que poseían puertas provistas de seis aposentos, viviendas fortificadas para las autoridades locales, calles y plazas pavimentadas, así como amplios almacenes

y establos. Y no estaban construidas en mampostería con piedras enca-
jadas de cualquier manera, sino con sillares, esto es, piedras labradas y
pulidas, a menudo de dimensiones imponentes. La organización del trabajo y la ingeniería necesarias para la construcción de lugares de este
estilo presuponen el volumen y la jerarquía de un estado militar ambicioso. Ramat Rahel, en la parte sur de Jerusalén, tenía lo que Y. Aharo-
ni y Ephraim Stern describen con toda seguridad como «el último palacio real de Judá», construido en una buena fábrica de piedra caliza,
con un patio decorado con capiteles protoeólicos y balaustradas talladas
en las ventanas a base de remates en forma de volutas y motivos de
«hoja caída», perfectamente adecuados para un lugar que debía hacer
frente a la destrucción de los asirios.

A partir de cosas pequeñas, a menudo minúsculas, va apareciendo
una imagen bastante más grande. Esos objetos pequeños son impresio-
nes glípticas hechas en arcilla o en cera con sellos tallados en piedras
duras semipreciosas, y que en otro tiempo iban unidas a documentos
escritos o enviados por oficiales del rey. Se encontraron cincuenta y una
de ellas solo en la Ciudad de David. A veces no son más que rosetas de
unos cuantos pétalos (muy hermosas en su simplicidad), que parecen
haber sido el sello personal de los reyes de Judá. Pero, al modo habitual
en todo Oriente Próximo, a menudo aparecen representados animales,
pájaros o cuerpos celestes: escarabajos, un disco solar alado, el león de
Shema, servidor de Jeroboam (con toda probabilidad el rey Jeroboam II
de Israel), rugiendo, un mono, un lirio, un asno o la lira que representaba a una princesa real, Ma'adanah, hija del rey. Contemplarlos dentro de
una vitrina devuelve la vida no solo a los hombres importantes «Que
están sobre la Casa», como decía la expresión burocrática (los *sar'ir* o
gobernadores de la ciudad), sino a la mayoría de la gente, a los que estaban «Por debajo de la Casa» (los menestrales y artesanos que fabricaron
los sellos). Y también a otros, que de repente se unen en la comunidad
de la imagen y la escritura: los que grabaron las letras en las vasijas y en
las asas de las tinajas, a menudo un simple *lmlk*, «Para el rey», pero a veces el nombre entero del propietario (Shalomit, hija de Zorobabel, o
Avanyahu, servidor del rey).

No son obras maestras, y precisamente eso es lo importante. A diferencia de algunos yacimientos egipcios y mesopotámicos, lo que do-
cumentan estos cascotes fragmentarios, lo que sugieren los sellos y las

asas de las ánforas, es una gran red de contactos tendida a lo largo de los territorios de Israel y de Judá, desde Samaria a las montañas de Judea y más allá, hasta el Néguev, que unía los mundos de la religión, el poder militar, las acciones de la ley, la recaudación de impuestos, las necesidades de la mesa, el placer de la vista (¡esos capiteles protoeólicos!), la marca de propiedad, la autoridad del rey e incluso el calendario de la vida agrícola.

Para los que siguen sin estar convencidos de que todo esto tiene que ver con un mundo reflejado en la Biblia hebrea, ni siquiera las inscripciones con el nombre de «Gedalías, que está sobre la Casa» —el gobernador nombrado por los babilonios tras la destrucción de Jerusalén—, o Gemarías, hijo de Safán, mencionado explícitamente en el libro de Jeremías, bastarán para menoscabar su convencimiento de que la Biblia es una fantasía en retrospectiva fraguada en la época del destierro.[16]

Sin embargo, luego está la perspectiva que se nos ofrece desde Jirbet Qeiyafa. La vi por primera vez en la primavera de 2011 con el arqueólogo Yossi Garfinkel, de la Universidad Hebrea de Jerusalén, que continúa excavando el yacimiento.[17] La parte baja de la colina está en la Sefela, a treinta kilómetros al sudoeste de Jerusalén, en lo que siempre se ha pensado que era la zona fronteriza entre la llanura dominada por los filisteos y el estado de la monarquía de Judá con base en la colina de Jerusalén. A comienzos de abril, el campo bulle de fertilidad y es de un verde tan exuberante que uno llega a perdonar a los viajeros victorianos por hacer constantemente comparaciones entre esta zona y Kent o Yorkshire. Las lluvias invernales han llenado los arroyos y las charcas; los añosos robles están ya cargados de hojas; los prados se ven salpicados de flores silvestres. Una de ellas, un tipo de lupino silvestre característico de una colina cercana, es de un azul tan intenso que atrae a peregrinos de la botánica de todo Israel para admirar su profusa pero breve floración. Uno de los últimos días de esa misma semana lo pasé con unos escritores jerosolimitanos, que por una vez, en lugar de enzarzarse como de costumbre en discutir los procesos judiciales del país, solo querían hablar de lupinos.

Pero Jirbet Qeiyafa se encuentra en un lugar de disputas, pasadas y presentes, muy poco floridas. Su colina, como los emplazamientos vecinos de Soco y Azeca, mencionados en Josué 15, 35, domina el antiguo camino que une las ciudades de Hebrón y Jerusalén, en las colinas, y la llanura litoral de la Pentápolis. Al oeste habría estado la fortaleza filistea de Gat (situada en el emplazamiento de la actual Tel Safi). Como el valle de Ela, al pie de Qeiyafa, es el lugar donde, según el libro de Samuel, el pastor niño David mató al guerrero gigante de los filisteos Goliat, todos los victorianos que iban tras las huellas de la Biblia se encargaron de pasar por él sin prestar demasiada atención al pequeño muro situado al borde de la colina, asomado (como sigue estándolo en la actualidad) al campamento que plantan los beduinos para que sus rebaños pasten la verde hierba. Al fin y al cabo, «jirbet» significa «ruina» en árabe, y los cartógrafos victorianos habían visto ya suficientes ruinas para toda una vida. Aquellas no eran «más que un montón de piedras», como escribió Conder displicentemente.

Se tardó algún tiempo en reconocer que Jirbet Qeiyafa era algo más que eso. Que se trataba de un sitio de cierta importancia había quedado claro por los setecientos metros de murallas que rodeaban el asentamiento de más de dos hectáreas situado en la cresta de la colina. Pero, por el tamaño relativamente pequeño de las piedras visibles de la muralla, parecía tratarse de una construcción de la época helenística, de entre finales del siglo IV y el siglo II a. e. c. Solo cuando Saar Ganor, por entonces uno de los estudiantes de Garfinkel encargados de inspeccionar el lugar en 2003, se fijó en la notable diferencia de tamaño de las piedras de la superestructura y los bloques mucho más grandes de la parte inferior, medio ocultos entre una espesa cortina de hierbas, dio la impresión de que en la base podía haber un poblado mucho más antiguo. Tras despejar la maleza que las ocultaba, las dimensiones de las piedras demostraron que se trataba de una construcción megalítica, pues algunas medían tres metros de longitud y pesaban incluso tres toneladas. Se trataba de bloques que habrían requerido la movilización de una cantidad ingente de mano de obra, algo que no habría podido hacer una aldea campesina aislada. Más aún, por debajo del estrato de lo que los arqueólogos llaman piedras «ciclópeas» (es decir, gigantescas) estaba el sólido lecho de roca. Así pues, a diferencia de muchos lugares que habían conocido períodos de ocupación y otros de destrucción, este había sido construido, habitado y después abandonado de forma repentina, y no había vuelto a ser ocupado hasta el período helenístico correspondiente al estrato superior. No habría una mezcla de artefactos que oscurecieran su cronología.

Las excavaciones iniciadas en 2007 sacaron a la luz un poblado-fortaleza densamente habitado, en el que quizá vivieran alrededor de quinientas o seiscientas personas, dividido en una ciudad baja y una acrópolis en la cima. El perímetro defensivo era una casamata; un muro externo y otro interno separados por un espacio suficiente para albergar almacenes, puestos de guardia o incluso alojamientos rudimentarios. Como las murallas en forma de casamata desaparecieron mayoritariamente de este tipo de emplazamientos a partir del siglo X a. e. c., estamos ante otro indicio de una fecha anterior, probablemente de la época del reino unido, no de los reinos divididos. Directamente contiguas a las murallas había numerosas viviendas privadas, muchas de ellas de cuatro habitaciones. En medio de la cara oeste de la muralla había inequívocamente una amplia puerta monumental, algunas de cuyas piedras tenían las dimensiones más «ciclópeas» del lugar. Excavaciones posteriores sacaron a la luz lo que Garfinkel cree (contra el parecer de muchos) que es una segunda puerta en el extremo opuesto del fuerte, detalle que lo convenció de que Jirbet Qeiyafa (o, como lo llaman actualmente los israelíes, la «fortaleza de Ela») es en realidad la singularísima Saaraim de las dos puertas mencionada en el libro de Samuel.

Yossi Garfinkel no es un romántico de la Biblia. No se considera un recluta de las guerras bíblicas, a medio camino entre los zelotas a la vieja usanza que insisten en la existencia de un fondo de historicidad en los libros y los que creen que son una recreación totalmente literaria, especialmente en su descripción de una monarquía centralizada con base en Jerusalén gobernada por un David imaginario. «¡No soy religioso! —protestó delante de mí cuando lo visité un año más tarde—. Mi esposa creció en el único kibutz dedicado a la cría de cerdos. No tengo ningún interés en hacer que la Biblia sea verdadera o falsa. Solo veo lo que tengo ante mis ojos.» Sin embargo, le guste o no, Garfinkel se ha visto atrapado entre dos fuegos, especialmente porque antes de emprender las excavaciones de Jirbet su especialidad era la historia del Paleolítico y el Neolítico, y por la forma en que suspiraba al contarme las batallas por las que ha tenido que pasar desde lo alto del valle de Ela, sospecho que debe de haber días en que le gustaría volver a esas otras épocas, mucho más tranquilas. Pero se ha visto atrapado en Qeiyafa debido a lo explosivas que son las implicaciones de lo que ha salido a la luz.

Lo que prácticamente no se puede discutir (aunque, por supuesto, se ha discutido) es la antigüedad del fuerte. Algunos huesos de aceituna quemados que se han encontrado en el yacimiento, sometidos a un riguroso examen con carbono en la lejana Oxford, fueron datados a finales del siglo XII o comienzos del XI a. e. c. Esto hace indiscutiblemente de Qeiyafa una fortaleza de la Edad del Hierro, pero ¿de quién? Su importancia estratégica es evidente, pero se encuentra en la frontera siempre cambiante entre la potencia de los filisteos en la llanura y los asentamientos judíos de las colinas; Gat está en una dirección y Jerusalén, en la otra.

Al no jugarse nada, Garfinkel se convenció de que tenía que ser obra de la Judea israelita, no de la Pentápolis filistea. Así pues, insiste en que los muros traseros de la casamata que hacen a la vez de muros delanteros de las viviendas privadas no se conocen en los yacimientos cananeos, y anticipan configuraciones idénticas en otras fortalezas indiscutiblemente judías como Arad, Gézer o Beerseba. También es cierto que, en la cultura cananea tardía, generalmente se construyen nuevos poblados y fortificaciones sobre los restos de lugares habitados con anterioridad. Por otra parte, la Jirbet Qeiyafa de la Edad del Hierro fue levantada en la estratégica cima de una colina completamente a partir de la nada, lo que permite sostener que se trata de una avanzadilla de un estado guerrero nuevo, en rápida expansión y orientado hacia el culto.

Luego está la cuestión de lo que no se ha encontrado en Jirbet Qeiyafa, concretamente huesos de cerdo. Se descubrieron a millares restos óseos de cualquier otro tipo de animal doméstico conocido —cabras, ovejas, asnos y vacas—, pero ni uno solo de cerdo, animal prohibido por las normas dietéticas del Levítico y del Deuteronomio. Los escépticos no han tardado en señalar que la abstinencia de la carne de cerdo estaba muy extendida por toda la región, de modo que la ausencia de restos de ganado porcino no es por sí sola ninguna prueba de que se trata de un asentamiento judaico. No obstante, la aversión al cerdo, debida probablemente a la triquinosis causada por la infección de los cerdos con larvas de lombriz, suele datarse dos siglos después que los huesos de aceituna de Qeiyafa. Además, la única cultura de la zona que continuó comiendo carne de cerdo fue precisamente la situada justo frente a la fortaleza de la colina, esto es, la de los filisteos.

Asimismo, después, en una de las campañas anuales de excavaciones veraniegas, uno de los estudiantes que participaban voluntariamente en ella encontró en un conducto de agua un cascote de cerámica con algunas palabras escritas con tinta en caracteres alfabéticos sobre la superficie de arcilla. Fue un descubrimiento trascendental; potencialmente tan trascendental a su manera como la aparición del abecedario de Tel Zayit o la historia del acueducto de Siloé. Se trata de una inscripción de seis líneas, pero muchas de las palabras y de los caracteres siguen resultando lamentablemente indescifrables, bien debido al estado de la tinta, que está casi borrada, o porque todavía no está meridianamente claro en qué lengua están escritas. Los caracteres podrían ser protofenicios, la lengua alfabética de la que acabaría surgiendo el «paleohebreo», o también podrían ser un estadio embrionario del propio hebreo, en consonancia con la difusión del uso de la escritura por la Sefela, controlada por el reino de Judá que los minimalistas creen que nunca existió. Si sumamos esta inscripción al abecedario de Tel Zayit, de fecha igualmente temprana, cada vez son más los testimonios de que la difusión de la escritura alfabética de la clase culta por el *hinterland* correspondiente a la zona del oeste de Jerusalén estaba en pleno apogeo, casi con toda seguridad antes de lo que se había reconocido hasta el momento.

Sin embargo, nada de esto es suficiente para los que se han precipitado a proclamar que el yacimiento no solo era una avanzadilla del estado de David, sino que era un lugar que conocía una Biblia que tuvo que haber sido escrita antes del siglo VIII a. e. c.[18] Un historiador de la Universidad de Haifa, Gershon Galil, propone una interpretación del óstrakon —«juzga a la viuda y al huérfano … devuelve al pobre a las manos del rey; protege al pobre y al extranjero»— que hace que suene como una recreación de preceptos éticos misteriosamente parecidos a los que aparecen en el Éxodo, en Isaías y en los Salmos. Galil no tenía tampoco empacho en ver palabras como *asah* («está hecho»), exclusivas del hebreo. Los que discuten ferozmente la interpretación de Galil y dicen que es por entero fruto de su imaginación no ven ninguna de esas palabras, y las que ven dicen que aparecen también en textos no hebreos de otros lugares. Haggai Misgav, el epigrafista al que Garfinkel pidió que estudiara la inscripción, ha identificado muchas menos palabras descifrables, aunque parece que una de ellas sí que es la que en hebreo significa «juzgar». Pero también pueden leerse otras versiones del mensaje que revelarían vestigios crípticos de venganza o incluso nombres de persona.

Lo que es evidente, sin embargo, es que en Qeiyafa la escritura consiste en algo más que en una mera unión arbitraria de palabras inconexas; que forman un texto continuo y que, a buen seguro, son un comunicado de algún tipo de una persona a otra. ¿Suficiente? Suficiente en todo caso para hacer de Saaraim un lugar que, como Arad más tarde, era una avanzadilla estratégica, un sitio al que se podía escribir, que podía dar cabida a un elevado número de habitantes —soldados, sus esposas e hijos, escribas, agricultores y comerciantes—, una pequeña ciudad según los patrones de la Edad del Hierro. Y son los restos de ese mundo, de sus rutinas cotidianas, los que encienden mi imaginación con tanta más alegría ahora que nos encontramos respirando el dulce aire primaveral de la Sefela: las piedras verticales de una habitación que Garfinkel cree que son los postes de un pequeño establo a los que se amarraban las bestias, probablemente de tiro. Más abajo nos agachamos para examinar los cacharros de cocina de la Edad del Hierro, una piedra de moler y otra con unos puntos en resalte que habría sido usada para raspar y rallar. En una de las excavaciones, junto con toda clase de vasijas de cerámica doméstica de un espléndido color rojo —jarras y ánforas—, se encontró una hermosísima bandeja de horno. De repente me encuentro a mis anchas en esta cocina, como si estuviera en mi casa, preparando la comida, buscando el aceite.

Yossi se levanta, con los brazos en jarras, e inspecciona el lugar, anticipándose a la nueva campaña de excavaciones del próximo verano, imaginando que el «montón de piedras» se convertirá en un parque arqueológico educativo para los escolares de todo Israel. No es ni mucho menos un zelota, no desde luego del tipo de arqueólogos como Palmer, que fueron a Tierra Santa con una pala en una mano y la Biblia en la otra. Detrás de lo que él anda, dice, es de la verdad. Su rostro amistoso de búho se ilumina con un gesto a medio camino entre la sonrisa y el ceño fruncido. «Fíjate, se necesitan maestros albañiles para levantar un sitio como este, los peldaños, las calles, los muros de la casamata; no es algo que hicieran ni que pudieran hacer un puñado de pastores. Hace falta algún tipo de estado capaz de reunir la mano de obra necesaria para traer hasta aquí unas piedras tan grandes; algunas pesan más de cinco toneladas. Se necesitan impuestos, una cultura escrita. Y esta no es la versión filistea.»

Baja la mirada hacia el antiguo territorio fronterizo que era zona de guerra situado a nuestros pies. Él tendrá que librar sus propias batallas en otro lugar, en las páginas de las revistas especializadas, en las sesiones de los congresos y en los laboratorios de conservación de los museos. Habrá gritos, un intercambio constante de réplicas descalificándose unos a otros, siempre al borde del insulto. Garfinkel ha sido acusado ya de ser cómplice de los «maximalistas» redivivos simplemente por decir que Jirbet Qeiyafa pertenece a «la época de David», como si invocar el nombre de este rey fuera hacer ilegítimamente real a un personaje imaginario.

Sin embargo, con cada nueva temporada de excavaciones, se acumulan con una fuerza insoslayable los testimonios que hablan de una avanzadilla militar israelita de la época del Primer Templo. Han salido a la luz miles de armas, hojas de espada y puntas de lanza, astas y flechas. En cambio, en Jirbet Qeiyafa no hay ni una sola herramienta agrícola, lo que, a juicio de Garfinkel, confirma que el fuerte cobraba impuestos o tributos a los agricultores y pastores que trabajaban los campos del valle, un indicio más de la afirmación del poder de la autoridad. La idea de que una datación en tiempos del Primer Templo significa respaldar la existencia de los «palacios» de David y Salomón imaginados por la Biblia la rechaza, porque simplemente es errónea. «Mira, yo no sostengo que el estado israelita que construyó este lugar fuera un imperio, ni siquiera un gran reino. No, la Jerusalén que construyó todo esto era un estado pequeño, como Moab y otros estados vecinos, pero, eso sí, un estado, basado en cierto grado de conocimiento de la escritura, capaz de movilizar mano de obra, de cobrar impuestos, de construir murallas y puertas, y de organizar defensas.»

Aunque por sí solo esto no hace israelita a la Jirbet Qeiyafa de la Edad del Hierro, las últimas excavaciones realizadas han sacado a la luz unos objetos que quizá den definitivamente al yacimiento una identificación innegable; se trata de dos pequeños altares portátiles en miniatura, uno de cerámica y el otro de piedra caliza. Fueron encontrados en uno de los tres espacios de culto del poblado, unas salas en las que se descubrieron también piedras verticales del tipo *masebot*. Algunos de esos espacios son poco más grandes que las viviendas normales, como si estuvieran dedicados a la devoción, y uno de ellos —aquel en el que se encontraron los altares— tiene un inequívoco tramo de escalones que atraviesa una pequeña fuente, a todas luces utilizada para las purificaciones rituales, con un desagüe que da al exterior, al lado de las murallas, y que llega a atravesarlas.

¿No empieza esto a sonar a algo conocido, un poquito kosher, vamos? Defiéndanse de las asociaciones bíblicas los escépticos empedernidos como crean conveniente hacerlo, pero son estos pequeños altares portátiles, el de barro de apenas veinte centímetros de altura y el de piedra de treinta y cinco, los que, unidos a todas las demás evidencias, parecen señalar irremediablemente en una sola dirección. Para empezar, los espacios de culto forman parte de las viviendas particulares, aunque resulta fácil imaginar que fueran utilizados en común por los vecinos más próximos. Pero, en consonancia con el énfasis que pone la religión israelita en la ubicuidad de lo sagrado —santificando cualquier lugar—, los minialtares habrían llevado a esas casas una versión material del Tabernáculo o incluso del Templo como foco de veneración. A decir verdad, en todo el Oriente Próximo semita se encuentran objetos de culto domésticos, privados, pero en su mayoría son imágenes de las propias divinidades o de los reyes celestiales o sus encarnaciones animales, como cabría esperar en el politeísmo pagano. Y existen altares en miniatura cananeos, pero casi siempre contienen figuritas de culto. En Jirbet Qeiyafa no hay indicios de que hubiera habido nada dentro de esos pequeños altares excepto una piedra diminuta sin dibujo alguno. También es posible que fueran representaciones del vacío sagrado que se convertiría en marca de reconocimiento del judaísmo; un vacío rellenado solo por el rollo con las palabras reveladas. Curiosamente, el pórtico estilizado del minialtar de barro es muy elaborado; dos columnas a cada lado, unos leones guardianes a sus pies y unas palomas en lo alto del tejado. Lo más extraordinario es la cortina de tela recogida, modelada por los dedos del ceramista para que parezca una bolsa, que evoca exactamente el velo o cortina *parochet* que, según dice el libro de los Reyes, cubría la entrada del sanctasanctórum, y que se convertiría en un elemento famoso de las descripciones de los dos templos de Jerusalén. La rasgadura del *parochet* sería definida como el último acto de profanación perpetrado por los destructores del Templo, de modo que, según cuenta una tradición, cuando Tito rasgó el velo con su lanza, manó sangre del tejido.

El minialtar de piedra caliza, ligeramente más grande que el otro, cuya pintura roja original es visible todavía en algunos lugares, no es menos elocuente, pues aunque carece de cortina y de animales guardianes, tiene las puertas con varias esquinas, como dice la descripción de la entrada del Templo, y, lo que es más sorprendente, el friso de «triglifos» con siete vigas de tres tablas, de las que solo se ven los remates, característico de la arquitectura templaria de otros lugares de la región. Además, en los espacios de culto han aparecido minialtares de basalto negro con la misma forma ahuecada y con cuernos que se convertiría en la norma. Es esa inequívoca sensación de religión hecha portátil, doméstica, local —sin los habituales cuerpos y rostros de dioses paganos, una religión de vacío físico y plenitud conceptual—, que parece provenir del fondo de lo que sería el judaísmo. Y de pronto, en Jirbet Qeiyafa, negar esa posibilidad parece de un dogmatismo obtuso.

Yossi Garfinkel no dice que los minialtares demuestren que Jirbet Qeiyafa fue construida y habitada cuando en Jerusalén se erguía el Templo de Salomón; afirma solo que parece imposible no ver esos altares como expresiones de una cultura religiosa no muy distinta de la que describe la Biblia hebrea. No abrirse a esa posibilidad, dice, es perverso. Un crítico de Garfinkel se ha quejado con cierta angustia de que necesita una «arqueología sin libro», con lo que quiere decir una arqueología sin Biblia, una arqueología que se saque completamente de la cabeza la escritura y, a diferencia de los victorianos y de William Foxwell Albright o Yigal Yadin y Benjamin Mazar, cuyos descendientes siguen peleándose por ella, solo vea y estudie lo que tiene ante sí, como si ese Libro no hubiera sido escrito nunca. A mí me parece, en cambio, que en este país una arqueología que no tenga nada que ver con la Biblia es un autoengaño tan grande como la «geografía sagrada» que no tenía en mente más que la Biblia cuando cartografiaba y excavaba.

No se les escapen a ustedes en este relato las palabras, la escritura. Una tarde me encuentro los diminutos rollos de plata descubiertos en el sepulcro rupestre de Ketef Hinnom, expuestos bajo una iluminación que por fortuna los hace parecer más grandes, en una vitrina del Museo de Israel. Son unos objetos excepcionalmente hermosos; las letras incisas con sus fuertes trazos verticales no son algo que un judío actual pudiera reconocer ni remotamente como hebreo, pero sí el objeto en sí. El texto en miniatura (arte que en otro tiempo se convertirá en una especialidad judía) no proviene directamente de la Biblia, sino con toda seguridad de su poesía devocional. «Misericordia para los que lo aman y guardan sus mandamientos ... Él es el que nos restaura y nuestra roca», dice uno; pero es el otro, el que lleva la etiqueta KH2, el que suscita algo en mí: «Sea ... bendito ... el que censura el mal ... bendiga y haga brillar su faz sobre ti y te dé la paz». Ese algo es el tirón gravitatorio de la memoria, la fusión de un antiguo Entonces con el Ahora fugaz; ese es el riesgo laboral de quien se aventura a bucear en la historia judía.

Vuelvo a tener nueve años y estoy de pie en mi sinagoga. En un momento anterior del servicio ha sido levantada en alto la Torá y luego, antes de la lectura, ha sido llevada en procesión alrededor de los fieles congregados. Antes del judaísmo, eran las imágenes de los dioses las que eran llevadas en procesión y veneradas, pero aquí es el Libro el objeto de nuestra adoración, y nuestros *tallitim*, los velos de la oración, se extienden al paso de los volúmenes para ser rozados por ellos. La Torá y sus palabras son tan puras en su santidad que no está permitido ningún contacto manual directo con ellas. El escriba que las copia debe lavarse las manos cada vez que se ponga a escribirlas; el lector que las salmodia debe tocar el rollo solo con un simulacro de dedo o puntero de plata, el *yad*. Y no debemos tocar directamente el manuscrito del Séfer Torá, sino solo con el borde de nuestro taled, que luego nos llevamos a los labios para besarlo con devoción.

Esa procesión del Libro tiene lugar dos veces, antes y después de la lectura. Pero ahora los sacerdotes, los *cohanim*, están de pie, levantados por encima de la congregación, sobre los peldaños alfombrados delante del Arca, sus velos de la oración recogidos por encima de la cabeza, unidos formando un dosel. Los judíos que constituimos *hoi polloi* tenemos prohibido mirarlos mientras imparten sus bendiciones, pero, naturalmente, no puedo evitar echar un fugaz vistazo. El dosel de color crema pálido con rayas negras, los movimientos de cabeza arriba y abajo mientras los hombres que están debajo salmodian, alguno incluso inclinándose hasta doblar el espinazo. «Que el Señor te bendiga y te guarde», dicen, como si recitaran el contenido de un volumen que acabara de ser redescubierto durante el reinado de Josías, «que haga brillar su faz sobre ti y te conceda la paz. *Omayn*». El *Omayn* («amén») resuena en las paredes de la sinagoga recubiertas de láminas de madera, y aunque no han pasado ni diez años desde que acabara la guerra de aniquilación, no sé por qué me siento seguro.

4

¿Judíos clásicos?

I. ¿Ni Moisés ni Platón?

¿Qué iba a ser? ¿El desnudo o la palabra? ¿Dios como belleza o Dios como escritura? ¿Una divinidad invisible o la contemplación de un cuerpo perfecto? Por lo que respecta a Matthew Arnold, los helenos y los hebreos eran como el agua y el aceite.[1] Los dos eran «augustos» y, cada uno a su manera, «admirables», pero no se mezclaban. Los griegos perseguían la autorrealización; los judíos pugnaban por la autoconquista. «Sé obediente», era la máxima suprema del judaísmo; «sé fiel a tu naturaleza», era lo que le importaba al griego. Pero la pretensión de neutralidad de Arnold no era convincente. ¿Quién querría vivir esperando la próxima descarga de fuego y azufre cuando uno se podía dedicar a la búsqueda del placer y de la luz?

Edúcate en la tradición clásica y creerás que Europa comienza con la derrota de los invasores persas contada por Heródoto. Edúcate como judío y una parte de ti querrá que ganen los persas. Al fin y al cabo, habían sido los restauradores de Jerusalén; Ester había llegado a ser su reina; ¿cómo podían ser malos? El malvado, Amán, que quería quitar de en medio a los judíos, seguramente era un monstruo estrambótico que recibió su merecido de manos del rey de los persas. Por otro lado, según 1 Macabeos, el rey Antíoco IV Epífanes, de la dinastía griega de los seléucidas —que arrojaba a los niños que estaban circuncidados desde lo alto de las murallas de Jerusalén, junto con sus madres—, era aparentemente igual que su cultura. El enemigo era el helenismo, en igual medida que aquel monarca enloquecido. Macabeos es incluso más sensacionalista al enumerar las atrocidades de los griegos. Los que respetaban clandestinamente el sabbat eran quemados vivos en las cavernas en las que se ocultaban. El historiador judío Flavio Josefo hace hincapié en su sadismo dando detalles todavía más horripilantes. Los que persistían en la observancia de los mandamientos, dice, «eran azotados con varas y sus cuerpos descuartizados y crucificados cuando todavía estaban vivos y respiraban».[2]

Lo que odiaban los griegos (según esta tesis) era la obstinación de los judíos por su diferencia, marcada por el corte realizado en su miembro viril, el descanso que hacían durante la semana, las restricciones que imponían a su dieta, la unicidad que atribuían a su divinidad sin rostro, eternamente enojada, y su exasperante negativa a ser como todo el mundo. La filosofía griega daba por supuesta la existencia de verdades universales susceptibles de ser descubiertas; la sabiduría judía parecía que era el tesoro particular de una cultura cerrada a cal y canto. Los templos griegos, construidos según los principios de la armonía cósmica, estaban diseñados para atraer a la gente; el Templo de Jerusalén estaba cerrado a los «extranjeros». La escultura y los monumentos griegos se suponía que sobrevivirían a los estados que los erigían. La Torá se suponía que sobreviviría a la arquitectura. Para los griegos, era en el culto a la naturaleza, especialmente la naturaleza salvaje, donde cabía encontrar el éxtasis. Para los judíos, los bosques sagrados eran lugares donde uno se perdía en medio de la abominación pagana. Lo que estaba en el fondo de los cultos dionisíacos era la enajenación extática de los sentidos. En la tradición judaica, era al beber mucho cuando sucedían cosas malas: Noé se embriaga y se queda dormido en su tienda, donde su hijo Cam lo ve desnudo; los israelitas desobedientes danzan enloquecidamente en torno al becerro de oro. Embriagarse en medio de la vegetación era lo peor de todo, así que cuando Antíoco obligaba a los judíos a rendir culto a Baco con procesiones «coronados de hiedra», como dice el autor de 2 Macabeos, significaba que el culto griego a la naturaleza salvaje desplazaba a la obligación que tenían los israelitas de dominarla.

Un judío helenístico, por tanto, constituía un oxímoron. Excepto que no lo era; al menos no para innumerables judíos, desde Cirenaica, en Libia, hasta la gran metrópolis de Alejandría, Judea, Galilea y más allá incluso, hasta las islas del Mediterráneo oriental. Durante los doscientos años aproximadamente transcurridos entre las conquistas de Alejandro Magno en el siglo IV a. e. c. y la dominación romana, la idea de que la cultura griega y la judaica eran excluyentes habría parecido chocante, cuando no disparatada. Para todo aquel montón de gente, el helenismo y el judaísmo no eran ni mucho menos incompatibles. Su manera de vivir ejemplificaba de hecho todo lo contrario, convergencia no forzada y coexistencia espontánea (si no apacible). Antes del descubrimiento de los Manuscritos del Mar Muerto en 1947 y del amuleto de plata de Ketef Hinnom en 1979, el texto hebreo íntegro más antiguo que se conocía (hallado en 1898) procedía de la región helenizada de El Fayum, en el curso medio del Nilo, en la actualidad datado con toda seguridad a mediados del siglo II a. e. c. Se trata de unos Diez Mandamientos escritos en papiro (en un orden ligeramente distinto del que conocen hoy día judíos y cristianos), junto con la oración de afirmación diaria, el *shemá*. El Talmud da a entender que en otro tiempo era habitual leer el Decálogo antes de recitar el *shemá*, de modo que el papiro ha conservado milagrosamente la rutina diaria de un judío egipcio practicante que vivía en un mundo intensamente helenizado y que, a pesar de ello, mantenía sin dificultad los hábitos que definían su identidad religiosa.

En las ciudades de la región de El Fayum, vivir una vida bajo la ley grecoegipcia y la prescrita por la Torá (a menudo leída en su traducción al griego, los Setenta) no solía suponer problema alguno, ni para los *Ioudaioí* ni para sus vecinos gentiles. Se ha conservado un rico archivo de papiros procedente de Heracleópolis, al sur de El Cairo —donde, como en otros lugares, los judíos constituían un *políteuma* autónomo—, que revela que, si bien tenían derecho a usar la ley de la Torá en materia de matrimonios, divorcios y contratos de préstamos, solo lo hacían cuando era probable que les conviniera. Por lo general llevaban sus asuntos cotidianos según la ley grecorromana-egipcia de la zona. Según esa ley, las mujeres tenían derecho a poseer bienes y reclamar su dote en el momento de la disolución del matrimonio (como en Elefantina), y los prestamistas podían cobrar los elevados tipos de interés (de hasta el 20 por ciento) habituales en la zona del Nilo.

Pero cuando a los judíos egipcios les convenía invocar la ley de la Torá para reforzar su causa, lo hacían. Por ejemplo, Petón, hijo de un judío llamado Filóxenes, apeló al jefe de la policía local, Ctesias, contra lo que, según él, era un intento de extorsión por querer cobrarle dos veces la renta de unas tierras tomadas en arriendo a la corona. Cuando tuvo que defenderse ante las autoridades religiosas locales, supo exactamente qué pasaje de la Torá invocar contra la confiscación de ciertas propiedades (por ejemplo, que no lo despojaran de su túnica) como garantía colateral del pago.[3]

Estos eran judíos que hablaban el griego común (*koiné*) como lengua diaria y que se llamaban Demetrio, Arsínoe (como la esposa de Ptolomeo), Heráclides y Aristóbulo. Los Jacob se convirtieron en Jacubi y los Josué, en Jasón, y eran muchos los judíos que llevaban por nombre Apolonio. Algunos tenían nombres griegos que invocaban al único Dios Todopoderoso, como, por ejemplo, Doroteo. El rey de la dinastía de los asmoneos que gobernó el estado judío territorialmente más extenso que hubo nunca se llamaba Alejandro. Se vestían de un modo que no permitía distinguirlos del resto de los ciudadanos de los imperios griegos, y vivían en ciudades como Antioquía o Alejandría, donde (al menos en este segundo caso) se dice que constituían una tercera parte de la población.

Fue el mundo judeo-helenístico el que inventó la sinagoga, aunque esta se llamó casi siempre *proseuché*. Originalmente el término significaba «asamblea» o «congregación» (para la lectura de la Torá, no para la oración), pero acabó designando los propios edificios creados para satisfacer las necesidades de los judíos que vivían lejos de Jerusalén. Había *proseuchaí* en Cirenaica, en las ciudades egipcias de Crocodópolis, Esquedia y Alejandría, en Esparta, en Sardes —la gran ciudad comercial de Lidia— y en las islas de Chipre, Cos y Rodas. Una de las sinagogas más antiguas de Delos era tan parecida a una villa que durante mucho tiempo se supuso que era precisamente eso, y puede que en realidad fuera convertida en una casa de campo para uso privado.

Casi siempre eran construidas en el estilo que inmediatamente reconoceríamos como el de un templo griego clásico: pórticos con frontones, entablamentos, filas de columnatas y ricos pavimentos decorativos de mosaico. En algunos textos judíos, incluido el Talmud, a veces se las llama «basílicas», y en la fachada de algunas de ellas había inscripciones que proclamaban que estaban dedicadas al *Theós Hypsistós*, traducción literal del hebreo *El Elyon*, el Dios Altísimo.[4] Tenían autoridades de la sinagoga (un *archisynagogós*), que se vestían con gran suntuosidad, sacristanes (el *chazzan*, que todavía no era un cantor), guardianes y, llegado el caso, sus propios agentes de seguridad, encargados de localizar a los que cometían infracciones. En Alejandría acogían y daban alojamiento a los judíos procedentes de otros lugares del mundo hebreo, ya muy disperso, y muchas *proseuchaí* gozaban del insólito y valiosísimo derecho de asilo. Algunas añadían una exedra como sala adicional de reunión. Todas necesitaban tener agua corriente para la purificación ritual, además de para la comodidad de los que se alojaban en ellas. Y, en vista de los cementerios judíos de Egipto, es probable que ayudaran en los entierros. En muchos de estos aspectos —con la excepción de que ninguna de ellas segregaba los sexos y de su arraigada afición a los pavimentos de mosaico—, la sinagoga original greco-judía puede reconocerse como el prototipo de la nuestra. (Un historiador deducía de una descripción de la Gran Sinagoga de Alejandría, que agrupaba a los miembros de la congregación por su oficio y su ocupación, que debía de ser más una plaza de mercado que un lugar de santidad, diferenciación que pone de manifiesto un ingenuo desconocimiento de la *shul* moderna.)

Aquella era una cultura en la que los judíos podían escribir poesía, filosofía o dramas, y de hecho crearon obras de ese estilo (como la *Exagogé*, la versión de la salida de Egipto escrita por «Ezequiel», que incluye un sueño en el que, sorprendentemente, el trono celestial de Dios queda vacante para que lo ocupe Moisés). Los judíos escribieron historia, por así decirlo, y los relatos de ficción que algunos especialistas llaman las primeras «novelas» griegas. Toda esta actividad literaria se llevaba a cabo sin perder la fidelidad a los ritos y las leyes distintivas que hacían judíos a sus autores; de hecho, esas formas griegas se convirtieron en el vehículo a través del cual expresaron su judaísmo. Los últimos libros que serían incluidos en el canon bíblico reflejan en parte ese carácter híbrido. El Eclesiastés es un «Libro Sapiencial» que debe mucho a la literatura proverbial perso-babilónica, pero a veces puede sonar casi como la obra de un filósofo epicúreo («No seas demasiado justo ni seas sabio en exceso; ¿por qué habrás de destruirte?»), lo mismo que los libros apócrifos, como el de la Sabiduría de Jesús, hijo de Sirac. Ambas obras tienen el tono de la literatura griega, aunque lo que enseñan es la trascendencia de las materias base del reino terrenal.

Toda esta cultura de fusión fue posible en el mundo egipcio-helénico de los ptolomeos y del imperio de los seléucidas en el nordeste de Siria, porque los monarcas de ambos reinos continuaron la política persa de tolerancia y subvención de las religiones locales. De hecho, las luchas intestinas entre los diádocos —los ptolomeos y los seléucidas que se disputaban la sucesión de Alejandro Magno— a menudo los llevaron a competir por la fidelidad de la población de Judea, estratégicamente situada entre sus respectivos reinos. Puede que Antíoco IV Epífanes cometiera todas las atrocidades reseñadas en los libros de los Macabeos y en *Antigüedades de los judíos* de Flavio Josefo, escrito dos siglos después, pero tanto él como el que fuera de los ptolomeos que ordenó que los judíos de Alejandría fueran pisoteados en el hipódromo por unos elefantes de guerra enfurecidos fueron la excepción, no la regla. No hubo nada en la conducta de Antíoco III, el primer seléucida que gobernó en Palestina, que indique intolerancia, y mucho menos persecución. E incluso Antíoco IV, derrotado y moribundo en no sé qué montes de Asia Menor, según dice el autor de 2 Macabeos, se arrepintió en el lecho de muerte y ordenó que su gobierno volviera a dispensar su protección al Templo de los judíos y a concederles una exención fiscal. El soberano griego aceptaría de nuevo la autonomía de las leyes y las tradiciones religiosas de los judíos, y su líder, el asmoneo Jonatán, en un gesto de sumisión formal implícita, recibiría la dignidad de sumo sacerdote de manos del soberano seléucida.

Aunque el mundo judío y el mundo clásico (tanto griego como romano) acabarían enzarzados en un conflicto sangriento y catastrófico, que culminó en la aniquilación de Jerusalén por los romanos, los judíos nunca dieron por sentado que ambas culturas fueran tan hostiles la una con la otra que el apocalipsis sería tan solo cuestión de tiempo. Lo cierto es que sucedió casi lo contrario. Prácticamente desde el comienzo de su experiencia de la hegemonía del mundo griego, los judíos quisieron creer que tenían muchas cosas en común. En la mente de muchos de sus escritores y filósofos, el judaísmo era la raíz antigua y el helenismo, el árbol nuevo. Zeus era solo una versión pagana de YHWH el Altísimo, y Moisés era el legislador moral del que habían surgido originalmente todas las reglamentaciones éticas. El judío Aristóbulo de Paneas, autor de mediados del siglo II a. e. c., pretendía que sus lectores creyeran que Platón había estudiado minuciosamente la Torá y que Pitágoras debía su teorema a la antigua ciencia judía. Dado este tronco común de saberes, debió de parecer fundamentalmente posible que los dos mundos se entendieran el uno al otro.

En gran medida, se trataba de una pasión unilateral. Antes de las conquistas de Alejandro, los griegos debieron de conocer a judíos que eran mercenarios igual que ellos en Elefantina, o que prestaban servicios como soldados para oficiales del reino de Judá en fortalezas costeras como Mazad Hashavyahu a finales del reinado de Josías, en el siglo VII a. e. c. Es una realidad —aunque para las sensibilidades modernas resulte sorprendente— que, para gran parte del mundo antiguo al oeste de Babilonia, los judíos debían de ser conocidos sobre todo como lanceros al servicio del mejor postor. Pero en la literatura antigua hay atisbos ocasionales de otro tipo de curiosidad de los primeros griegos por los judíos como descubridores y conservadores de la sabiduría oriental antigua. En el siglo XIX, el erudito Jacob Bernays —hijo de un destacado rabino de Hamburgo, famoso por su fervor, y tío de la esposa de Sigmund Freud, Martha— fue el primero en fijarse en que el mejor discípulo de Aristóteles y su sucesor al frente de la escuela peripatética, Teofrasto de Éreso, había expresado su fascinación por los judíos, a los que caracterizaba como un subgrupo de «sirios». En su libro *Sobre la piedad*, Teofrasto caracterizaba a los judíos como «filósofos de nacimiento» (frase que debió de hacer feliz a Jacob Bernays) que «hablan constantemente unos con otros sobre la divinidad, y que por la noche observan los astros, mirándolos e invocando a Dios en oración».[5] Pese a que, dejándose llevar por su fantasía, Teofrasto llegaba a afirmar que los judíos realizaban sacrificios humanos, untando repetidamente de miel y vino el cuerpo de la víctima mientras iba asándose, los judíos no perdieron del todo su primitiva reputación de custodios de la cosmología y la adivinación antiguas. Esa fama hacía de ellos los guardianes de una sabiduría oriental esotérica (aunque algunos griegos insistían en suponer que eran originarios de la India). Sin embargo, la mayoría de los escritores judíos del mundo clásico presentaban su religión como un conjunto de ética, historia y profecía a un tiempo, y todo ello tenía que llamar la atención de los imperios paganos, si sabían lo que les convenía.

Con esta actitud ligeramente autocomplaciente, Josefo recoge la anécdota legendaria de Alejandro Magno, que en 332 a. e. c., el año de sus campañas en Palestina y Egipto, se sintió tan conmovido por la piadosa humildad de los sacerdotes y el pueblo de Jerusalén que proclamó la unicidad de Dios.[6] Carecemos de cualquier prueba contundente que demuestre que aquel año en que llevó a cabo su prolongado asedio a

Tiro, Alejandro no fue a Jerusalén, pero parece realmente harto improbable que lo hiciera. No obstante, la descripción de Josefo debe de basarse en alguna medida en una tradición narrativa ya bien arraigada, y,
como suele suceder cuando se aparta de la verdad documentada, el relato es muy brillante y vivo.

Josefo describe a los judíos de Jerusalén, agradecidos y fieles hasta
el final al decadente imperio persa, temblando ante lo que imaginan
que va a ser una terrible represalia macedonia. Pero su sumo sacerdote
Jadua recibe en sueños la visita de Dios, que le dice que «tenga confianza, adorne la ciudad con flores y abra sus puertas». El pueblo debía congregarse ante el conquistador griego vestido con ropajes blancos en
señal de humildad, mientras que él y los sacerdotes del Templo debían
vestirse suntuosamente, como correspondía a su rango sagrado; una
combinación de pureza y majestuosidad. ¿Cómo podían los griegos no
dejarse vencer cuando la procesión triunfal de Alejandro se detiene en
«un lugar llamado Safá, que significa "observatorio"»? Así pues, es al
divisar las torres y las murallas de Jerusalén y el Templo en lo alto de su
colina cuando el general victorioso se encuentra a la multitud vestida
de blanco, a la cabeza de la cual va el sumo sacerdote engalanado de
«rojo y púrpura con su tiara rematada por una plancha de oro que llevaba escrito el tetragrámaton del nombre de Dios». Intercambio de saludos. Alejandro afirma de forma harto improbable que «adora» a aquel
Dios, pues, como explica a su sorprendido asistente, también él había
tenido un sueño en el que el sumo sacerdote, vestido exactamente de
esa manera, concedía la bendición divina a su victoria sobre los persas.
Alejandro entonces «estrecha la diestra del sacerdote» y hace un sacrificio a YHWH «siguiendo las instrucciones del sumo sacerdote». Al día
siguiente le muestran el libro de Daniel (una pequeña trampa, pues en
332 a. e. c. todavía no había sido escrito), que profetiza su triunfo, y
agradece la confianza concediéndoles, como harían todos los buenos
gobernantes griegos, el uso de «las leyes de sus antepasados». Alejandro
perdona el pago de tributos todos los años sabáticos y promete (pensando en lo buenos que eran los judíos como soldados) que los que se
unan a su ejército vivirán sin que nadie los moleste a causa de sus tradiciones.[7]

Pero este halago a la superioridad de la sabiduría judía no es nada
comparado con otra anécdota en la que un gobernante griego se con-

vierte en un admirador tan ferviente del judaísmo que dispensa todo tipo de honores a sus guardianes. La *Carta de Aristeas* es un drama acerca de un libro (o, mejor dicho, acerca del Libro). Escrita en el siglo II a. e. c. pretende ser el relato, contado por el jefe de la guardia y alto consejero de Ptolomeo II Filadelfo, de cómo la Biblia hebrea fue traducida al griego en Alejandría. Josefo nos ofrece una versión abreviada de este mismo episodio en sus *Antigüedades*, pero el manuscrito original era lo suficientemente importante como para sobrevivir al menos en veinte copias hasta comienzos de la era cristiana, cuando esta traducción griega de la Biblia hebrea, los denominados Setenta, fue considerada, a todos los efectos, el texto definitivo de lo que pasó a llamarse «Antiguo Testamento».

Los rabinos que crearon la Misná y el Talmud varios siglos después no encontraron motivo alguno para fijarse en la *Carta de Aristeas*. Los Setenta era una Biblia cristiana; la suya había sido devuelta al hebreo. La *Carta de Aristeas*, en la que los griegos y los judíos elogian a la vez la sabiduría de la Biblia, habría chocado con las pretensiones rabínicas de que la Torá era una posesión exclusivamente judía. Los especialistas modernos han pensado que la *Carta*, con su idilio de armonía intercultural, quizá estuviera motivada por la necesidad de defender el judaísmo de las calumnias egipcias que de vez en cuando ponían en verdadero peligro a la comunidad de Alejandría. Al implorar a los sacerdotes y escribas de Jerusalén que vayan a Alejandría a hacer la traducción, el rey da una nota de sensatez muy improbable: «Si alguna vez tu pueblo ha recibido daño debido a las pasiones de la muchedumbre, ya lo he resarcido». En su mayor parte la *Carta* está escrita como si la comprensión mutua y la comunión de intereses de griegos y judíos fueran lo más natural del mundo. Así pues, el promotor de toda la empresa, el bibliotecario real de Alejandría, Demetrio de Falero, le dice a Ptolomeo: «Me ha costado trabajo descubrir que el dios que les dio la ley es el mismo que mantiene tu reino … [Los judíos] adoran al mismo dios, el Señor y Creador del universo, aunque nosotros lo llamamos con nombres diferentes, como Zeus … Es el único por el cual todas las cosas están dotadas de vida». Aunque había algunos detalles que parecían situar a los judíos aparte —la *mezuzá*, el volumen en miniatura colocado en las jambas de las puertas y la filacteria o *tefillin* del brazo, que contienen la oración diaria en alabanza del único Dios y algunos pasajes de las leyes de la Torá (la primera mención que se hace de ambos objetos en las fuentes)—, eran simples recordatorios encargados de avisar a los devotos de YHWH de que nunca se olvidaran de la presencia de ese Dios ni de sus doctrinas.[8]

El verdadero Aristeas, por supuesto, no tuvo nada que ver con la carta de ficción, pero su autor judío supo astutamente cómo encarnar las voces de los cortesanos y los eruditos helenos para persuadir a los judíos alejandrinos de lengua griega de que existía efectivamente un encaje entre la Torá y la filosofía griega. Resultó muy conveniente que, durante más de un siglo después de las conquistas de Alejandro, los ptolomeos reinaran en Judea además de Egipto, de modo que resultaba perfectamente verosímil que el rey enviara una misión exploratoria a la ciudad de Jerusalén para convencer al sumo sacerdote de que fuera a Alejandría con su caterva de traductores en fila.

La familiaridad de los legados griegos con las maravillas de la Jerusalén judía empieza casi en cuanto llegan. Una vez efectuada la visita a las obras hidráulicas, Demetrio y Aristeas manifiestan su asombro ante las «maravillosas e indescriptibles cisternas subterráneas» que recogían la sangre de los sacrificios del Templo, pero que además almacenaban agua potable no contaminada para la población. ¡Cuánta historia clásica puede escribirse sobre las cañerías!

Es también probable que las vestimentas abigarradas impresionaran a los griegos. Eleazar, el sumo sacerdote, va engalanado tan majestuosamente como cualquier potentado; de su túnica cuelgan cascabeles de oro, que producen un delicado y peculiar tintineo cada vez que se mueve. El manto está salpicado de granadas (cuyas 613 semillas se decía que representaban los mandamientos de la Torá), y en su pectoral de oro lleva incrustado en piedras preciosas «el oráculo de Dios». Setecientos sacerdotes ejercen sus funciones en el Templo con la máxima gravedad, silencio y decoro. Menos mal, pues, que la mesa triangular ricamente decorada que Ptolomeo envía al Templo como incentivo es una obra maestra astutamente calculada de estilo híbrido greco-judío. Lleva representada una cenefa en forma de soga de una factura maravillosa, pero además incluye —¿qué otra cosa podía ser?— una greca —la esencia de Grecia trasladada a Jerusalén— con incrustaciones de rubíes, esmeraldas, ónice, cristal de roca y ámbar. Las patas están talladas en forma de lirios y acantos.

¿Cómo iban a declinar la invitación del rey? Eleazar y setenta y dos escribas, seis por cada una de las tribus de Israel, viajan a Alejandría y son colmados de cumplidos y regalos por el rey, que los recibe con la mayor reverencia y los aloja en unos elegantes aposentos en la isla de Faros, unida a la ciudad por una calzada. Antes de ponerse a trabajar en la traducción en sus frescos aposentos, son invitados a un banquete de una semana de duración que acaba convirtiéndose en un simposio a la griega, aunque con platos kosher. El rey plantea cortésmente una serie de preguntas acerca de cómo se puede reinar mejor, o más bien cómo se puede vivir mejor, que reciben unas respuestas decididamente judías:

> REY: ¿Qué es lo mejor para vivir bien?
> ELEAZAR: Conocer a Dios.
> REY: ¿Cómo soportar con ecuanimidad las vicisitudes de la vida?
> ELEAZAR (*En sus palabras se oyen ecos del Eclesiastés y de Jesús, hijo de Sirac*): Hazte claramente a la idea de que todos los hombres están destinados por Dios a compartir los mayores males y los mayores bienes.
> REY: ¿Cómo estar libre de temor?
> ELEAZAR: Cuando la mente es consciente de no haber obrado mal.
> REY: ¿Cuál es la peor negligencia?
> ELEAZAR: Que un hombre no se ocupe de sus hijos o que no dedique todos sus esfuerzos a educarlos.

Hay, además, suficientes cuestiones tomadas del repertorio habitual de consejos políticos (ya Aristóteles había sido maestro de Alejandro) como para que no nos quepa la menor duda de que el pseudo-Aristeas conocía al dedillo todos los tópicos de los estoicos y epicúreos griegos:

> REY: ¿En qué consiste la esencia de la realeza?
> ELEAZAR: En dominarse a sí mismo y no dejarse arrastrar por la riqueza o la fama en pos de deseos inmoderados.
> REY: ¿Cuál es el bien más preciado de un gobernante?
> ELEAZAR: Amar a sus súbditos.

Y juntos pasan al ámbito de la investigación psicológica platónica:

> REY: ¿Cómo puede uno dormir sin que nada le perturbe?
> ELEAZAR: Me has hecho una pregunta bien difícil, pues lo cierto es que mientras dormimos no podemos apreciar las cosas por nosotros mis-

mos, sino que dominan nuestra mente ilusiones absurdas. En nuestra
alma tenemos la impresión de que vemos realmente lo que nos ima-
ginamos, pero nos equivocamos; como cuando creemos que de verdad estamos navegando o volando por el aire.

Eso es precisamente lo que los lectores alejandrinos del pseudo-
Aristeas debían de querer encontrar: la seguridad de que los judíos no
solo estaban a la misma altura que los griegos en el plano intelectual,
sino que en el repositorio de su venerable sabiduría podían encontrar
algo que enseñar a los gentiles. En el tono de la *Carta de Aristeas* resuena
un poderoso eco de que los judíos helenizados de Egipto querían ir más
allá de una reputación de vetusta devoción a un «Dios, el Altísimo»,
abstracto, y demostrar la racionalidad de la Biblia como literatura sapiencial. De ahí el afán por insistir en que incluso sus minucias más
desconcertantes —las leyes relativas a la dieta, por ejemplo— no son
solo tabúes arbitrarios, o formas vulgares de controlar una plaga relacionada con «ratones y comadrejas». Antes bien, al prohibir las aves rapaces
y carroñeras, como águilas y milanos, seguían el rechazo natural en el
hombre a comer animales que ya se han comido a otros animales. Era
mucho más sano consumir aves «puras» que se alimentan de grano,
como «palomas, tórtolas, perdices, ocas y … [según el Levítico] langostas y saltamontes».[9] «Todas las normas acerca de lo que nos está permitido en el caso de estos animales y aves las estableció con objeto de
darnos una lección moral.» Y continúa diciendo, de un modo un tanto
desconcertante: «Las normas relativas a los animales de pezuña partida
en dos mitades se incluyen para enseñarnos a discernir en lo tocante a
nuestras propias acciones». Con ese mismo espíritu de afirmar la sabiduría ética natural de la Torá, Eleazar indica que, mientras que otras naciones eran capaces de deshonrar incluso a sus madres e hijas, esas prácticas
tan horribles —al igual que la cópula homosexual— estaban prohibidas
para los judíos.[10] (Esto último probablemente no les sentara demasiado
bien a los helenos.) Ese mismo deseo compulsivo de dar un sentido
griego a la Biblia llevó a «Demetrio el Numerólogo», lo más parecido
que hubo a un historiador judeo-alejandrino, a someter las fantásticas
genealogías y cronologías de la Biblia a un análisis lógico. ¿Era creíble
que Jacob empezara a los setenta y siete años a engendrar doce hijos en
siete años? Según los cálculos de Demetrio, desde luego que sí.

La combinación de sabiduría ancestral y crítica racional obra su magia. La caravana de traductores, a la que Ptolomeo va a saludar todas las mañanas antes de que empiecen a trabajar, termina su tarea en setenta y dos días (seis veces el número de las tribus de Israel, y el mismo número que el de los traductores), y son honrados por el rey, que, arrodillándose siete veces ante el Libro, proclama que es impensable (y posiblemente ilegal) cambiar ni una sola palabra. Pero, además, en esas creaciones literarias concebidas de un modo tan arbitrario, los soberanos egipcios están plegándose constantemente a la rectitud moral, la sagacidad política y la autoridad erudita de esos judíos tan listos. Antes de Moisés, según el Génesis, José es elevado al poder más alto en el gobierno del faraón. De hecho, en una obra titulada *Ioudaikon*, su autor judío se deja llevar por el entusiasmo hasta el punto de atribuir a José todo el sistema egipcio de acequias y canales de riego, probablemente en respuesta a historias egipcias como la del sacerdote-gramático Manetón, que presentaban a los israelitas como pordioseros y leprosos.

En la historia de *José y Asenet* (a veces llamada «la primera novela griega», y desde luego se trata de un relato amoroso), el joven israelita en ascenso, toda una potencia en el país, va a casarse con Asenet, una joven de dieciocho años, hija del consejero del faraón, Putifar o Pentefres. Siempre cubierta por el velo y recluida, de todos es sabido que Asenet odia a los hombres, y no le hace ninguna gracia la idea de casarse hasta que, tras ver a hurtadillas al joven judío, tan bien plantado como sabio, cae rendida a sus pies en un rapto amoroso. En ese momento, como es natural, el judío se hace de rogar, exigiendo como contraprestación para casarse con ella su total conversión. Indecisa ante semejante dilema, Asenet recibe la oportuna ayuda de dos ángeles que aparecen justo a tiempo para frustrar la trama urdida por el hijo del faraón con objeto de raptarla, matar a su propio padre y adueñarse del trono. Una vez establecidas sus credenciales como maestros en la resolución de problemas, los ángeles alimentan literalmente a Asenet con la Biblia en forma de panal de miel, del que inesperadamente surge un enjambre de abejas. ¡Pero no queda ahí la cosa! Reaparecen los ángeles y transforman a las abejas en pequeñas cómplices sin aguijón de la felicidad nupcial de Asenet y en toda una epifanía religiosa. ¡Qué milagro! El faraón sale ileso del atentado gracias al joven judío y su grupo de ángeles, le entrega la esposa y derrama todas sus bendiciones sobre la feliz pareja de judíos. *Mazel tov*, ¡bebamos!

La luna de miel alejandrina entre el judaísmo y el helenismo no duraría mucho, pero durante dos siglos y medio fue un mundo tan vigoroso, dinámico y creativo como el de cualquiera de las culturas de la Diáspora que vendrían después. Llegó a cotas tan altas como José, pero menos ficticias. El hermano menor del filósofo Filón fue recaudador de los impuestos reales al servicio de los ptolomeos, y su sobrino, Julio Tiberio Alejandro, llegaría a ser gobernador romano de la ciudad en el siglo I e. c., aunque a decir verdad había apostatado. Otro personaje que anduvo por los márgenes de la comunidad judía, Dosíteo, hijo de Drímilo, alcanzó los puestos más altos de la corte, llegando a archivero real.

Bastante antes de estos famosos relatos de éxito, a mediados del siglo III a. e. c., había establecidas comunidades judías en Esquedia, al sudeste de Alejandría, río arriba en la antigua ciudad de Crocodópolis, en Heracleópolis, en los distritos de Cerceosiris, Hefestíade y Tricomia, y en Tebas y Leontópolis (donde el sacerdote Onías, huyendo de Jerusalén, fundó un templo rival como el que en otro tiempo hubiera en Elefantina, capaz de poner en entredicho la autoridad del de Jerusalén). A menudo, los judíos se establecían allí a donde sus especialidades los llevaban, y esas especialidades eran sobre todo el ejército y la burocracia: la caballería de Tebas (entre sus miembros había un personaje cuyo nombre no puede ser más apropiado, Sabateo, «Nacido el sábado», al que encontramos en un papiro de mediados del siglo II a. e. c.); la policía de aduanas de Esquedia, o la infantería de Leontópolis. Como era costumbre, se pagaban sus servicios con la concesión de tierras que los nuevos propietarios arrendaban luego a campesinos. Se decía que los distritos suburbanos de las inmediaciones de Crocodópolis estaban llenos de jardines florales y huertas en los que los judíos se paseaban con una peligrosa arrogancia mientras sus arrendatarios trabajaban afanosamente. Estos judíos tenían una posición lo suficientemente desahogada y eran lo bastante numerosos como para construir una sinagoga y dedicársela a Ptolomeo III.

Pero Crocodópolis no era Alejandría, que fue una de las grandes ciudades de la historia de los judíos; habitaban en ella casi doscientos mil judíos, el equivalente a una tercera parte de la población (si bien solo representaban el 4 por ciento de la totalidad de los egipcios).[11]

Aunque oficialmente no vivían recluidos, la mayoría de ellos se concentraban en barrios judíos bien delimitados al este de los muelles, especialmente en el distrito del Delta «en la ribera sin puerto», como diría el gramático Apión, enemigo declarado del judaísmo, pero no demasiado lejos del palacio real. Había sinagogas en todos los distritos, y se conservan inscripciones dedicatorias en honor de importantes patronos, empezando por los propios ptolomeos, que indican el tipo de vínculos con el poder local que mantendrían las comunidades judías a lo largo de toda la historia de la Diáspora.

Ninguna, sin embargo, como la Gran Sinagoga, legendaria incluso después de la aniquilación de la comunidad en el siglo II e. c., sobre todo entre los sabios del Talmud, como el rabino Judah ben Ilai, que insistía en que «el que no la haya visto no ha visto la gloria». Según su relato, hasta cierto punto fantástico, la sinagoga de Alejandría se jactaba de tener filas de columnas dobles y setenta sillas de oro (en honor de los Setenta) para cada uno de los ancianos de la sinagoga, tachonadas de perlas, amén de secciones de asientos para cada gremio y oficio de los judíos de la metrópolis: joyeros, tejedores, artesanos del cobre… La congregación y el edificio eran tan grandes que la salmodia del lector se perdía desde el *bimah* —la plataforma reservada para la lectura de la Torá—, de modo que el *jazán* tenía que ponerse en pie en el estrado y ondear una gran banderola de seda blanca para avisar a la congregación de que respondiera «amén» cuando concluía cada sección de la lectura.

Como en Elefantina, en los papiros que se han conservado tenemos vivamente atestiguada cierta sensación de lo que era la sociedad de los judíos, con un pie en su *políteuma* judío y el otro en el resto del mundo en general: en el archivo de Zenón, perteneciente a un funcionario de la recaudación de impuestos de los ptolomeos que viajó a Palestina a mediados del siglo III a. e. c., e incluso con más abundancia de detalles en los papiros de Heracleópolis, en la región de El Fayum. Un caso típico es el presentado al arconte o jefe de la comunidad local por un tal Doroteo, que alega que por su buen corazón (y en cumplimiento de un mandamiento de la Torá) había admitido en su casa a su cuñado enfermo, Seutes, y lo había cuidado «gastando gran parte de mis medios» durante su enfermedad. No sólo eso, sino que Doroteo había ayudado a su sobrina, Filipa, a escapar de la cárcel de los deudores y se la había llevado a su casa para que se reuniera con su padre enfermo. ¿Un auténtico *mensch*? No, dice Doroteo, al fin y al cabo no había hecho más que lo que manda la Torá. A cambio, antes de que muriera su cuñado inválido, Filipa había sido adoptada formalmente como un miembro más de la familia de Doroteo. La muchacha había permanecido en la casa cuatro años. El idilio doméstico se había visto interrumpido por la repentina aparición de la madre de Filipa, Iona, que se había llevado a la joven de casa de su tía, privando así al citado benefactor de la valiosa ayuda de un miembro de su familia. Para apoyar su pretensión de que le fuera devuelta la chica, Doroteo insistía en que Filipa volviera en calidad de huérfana tutelada y bondadosa con su tutor, y no como criada ventajosa para su amo (el cielo la proteja). Doroteo invocaba ante el arconte su fiel observancia del precepto de Levítico 25, 35 («Y cuando tu hermano empobreciere y se acogiere a ti, tú lo ampararás; como forastero y extranjero vivirá contigo»), aunque la Torá no contiene ninguna disposición relativa a la devolución obligatoria de una sobrina. El arconte, quizá por tratarse de un caso clásico de convergencia entre los principios judíos y griegos de tutela, parece que se puso de parte de Doroteo.[12]

A medida que bajamos en la jerarquía social de los judíos, los testimonios conservados son más desiguales. Conocemos al mercader Ahibi solo por un rollo de papiro escrito a su socio, Jonatán, en el que se reseñan los cargamentos de cebada y trigo que le ha mandado por el río; a Tasa, hija de Ananías (ninguno de ellos lleva nombres helenizados), solo por el testimonio de su acusación contra un griego que la había violado, y a una pareja de prometidos de sendas comunidades de la Diáspora muy alejadas —«el joven de Temnos» (en la costa occidental de Anatolia) y «la doncella de Cos»—, por el contrato de matrimonio que los unía. El ambiente de la población y de sus habitantes tiene que reconstruirse a partir de los óstraka y fragmentos de cerámica, de las inscripciones de dedicación de las sinagogas y, sobre todo, de las inscripciones funerarias de las tumbas judías. Fue por entonces cuando las tumbas excavadas en la tierra pasaron de ser meras fosas a convertirse en cámaras con nichos destinados cada uno a una familia y en los que se enterraba a determinados individuos, con la cabeza apoyada sobre almohadones de piedra o de tierra. Hay inscripciones de ese tipo ya en el siglo III a. e. c., aunque las más elocuentes proceden de la Alejandría romana. Todas se dirigen al caminante que pasa ante las tumbas:

ARSÍNOE: Detente y llora por ella … pues su destino fue cruel y terrible. Me vi sin madre cuando no era más que una niña y cuando la flor de la juventud me predisponía a ser desposada. Mi padre dio su consentimiento y Febo y el Destino me condujeron al final de la vida cuando nació mi primer hijo.

RAQUELIS: Llora por Raquelis, casta amiga de todos. Tenía unos treinta años. Pero no llores en vano por mí.

Derrama una lágrima por la hermosa HORNA. Estamos aquí los tres, mi marido, mi hija Irene y yo.

Se trata del estilo funerario clásico, y cuando las tumbas están decoradas, llevan esculpidos motivos arquitectónicos —especialmente columnas— que no pueden distinguirse de los de sus vecinos griegos. No hay ni rastro de inscripciones en hebreo o de las citas de la Biblia que luego serían reglamentarias en los cementerios judíos. Así pues, incluso en la muerte, no da demasiado la impresión de que los *Ioudaioí* vivieran en el destierro. Su contacto con Jerusalén y con Judea era constante; las normas que hacían de ellos judíos eran clarísimas, pero no estaban reñidas con su residencia en el Egipto helenístico. Sin embargo, no eran tan ingenuos como para llegar a imaginarse que eran amados incondicionalmente por las culturas hostiles en medio de las cuales vivían. Si hubieran conocido la historia del sacerdote y gramático Manetón, del siglo III a. e. c., habrían sabido que eran relacionados no solo con los leprosos que eran expulsados de los poblados, sino también con los faraones extranjeros hicsos, que se hicieron famosos por su explotación inclemente de la población nativa egipcia. Siempre cabía la posibilidad de que, a pesar de la vida tranquila y bien aposentada que llevaban, lo peor acechara a la vuelta de la esquina, como les había sucedido a los judíos de Elefantina con anterioridad.

He aquí lo que sabemos del cuento aleccionador sobre lo cerca que estuvieron de morir bajo las pezuñas de los elefantes de guerra. Narrado en el llamado «Tercer Libro de los Macabeos» —demasiado apócrifo para ser incluido entre los Apócrifos bíblicos (aunque está en los Pseudoepígrafos, todavía menos canónicos)—, el episodio era lo suficientemente conocido entre los judíos de Egipto como para convertirse en el fundamento de una festividad alejandrina local de liberación, organizada exactamente de la misma forma que la de Purim, la fiesta que conmemora cómo se frustró la trama urdida para matar a la población judía de Persia, y la fiesta de la Hanuká, que celebra la liberación de la tiranía de los seléucidas. Afín a esas historias paralelas contemporáneas, el relato egipcio habla de un loco que odiaba a los judíos, de una amenaza de matanza en masa y de la oportuna intervención de los ángeles de un modo más fantástico que en Susa o en Jerusalén.

3 Macabeos y Josefo discrepan en varios puntos, como por ejemplo qué Ptolomeo exactamente se vio implicado en el episodio, por lo tanto, cuándo tuvo lugar, pero el historiador Joseph Modrzejewski ha aportado argumentos convincentes en favor de una datación temprana en tiempos de Ptolomeo IV Filópator, en el siglo III a. e. c. Tras una campaña y un breve período de victorias contra los seléucidas en Palestina, el rey presume de profanar la santidad del Templo efectuando su entrada triunfal en él por la fuerza. La consecuencia, por supuesto, es que cuando se encuentra en el mismo umbral del santuario queda paralizado y es incapaz de mover un solo miembro. Consumido de odio contra los judíos que lo han humillado, una vez de vuelta en Egipto Ptolomeo ordena el confinamiento de todos los judíos de Alejandría en el hipódromo. Una vez allí (en una siniestra y sorprendente anticipación de lo que les ocurriría a los judíos de París en el Velódromo de Invierno en 1942), quedan expuestos a un calor horroroso y son obligados a realizar un trabajo brutal durante cuarenta días.

Pero eso no basta para calmar la sed de venganza del monarca, de modo que, instigado por un furioso perseguidor de los judíos (cuyo nombre, Armón, resulta sospechosamente afín al del malvado de la historia de Purim, Amán), ordena que hagan enfurecer con incienso y un licor fortísimo a quinientos elefantes de guerra y que los lancen contra los judíos cautivos. Hay un pequeño interludio cómico. El rey se confunde y se olvida del plan, para acordarse de él al día siguiente. ¡Adelante con la matanza! ¡Que reúnan a los gigantescos paquidermos! La muchedumbre se precipita al hipódromo para ver aquel espectáculo tan divertido. Barritando estrepitosamente, fuera de sí debido al potente licor ingerido y aturdidos por el humo, los animales recorren las calles en estampida, seguidos por la soldadesca embravecida. En el último minuto (como es su costumbre), aparecen dos ángeles, agitan las alas un poquito y ¡sorpresa! Los elefantes dan media vuelta, hacen desaparecer rápidamente la sonrisa de los rostros de los soldados y de la plebe, y todos mueren aplastados bajo las patas de las bestias en medio de la confusión. Impresionado, el cruel monarca se arrepiente y devuelve a los judíos su vida normal.

Se trata de un final de fábula, pero el autor de 3 Macabeos sabía que su relato era un aviso aleccionador. Por plácidamente asentados que estuvieran, siempre podía llegar un momento en que la brisa llevara de nuevo el bramido distante de unas bestias enormes enfurecidas y, con él, desapareciera la tranquilidad de sus vidas. Al fin y al cabo, eso era lo que había sucedido en Jerusalén.

II. La disputa de los sacerdotes

Llegando a la ciudad desde el oeste, Jerusalén habría podido percibirse por el olfato antes que por la vista; una cortina de humo flotaba sobre los tejados y las murallas, cargada con el aroma de la carne quemada. En el altar del Templo había que atizar el fuego constantemente, tanto de día como de noche; tal era la demanda de sacrificios de animales ofrecidos a YHWH todas las mañanas y todas las tardes, como exigía la Torá.[13] Esa quema constante se llamaba *tamid*, que en hebreo significa «incesante», pero había también una palabra griega que designaba esa cremación ritual de animales enteros, y esa palabra era «holocausto». Es otro aspecto que ambas sociedades tenían en común. Entre todas las culturas, desde Egipto hasta Mesopotamia y Persia, solo los griegos y los judíos hacían sacrificios consistentes en quemar animales enteros. Miles de cabras, ovejas, vacas y bueyes eran conducidos a la ciudad desde los pastos y las granjas de las colinas circundantes. Solo para la luna nueva, Números 28, 11-15 exigía el sacrificio ceremonial en el Templo de dos becerros de la vacada, un carnero, siete corderos y un cabrito (así como una ofrenda de flor de harina, aceite y vino). No todos los sacrificios ofrecidos en el Templo eran «víctimas quemadas» por completo (*olim*); algunos eran «matanzas» (*korban*), en las que la carne era dividida en porciones para ser consumida, mientras que la grasa fundida y la sangre recogida eran separadas como la parte dedicada al Altísimo y quemada en vasijas consagradas a ello. Pero hacia comienzos del siglo II a. e. c., el holocausto o quema completa del animal era la ofrenda predominante. Mientras ejecutaban su labor, los levitas cantaban salmos, pero parece que todavía no había oraciones.

El ritual del *tamid* era muy elaborado y minucioso. A primera vista, el derramamiento de tanta sangre de animales parece estar en flagrante desacuerdo con la estricta prohibición de comerla, pero los dos tipos de prácticas tenían mucho que ver. El sacrificio de animales era tan habitual debido a la repugnancia de comer carne sanguinolenta.[14] Es posible, como sugiere David Biale, que la combinación de sacrificio animal sanguinolento y de dieta sin sangre tuviera por objeto establecer una contracultura frente a los hábitos dietéticos más ricos en sangre de los pueblos circundantes. La Biblia insiste en que la sangre de un animal es su *nefesh*, su esencia vital, término a veces traducido por «alma». Así que no nos imaginemos un patio del Templo saturado de restos de sangre. Después de ser matado el animal, casi siempre por un sacerdote, la sangre era penosamente recogida en un barreño. La que no se necesitaba para la ofrenda era arrojada a un canal, dejando limpia la zona de sacrificios. Entonces el animal era desollado y la carne, arrojada al fuego, donde permanecía hasta que se consumía por completo, quedando solo los huesos y a veces la barba de la cabra si tenía. Las pieles, consideradas valiosísimas, normalmente iban a parar a manos del sumo sacerdote, que podía regalárselas a otros sacerdotes; pero esos pellejos podían llegar a desencadenar muchas discusiones.

Durante las fiestas de peregrinación, el ritmo de los sacrificios aumentaba, y con ellos el volumen de espectadores y participantes que atestaban la ciudad de Jerusalén con motivo de las solemnidades y festejos. Físicamente, parece que la Jerusalén griega de alrededor de 200 a. e. c. creció bastante deprisa en número de pobladores, ya que no en dimensiones físicas. La cifra que da Hecateo de Abdera, 120.000 habitantes, es totalmente fantástica, pero la población puede que ascendiera a varias decenas de millares, y las dimensiones de la ciudad habían aumentado hasta alrededor de ocho kilómetros cuadrados. Desde luego, el incremento de la demanda de alimentos había supuesto la prosperidad de las zonas rurales circundantes, que tardaron varias generaciones en recuperarse de la destrucción de los babilonios. La ondulada comarca de la Sefela, al sudoeste, con su abundante pluviosidad en invierno y en primavera, volvía a producir trigo, mientras que las laderas de las colinas, más secas, estaban salpicadas de olivares, viñas y pastos. Para dar de comer a las multitudes de peregrinos que acudían a la ciudad, a las granjas de Judea que vendían sus productos en puestos improvisados cerca de las murallas se sumaban comerciantes llegados de muy lejos: tirios que vendían pescado, mercaderes de las ciudades costeras de Ascalón, Ptolemaida y Gaza que vendían cerámica del Egeo, cada vez más demandada, y hombres del norte que vendían vidrio fenicio.

Aunque ya había sinagogas en la ciudad y sus alrededores, centros de hospitalidad y lugares de lectura y oración a un tiempo, Jerusalén era en último término el Templo, con su incesante cinta transportadora de matanza sacralizada de animales, el calendario de peregrinaciones y días santos de expiación, la pausa del sábado (toda una innovación en el mundo antiguo) y las lecturas habituales de la Torá que Esdras había inaugurado dos siglos y medio antes. Sin reyes, pero con la riqueza de los fantasmas literarios de David, el supuesto autor de los Salmos, y de Salomón, el que había escrito el sensual Cantar de los Cantares y las «Sabidurías» apócrifas, el carisma de la autoridad se concentraba en la imponente figura del sumo sacerdote, en torno al cual giraban el ritmo y el significado social de la ciudad.

Con la dinastía real fracturada, era muy importante —en cualquier caso lo sería durante un poco más de tiempo— que el sumo sacerdote fuera un descendiente directo de Sadoc, que había estado al lado de David y había coronado a Salomón. Y era importante también que el propio Sadoc descendiera del primogénito de Aarón, Eleazar; de ahí que los sumos sacerdotes lleven tan a menudo este nombre. De hecho, era posible incluso prolongar su linaje hasta Leví, el hijo de Jacob y Lía. Por eso la aparición pública del sumo sacerdote en el Templo y sus raras entradas en el sanctasanctórum, al que solo él tenía acceso, estaban cargadas de majestuosidad y simbolismo. (La manifestación del sumo sacerdote vestido maravillosamente es lo más que se acercan los judíos a la aparición de la exaltación divina en forma humana.)

Y sin embargo, aunque se ha conservado una genealogía de la sucesión —con la recurrencia de los nombres Simón y Onías—, casi nada se sabe de los distintos sumos sacerdotes en concreto, ni siquiera los detalles de sus obligaciones y ceremonias fuera de las prescripciones bíblicas (y de estas tampoco se sabe mucho). El epítome de la tradición rabínica sigue siendo la nebulosa figura conocida como «Simón/Simeón el Justo», aunque, como es habitual, no hay acuerdo en torno a ella salvo en situar su sacerdocio en el siglo III a. e. c. y en que ejemplifica la unión de piedad personal, justicia judaica y autoridad ceremonial. (Razonablemente, por ejemplo, no hay artículo ninguno sobre él en la *Encyclopaedia of Early Judaism*, obra por lo demás exhaustiva.)

Sí que sabemos, no obstante, que el sumo sacerdote no estaba solo en grandeza, riqueza y poder. Se encontraba en el centro de una minoría dinástica y de una aristocracia sacerdotal, acompañado de grandes familias en sentido lato, grandes fincas, empleados y adeptos. Josefo menciona también una *gerousía*, un consejo de ancianos de Jerusalén, semejante al que existía en Alejandría y que tal vez negociara con sus superiores griegos cuestiones de importancia trascendental e ineludibles como los impuestos y la concesión de subsidios para el mantenimiento del Templo (otra herencia del período persa). En conjunto, esta élite de Jerusalén-Judea, de carácter cada vez más administrativo y mundano, aparte de espiritual, constituía una minoría dirigente responsable de mantener la cultura social distintiva en la que fue transformándose rápidamente el judaísmo.

En medio de semejantes conjeturas resalta, entre todos los testimonios, un hecho sorprendente (al menos según Josefo), que dice mucho de la realidad pragmática de la aristocracia del Templo. Más o menos a finales del siglo III a. e. c. el sumo sacerdote Onías, el último del linaje de los sadocitas o saduceos e hijo de Simón el Justo (y, según Josefo, muy amigo de poner la mano cuando de dinero se trataba), casó a su hija con un hombre codicioso y agresivo procedente de Transjordania llamado Tobías. Este Tobías se convirtió en el padrino de un poderoso clan, al cual dedica muchas páginas Josefo, y sus dramáticas vicisitudes probablemente habrían sido condenadas a ser consideradas otra fábula histórica más de no haber aparecido en el archivo de Zenón unas cartas de un tal «Tubías», comandante de una fortaleza en la parte este del Jordán. Las cartas iban dirigidas al tesoro de los ptolomeos, y evidentemente proceden de un hombre acaudalado relacionado con la recaudación de impuestos, sin duda idéntico al destacado adalid, además de buen partido, del que habla Josefo. Amonita por su origen, y por lo tanto no perteneciente al *ethnos* judaico, la riqueza y el poder habían vuelto a Tobías lo «bastante» judío para casarse con una joven del más rancio abolengo de la aristocracia sacerdotal. El modo en que había amasado su fortuna había consistido en transformar la función militar en recaudación de impuestos en nombre del gobierno de los ptolomeos, cada vez más necesitados de fondos para financiar las interminables guerras que sostenían contra los seléucidas. Tobías adelantaba dinero al ministro de finanzas Apolonio y lo recuperaba —incrementado con cuantiosas primas— cobrándoselo a la población del país. En otras palabras, era el tipo de personaje perfectamente conocido que siempre medra en las épocas de guerras constantes: una mezcla de señor de la guerra local, magnate sin escrúpulos y contratista del gobierno, lo bastante rico y lo bastante judío para suponer un partido apetecible para la hija del sumo sacerdote.

Josefo ensalza a Tobías y a su hijo, José, que, como suelen hacer las segundas generaciones, pule las facetas más toscas de la fortuna paterna y acaba convirtiéndose en el personaje indispensable encargado de negociar los acuerdos arbitrarios entre los ptolomeos y los seléucidas. Pero fue el nieto de Tobías, Hircano, el que convirtiendo lo que las cartas de Zenón dejan meridianamente claro que era al principio una fortaleza local en un opulento palacio de piedra caliza al este del Jordán, legó el testimonio arquitectónico más espectacular de cómo debía de ser la vida de aquel clan helenizado a comienzos del siglo II a. e. c.

Qasr el-abd (o Iraq al-Amir, como se denomina en la actualidad), situada en el fértil valle del Jordán, es uno de los vestigios más seductores que pueda haber del mundo helenístico. Vemos hermosas columnas en la fachada de sus dos plantas; otra columnata en el interior de su espacioso patio, y leones y panteras montan guardia en la fachada de piedra caliza. Uno de los escultores dejó que su imaginación creadora aprovechara al máximo sus conocimientos de zoología para poner un león provisto de abundante melena amamantando a toda una camada de cachorros en el tejado del palacio. Originalmente, la mansión estaba rodeada de un lago ornamental en el que se habría reflejado su elegante silueta. Pero ese lago, así como la plataforma sobre la que se levantaba el palacio, conservaban en su elegancia las líneas de la que había sido su función original como bastión del hombre fuerte. Con toda probabilidad era también el centro administrativo de un microestado «tobíada», con todos sus complementos de escribas, empleados y recaudadores de impuestos. Cuando el sumo sacerdote Jasón (que había destituido a su hermano, Onías III, a quien correspondía el título, ofreciendo al nuevo soberano de la dinastía seléucida, Antíoco III, el tesoro y el tributo necesarios para llevar a cabo una nueva campaña contra los ptolomeos) fue sustituido por un adulador todavía más servil, Menelao, a donde huyó Jasón fue al palacio de Hircano en Amonítide. Allí permaneció afilándose los dientes y aguardando la hora propicia, antes de movilizar un ejército particular que, llegado el momento, marchara sobre Jerusalén.

Puede ser perfectamente que el grandioso palacio de Hircano, apartado como estaba de la capital de Judea, no represente más que las pretensiones dinásticas y el poder despiadado de los tobíadas, aunque como centro de poder rival de Jerusalén desempeñó un papel destacado en el estallido de la gran convulsión que estaba a punto de tener lugar en Judea. Como mínimo nos habla de una cultura en la que la identidad judía (pues es indudable que los tobíadas se identificaban con ella) y la observancia de la Torá coexistían con la cultura griega y el gusto por esta, sin que ni una ni otra se excluyeran. Análogamente, los asmoneos que recrearían el primer estado judío que hubo desde la conquista de los babilonios, y que a todos los estudiantes de cualquier escuela hebrea se les hace creer que eran la antítesis de los griegos, resulta que fueron sus imitadores.

La cultura helenística y la judía coincidían de muchas maneras sutiles, sí, pero inequívocamente materiales, sobre todo en el aspecto de las ciudades y de las viviendas existentes en ellas. Las excavaciones llevadas a cabo recientemente en Jerusalén y en sus alrededores han sacado a la luz casas y villas de unas dimensiones y un esplendor sorprendentes, en las que había amplias habitaciones decoradas con pinturas al fresco. Junto al cáliz se enredan las uvas, se extienden los lirios y se apiñan las granadas. En medio de los escombros y las ruinas, se han encontrado piezas de cerámica de color rojo sangre fabricadas en la ciudad griega de Megara, profusamente decoradas con flores y ornamentos; también han aparecido tinajas y ánforas rodias bastante altas, y estilizadas vasijas de vidrio nacarado de origen fenicio. En Jerusalén y sus alrededores, se utilizó por primera vez la piedra caliza local, de color amarillento, para fabricar vasijas para beber, entre otras razones porque se consideraba que la piedra era inaccesible a la impureza ritual (a diferencia de la cerámica). Asimismo floreció una alfarería local que desarrolló delicadas formas decorativas, siendo la más común la representación de flores dibujadas a pulso sobre platos y cuencos poco profundos. Al ser mayores las habitaciones, también aumentó el tamaño de las lámparas y los candelabros, provistos de más y más velas sobre superficies en forma de disco o de platito de color rojo.

Este fue el primer capítulo de la larga historia del comercio judío. En todo el litoral mediterráneo, la nueva demanda de productos originarios del Egeo incrementó la actividad de los centros portuarios de antiguas ciudades como Gaza, Dor y Ascalón, y dio lugar a la creación de una nueva gran ciudad portuaria en la costa de Galilea, Ptolemaida (más tarde Acco o Acre). Más al interior, en el cruce de caminos entre la llanura de Esdrelón (el valle de Jezreel) y la Baja Galilea, junto al emplazamiento en lo alto de una colina de una antigua ciudad-fortaleza cananea, Beit She'an (Betsán) se convirtió en la *polis* griega de Escitópolis, cuyo nombre derivaba de los mercenarios escitas provenientes de la región situada entre los mares Negro y el Caspio, que se asentaron en ella, lejos de Persia. En muchos de estos centros urbanos había casas de ladrillo levantadas sobre cimientos de piedra, a veces decoradas con molduras de yeso, y avenidas porticadas en las que se encontraban las tres instituciones que definían la vida civil griega: el gimnasio, la escuela primaria y secundaria denominada efebeo, y el teatro.

Estos lugares seguían estando en la periferia de la vida judía, y parece muy poco probable que emigraran a ellos los judíos, al menos en cantidad significativa, aunque Séforis, cerca de Nazaret (destinada a convertirse en el gran centro urbano de cultura mixta de la Baja Galilea), tuvo desde el principio población judía y griega. Cada vez en mayor medida, los judíos prácticamente helenizados, de lengua griega, del corazón de Judea sintieron la atracción magnética de semejantes lugares. Para muchos, la prueba más dura de su coqueteo cultural con el helenismo debía de tener lugar a la puerta del gimnasio, pues en él los ejercicios físicos se realizaban con el cuerpo desnudo, y el pene circuncidado provocaba las risas y las burlas de los griegos, cuyo orgullo por el prepucio largo y en punta puede apreciarse en innumerables vasijas y ánforas. Especialmente desconcertante y ridícula era la idea de que los judíos se cortaran deliberadamente el prepucio para privarse del placer sexual. El geógrafo Estrabón creía incluso que los judíos practicaban la extirpación del clítoris por un motivo igualmente aberrante. Y la apasionada defensa que hace Filón de esta práctica, asegurando que es esencial para el ejercicio de una vida moral (por no hablar de cuestiones de higiene), no haría más que confirmar el desconcierto y el desprecio del mundo pagano por aquella autonegación de los judíos. Por lo que a ellos se refería, hacer ostentación del propio prepucio, elegantemente alargado, era tan habitual entre la flor y nata de los atletas griegos que algunos adoptaron la costumbre de utilizar la *cinodesme* o «correa de perro», una fina tira de cuero que rodeaba la espalda, se pasaba por debajo del escroto y se ataba formando una elegante lazadita justo en dicha parte.

Los judíos que consideraban más importante la aceptación como ciudadano de pleno derecho dentro de la *polis* que la Alianza, conscientes de que para licenciarse en la academia del efebeo era necesario realizar ejercicios gimnásticos al desnudo, tenían a su alcance la reconstrucción parcial del prepucio llamada «epispasmo». Como parece que en la Antigüedad la circuncisión no comportaba la extirpación completa de todo el prepucio, el vestigio restante podía ir siendo estirado por tracción, y la piel era suavizada mediante el uso de miel o una loción a base de tapsia machacada, tratamiento utilizado habitualmente también por los gentiles que se sentían insatisfechos con la longitud de su prepucio y se veían expuestos a la exhibición involuntaria del glande, con el consiguiente estallido de risas y comentarios bochornosos en el gimnasio.[15] Cuando, como era inevitable que sucediera, los que se habían sometido al epispasmo sufrían remordimientos, los rabinos (que se tomaban todo aquello muy en serio, pues tenía que ver con la Alianza) discutían si para volver al judaísmo era imprescindible la práctica de una recircuncisión completa o si era una intervención demasiado peligrosa. Pero desde entonces hasta hoy día, junto con la reiterada insistencia del Talmud en que el prepucio es intrínsecamente repugnante, la obligatoriedad de la ceremonia de la *brit milá* ordenada por la Misná ha supuesto la extirpación total e irreversible del prepucio. No se debe hacer nada a medias.[16]

Aun así, hubo un sumo sacerdote que propuso fundar un gimnasio en Jerusalén, haciendo que los jóvenes judíos (según la escandalizada formulación de 2 Macabeos) «se educaran bajo el pétaso [se pusieran el sombrero griego]» (con la importancia que el sombrero tiene para los judíos), y no tuvo inconveniente en enviar una delegación de judíos helenizados a los juegos quinquenales de Tiro. Ese sumo sacerdote audazmente renegado fue el usurpador Jasón, que en 172 a. e. c. había desplazado a su hermano, Onías III, a quien realmente correspondía el cargo, valiéndose del soborno. El gimnasio no era más que una parte del proyecto más amplio que emprendió Jasón de transformar Jerusalén en una *polis* griega. Una vez que sus habitantes pasaran por el efebeo que estaba previsto crear, estarían en condiciones de ser ciudadanos, y la ciudad pasaría a llamarse en adelante «Jerusalén de Antioquía». La casi apostasía de un sumo sacerdote equivalía al repudio del acto fundacional de la singularidad israelita: la alianza forjada por Abraham y YHWH, dramáticamente renovada cuando Séfora, entusiasmada, arrojó el prepucio ensangrentado de su hijo a los pies de su esposo, Moisés, exclamando: «Ahora eres para mí esposo de sangre». El nuevo monarca de la dinastía seléucida, dice Josefo, quería que los judíos fueran como todos los demás, pero ese deseo lo tuvo en primer lugar el propio sumo sacerdote de los judíos, Jasón.

La importancia de esta innovación resulta especialmente chocante porque hasta ese momento los seléucidas no habían dado más muestras que los ptolomeos de pretender que la helenización por la fuerza se convirtiera en una cuestión de política. Cuando la caballería de Antíoco III (singular por la armadura de pies a cabeza que llevaban no solo los soldados, sino también sus monturas) aplastó al ejército de los ptolomeos capitaneado por Escopas en la batalla de Panio, a los pies del monte Hermón, en 200 a. e. c., una de las primeras acciones llevadas a cabo por el rey vencedor fue la publicación de varios edictos prometiendo mostrarse, si cabe, un protector todavía más solícito de «las leyes y las prácticas ancestrales» de los judíos, impidiendo la entrada de extranjeros en el recinto del Templo y la importación a Jerusalén de carnes y animales prohibidos, entre ellos (quizá innecesariamente) leopardos y liebres. Los sacrificios del templo debían continuar, había que reparar los daños provocados por la guerra, y los sacerdotes quedarían exentos del pago de impuestos a perpetuidad, y el resto de los jerosolimitanos por tres años.

Los decretos de Antíoco III eran todo lo que habría podido desear la vieja minoría dirigente del Templo de Jerusalén, en consonancia con los tres siglos de relaciones entre los judíos y sus señores imperiales, pero no sobrevivieron a las campañas o la vida del monarca. Tentado de ir más allá de sus posibilidades, Antíoco intentó rápidamente aprovechar su ventaja trasladando la guerra al propio Egipto, y fue derrotado por el creciente poderío de los romanos en la batalla de Magnesia. Constituyó un hito determinante. Los romanos exigieron una indemnización enorme y se llevaron al joven príncipe Antíoco (el futuro Antíoco IV) como rehén a Roma, donde (según Polibio) se ganó una precoz reputación de excéntrica brutalidad. Pero la presión sobre el erario militar que sufrían los seléucidas era tal que quizá lamentaran la generosa y desprendida magnanimidad de las promesas hechas por Antíoco III a Jerusalén.

Con su sucesor, Seleuco IV, la escasez de fondos se volvió tan acuciante que el rey no pudo ya permitirse el lujo de no echar mano al oro y la plata que todos decían que tenía el Templo. Puede que el saqueo perpetrado por el ministro de economía Heliodoro tuviera lugar o puede que no, pero se convirtió en un nuevo relato de milagros cuando el presunto asaltante fue detenido en el acto por los angélicos salvadores —cómo no— que con tanta rapidez entraron en el mundo de la literatura fantástica judeo-helénica.

Fue esta situación fiscal y militar concreta, enteramente pragmática, de miniimperio inseguro, y no desde luego un choque de culturas religiosas previsto de antemano, lo que desencadenó los acontecimientos que desembocaron en la gran rebelión de los asmoneos. Ciertamente, se convirtió en una guerra de resistencia de los judíos para evitar su aniquilación cultural e incluso étnica, y los libros de los Macabeos, empeñados en pintar a los asmoneos como los guardianes de la Torá, la presentan de esa forma.

La verdad es más sórdidamente compleja y, por lo tanto, más creíble desde el punto de vista histórico. Intuyendo lo que pretendían los gobiernos de los seléucidas, varias facciones rivales de la élite del Templo lucharon por granjearse pecuniariamente el favor oficial en sus guerras por la obtención del cargo de sumo sacerdote. Los dos aspirantes al puesto tras la subida al trono de Antíoco IV Epífanes —Jasón y su rival en el pago de sobornos, Menelao— tenían tendencias helenizadoras, y cada uno intentó derrotar al otro ofreciendo alicientes monetarios a los seléucidas. Tres años después de ser nombrado sumo sacerdote, Jasón acabó perdiendo. Como su sucesor, Menelao, había asesinado a Onías (el primitivo sumo sacerdote y hermano de Jasón), Jasón no tardó en cruzar el Jordán y refugiarse en el palacio-fortaleza de Hircano.

Ligeramente trastornado al verse a sí mismo convertido en el sumo sacerdote que había acabado (literalmente) con todos los sumos sacerdotes, Menelao autorizó la creación de la *akrá* o ciudadela, que acogería en su interior tropas extranjeras y que acabaría convirtiendo Jerusalén en una ciudad ocupada (pese a que supuestamente era una *polis* libre). La construcción de la ciudadela requirió la demolición de una franja importante de terrenos de una ciudad cada vez más superpoblada.[17] Y en Jerusalén la política de demoliciones ha sido siempre causa segura de disturbios. La entrada en acción de los equipos de derribo desencadenó violentos tumultos. De modo que la guerra entre judíos y griegos no empezó con la sublevación de los macabeos en Modín, sino como una insurrección urbana contra la ciudadela (aunque de hombres armados solo con palos, cuchillos y piedras) y contra el hermano de Menelao, el sumo sacerdote en funciones Lisímaco. Según 1 Macabeos, la muchedumbre arrojó también cenizas contra sus enemigos. Aun suponiendo que el «polvo» o la «ceniza» dieran en el blanco, no es muy probable que causaran excesivo daño a los opresores, pero el sentido del gesto era simbólico; los restos de los sacrificios recaían en quienes los habían realizado ilícitamente.

Al margen de cómo se enterara de la sublevación, Jasón, refugiado en el palacio madriguera de Hircano, al otro lado del Jordán, se dio cuenta de que se trataba de una oportunidad política valiosísima. Ahora podía presentarse como el defensor de las tradiciones judías. Creyéndose su propia propaganda y suscitando vítores inmerecidos por su supuesta rectitud, Jasón pasó revista a los lanceros.

La ocasión escogida vino dictada por la noticia de la muerte de Antíoco IV. En efecto, el seléucida había ido como de costumbre al sur en busca de pelea con sus rivales, los ptolomeos, y había sido derrotado por los romanos, pero había sobrevivido; de hecho, llegó a firmar algún tipo de pacto con los vencedores.[18] Mientras tanto, Jasón pensó que había llegado su momento. Al frente del pequeño ejército que había reclutado con la ayuda de Hircano, cruzó el Jordán, atacó Jerusalén y mató no solo a los soldados y mercenarios extranjeros que defendían la ciudad para Antíoco, sino también a miles de judíos que decidió que habían sido cómplices de los griegos.

Pero lo cierto era que Antíoco IV estaba vivo. Liberado del apuro en el que se había visto en Egipto en virtud del tratado firmado con los romanos, regresó furioso por el golpe de estado perpetrado por Jasón. Derrotado en un escenario militar, no estaba dispuesto a ver humillado el poderío de los seléucidas en otro. Así pues, el rey se convirtió en un monstruo, y los chistes que decían que no era *epiphanés* («manifestación de Dios»), como aparecía representado en las monedas, sino *epimanés* («loco furioso»), se hicieron de repente realidad. La suya, además, fue una locura con método, o al menos con un precedente. Jasón —y la entusiasta recepción que le habían dispensado muchos en Jerusalén— había situado a Judea fuera de los límites de toda consideración civilizada y la había vuelto susceptible de ser tratada como «cautiva por la espada», no sujeta ya a los pactos firmados por Antíoco III, sino que la había dejado en manos del poder absoluto de su conquistador, para que tratara a sus habitantes, sus lugares sagrados, sus costumbres y sus bienes como él quisiera.

Y lo que quiso fue algo terrible: una matanza que duró tres días y, según los libros de los Macabeos, acabó con las vidas de cuarenta mil personas, incluidos mujeres y niños; otros tantos fueron reducidos a la esclavitud y llevados cautivos para su venta en los mercados de esclavos de Fenicia por una cantidad de dinero que permitiría aliviar los problemas de tesorería de los seléucidas. El autor de 1 Macabeos añade con una siniestra indiscreción poética que «las doncellas y los jóvenes perdieron su vigor, y palideció la belleza de las mujeres».[19]

Después vendría la aniquilación cultural, famosa por los libros de los Macabeos: la prohibición de todos los rituales que hacían judíos a los habitantes de Judea (la lectura de la Torá, la circuncisión, la purificación ritual y la observancia del sabbat). En vez de abstenerse de comer carne de cerdo, los judíos fueron obligados a hacerlo. Arrebatando al Templo todos sus vasos y enseres rituales —el altar de oro, la mesa de la proposición y sus ofrendas de hogazas de pan y de harina, el candelabro de las luces (la menorá), con su profundo significado de difusión de la luz, y la cortina o velo que definía al sanctasanctórum—, Antíoco no solo impedía que se realizaran sacrificios de cualquier tipo y que se hicieran ofrendas de cereales y pan, sino también la propia existencia del Templo como foco que definía al judaísmo. Lo que los reemplazó —las esculturas, el sacrificio paródico de cerdos en un nuevo altar, los cultos dionisíacos, las prostitutas, las procesiones con coronas de hiedra en honor de Baco— no eran más que elementos secundarios de aquel acto de erradicación total. Al igual que sucedería cuando los ejércitos romanos pusieran fin de una vez por todas a la insurrección judía, el

Templo había dejado a todos los efectos de existir. Cuando las tropas de Apolonio, el general que Antíoco envió al frente de una ulterior expedición de represalia, recorrieron las calles de Jerusalén, matando a todos los que se encontraban en pleno sabbat, se puso de manifiesto que en adelante los judíos serían los prisioneros indefensos de un estado de terror.

En su fortaleza palaciega, Hircano se dio por enterado de lo que había. Decidido a no esperar a que llegara su hora, el último representante de los tobíadas se arrojó sobre su propia espada, bajo la atenta mirada de sus panteras de piedra. Privado de refugio, Jasón —quien, a juicio del autor de 2 Macabeos, había iniciado toda esta cadena de desastres— se convirtió en un fugitivo sin hogar «huyendo de ciudad en ciudad, de todos perseguido, detestado como renegado de su ley, execrado como verdugo»; se dirigió primero a Egipto y luego al país de los lacedemonios, donde murió, como se merecía, exiliado en tierra extraña (griega, como no podía ser de otro modo). «Y el que a tantos había dejado sin sepultura, murió sin ser por nadie llorado, y privado de sepultura, más aún del sepulcro familiar.»[20]

III. LA MACABÍADA

Cuando todo lo demás ya se había consumido en el curso de la aniquilación babilónica, una sola llama perpetuada del fuego sacrificial del Templo fue llevada al destierro por los sacerdotes. Esa llama fue conservada en secreto en un pozo seco, pero cuando su guardián, Nehemías, fue a buscarla para devolverla a Jerusalén, se encontró con el pozo lleno de un «agua espesa» y el fuego apagado. Al llegar el momento de quemar las ofrendas, Nehemías les dijo a los sacerdotes, desconcertados, que rociaran con esa agua la leña. Aturdidos, los sacerdotes hicieron lo que les habían mandado. En ese mismo instante salió el sol, y un rayo celestial transformó el agua espesa en un combustible que prendió solo. El fuego sagrado de los antepasados fue así restablecido.[21]

O eso es lo que el autor del Segundo Libro de los Macabeos, convertida su imaginación literaria en una llama contagiosa, quiere que crean sus lectores judíos. Aunque son radicalmente distintos, 1 Macabeos y 2 Macabeos constituyen en conjunto la epopeya de la libertad de los judíos, y a su manera son en todo momento tan asombrosos, fantásticos y apasionantes como el relato fundacional del éxodo mosaico.[22] El milagro de la lámpara del Templo poco antes vuelto a consagrar, que arde durante ocho días con una exigua cantidad de aceite que apenas habría bastado para uno, no está entre los portentos reseñados por ninguno de los dos libros. Esta leyenda, que cualquier judío moderno sabe que es el significado fundamental de la Hanuká, es una invención puramente rabínica, añadida por lo menos tres siglos después. Pero la Macabíada, tanto en una como en otra versión —y especialmente en el segundo libro—, está llena de portentos y de historia; es una mezcla de crónica factual y de invención fabulosa, exactamente del sabor griego que se supone que los macabeos repudiaban.

Los dos libros fueron escritos a finales del siglo II a. e. c. como historias propagandísticas en beneficio del reino judaico de los asmoneos, establecido cuarenta años antes en medio de los restos desperdigados del poderío de los seléucidas. El relato épico del patriarca Matatías (significativamente de estirpe sacerdotal) y de sus cinco hijos, que encabezaron la sublevación contra la persecución de Antíoco, tenía por objeto legitimar las pretensiones de la dinastía de los asmoneos (ni sadocita ni davídica) como reyes y sumos sacerdotes a un tiempo, una sorprendente novedad sin precedentes. Dice mucho ya el hecho de que ninguno de los dos libros manifieste el menor interés por la violación de una separación de funciones establecida ya en tiempos de Moisés y Aarón. Y los «asideos» —nombre traducido a veces en hebreo, bastante erróneamente, como «hasidim», o «piadosos»— fueron algunos de los aliados más combativos de la rebelión de los asmoneos, aunque no existe el menor indicio de que se consideraran a sí mismos una vanguardia más pura que nadie de la ortodoxia de la Torá, y mucho menos los padres fundadores de los fariseos. En su afán por rechazar las acusaciones de usurpadores de la dignidad sacerdotal (la plebe de Jerusalén arrojó limones contra un representante de los asmoneos, el rey Alejandro Janneo, cuando quiso presidir la celebración de la fiesta de los Tabernáculos en el Templo), los asmoneos necesitaban presentarse como autores de milagros de índole divina, militares y religiosos a un tiempo, como los guardianes designados del judaísmo de la Torá frente a las contaminaciones helenísticas, aunque la historia real fuera mucho más ambigua. También por primera vez, el poder judío pretendió corregir los mandamientos de la Torá siempre que dejaban a su facción en desventaja. Cuando la población indefensa de una aldea de Judea fue pasada a cuchillo durante el sabbat, Judas Macabeo, el Martillo, decidió que, si era necesario, podrían combatir —y de hecho lo harían— el día de descanso, decisión que se vio corroborada por el cambio de rumbo experimentado por los acontecimientos. Todo parece indicar que, del mismo modo que los emperadores ególatras del mundo pagano, los asmoneos llegaron a creerse su propia pretensión de ser reyes designados por la gracia de Dios. La fiesta oficial que inventaron —la Hanuká— los consagraba como purificadores y nuevos consagradores del Templo.

A los asmoneos se les subió a la cabeza su éxito inesperado —aunque no constante— frente a los ejércitos mucho más numerosos de los griegos, y, explotando una alianza táctica con los romanos y las continuas disputas entre los seléucidas rivales, descubrieron enseguida una seguridad en su fuerza que volvió al estado judío más ambicioso desde el punto de vista territorial y más agresivo en su faceta proselitista que cualquiera de los anteriores reinos israelitas que pretendían restablecer. Saliendo de su territorio inicial en las montañas de Judea, donde había dado comienzo la revuelta, sus ejércitos —en los que había nutridos destacamentos de mercenarios extranjeros— invadieron Samaria y llegaron a Galilea, a la ciudad costera de Ptolemaida y hasta las laderas del monte Hermón, en la meseta que ahora se llama del Golán, e incluso hasta el sudoeste de Siria; por otra parte, al otro lado del Jordán, llegaron hasta las montañas de Moab y los valles de los amonitas, y por el sur hasta el desierto del Néguev, tomando antiguas ciudades portuarias como Jope, Gaza y Ascalón, que en otro tiempo habían sido filisteas y fenicias. A medida que conquistaban convertían, a veces por la fuerza, a la población, en un proceso físicamente menos doloroso de lo que a veces se imagina, pues, en cualquier caso, algunas de las gentes vencidas practicaban ya la circuncisión.[23]

Este miniimperio, triunfante con la Torá, era literalmente de nuevo cuño. Juan Hircano fue el primer soberano judío que acuñó moneda, si bien sus *prutot* tenían poco valor y un tamaño diminuto. Aunque una de las caras llevaba a menudo la imagen del cuerno de la abundancia (de origen clásico) y granadas (de origen judío), la otra incluía una orgullosa inscripción en el alfabeto protohebraico que ya había sido mayoritariamente abandonado en favor de las letras de forma cuadrada asirioarameas en las que se escribe el hebreo incluso hoy día. En vez de usar el nombre griego del rey que todos conocemos, Hircano, la inscripción lo llama «Yochanan Cohen Gadol, Rosh Hever Hayehudim», «Jonatán, sumo sacerdote y presidente del consejo de los judíos».

Del mismo modo, 1 Macabeos, escrito originalmente en hebreo, pero conocido únicamente en su versión griega, se presenta como la epopeya fundacional del reino judaico renacido, y por su estilo narrativo está próximo a los libros históricos de la Biblia hebrea canónica. En 2 Macabeos, por su parte, la extravagancia mítica y la invención poética son más abundantes, todo lo cual nos indica que fue escrito en el Egipto helenizado, donde había mucha demanda de ese tipo de elaboración literaria greco-judaica, como el relato de José y Asenat. Su autor se caracteriza también por presentarse con orgullo como la voz de un escritor-historiador que ha abreviado una obra anterior en cinco volúmenes de un tal Jasón de Cirene.

2 Macabeos comienza con una carta (a todas luces adoptando la voz de un jerosolimitano) a los judíos de Egipto, que incluye el relato de la conservación milagrosa del fuego de los sacrificios, de lo que se deduce que, pase lo que pase con las potencias mundanas, la chispa del judaísmo puede ser trasladada de un sitio a otro. Consciente, como el autor del «Papiro de la Pascua» dirigido a los judíos de Elefantina tres siglos antes, de que los judíos egipcios debían ponerse bajo la autoridad de Jerusalén por medio de la observancia del calendario ritual, tiene buen cuidado de especificar la fecha —el 25 del mes de casleu (kislev), día de la nueva consagración del Templo— en que deberá celebrarse la nueva festividad oficial de la liberación de los asmoneos, la Hanuká. De hecho, los autores de los libros de los Macabeos, como si hubieran recibido instrucciones a tal efecto de los nuevos reyes-sacerdotes asmoneos, manifiestan su deseo de que la Hanuká sea observada no solo durante los mismos ocho días de la fiesta de los Tabernáculos, citada explícitamente como modelo de gozo, sino con el mismo carácter de santidad que las tres fiestas de peregrinación de Pascua, Pentecostés (Shavuot o fiesta de las Primicias) y Tabernáculos. Al margen de que fuera o no así, la doctrina rabínica rechazaría todo esto del mismo modo que dejaría los libros de los Macabeos fuera del canon bíblico. Es casi como si los rabinos hubieran decidido, en retrospectiva, que había algo sospechosamente mundano en la invención de los asmoneos. A pesar de los es-

fuerzos de los autores de los dos libros de los Macabeos por presentarnos la liberación como el equivalente —y la vindicación— del éxodo fundacional, la analogía nunca llegó a cuajar.

Pero independientemente de quién fuera el autor de 2 Macabeos (y de cuánto se ciñera o no la obra a la de «Jasón de Cirene»), sabía desde luego muy bien cómo escribir una epopeya en el estilo clásico, poshomérico, un cuento lleno de portentos, maldiciones e improbabilidades maravillosas del mismo tipo que los que atraían a los lectores helenizados cultos; un estilo griego desplegado contra el triunfalismo griego. En 1 Macabeos Antíoco Epífanes, escarmentado y enloquecido, muere en Asia Menor «de gran tristeza ... en tierra extraña», lamentando la persecución que tantos disgustos le ha acarreado con los judíos. En 2 Macabeos, en cambio, sus últimos días se nos describen muy gráficamente, y el monarca muere en medio de los espasmos hediondos e incesantes de la diarrea con la que Dios lo ha castigado. «Y al que poco antes parecía coger el cielo con sus manos, nadie ahora lo quería llevar, por la intolerable fetidez.»[24] En su repugnante agonía, el rey atormentado por los dolores llega a querer convertirse al judaísmo y a afirmar que recorrería toda la tierra habitada para pregonar la Torá.

Del mismo modo, aunque los dos libros narran un martirologio de los judíos que rechazan las leyes de Antíoco, el grandilocuente autor de 2 Macabeos ofrece un drama al estilo griego de una crueldad mucho más refinada y una tragedia familiar. Al anciano escriba Eleazar, a sus noventa años, «hombre de venerable presencia», abriéndole la boca querían forzarle a comer carne de cerdo, pero él, «prefiriendo una muerte gloriosa a una afrentosa vida, iba de su propia voluntad al suplicio». Algunos colaboracionistas, apiadándose de él, le proponen que coja sin que nadie lo vea comida kosher y se la coma como si fuera cerdo, pero Eleazar responde que es «indigno de su ancianidad simular». La madre de siete hijos ve cómo preparan sartenes y calderos donde van a cocer a sus hijos. Al primero en hablar le cortan la lengua y luego, tras amputarle las manos y los pies, lo fríen en una sartén, a la vista de sus hermanos, que deciden permanecer fieles a su religión. Uno tras otro, los muchachos son sometidos a muertes espantosas —arrancarles el cuero cabelludo no es la peor—, pero todos se mantienen firmes. Frustrado, el malvado Antíoco perdona la vida al séptimo y pide a la madre afligida que convenza a ese único superviviente de que acepte su voluntad y repudie el judaísmo, por lo cual sería colmado de riquezas y recibiría el favor real. Pero, naturalmente, la madre le dice: «Hijo, ten compasión de mí, que por nueve meses te llevé en mi seno, que por tres años te amamanté y te alimenté hasta ahora … muéstrate digno de tus hermanos y recibe la muerte, para que en el día de la misericordia me seas devuelto con ellos». El muchacho responde que desafiará las órdenes del rey y obedecerá «los mandamientos de la ley dada a nuestros padres por Moisés». Irritado, Antíoco ordena que el trato dispensado al joven sea peor incluso que el recibido por sus hermanos, aunque, dado el exhaustivo repertorio de torturas y mutilaciones anteriores, cuesta trabajo imaginar cuál habría podido ser.

Como la legitimidad de los asmoneos va asociada al heroísmo dinástico, el núcleo de los dos libros lo conforman una serie de sagas familiares. La austeridad del escenario provinciano en el que comienza la insurrección es la antítesis tosca y rústica de las refinadas maneras helenísticas. El padre, Matatías, en su ciudad de Modín, tiene su propia forma de reaccionar ante un judío que se muestra dispuesto a efectuar un rito sacrificial al estilo del decreto de Antíoco IV, y esa forma consiste en degollar al individuo con su espada. A modo de precedente, 1 Macabeos invoca a «Fineas» (Fines) o Pinehas, que, en el libro de los Números, alancea con un pincho de asar a un israelita y a una mujer madianita que están copulando dentro de la tienda sagrada de los israelitas. Ese, da a entender el texto, es el precio que debe pagar la promiscuidad pagana, una unión antinatural en contraposición con la unión ortodoxa del clan familiar judío.[25]

«¡Todo el que sienta celo por la ley y sostenga la alianza, sígame!», exclama Matatías llevándose a sus cinco hijos a lo más recóndito de las montañas, desde donde libran una guerra de guerrillas contra sus enemigos. Familias enteras, incluidos mujeres y niños, rebaños y manadas, huyendo de las ciudades y aldeas corrompidas, llegan al campamento de los asmoneos y desde esa ciudadela natural libre lanzan una guerra purificadora, derribando los altares paganos. «Recorrieron Matatías y sus amigos las ciudades destruyendo altares, y obligando a circuncidar a cuantos niños encontraban incircuncisos en los confines de Israel [es decir, la costa, la única zona con tradiciones filisteo-fenicias donde algo semejante habría sido posible].» Así pues, en la campaña de purificación carnal emprendida por los macabeos se toma al pie de la letra la refe rencia al restablecimiento de la alianza de sangre original de Abraham y Moisés.

Antes de morir, Matatías reúne a sus hijos y pronuncia un discurso que asocia su propia paternidad con los patriarcas y profetas judíos, desde Abraham hasta Daniel, confiriendo especial autoridad como capitán a Judas Macabeo y a su segundogénito, Sim[e]ón, «hombre de consejo», que a su vez será «vuestro padre». Es con ese mismo espíritu de benevolencia patriarcal con el que Judas, al nombrar «jefes del pueblo», hace volver a sus casas a los que ya estaban comprometidos con la vida familiar. «A los que edificaban casas, a los que habían tomado mujer, a los que habían plantado una viña y a los tímidos.»[26] Su familia realiza sacrificios para que pueda fundarse un estado explícitamente judío, basado en la observancia de la Torá. Uno tras otro, los hermanos caen intentando llevar a cabo esa misión. Judas vence a toda la sucesión de grandes ejércitos y de generales arrogantes que son enviados contra él. A uno de los más implacables, Nicanor, manda cortarle la cabeza y el brazo que había extendido hacia Judas y exhibirlos como trofeos. La fama de Judas es tal, se afirma en 1 Macabeos, que «en todas las naciones se contaban sus batallas». En realidad, entre 164 y 160 a. e. c. Judas y sus tropas sufrieron varios reveses y derrotas. En 1 Macabeos se cuenta que murió en el curso de una emboscada tendida a traición, aunque previamente Roma y Esparta ya habían reconocido como aliado a su estado liberado.

El hermano de Judas, Eleazar, fallece cuando el elefante de guerra cuyo vientre estaba alanceando le cae encima. Su hermano Jonatán es el purificador espiritual, sustituto como sumo sacerdote del último de la estirpe sadocita, Álcimo, quien, después de ser aclamado prematuramente como restaurador de la observancia de la Torá, pone de manifiesto que no es más que otro helenizador que solo persigue su propio beneficio. Pero el sacerdocio de Jonatán es sancionado no por una asamblea de judíos, sino por el pretendiente al trono de los seléucidas al que ha decidido apoyar a cambio de que respete el *statu quo* existente antes de Antíoco IV. El resultado es que él también cae víctima de las maquinaciones de las facciones griegas.

Al final, el que queda es el segundo hermano, Simón/Simeón. Dado que el autor de 1 Macabeos escribe durante el reinado del hijo de Simón, Juan Hircano, y posiblemente de su nieto, Alejandro Janneo, no es de extrañar que el pasaje más florido del libro sea la visión de un idilio simónida-judío. Los otros hermanos, especialmente Judas, habían invocado a los antiguos patriarcas y a los padres de la nación, desde Moisés hasta David. Simón se convierte en heredero de esos antepasados como sacerdote, príncipe, juez y general. Es él quien finalmente logra purificar de tropas extranjeras la Akrá, la ciudadela de Jerusalén, poniendo fin a su ocupación y convirtiendo el sometimiento al que se hallaba sujeto el estado judío en un verdadero reino independiente. Ese momento (que tuvo lugar en el año 142 a. e. c.) constituye el clímax jubiloso de la epopeya, celebrado con «cánticos de acción de gracias, palmas y acompañamiento de cítaras, címbalos y arpas, con himnos y cánticos, porque había sido aplastado un gran enemigo de Israel».

Una edad de oro de paz y prosperidad comienza con el reinado de Simón. Se pone fin a las guerras de los judíos contra los griegos (de hecho, de los judíos contra los judíos). Las ciudades helenizadas, como Escitópolis, que se habían abstenido de dar cobijo a soldados enemigos, son perdonadas (Escitópolis cambia su nombre por el de Betsán) y se convierten en hogar tanto de judíos como de griegos. Las fronteras del estado se amplían. En Jope se construye un nuevo gran puerto; el comercio se abre a «las islas del mar». Romanos y espartanos quedan impresionados, pero no tanto como el autor de 1 Macabeos, que describe un escenario de armonía multigeneracional y de cuasidespotismo benévolo. A los últimos libros del canon bíblico y algunos Apócrifos se los consideraba escritos por Salomón, y en 1 Macabeos Simón es presentado como su reencarnación, presidiendo un paraíso judaico en la Tierra:

> Cultivaban en paz la tierra, y la tierra daba sus cosechas, y los árboles del campo sus frutos. Los ancianos se sentaban en las plazas, todos hablaban de las prosperidades de la tierra, y los jóvenes vestían como traje de honor el traje de guerra. Abasteció las ciudades y las puso en estado de defensa. Llegó la fama de su nombre hasta los extremos confines de la Tierra. Hizo reinar la paz en toda la Tierra, y gozó Israel de gran bienestar. Cada uno se sentaba bajo su parra y su higuera, y nada había que les causara temor. Despareció de la Tierra el que les hacía la guerra, y en sus días fueron vencidos reyes. Dio seguridad a los humildes de su pueblo, tuvo celo por la ley, y desterró a todos los impíos y malvados. Restauró la gloria del santuario, y aumentó los vasos sagrados.[27]

Simón y su linaje se declaran entronizados en un reino perpetuo, aunque la salvedad que se añade —«hasta que viniese un profeta», en alusión a un Mesías o a su emisario— es sumamente significativa (y vuelve a aparecer en los manuscritos de Qumrán, escritos más o menos por esa misma época). Sin embargo, incluso este *basileús* judío, el monarca divino, no es invulnerable a la traición. Del mismo modo que los asmoneos empiezan a vivir y a reinar como potentados helenísticos locales, también mueren como ellos. Enredado en las disputas familiares que acabarán llevando a su dinastía a una guerra civil fratricida (la leyenda de la banda de hermanos buenos degenera en los complots de los hermanos malos), Simón es asesinado por su propio yerno cuando está comiendo y bebiendo en un banquete celebrado en su honor, como los que eran tan habituales en la Antigüedad pagana. Pero, como hiciera su padre, Matatías, antes que él, Simón ya ha mandado llamar a sus hijos, en particular a los dos mayores, para entregarles la sucesión sacerdotal y real; como él ya está viejo, les dice, «tomad mi puesto y el de mi hermano, y salid a luchar por nuestra nación, y que la ayuda del cielo sea con vosotros».[28]

Tras su asesinato, el cuerpo de Simón, como el de Matatías y los de sus hermanos, Judas y Jonatán, «fue sepultado en el sepulcro de sus padres». Ese sepulcro de los asmoneos ya no es una modesta tumba familiar en su ciudad natal de Modín, si es que alguna vez lo fue. Por primera vez, 1 Macabeos nos ofrece una descripción detallada de un edificio lujoso y profusamente decorado que no es el Templo. Simón ha encargado la construcción de una estructura monumental pomposa, exactamente igual de grandiosa que las obras helenísticas a las que los asmoneos se oponían de manera notoria (y poco convincente). Consta de siete elevadas torres, una para su padre, otra para su madre y cinco para sus hermanos y para él, todas rematadas por una pirámide. La fachada en forma de pórtico con columnas era de piedra blanca y pulida, y entre las columnas había relieves representando armaduras en honor de los guerreros macabeos e imágenes de barcos. Esta construcción no podía diferenciarse del tipo de edificio que a los monarcas clásicos les gustaba construirse, y su modelo más evidente es una de las maravillas del mundo antiguo, el mausoleo de Halicarnaso, del siglo IV a. e. c., en Rodas, donde ya había una colonia judía significativa.[29]

Nada de esto parece muy judío; no concuerda con el desdén por las pretensiones de pompa pétrea, comparada con el carácter imperecedero de la palabra. Pero lo que pretendía el mausoleo de los asmoneos era impresionar a los extranjeros con el mensaje de que los judíos habían llegado al mundo helenístico como actores importantes y poderosos. 1 Macabeos nos cuenta que el edificio de siete torres fue erigido en un lugar lo suficientemente alto como para que pudiera ser visto y admirado por los viajeros que llegaban a la costa por mar.

La espectacularidad monumental había llegado a Judea. Evidentemente, ese era el sentido de las tumbas excavadas en la roca que datan de esta misma época, entre finales del siglo II y el siglo I a. e. c., y que todavía se conservan en el valle del Cedrón, a las afueras de Jerusalén. En vez de las cámaras subterráneas o las cuevas antiguas con receptáculos comunes, la llamada «tumba de Absalón» y la «tumba de Zacarías», así como la de Jasón y el magnífico sepulcro de la familia Bnei Hazir, con su pórtico de dos columnas, tienen expresamente por objeto asomarse al mundo, causar una impresión inequívoca tanto a los judíos como a los gentiles. Y su mensaje es el de la elegancia clásica: las familias pertenecientes a la aristocracia sacerdotal (como sin duda eran todas estas) no tienen por qué avergonzarse de sus tumbas de capiteles y columnas dóricas, escaleras interiores (como la «tumba de Absalón»), frisos con inscripciones y, a veces, el aire vagamente orientalizante del remate cónico o piramidal de la cubierta. Igualmente innovadores, como ha señalado la arqueóloga Rachel Hachlili, son los *kokhim* —nichos individuales para miembros de un mismo clan— y la provisión de *ossilegia* en forma de cofres de piedra para la inhumación secundaria de los huesos al año de haberse hecho el entierro original. En el siglo I a. e. c. esos *ossilegia* se convertirían en objetos de extraordinaria belleza, casi mundana; fabricados en piedra caliza, en la que se talla una rica decoración floral y vegetal (especialmente a base de complicadas rosetas). En un ejemplo particularmente excepcional, se hizo que el *ossilegium* pareciera una casa helenística, con su frontón, su pórtico y sus ventanas en forma de arco (huecas); el último grito en elegante alojamiento urbano para difuntos. ¿No resulta muy elocuente que por esta época se empiece a utilizar la palabra *nefesh* «alma» o «esencia espiritual inmaterial» para designar las estructuras totalmente materiales construidas junto a las tumbas?

Y lo que vale para estos grandes personajes de tiempos de los asmoneos en la Jerusalén reconstruida que vio sus dimensiones cuadruplica-

das, vale también para los miembros de la dinastía reinante. Los macabeos habían encabezado la revolución contra la aniquilación cultural y
física ordenada por el enloquecido Antíoco IV, pero no tardaron más de
una generación en pasar de rebeldes a actores con un papel destacado en
el mundo de los seléucidas. Aunque se hicieron célebres por imponer la
conversión forzosa, por destruir ídolos y derribar altares paganos (así
como el templo de los samaritanos en el monte Guerizim), su guerra
nunca había tenido por objetivo atacar el helenismo en general, porque
no tenían motivos para creer que fuera fundamentalmente incompatible
con el judaísmo. La Alejandría judía, sede de la pujanza cultural judía,
parecía justamente la demostración de todo lo contrario. Como símbolo
de esa compatibilidad, Alejandro Janneo puso en las *prutot* acuñadas por
él su nombre judaico, Yohanatan en hebreo arcaico, y su nombre moderno en griego. Podía seguir siendo fiel al segundo mandamiento no
esculpiendo su rostro en las monedas, pero eso no significaba que recha-
zara por completo las imágenes. Si algo se puede decir de los asmoneos
es justamente lo contrario, y la elección de sus imágenes resulta revela-
dora por su carácter híbrido. Una de las caras de una pequeña *pruta* llevaba la imagen clásica, dos cornucopias enguirnaldadas (en consonancia
con la propaganda de prosperidad típica de los asmoneos) en medio de
las cuales iba una granada, símbolo más auténticamente judaico y relacionado con el Templo. La otra cara de la moneda de Alejandro Janneo
llevaba la imagen de una estrella de ocho puntas (interpretada a veces
como una rueda de ocho radios), correspondiente a un prototipo macedonio. Pero la estrella aludía también a la profecía de Balaam sobre
Moab recogida en Números 24, 17, «Álzase de Jacob una estrella» que,
como el puño guarnecido de malla de Alejandro, «quebrantará las dos
sienes» de Moab, Edom y otras naciones vecinas.

La fiesta de la Hanuká, instituida oficialmente por los asmoneos,
duraba, como la de los Tabernáculos, ocho días, y era también el período
de ocho días correspondiente a las fiestas paganas del solsticio de invierno que conmemoraban el regreso de la luz, alegremente celebradas
en Grecia y Roma. Se añadieron al calendario otros días triunfales al
estilo griego, como el día de Nicanor, que conmemoraba la derrota de
este general.

El gusto por la grandiosidad clásica, torpemente yuxtapuesto al núcleo más austero del judaísmo, se relaciona a veces con la supuesta adul-

teración del judaísmo llevada a cabo por Herodes el Grande. ¿Qué otra cosa cabría esperar, añade esta tesis, de un idumeo converso, hijo de Antípatro, soldado aventurero procedente de Edom, el país del sur? Pero Herodes no hizo más que engrandecer el judeo-clasicismo iniciado por los asmoneos. Su enemigo, el que había querido aniquilarlos, había sido el lunático Antíoco IV, no los griegos. ¿Qué podía tener de malo emular la elegancia de su estilo? Mucho antes que Herodes, Juan Hircano se había construido un suntuoso palacio en Jericó, con piscinas y un pabellón de recreo rodeado de columnas. En el emplazamiento de la Akrá —y por lo tanto no lejos del presunto emplazamiento del palacio de David—, los asmoneos erigieron su propia residencia fortificada, en consonancia con sus pretensiones regias de sacerdotes, generales y «etnarcas» —todo en uno—, que era como se titulaban.

En su mente, pues, y en la de los que escribieron sus historias, no había contradicción alguna entre invocar siempre que fuera posible las monarquías judaicas originales que afirmaban reencarnar, y servir al mismo tiempo como aliados fieles de los últimos seléucidas. Más de una vez, los asmoneos demostraron que estaban dispuestos a renunciar a la autonomía siempre tenuemente definida de su estado judío a cambio de su propia supervivencia. El largo y duro asedio de Jerusalén por Antíoco VII entre 134 y 132 a. e. c., que casi logró obligar a la ciudad a ponerse de rodillas, no fue levantado hasta que Juan Hircano accedió a convertir su reino en un estado tributario, como había ocurrido en tiempos del benévolo Antíoco III. Fue solo el regalo que regularmente solían hacer los griegos —la muerte repentina de su rey en campaña— lo que permitió a la dinastía judía recuperar, de momento, una apariencia de independencia.

E incluso eso se debió a la inminente llegada del poder de Roma. Ya desde que Judas Macabeo envió a Eupólemo a Roma en la primera de las tres embajadas de finales del siglo II a. e. c., los asmoneos se figuraron que eran socios iguales (aunque quizá un poco secundarios) en los tratados de alianza que firmaron. Esos tratados, según nos cuentan 1 Macabeos y Josefo, fueron grabados en tablas de bronce para ser expuestos públicamente en Jerusalén. Por un momento, los asmoneos quizá no se engañaran del todo con tanta prepotencia afectada, pues la marcha de las campañas expansionistas de Hircano y de Alejandro Janneo acaso consiguiera que el casi reino judío pareciera que era la potencia dominante en una región fundamental desde el punto de vista estratégico situada entre Egipto y Asia Menor.

Aun así, conseguir el respeto de las potencias gentiles significaba, irremediablemente, perder el de los sacerdotes que consideraban que ellos, y no los dinastas armados, eran los verdaderos guardianes del judaísmo. La sorprendente usurpación del sacerdocio, como la consideraron muchos, volvió a abrir la herida de las viejas disputas y envidias entre sacerdotes y príncipes. Esa disputa —suscitada originalmente más de quinientos años antes por los autores de los libros de los Reyes, los Jueces y las Crónicas en sus historias de Saúl, David, Salomón y sus descendientes— versaba sobre si el poder político favorecía la piedad o la perjudicaba. Por supuesto, es un debate que todavía, al cabo de dos milenios, no ha desaparecido precisamente de la vida judía. Entonces, como ahora, todo giraba en torno al choque entre la política y la Torá. El judaísmo necesitaba al estado para que lo protegiera, pero la religión israelita se basaba en una liberación de la monarquía egipcia y se había establecido sin ella en la Tierra Prometida. Aparte de las otras pretensiones que a los asmoneos les gustaba creer que habían heredado de la estirpe de David, estaba este dilema perpetuo.

Fuera de su corte, los que se consideraban a sí mismos guardianes del Templo y de la Torá estaban divididos en este punto trascendental (al igual que siguen estándolo hoy día). La casta aristocrático-gubernamental que, según Josefo, era llamada «de los saduceos» estaba formada esencialmente por hombres de estado, a los que no les molestaba en absoluto la concentración de poder sacerdotal y militar asumida por los asmoneos, y presumiblemente estaban muy contentos con la imposición del judaísmo a punta de lanza (y del cuchillo de la circuncisión) a los pueblos vecinos, como los itureos y los idumeos. Sus adversarios, los fariseos, por su parte, habían llegado a la convicción de que, cuanto más fuerte fuera el poder de los asmoneos, más probable era que violara la pureza de la ley judía, y de que, en último término, el único monarca de Israel era la Torá. El verdadero significado de la palabra aramea de la que tomaron su nombre ha sido muy discutido, y unos dicen que es «clarificación» y otros afirman que es «separación», pero, para sus numerosos seguidores, una cosa implicaba la otra.

De ahí el gradual pero inequívoco distanciamiento de la dinastía reinante de los guardianes de la santidad, como se consideraban a sí mismos. 1 Macabeos y Josefo cuentan la apasionante historia de Hircano, originalmente «discípulo» de los fariseos y dotado, según creía, de poderes proféticos, hasta el punto de permitirse el lujo de pedirles en el transcurso de un banquete que, cuando pensaran que se apartaba de la estrecha senda de la rectitud, tuvieran la osadía suficiente para corregirlo. A todos los dictadores les gusta echarse flores pensando que pueden encajar los golpes de los piadosos, hasta que descubren que no les gustan las censuras. Un fariseo septuagenario, Eleazar, fue lo bastante ingenuo como para tomarse la invitación al pie de la letra y decirle a Hircano que debía dejar a un lado su papel sacerdotal y contentarse con el poder profano. Cuando Hircano insistió en que le explicara el motivo, Eleazar respondió que ello se debía a que su madre (la segunda esposa de Simón) había sido una esclava en tiempos de la persecución de Antíoco IV. No era más que un eufemismo para decir que había sido violada, lo que ponía en duda la legitimidad del propio Hircano. Enfurecido, este preguntó entonces a los fariseos qué castigo debía infligirse por un discurso de tal temeridad, y, para su mortificación, estos sugirieron que unos cuantos azotes bastarían.

Las acusaciones de ilegitimidad fueron repetidas contra su hijo, Alejandro Janneo, que además fue objeto de una vejatoria lluvia de *etrogim* —las cidras o limones no comestibles, de forma oblonga y corteza nudosa, que llevaban los judíos durante la fiesta de los Tabernáculos (además del *lulav*, la rama de palmera doblada, y las hojas de mirto y de sauce). La lluvia de cítricos se desencadenó como consecuencia de la indiferencia altiva de Alejandro ante el procedimiento establecido para la ejecución de las libaciones con agua mientras estaba oficiando como sumo sacerdote durante la fiesta de los Tabernáculos, pues la vertió sobre sus pies en vez de hacerlo sobre el altar. Por cómico que pueda resultar el incidente, dejó muy claro a los indignados fariseos que la pose de los asmoneos como guardianes de la Torá no era más que eso, pose. Al fin y al cabo, ¿qué diferencia había entre los que se coronaban a sí mismos como reyes-sacerdotes y los escandalosos ultrahelenizadores a los que habían destituido en tiempos de Judas? Su indignación resultó funesta, pues desencadenó una sangrienta guerra civil judía que duró seis años (no siempre debidamente registrada en las historias populares de tiempos de los macabeos), en la que miles de judíos desafectos se unieron al ejército del seléucida Demetrio Eucario (hasta muy poco antes enemigo suyo), con la esperanza de derrocar a los perversos asmoneos. Cincuenta mil personas perdieron la vida en aquel sangriento conflicto, que culminó con la derrota de Janneo por Demetrio y sus aliados judíos. Con todo, el trono y el estado se salvaron por la habitual necesidad repentina del monarca griego de replegarse hacia el norte y el este, lo cual permitió a Janneo regresar a Judea y tomar unas represalias terribles con los que se habían mostrado desleales. Su venganza culminó con la crucifixión en masa de ochocientos judíos, considerados los más culpables, en presencia del rey-sacerdote mientras celebraba un banquete «con sus concubinas», y, estando todavía vivos, mandó degollar delante de ellos a sus esposas e hijos.

La brutalidad de la represión de Janneo permitió ganar algún tiempo a los asmoneos, pero la herida que se había abierto entre la dinastía y los fariseos no se cerraría nunca. En un momento determinado después de la muerte de Juan Hircano en 104 a. e. c., la presunción de que pudiera existir cualquier identificación entre el judaísmo y los asmoneos empezó a desvanecerse, y con su hijo, Alejandro Janneo, se esfumó por completo y para siempre. En el fondo de aquella división radicaba la profunda cuestión que el judaísmo se ha planteado siempre y que sigue planteándose hoy día: ¿cuál es la relación correcta que debe existir entre poder y piedad?; ¿es una dosis moderada de fuerza por parte del estado la condición para llevar una buena vida de judíos, o es más probable que solo sirva para corromperla y destruirla? Los reinos de David y de Salomón cuentan con el beneficio de la duda de que tal vez consiguieran solventar el problema debido solo al silencio documental casi absoluto que los rodea. De la abundancia de sellos e improntas glípticas con la palabra *lmlk* en ánforas y tinajas podemos deducir la existencia de una burocracia real, pero tenemos una idea muy vaga de cuán abrasivo debió de llegar a ser el roce entre política y sacerdocio, excepto en los casos en que la Biblia escenifica episodios de confrontación. Naturalmente, esos episodios —David enfrentado a sus pecados personales y a su excesivo poder guerrero, o Salomón acompañado de su esposa egipcia y de sus incontables otras mujeres— aparecen en la Biblia con suficiente frecuencia como para que nos dé la sensación de que santidad y mundanidad (elementos ambos necesarios para que sobreviviera algo parecido a una especie de estado judío, y no digamos para que prosperara) estuvieron en constante fricción. El hecho de que profetas como

Jeremías caracterizaran la derrota del reino e incluso la destrucción del Templo —en definitiva, la aniquilación babilónica— como sucesos perfectamente en consonancia con los planes de Dios, no facilitaría ni mucho menos la reconciliación entre fuerza y fe.

La mayor parte de la Biblia, generación tras generación, fue escrita cuando los puntos débiles del poder del estado resultaron más patentes. El libro en forma de rollo o volumen portátil se convirtió en el contrapeso de la espada. Una vez que ocurrió eso, la idea de que la vida judía eran las palabras judías, y de que esas palabras podrían soportar, y de hecho soportarían, las vicisitudes del poder, la pérdida de la tierra y la opresión del pueblo, cuajó y entró en la historia. Como otras religiones monoteístas del libro unieron palabra y espada en vez de separarlas, resultaría que precisamente este rasgo respondía a una visión exclusivamente judía.

En su momento, cuando las civilizaciones de Oriente y Occidente eran gobernadas por un principio tan de Perogrullo como que, sin una fuerza imperial, el reino de lo sagrado carece de importancia, esta inversión judaica de los conceptos supuso un reordenamiento radical de las prioridades de la vida humana. Cuando fue reafirmada con insistencia y con una claridad sobrenatural por un predicador de Nazaret, por lo demás casi desconocido, la doctrina del poder de los que no tienen poder empezó a ganarse el respeto de millones de personas. No podría ser más significativo el hecho de que el creador más eficaz del universo cristiano, Pablo, empezara siendo un instrumento entusiasta del estado —ejecutor, recaudador de impuestos, burócrata— y luego se retractara al caer de lo alto del caballo de su autoridad fulminado por un rayo de humillante iluminación, cegado por la luz y abatido por la verdad evangélica. Sin embargo, una vez que el diminuto cristianismo se volvió imperial, el dilema planteado primeramente por los estados bíblicos —y luego de manera más funesta y dramática por los asmoneos— afectó a la nueva iglesia. ¿Podía algún imperio ser santo, y menos todavía el Imperio romano?

Los fariseos fueron importantes no solo porque afirmaron que su apoyo a la Torá era más puro e intransigente que el del gobierno de los asmoneos y su casta de sacerdotes áulicos, los saduceos. En unas circunstancias en que el estado judío era inestable, la fuente de legitimidad y el estímulo hacia el respeto de la ley tenían que proceder de otra parte. Ni siquiera únicamente la Torá escrita podía hacer frente a las vicisitudes de la vida cotidiana que pudieran plantear un estado y una sociedad precarios, de modo que los fariseos iniciaron el proceso de adición ajustada, aportando una «ley oral» concebida no solo como una extensión de la escrita, sino también como una conexión orgánica, vital, entre lo que prescriben los mandamientos y el desafío de la vida cotidiana. Sorprendentemente, insistirían en que sus propias interpretaciones eruditas tuvieran una autoridad comparable a la de la ley revelada en la Biblia. Se implantó así un sistema que era a la vez abierto y cerrado, y que hacía de los dictámenes de la Ley Oral objeto de discusiones interminables, milenarias. Pero de ese acto trascendental de autoautorización surgirían los comienzos de la Misná (doscientos años después) y, en último término, la autoridad de todo el Talmud.

También de forma negativa, las condiciones insuperables de solo ser un estado —o, mejor dicho, un estado en guerra permanente— favorecieron el énfasis de los fariseos en la existencia de un reino de ayuda mutua más allá de las instituciones del poder. Los que sufrían más dolorosamente las consecuencias de unos impuestos durísimos, del reclutamiento forzoso y del contacto habitual con la brutalidad de la soldadesca (junto con sus acompañantes ineludibles, la destrucción de los campos, el hambre y las epidemias) se sintieron atraídos naturalmente por las críticas que afirmaban que, por más que Dios ordenara los sufrimientos, estos se veían agravados por hombres altivos y presuntuosos. El hecho de que las altas esferas del Templo estuvieran en manos de los saduceos, próximos a la casta dirigente, de que esta se hubiera convertido en un ámbito de exhibición personal de los asmoneos, no hacía más que añadir leña al fuego popular y nuevos partidarios a la desafección de los fariseos.

Todo ello fue el preludio de uno de los episodios más asombrosos de la historia de los judíos (aunque no es uno que dé mucho juego en las lecciones conmemoradas por la Hanuká y la Tisha b'Ab, que, según se dice, es el día en que los babilonios y los romanos destruyeron el Templo): el repudio de los reyes-sacerdotes asmoneos en nombre de la moralidad judaica. Como pareció que, tras conquistar Damasco (y empezar a trasladar sus tropas a Judea), el general romano Pompeyo era imparable, fueron a visitarlo tres delegaciones judías con la intención de persuadirle de que apoyara su causa. Dos fueron enviadas por cada uno de los hermanos, Hircano II y Aristóbulo, que se disputaban la sucesión al trono de los asmoneos. Pero la tercera, que, según Josefo, afirmaba representar la verdadera voz de los judíos, dijo que «la nación estaba en contra de los dos, pues no quería reyes; su tradición, decían, les imponía que obedecieran a los sacerdotes del Dios al que veneraban».[30] Los asmoneos, que descendían de sacerdotes, querían obligarlos a cambiar de gobierno «para reducirlos a la esclavitud». Así pues, pidieron a Roma que acabara con las pretensiones de quienes querían ser sacerdotes y reyes a la vez y restableciera la antigua separación entre los ámbitos de lo mundano y de lo sagrado. Por lo que a los fariseos concernía, no tenía ninguna importancia a cuál de los dos rivales se concediera el poder mundano, a Hircano II, que junto con su brazo ejecutor, el idumeo Antípatro, había llamado a los romanos, o a su hermano Aristóbulo. Que quien quisiera ese poder o pudiera hacerse con él, lo tuviera. El verdadero poder estaba en otro sitio.

IV. Nido del águila dorada

Pues bien, hasta ahí es hasta donde llegó la historia, a un enconado enfrentamiento entre la dinastía de los asmoneos, que afirmaba ser la verdadera encarnación del estado judío que había fundado, y los que decían que se había convertido en un obstáculo para su supervivencia. Sin embargo, cuando hacia mediados del siglo I a. e. c.,Hircano —junto con su brazo ejecutor, Antípatro— llevó a las tropas romanas hasta las propias puertas de Jerusalén, ¿hizo que su pretensión de ser el rey de los judíos se convirtiera en un absurdo sin sentido? ¿La loba romana iba primero a amamantarte y luego a devorarte? Irónicamente, cuando pasó lo peor y lo que había sido un estado judío se volvió tributario de Roma, el aura de portadores de la llama de la libertad que rodeaba a los asmoneos, impotentes y decaídos, de hecho se intensificó. Para Herodes y sus sucesores, la negativa de los fantasmas de los asmoneos a desvanecerse por completo, su leyenda sostenida por el relato de la Hanuká, constituirían un motivo de irritación. La forma que tuvo Herodes de enfrentarse a ellos fue, cuando menos, versátil: se casó con una mujer de la familia, apoyó las pretensiones de otro y los asesinó a todos.

Nada de esto preocupaba particularmente a los fariseos, como tampoco les inquietaba la sustitución de la soberanía por el estatus inferior de estado tributario de Roma. A su modo de ver, el fin de la independencia era la condición previa para la verdadera restauración judía, o al menos una nueva separación de los reinos de lo sagrado y lo profano. La única fuente de la que disponemos para saber lo sucedido es Flavio Josefo, nacido José bar Matatías, que se encontraba en una situación realmente única para entender las dos caras del problema, pues por línea paterna procedía de una familia sacerdotal y por línea materna pertenecía a la estirpe de los asmoneos. Pero Josefo escribía para un público romano después de la destrucción del Templo en 70 e. c., episodio al que asistió no como un mero testigo neutral, sino como un colaborador activo y guía del ejército exterminador de Vespasiano y Tito. De modo que su relato de cómo Pompeyo quedó maravillado al ver el Templo, después de haberlo conquistado, se corresponde con su convencimiento de que no había nada en el poder de Roma que intrínsecamente debiera hacer de él el destructor del judaísmo.

Tenemos a Pompeyo, a las puertas del Templo, tras un asedio enojosamente prolongado que había supuesto la construcción de colosales terraplenes para salvar el barranco del monte y el empleo de balistas y arietes. Doce mil hombres perecerían en el interior del recinto y sus alrededores, pero, según puede apreciar el general romano, incluso en medio de esa carnicería infernal los sacerdotes del Templo continúan con sus ceremonias. Pisoteando todos los tabúes en torno a la presencia de extranjeros en el Templo, el general penetra en él, arranca el velo y entra en el sanctasanctórum, al cual solo tenía acceso el sumo sacerdote. Pero entonces Pompeyo queda tan reverencialmente impresionado por el altar de oro, la mesa de la proposición y el candelabro sagrado (según cuenta cierta tradición, llegó a postrarse ante ellos) que, algo insólito en semejantes casos, se abstiene de tolerar el saqueo. Al día siguiente, Pompeyo ordena purificar los patios del Templo y que se reanuden los sacrificios.

En una repetición del episodio de Alejandro Magno —el conquistador abrumado por el espectáculo de la santidad—, Josefo armonizó (al menos en su imaginación) el judaísmo de su familia sacerdotal y el romanismo de su condición de ciudadano romano. Y en cierto modo tenía razón. Aunque los romanos se revelarían más intervencionistas que los seléucidas o los ptolomeos y más implacables a la hora de exigir tributos, y aunque sustituyeron el estado independiente por un reino títere, los primeros setenta años aproximadamente de su dominación no fueron una época en la que diera la sensación de que el desastre simplemente había sido aplazado.

No se debió, sin embargo, a ningún encaje benévolo entre las dos culturas. Buena parte del crédito debe atribuirse a la brutal astucia de la dinastía de Antípatro, el brazo ejecutor de Hircano II, que comprendió la esencia del trato anticipado ya por Pompeyo. «Demuéstranos que puedes conquistar Siria y Palestina y mantenerlas en orden para nosotros —decía la parte romana del contrato—, y no nos entrometeremos en esas cosas raras que hacéis.» Todo eso del cerdo y del prepucio; el engorro de tener que dejar de trabajar el último día de la semana; el despilfarro de quemar enteras las reses sacrificadas; los problemas que vosotros mismos provocáis al tener que controlar a la multitud durante las fiestas de peregrinación. Todo eso es cosa vuestra. Encargaos simplemente de que no se os vaya de las manos. Adelante; convertíos en un pequeño estado poderoso; lo llamaremos «reino» si os conviene; mantened la paz, atizad fuerte al menor indicio de rebelión; haced tratos con los bandidos y mandadnos el dinero a tiempo. No deis a nuestros procuradores motivos de disgusto y podremos entendernos. ¿Por qué no?

Antípatro y sus hijos, en especial Herodes, aceptaron el trato. Paradójicamente, consiguieron que el acuerdo cuajara (de momento) no porque Roma fuera muy fuerte, sino porque, justo en aquellos momentos, estaba violentamente dividida. Pompeyo muere; César es asesinado; sus asesinos son derrotados; Marco Antonio fallece; Augusto finalmente triunfa. En cada fase, en los momentos de crisis, un partido u otro (incluso Casio, que realiza una visita a Judea) necesita la ayuda que Herodes en particular puede proporcionarle. Oriente Próximo —desde Egipto hasta la violenta frontera de los partos— fue tan importante como la propia Roma a la hora de decidir quién ganaría. Y todos conocían a Herodes. Él mismo tuvo que refugiarse en Roma tras el revés sufrido por el ejército de Hircano II; sus hijos se educaron en la ciudad; su clan llegó a mantener estrechos lazos con algunas de las familias más poderosas. Herodes se convirtió en el judío que a ellos les gustaba, es decir, un judío que no era de Judea, un idumeo procedente del territorio situado al sudoeste del mar Muerto que había sido conquistado y convertido a la fuerza por Juan Hircano. Aunque Herodes se mostrara casi siempre muy puntilloso en la observancia del judaísmo que había adoptado, los romanos pensaron con toda seguridad que sus orígenes étnicos distintos hacían que fuera menos probable que se dejara dominar por la *superstitio* que tantos problemas podía desencadenar. Herodes era el tipo de judío del que pensaban que se podían fiar. Su capacidad para actuar con brutalidad homicida (aplicada a su propia familia si era necesario, algo por otra parte de lo más habitual en Roma) era otro indicio de su fiabilidad. Tampoco tenía nada de malo que Herodes poseyera una especie de carisma salvaje; la sonrisa del depredador. Cuando apareció ante Octaviano, que poco después sería llamado Augusto, como aliado del derrotado Marco Antonio y tuvo el descaro de decirle al vencedor (que, según era sabido de todos, tenía poco de sentimental): «Júzgame por mi lealtad, no por la persona a la que he sido leal», Augusto quedó en cierto modo desarmado.

Así pues, los conquistadores respetaron su parte del trato. Herodes fue proclamado oficialmente rey de los judíos, y el César amplió generosamente sus territorios. El sacerdocio quedó separado del trono, y dejó de ser una prerrogativa dinástica para convertirse en un nombramiento asignado por el rey. Se pagaban tributos a Roma y, a cambio, se recibían y se hacían sacrificios en el Templo en nombre del *Senatus Populusque Romanus*.

El pragmatismo del acomodo mutuo y la relativa paz que llevó consigo (bajo el reinado del carismático sociópata) permitieron un florecimiento extraordinario de la cultura judía. Su magnitud y su dinamismo se miden muy a menudo en términos arquitectónicos, con la creación de ciudades espectaculares como Cesarea y la asombrosa ampliación del Templo. Pero no deberíamos olvidar que el período herodiano fue también una época de intensa creatividad religiosa dentro de la comunidad farisaica en la que (según las posteriores tradiciones talmúdicas) surgirían las escuelas rivales de los sabios Hilel y Samay. Sus disputas en torno a la interpretación más rígida o más laxa de los preceptos sociales de la Torá, y las famosas reducciones epigramáticas de los mandamientos que hizo Hilel, fueron una especie de plantilla sobre la que se forjarían finalmente los constantes debates de la Misná y luego el voluminoso Talmud. Nadie, sin embargo, podría competir nunca con la elegancia moral de la famosa respuesta de Hilel a un discípulo que le pidió que expresara la esencia de la Torá estando de pie a la pata coja. «No hagas a los demás lo que te resulta odioso. El resto no es más que comentario. Y ahora vete a estudiar.»[31]

La idea de que todo esto sucedió durante el reinado de un judío no originario de Judea, perteneciente a una dinastía de conversos —por no mencionar que era un rey con una vena de psicópata—, no encaja muy bien en el relato de la historia de los judíos. Se opta por que la reforma y el resurgimiento de la religión parezcan una reacción al gobierno de Herodes, no unos desarrollos protegidos por él, y a Herodes se le suele presentar como un pseudojudío. Se ha pensado que las alusiones que aparecen en los Salmos de Salomón, contemporáneos suyos, a «un hombre extraño a nuestra raza», que ocupa ilícitamente el poder, se refieren al linaje de Herodes, pero podría ser más bien que tuvieran que ver con el propio Pompeyo.

El caso es que Herodes no era, en realidad, un pseudojudío ni, como a veces se le presenta incorrectamente, un «judío a medias» (algunas historias ortodoxas lo tachan incluso de árabe); era plena e indiscutiblemente un judío cuya familia conversa procedía, mira por dónde, de Idumea. La respuesta de los sacerdotes y los rabinos, de los saduceos y los fariseos, a esta rápida expansión cosmopolita del territorio controlado por los judíos, iniciada con los asmoneos, no consistió en hacer distinciones más tajantes y netas entre judíos y no judíos, sino exactamente en lo contrario: en establecer procedimientos de conversión que los integraran plenamente en la comunidad. Herodes era perfectamente representativo de esta ampliación de la identidad judía, y una de las claves de su éxito fue que su reino representaba la integración de las comunidades —itureos, idumeos y otros— que se habían convertido, conforme a unas normas religiosas totalmente aceptables, en una república en sentido lato de judíos.[32] El hecho de que ese estado fuera étnica y territorialmente menos estricto que los que lo habían precedido, no lo hacía en realidad menos judío. Más bien al contrario. Era judío de la misma manera en que muchas comunidades de la Diáspora ya eran judías (y lo habían sido durante siglos): viviendo en localidades y calles al lado de gentes no judías, habitando en ciudades que tenían un diseño clásico y se enorgullecían de sus teatros, sus costosos mercados, foros y ágoras o incluso sus gimnasios, así como de sus *proseuchaí* o sinagogas. De hecho, fue justamente en esos ambientes urbanos más heterogéneos y más abiertos, y precisamente por esta misma época, donde y cuando empezaron a surgir las primeras sinagogas… como lugares en los que se residía, se leía la Torá y se llevaba a cabo la purificación ritual, o como centros de peregrinación. Las sinagogas no debieron sus orígenes a ningún tipo de rígida separación, sino más bien a todo lo contrario, a un nuevo concepto de movilidad, a una repentina oleada de éxodos y reasentamientos judíos, a la capacidad de los judíos de trasladarse a sitios distintos y seguir siendo judíos. Aparecen así en Jericó, en el camino que conduce al mar Muerto, muy animado como vía marítima comercial, como sabemos por las anclas de esta época descubiertas en su lecho salino. Podían encontrarse sinagogas también en ciudades mixtas desde el punto de vista étnico como Escitópolis (Betsán), en los confines del *hinterland* de Samaria, o en la elegante nueva ciudad galilea de Séforis, al sudeste de Tiberíades.

Análogamente, lugares que habían estado esencialmente vedados a los judíos, como Ptolemaida, en la costa de Galilea, Ascalón o Gaza, contaban en aquellos momentos con colonias cada vez más numerosas de emigrantes judíos, que se establecían en esas sociedades dedicadas al comercio y la navegación, asomadas al Mediterráneo, hacia Rodas y Chipre, hacia las islas del Egeo y hacia el sudoeste, hacia Alejandría y Cirenaica. Y fue debido a ese tirón gravitatorio social y económico por lo que Herodes decidió construir en el centro geográfico de su reino una espectacular ciudad portuaria y bautizarla con el nombre de su último protector, [César] Augusto, Cesarea Marítima. Provista de un anfiteatro enorme, de un puerto construido sobre unos muros de cimentación de piedra emplazados a veinte brazas de profundidad y de un espectacular palacio con piscinas, torres y esculturas colosales, con vistas al mar, Cesarea hizo que la Palestina litoral se convirtiera casi de la noche a la mañana en la nueva Fenicia. Los judíos fueron a instalarse en masa en sus elegantes barrios, mientras que otros prefirieron hacerlo en Jope, al sur, o en Ptolemaida, al norte. La expansión fue tan rápida y tuvo una trascendencia tal que al final se vería abocada a desencadenar disturbios interétnicos entre las poblaciones judías y no judías, como ocurrió también en Roma y en Alejandría. Pero mientras gobernó Herodes, esos disturbios estuvieron controlados, y las exigencias de los procuradores romanos se mantuvieron dentro de unos límites, de modo que no produjeron ningún distanciamiento peligroso.

En el polo opuesto de la vida judía estaba Jerusalén. Y del mismo modo que el concepto de un mundo judío extendido más allá de Judea hacia la costa, por el sur hacia el desierto y por el norte hacia Galilea y el Golán, fue esencialmente un éxito herodiano, también la transformación física del Templo fue un logro del rey y gran constructor judeo-idumeo. Hasta que Herodes se puso manos a la obra, y a pesar de su lujosa ornamentación, las dimensiones del Templo siguieron limitadas a la modesta escala del diseño de Zorobabel y de los que regresaron del cautiverio de Babilonia, cuatro siglos antes. En tiempos de los asmoneos, la población de Jerusalén había aumentado y la multitud de gente que acudía a los distritos del Templo durante las fiestas y peregrinaciones había creado un cuello de botella de devoción absolutamente insalvable (con los consiguientes escándalos, que nada tenían de religioso). Herodes amplió significativamente el área del recinto, tallando y transportando hasta el monte grandes sillares de piedra caliza pulida con el fin de levantar el gran muro exterior del perímetro del recinto. Algunos túneles abiertos recientemente en el subsuelo de la Jerusalén moderna han puesto de manifiesto las dimensiones colosales de muchos de esos sillares, sobre todo de los que están inmediatamente encima del nivel de los cimientos, y la enorme cantidad de mano de obra que debió de ser preciso movilizar para ponerlos en su sitio, sin la ayuda de mortero ni cemento. Incluso según los estándares romanos, las murallas de ladrillo eran tan imponentes que en Roma llegaron a levantar sospechas de que los judíos estaban construyendo un edificio que, so capa de religiosidad, tenía en realidad un carácter estratégico, constituyendo una línea defensiva capaz de desafiar a cualquier ejército sitiador en el futuro. Hoy día parece harto improbable que muchos de los que van a orar en lo que queda del Muro de las Lamentaciones, o que extrapolan a partir de él las dimensiones del Templo que anhelarían ver reconstruido, piensen ni mucho ni poco en el sociópata judío originario de Idumea que lo levantó.

Durante siglos Jerusalén había sido el Templo; un centro de cultos y sacrificios que tenía una profunda importancia devocional para los judíos. Sin poner en peligro esa posición, Herodes quiso convertirla en una ciudad capaz de rivalizar con otras grandes creaciones del mundo antiguo, Atenas, Alejandría y Roma. El monarca idumeo tenía grandes ideas, y sus obras fueron todavía más grandes. La inmensidad del Templo, situado en lo alto de su monte urbano, visible a muchos kilómetros de distancia, proclamaba ante los viajeros las dimensiones imperiales de semejante visión. Aparte del Templo, además, el modesto palacio residencia que los asmoneos se habían levantado fue convertido en un edificio mucho más grandioso, a la vez fortaleza amurallada y residencia de descanso. Ahora había en la ciudad jardines, piscinas, calles elegantemente pavimentadas, mercados y puentes con arcos que unían el monte del Templo y el monte Sión. Los acueductos y cisternas de Ezequías fueron remozados y ampliados, y se construyó otro gran acueducto completamente nuevo para subvenir a las necesidades de Cesarea. Esta ciudad y Jerusalén se convirtieron en los polos magnéticos de la vida judía de la época romana; dos formas completamente distintas de vivirla (más o menos del mismo modo que Tel Aviv y Jerusalén encarnan hoy día esa diferencia), pero ambas con la impronta de una misma cultura distintiva. De repente, los judíos eran vistos como una fuerza con la que había que contar en el mundo del Mediterráneo oriental.

Sus aristócratas, laicos o clérigos, se recreaban en aquel nuevo esplendor. Que los saduceos no veían la menor contradicción entre su vocación y la elegancia del diseño ornamental lo sabemos por el osario, descubierto recientemente, de José, hijo de Caifás, el sacerdote (y sin duda alguna saduceo) que, a petición de Pilato, presidió el tribunal que juzgó a Jesús de Nazaret. Si los seguidores de Jesús quisieran dramatizar la diferencia entre su paladín mesiánico de los pobres y la vanidad de los sacerdotes judíos, de nada habrían podido sacar mejor partido que de la urna funeraria de Caifás, con sus rosetas exquisitamente esculpidas y entrelazadas. Con tal de que la decoración no violara la prohibición del Segundo Mandamiento de las «imágenes talladas» (generalmente interpretadas como la representación de figuras humanas), en realidad no había nada en la ornamentación que estuviera en manifiesta contradicción con la Torá. El *hiddur mitzvá* —la «glorificación» o «exaltación» de los mandamientos, parafraseando la expresión usada en Éxodo 15, 2— pasó a interpretarse como un hermoseamiento material. No hay quien pueda leer los libros centrales del Pentateuco sin percatarse del placer con el que sus autores describen con minucioso detalle la ornamentación del Tabernáculo, que era a la vez rudimentario en su sencillez portátil —lo cual permitía tenerlo dispuesto para emprender cualquier viaje— y lujoso en su decoración. Bezalel, el maestro artesano, responsable del diseño de todo, desde los palos de la tienda hasta el atuendo sacerdotal, se convirtió en el héroe legendario de la artesanía judía, casi tan importante por su legado para el judaísmo como Aarón. Casi con toda seguridad, la multitud de artesanos —orfebres, joyeros, tejedores, batidores de metales, albañiles, etc.—que transformaron Jerusalén, y que tanto contribuyeron a su prosperidad en tiempos de los macabeos y en la época de Herodes, pensarían que eran los descendientes de Bezalel. Y fue el patrocinio de la corte de Herodes y de los oligarcas sacerdotales y laicos —con su gusto por la ostentación pública y las casas suntuosas— el que cambió la reputación de la ciudad en el mundo clásico.

La monarquía herodiana se guardó mucho de traspasar la línea divisoria de la provocación idólatra, pero el atractivo de la autoglorificación romana era muy tentador. En un determinado momento, Herodes mandó colocar su emblema —un águila de oro— sobre la puerta principal del Templo. No era algo tan malo como poner un retrato suyo, y tampoco estaba dentro del recinto, pero bastó para que una pandilla de jóvenes *sophistaí* —«sofistas», cumplidores escrupulosos de la ley, seguidores de Judas de Séforis, la nueva ciudad de Galilea— treparan hasta lo alto valiéndose de unas sogas descolgadas desde el tejado y derribaran el águila a golpes de hacha. Por muy escrupulosos que fueran, no se habrían atrevido a hacerlo de no ser por que se creyeron a pies juntillas el rumor que circulaba de que Herodes era no ya parcialmente, sino enteramente pasto de los gusanos. Por desgracia para los demoledores del águila, no era así. Llevados ante el rey indignado, y preguntados por qué parecían contentos de morir por el delito cometido, los sofistas respondieron que «abandonarían con gusto la existencia para obtener una gloria sempiterna».[33] Parece que Herodes recobró por última vez los ánimos e hizo realidad sus deseos.

El *hiddur mitzvá* o cualquier exceso que se cometiera en su nombre ofendía también a las otras dos sectas religiosas reseñadas por Josefo. Los fariseos —probablemente los más numerosos, aunque no hubiera nadie que se ocupara de contarlos— hacían gran ostentación de sencillez puritana, en consonancia con su autoproclamada condición de guardianes (e intérpretes) de la Palabra. Aunque el canon de la Biblia no estaba formalmente cerrado (no se produciría ningún pregón grandilocuente en ese sentido), todo el mundo estaba de acuerdo en que los tiempos de las profecías habían terminado. En aquellos momentos era, pues, posible empezar los primeros ejercicios de *midrás*, término que tiene el mismo sentido que el griego *historía*, «investigación» o «examen inquisitivo». Se pensaba en particular que en la época en que hicieron sus manifestaciones, los profetas, de Isaías en adelante, no podían ser lo bastante proféticos como para prever hasta qué punto el cambio de las circunstancias iba a suponer la reivindicación de sus palabras, de modo que lo que se pusieron a hacer los fariseos afectaba de hecho a las profecías. Y de esa labor de investigación se derivaría una novedad aún más radical: la autoatribución de una autoridad para realizar la interpretación de la Torá contemporánea de su texto. Todavía nadie había empezado a acuñar el concepto de «ley oral», pero la creencia de que, en último término, era ella la que gobernaría la forma en que la Torá determinaba la vida cotidiana, estaba presente ya en la doctrina farisaica. Estaba ya lo bastante viva y era ya lo bastante seria como para provocar la reacción contraria de los samaritanos, que insistían en la autoridad exclusiva de la ley escrita.

Los fariseos se presentaban como doctores y guías no corrompidos por la grandeza usurpada del poder institucional de los saduceos. Pero para otros resultaba imposible conseguir un estado de observancia pura —y mucho menos una investigación intensa y minuciosa de los significados— si se estaba atrapado en el animado mundo de la populosa Jerusalén, de su vanagloria y su muchedumbre. La ribera noroccidental del mar Muerto se hallaba solo a unos cincuenta kilómetros de Jerusalén, pero en cualquier caso estaba lo bastante apartada como para ofrecer a la comunidad de ascetas que se estableció en Qumrán cuando menos la ilusión de la purificación del desierto. Durante mucho tiempo se la ha identificado con la secta de los esenios reseñada por Josefo, y la descripción que una generación antes hiciera Plinio el Viejo de la topografía de su asentamiento coincide exactamente con el paisaje desértico-marino de Qumrán. En los últimos tiempos han surgido suficientes dudas acerca de esta identificación como para debilitar semejante convicción, pero la palabra que a veces utilizaban para designar su «comunidad» —*yachad*, «juntos»— es lo bastante apropiada poéticamente para ser usada sin que preocupe demasiado el grado exacto de su esenismo. La primera generación, al mando de un «Maestro de Justicia», tal vez llegara a Qumrán durante la época de los macabeos o incluso antes (los más antiguos de los 850 manuscritos descubiertos en las once cuevas son del siglo IV a. e. c.). Pero su motivación —la evasión de la mundanidad urbana y de los adornos externos del poder y la política de la monarquía judía— habría sido la misma. Su importancia radica en que personificaban otro modelo de devoción judía que todavía sigue vivo: autónoma, recelosa de los extraños, obsesionada con la pureza. (Algunos pasajes de la *Serekh hayachad* —la «Regla de la Comunidad», presente en Qumrán en quince ejemplares— analizan en detalle qué tipo exactamente de manchas en la piel descalifican a un hombre para pertenecer a la comunidad, y advierten de que un individuo que no haya sido admitido todavía plenamente en la alianza no debe moler olivas maduras ni higos en la época de la cosecha, so pena de mancillar el zumo resultante con la imperfección de su contacto y contaminar por ende las provisiones de la comunidad.) La Regla está compulsivamente obsesionada con las abluciones (antes y después de las comidas habituales), y es implacable con el castigo de los reincidentes.[34] ¡Ay de quien se duerma durante las reuniones del consejo! (¿Pero cómo podía alguien no dormirse?, cabría preguntarse.) En cuanto al sabbat, no solo no debe haber ni soñación de trabajo, sino que nadie «hablará de ningún asunto relacionado con el trabajo o la riqueza» (lo que, por lo pronto, habría impedido a mi padre y a mis tíos pertenecer a la secta, aunque los habría confortado el hecho de que otro tema muy querido para ellos —la comida y la bebida— fuera considerado permisible).[35]

Nos fiamos de esta división tripartita de las sectas que hace Josefo (como nos fiamos de cualquier otra cosa que date de esta época), pero, además, no hay motivos para suponer que sea ficticia. No cabe duda de que luego exageraría —en su opúsculo *Contra Apión*, escrito para corregir las falsas ilusiones de los gentiles— cuando insistiera en la unidad de la cultura y la práctica de los judíos (tesis no muy habitual), aunque tenía razón al sugerir que, dejando a un lado la política tóxica de los sacerdotes, la división de las sectas no habría tenido por qué desgarrar a la comunidad judía de no haber habido una cuarta tendencia, surgida en el seno de los fariseos, pero implacablemente hostil al gobierno herodiano y a sus protectores y partidarios, los romanos. Ese fue el inicio de los zelotes, que provocarían en último término la guerra de destrucción en Palestina. Sin duda algunos líderes zelotes (a los que, por ejemplo a Juan de Giscala, por desgracia solo conocemos por las descripciones de Josefo, caracterizadas por su profunda antipatía y sus rasgos caricaturescos) se consideraban a sí mismos guiados a la vez por su fervor religioso y por una especie de furia tribal judía. Otro de esos líderes era un misterioso «profeta» egipcio, lo bastante carismático como para conducir a un séquito de treinta mil personas hasta el monte Sión antes de desaparecer. Pero la existencia de los zelotes y su sensibilidad cada vez más enconada, su convicción (compartida por la *yachad* de Qumrán) de que estaba a punto de producirse una especie de ajuste de cuentas entre las fuerzas de la luz y las fuerzas de la oscuridad, significaban que bajo la superficie aparentemente inquebrantable de la Pax Herodiana acechaban toda clase de problemas.

Algunos de esos problemas eran étnicos. Sencillamente porque el hecho de que tirios (oriundos de la ciudad fenicia de Tiro), griegos, sirios, judíos y unos cuantos egipcios y romanos compartieran el espacio vital de las nuevas ciudades no significaba que se cayeran bien o que hubieran olvidado sus diferencias, especialmente por debajo del nivel de las élites habitualmente helenizadas. Con mucha frecuencia en Ptolemaida, Escitópolis, Cesarea y Jope, resentimientos sin mayor trascendencia, se desbordaban a veces hasta convertirse en estallidos de violencia vecinal, en los que cada bando acababa apelando a las autoridades gubernamentales. Un episodio particularmente desagradable de violencia entre vecinos y la percepción de parcialidad de los romanos contra los judíos desencadenarían la revuelta generalizada.

La división social haría también que la Pax Herodiana resultara más difícil de mantener. Como suele ocurrir con esos fenómenos, la aceleración de una economía comercial y de mercado a lo largo de la costa, en concomitancia con la afluencia de población a las zonas rurales y a las nuevas y hermosas ciudades de la Baja Galilea, había creado una clase humilde muy numerosa. Es de suponer que muchos de sus integrantes eran pastores nómadas originarios de territorios baldíos, semidesérticos, alejados de las explotaciones agrícolas de Galilea y Esdrelón, que prosperaron por ser las encargadas de suministrar grano, aceite y vino a los incipientes mercados urbanos. Esas gentes constituyeron la fuente de mano de obra para los grandes proyectos de construcción de Herodes, y sufrieron las consecuencias de la finalización de las obras. Solo cuando concluyó la edificación del Templo, se quedaron sin trabajo dieciocho mil de esos obreros. Cuando los que predicaban la doctrina de Jesús les dijeron que ellos, y no los ricos, serían los que entrarían en el reino de los cielos, debieron de escuchar muy atentamente sus palabras. Son también muchas las probabilidades de que constituyeran la reserva de la que fueran reclutados hombres más violentos que vieran la posibilidad de sacar provecho caldeando los ánimos contra los griegos o los samaritanos o, si eran lo bastante audaces, incluso contra los romanos. Barrabás y Jesús de Nazaret fueron realmente las caras opuestas de una misma moneda.

Cualquiera podía ser una presa fácil. Hay algo en la descripción que hace Josefo de los sicarios (llamados así por la *sica*, el puñal curvado que ocultaban bajo la ropa y que clavaban en el vientre de sus víctimas en medio de la multitud que se agolpaba en las calles de Jerusalén durante los días de fiesta, robándoles la bolsa y confundiéndose luego con la muchedumbre en medio del griterío y el clamor de la gente) que suena terriblemente sincero. Eso no significa que los pobres o los empobrecidos estuvieran divididos en dos grupos, uno de mendigos y otro de atracadores. Con los aires arrogantes que lo caracterizan, Josefo tiende a clasificar a todos los disidentes o rebeldes como «bandidos», pero puede que tampoco se equivocara por completo al hacerlo. Los caminos, los montes y los muelles de Jope, Ptolemaida y Cesarea se volvían cada vez más peligrosos. Con progresiva frecuencia, el gobierno de Herodes tendría que recurrir a los soldados romanos para llevar a cabo operaciones de control y pacificación. Previsiblemente, tales campañas eran instrumentos contundentes que aterrorizaban tanto a inocentes como a culpables y que, poco a poco, harían que los romanos parecieran más enemigos que protectores.

No es de extrañar, pues, que la situación se aguantara solo mientras Herodes estuvo vivo, y ello a pesar de la sangrienta política palaciega que lo llevó a quitar de en medio, entre otros, a su propia mujer y a sus hijos. Por supuesto, semejante manera de proceder era el pan nuestro de cada día en el mundo romano, y lo cierto es que los últimos asmoneos tampoco habían sido una familia modelo. Como es bien sabido, tras asesinar a todos los miembros de su familia que pudieran suponer una amenaza para él, Herodes contrajo una impresionante variedad de infecciones de vientre, desde una ulceración de los intestinos y un «dolor insoportable en el colon» hasta una desagradable supuración de los genitales que provocaba la acumulación de gusanos en lugares sorprendentes incluso para sus médicos, comprensiblemente cada vez más intranquilos. Cuando por fin murió en 4 e. c., en medio de una agonía que causó gran regocijo a los que sospechaban que quizá fueran los próximos en su lista de víctimas, y fue enterrado, según sus instrucciones, en la tumba especialmente preparada al efecto en el Herodión —el complejo palacial que había mandado construir en la zona este de Jerusalén—, en el cortejo fúnebre, de varios kilómetros de longitud, figuraron contingentes de tropas de todas las naciones que había logrado atraer hacia el águila dorada: griegos, sirios, gálatas y —lo más curioso de todo— germanos.

Veinte años después, el edificio aparentemente grandioso que había levantado el «rey de los Judíos» se vino abajo debido a la tensión. Las turbulentas incertidumbres de la sucesión en Roma se tradujeron en el nombramiento de procuradores ambiciosos y agresivamente egoístas. Al notar que la autoridad romana se debilitaba o se volvía cada vez más parcial, las poblaciones de las nuevas ciudades que hasta entonces habían coexistido sin más que las habituales sospechas y prejuicios mutuos, empezaron a intercambiarse insultos y a buscar excusas para molestarse e incluso atacarse unas a otras. En Cesarea, los griegos y la creciente población judía que habían compartido la ciudad se disputaban ahora a quién pertenecía esta. Griegos y sirios insistían en que, como Cesarea tenía magníficos templos dedicados a los dioses, un teatro y un gimnasio, no podía decirse que fuera una ciudad judía. Los judíos respondían (y el argumento no puede ser más elocuente) que como la había construido un judío, Herodes, era justamente todo lo contrario. Periódicamente aquella discusión baladí se enconaba y se convertía en una polémica violenta.

Poco a poco, trozo a trozo, la Pax Herodiana se vino abajo. Los dos pilares que la sostenían —el compromiso romano de proteger las leyes y tradiciones judías, y la seguridad de que la dinastía de Herodes estaba lo bastante cerca del poder imperial como para prevenir cualquier amenaza a la integridad del judaísmo— cayeron durante el breve pero increíblemente funesto reinado de Gayo Calígula. Naturalmente, todo el mundo tenía sus ideas acerca del singular Calígula, aunque nadie previera la verdadera locura, casi operística, de sus múltiples delirios; no desde luego los hijos y los nietos de Herodes, que habían pasado su juventud en su compañía y en la de Druso, el hijo de Tiberio, o en la de Claudio, el príncipe cojo que reinaría cuando quitaran de en medio a su lunático sobrino. El filósofo judeo-alejandrino Filón, perteneciente a la aristocracia sacerdotal, consideró desde luego útil presentarse en persona ante el emperador para defender a sus correligionarios de los insultos y los ataques físicos que recibían.[36]

Asimismo, la insistencia de Calígula en colocar efigies suyas en todos los templos del imperio tampoco iba dirigida especialmente contra los judíos. Nadie habría tenido que tomárselo como algo personal, así que ¿por qué tanta susceptibilidad? Algunos de sus mejores amigos, etc. Uno de sus mejores amigos, de hecho, era Agripa, el nieto de Herodes, a quien, junto con el procurador Petronio, habían encasquetado la ingrata tarea de ejecutar el proyecto de instalar la estatua del emperador en Jerusalén. A la pregunta «¿Por qué vais a luchar contra el César?», los ancianos de Jerusalén respondieron que, aunque ofrecían sacrificios por el César y por el pueblo romano dos veces al día, «si él quería erigir allí sus estatuas, antes tenía que sacrificar a todo el pueblo judío, pues ellos estaban dispuestos a ser inmolados junto con sus hijos y sus mujeres». Ante los informes que aludían a este tipo de cosas, y en respuesta a las peticiones personales de Agripa, Calígula se ablandó aunque no acostumbraba a hacerlo, no obstante lo cual probablemente fuera su asesinato en 41 e. c. lo que hizo que al final no se modificara la decisión imperial. Con todo, la confianza en la promesa que había hecho Roma de mantener la inviolabilidad del Templo había quedado irremediablemente maltrecha. Por primera vez, el símbolo externo del acuerdo alcanzado por César y Augusto, la ejecución de sacrificios por ellos y por Roma en el Templo, empezó a ser puesto en entredicho, fue interrumpido y al final —en un gesto deliberadamente incendiario— suspendido.

Claudio, un hombre astuto y no precisamente cruel, se apartó de su camino habitual y volvió a la tradición augústea, publicando edictos que renovaban y reiteraban esas promesas al tiempo que intentaban restablecer la paz entre las comunidades egipcia y griega de Alejandría, en ese momento enfrentadas. Pero luego llegó Nerón. El nuevo emperador no rechazó las promesas hechas por Claudio, y tampoco se mostró particularmente hostil a los judíos ni dentro de Roma ni fuera de ella. Se dice que su segunda esposa, Popea, era «temerosa de Dios», y era una de las muchas personalidades que seguían con entusiasmo el judaísmo sin consumar una conversión formal (dado su famoso apetito sexual, menos mal que no lo hizo). De hecho, el actor favorito de Nerón (cuestión muy importante para el emperador) era el judío Alítiro, que era objeto de los típicos chistes en torno a la circuncisión cada vez que salía a escena con poca ropa.[37] El principal quebranto que causó Nerón fue nombrar procuradores de Palestina a hombres que vieron en el cargo una oportunidad para el saqueo (o al menos no impidió que lo ocuparan personajes de esa calaña). El peor de todos fue, según Josefo, Gesio Floro, que no solo corroboró oficialmente los delitos de extorsión cometidos por los naturales del país, sino que además actuó a modo de capo de una banda mafiosa, dispensando su protección solo a quien pagara por ella. Las quejas de los judíos chocaron cada vez más a menudo con la indiferencia o el desprecio de las autoridades, y aunque es evidente que, en Cesarea, judíos y gentiles fueron culpables de constantes insurrecciones y algaradas, la ferocidad del castigo recayó sobre todo en los primeros. La nación que en tiempos de Augusto se había mostrado dispuesta a vivir como judíos leales en un estado súbdito del Imperio romano, empezaba a ver cada vez más a los romanos como los descendientes de Antíoco IV.

Antes incluso del reinado de Nerón, hubo indicios de que los soldados romanos —a veces espoleados por sus propios oficiales y gobernadores, que desde luego no hicieron nada por disuadirlos— planearon actos de provocación que acabarían sin duda en algaradas y que proporcionarían el pretexto para llevar a cabo campañas de saqueos y matanzas. Durante la Pascua, cuando la muchedumbre acudía a los recintos del Templo, uno de los guardias apostados para evitar disturbios decidió causar uno. «Entonces uno de los soldados se levantó la túnica, se agachó indecentemente y se volvió para enseñar su trasero a los judíos y producir un ruido acorde con su postura.»[38] El pueblo se sintió indignado y empezaron a llover las piedras. El procurador Cumano envió más tropas, que entraron en los «pórticos» del Templo y empezaron a golpear con tal violencia a los judíos que todos salieron huyendo presa del pánico. Pero las puertas eran demasiado estrechas y la multitud, innumerable. Treinta mil personas, dice Josefo, murieron aplastadas o pisoteadas. En vez de disfrutar de la Pascua, «la fiesta fue motivo de duelo para todo el pueblo».

V. Un pie en cada bando

El punto en el que nos enteramos de que Josefo es el primer verdadero historiador de los judíos (y durante muchos siglos el único) es cuando, con cierto doloroso sentido de culpa, introduce en la acción a su madre. Se encuentra al lado del ejército romano, al que había derrotado cuando era gobernador militar de la Galilea judía. Como de costumbre, implora a los jerosolimitanos que «cambien de opinión antes de que ocurra algo irreparable» y acepten lo inevitable de la omnipotencia imperial de Roma, afirmando que Dios debe de haberle asignado el papel de verdugo de los judíos por sus repetidos desacatos. Todavía estaban a tiempo, les dice una y otra vez Josefo a los judíos que se encuentran tras las murallas, y a los que presenta como si fueran cautivos de las maquinaciones de los líderes zelotes, despiadados y egoístas, si quieren evitar lo peor: la destrucción del Templo, de la ciudad y del pueblo.

Mientras recorre las murallas de esta guisa, recibe de los sitiados una pedrada que lo deja inconsciente.[39] Encantados de haber herido al judío que tanto deseaban matar, los defensores intentan efectuar una «salida» para llevarse al herido al interior de las murallas, pero un escuadrón de soldados romanos enviados por Tito lo impide. Corre el rumor de que ha muerto. Los zelotes y sus seguidores no caben en sí de gozo; la población civil judía que Josefo quiere creer que es su rehén se siente entristecida, pues sus posibilidades de salvarse desertando son nulas. Y en la cárcel la madre de Josefo se encoge de hombros. «Dijo a sus guardianes que ella sabía que iba a ocurrir esto desde los acontecimientos de Jotapata [la plaza defendida por la guarnición judía que mandaba Josefo, y escenario de su infame deserción para pasarse al bando del futuro emperador Vespasiano], y que, además, a ella durante su vida nunca le había dado ninguna alegría. Sin embargo, en secreto lloró con sus criadas y dijo que el fruto que había obtenido de su fecundidad era el de no enterrar a su hijo, por quien esperaba ser sepultada ella.»[40]

Al menos aquí suenan ciertos ecos de verdad; ecos a un tiempo de envanecimiento, sentimentalismo y una pizca de la torturada melancolía que se apoderó de Josefo en Roma después de la guerra, cuando escribió sus historias de los judíos, probablemente ni cinco años después de la destrucción del Templo.[41] Nunca superaría el odio suscitado por su persona en Jotapata, pero ¿qué podía esperar? Se le había concedido el mando a la tierna edad de veintiséis años, presumiblemente por decir que pertenecía a la aristocracia asmonea por parte de madre y que era de estirpe sacerdotal por parte de padre. Naturalmente, todavía era conocido por su nombre hebreo, Yosef ben Matityahu. Nadie se tomó estas credenciales a la ligera. Durante su juventud, nos cuenta en su autobiografía, se había ido al desierto a vivir con un maestro de ascetismo llamado Banus y había seguido su mismo modo de vida, «usando como vestido lo que me proporcionaban los árboles» y bañándose varias veces, de día y de noche, para purificarse.[42] Poco después, en 62 o 63 e. c., tras sobrevivir a un naufragio, llegó a Roma, con la intención de liberar de la cárcel a unos sacerdotes. Allí, por mediación de Alítiro, consiguió ser presentado a la esposa del emperador, Sabina Popea, mujer «temerosa de Dios».

Su primera experiencia en Roma debió de imprimir en el joven sacerdote asmoneo cierta sensación de compatibilidad de las culturas romana y judía; la suficiente en todo caso para que se preocupara por la creciente oleada de desafección y potencial insurrección que estaba recorriendo su tierra. En consonancia con el constante tono de exculpación que se percibe en su relato de la terrible guerra que se desencadenó a continuación, Josefo se presenta siempre con la actitud de quien pretende limitar los daños: intentando aplacar a los más exaltados, advirtiendo de que atacar al poder de Roma equivalía a encaminarse hacia un desastre seguro y aceptando solo el mando de Galilea pensando en todo momento en esa cruda realidad. En todo momento percibe los gritos de desesperación de la gente, atrapada entre las legiones de Roma y el terror de los zelotes, y simpatiza con las ciudades que, como Séforis, al final optan por una subordinación pacífica antes que por la resistencia patriótica. Hablando de sí mismo en tercera persona (como si eso diera más credibilidad a su relato), presenta a «Josefo» yendo de acá para allá para colocar debidamente sus tropas y haciendo cuanto está en su mano por organizar las caóticas fuerzas judías enviadas a Galilea. No todo es ficción interesada. En los vertiginosos precipicios del monte Arbel, frente al mar de Galilea, habían sido excavadas cuevas defensivas, al parecer por fugitivos del gobierno herodiano, o por partidas de bandoleros o por bandas armadas de judíos opuestos a Herodes, y de hecho probablemente por todos ellos a la vez. Esas cuevas fueron fortificadas mientras Josefo ostentaba el mando de Galilea —y casi con toda seguridad por orden suya— a modo de reductos de la guerrilla contra los romanos, como si ese fuera el último recurso del que disponía la resistencia judía.

El relato que ofrece Josefo de los cuarenta y siete días de asedio de Jotapata por Vespasiano es todo menos derrotista. Intenta todo cuanto está en su mano frente a la superioridad numérica y las 160 máquinas de asedio de los romanos. Para proteger a los que intentaban elevar la altura de los muros defensivos de las piedras y los proyectiles lanzados por los romanos, manda clavar estacas y extender encima de ellas pieles de bueyes recién desollados, para que aguanten las piedras en sus pliegues y para que su humedad apague el fuego. Intenta luego llevar a cabo estratagemas psicológicas. Como los romanos suponían (y no les faltaba razón) que había escasez de agua en la ciudad, Josefo ordenó a los defensores mojarse la ropa y colgarla de las almenas para que de repente toda la muralla se pusiera a chorrear agua y elllo desanimara a los sitiadores. En otras ocasiones realiza salidas al frente de pequeños grupos de combatientes, como si fueran bandidos, con el propósito de quemar las tiendas de los romanos y sembrar la confusión entre ellos. Y el historiador no se abstiene de contar todo tipo de cuentos para subrayar el poder del adversario. El proyectil de una balista golpea a un defensor con tal fuerza que le arranca la cabeza y la envía a cientos de metros de distancia, y otro alcanza de lleno a una mujer embarazada, cuyo feto le sale del vientre y va a caer muy lejos de la madre.

El recurso ocasional a la hipérbole y a la fantasía no desacredita automáticamente a Josefo. Heródoto es famoso por mezclar libremente la fantasía y la realidad a un tiempo, e incluso el riguroso Tucídides no estaba por encima de los demás y llega a «imaginarse» lo que probablemente les dijera Pericles a los atenienses a partir de lo que otro afirmaba haberle oído decir. Josefo cuenta bolas para entretener a sus lectores, por lo cual, teniendo en cuenta los despiadados detalles y las numerosas repeticiones de su relato, debemos estarle agradecidos. Pero el punto culminante de la narración es tan poco halagador para su autor que parece inconcebible que Josefo hubiera podido inventarlo.

Al cuadragésimo séptimo día los romanos entran en la ciudad y matan a todos menos a las mujeres y los niños pequeños; cuarenta mil hombres, según dice el historiador. Vespasiano envía un oficial al que Josefo había conocido en Roma para que le convenza de que se rinda, y solo le impide hacerlo la cólera de sus camaradas. «¡Ay, Josefo! Amas la vida, pero ¿cómo vas a soportar ver la luz como un esclavo?»[43] El general deviene filósofo y sostiene sofísticamente que, como la batalla ya ha terminado y los romanos ya no amenazan con la muerte, «es igualmente cobarde aquel que no quiere morir cuando debe como aquel que lo desea cuando no es necesario». Arrojar del cuerpo lo que Dios le ha dejado a uno en «depósito» es lo más innoble de todo. El verdadero valor, dice, es seguir viviendo, consideración que tal vez sea la forma que tiene de salvar la cara un gusano desde el punto de vista moral, pero que quizá también, según cierta tradición judía, sea verdad. Semejante argumento deja fríos a sus compañeros de armas, de modo que Josefo propone un sorteo en el que quien sea designado el primero por el azar muera a manos del segundo, y así sucesivamente hasta que no quede más que uno, que se quitará la vida por sí mismo. Solo que, en vez de arrojarse sobre su propia espada, Josefo se presenta inmediatamente ante Tito, el hijo de Vespasiano, que se hará amigo suyo y se convertirá en su protector y valedor imperial. Es Tito el que intercede ante su padre para salvar la vida del comandante enemigo y le presenta directamente a Josefo. En ese momento, el sacerdote judío adopta una postura de dignidad profética y anuncia al general romano que le lleva un mensaje de Dios; dicho mensaje es esencialmente que Nerón ha muerto y que Vespasiano está llamado a asumir la púrpura. «Si hubieras sabido todo esto de antemano, por cortesía del Altísimo —responde Vespasiano—, podrías haber participado tu secreto a los habitantes de Jotapata y ahorrarles muchos sufrimientos.» «Y por supuesto que lo hice —replica Josefo, añadiendo—: ¿Pero quién me iba a hacer caso?» Josefo es liberado, le regalan ropas nuevas y, lo que es más importante, le conceden permiso para casarse con una cautiva judía. Dos años después, cuando se cumple la profecía, Vespasiano se acuerda del joven desertor judío y hace de él uno de sus colaboradores de confianza y también de su hijo. No es el único judío que ocupa una puesto semejante. El segundo al mando de Tito durante todo el asedio de Jerusalén, Tiberio Julio Alejandro, no es otro que el sobrino de Filón, el filósofo judío de Alejandría. Si hay una demostración definitiva de apostasía, sería esa.

Desde la perspectiva de Josefo, por supuesto, ¿quién mejor que un chaquetero para convertirse en un historiador imparcial, capaz de ver las cosas desde los dos bandos? No es que esté ciego ante las extorsiones y la conducta brutal y corrupta de una larga serie de procuradores romanos, aunque poco puede hacer Vespasiano, en cuya vieja casa del Quirinal residirá Josefo cuando regrese con el ejército a Roma. Del mismo modo, Tito, el sucesor al trono imperial, solo hace, según Josefo, lo que hay que hacer, y a veces a regañadientes. Justo antes del ataque definitivo a las murallas de Jerusalén, Tito convoca a sus oficiales a un consejo para advertirles de que no destruyan el Templo, por respeto a su esplendor (algo bastante poco probable) y por motivos de respeto religioso (algo no mucho más probable). Historias de Roma posteriores, en particular la obra de Tácito y la de Dión Casio, afirman que Tito tomó la decisión de arrasarlo por precaución, postura que parece bastante más verosímil. Tácito llega incluso a indicar que los soldados romanos se abstuvieron de incendiar el Templo hasta que supieron que tenían órdenes explícitas al respecto de su general. La versión de Josefo es mucho más halagadora para su patrono. Se produce una catástrofe cuando el fuego se extiende desde las puertas exteriores (como se había ordenado) hasta el patio principal y queda fuera de control, lo mismo que las tropas romanas, a las que se había prohibido lanzarse al pillaje.

El disgusto de Tito —no confirmado por ninguna otra fuente posterior— es a todas luces un invento del desertor judío. Y resulta imposible obtener de la *Guerra de los judíos* una explicación matizada de las motivaciones de los zelotes rebeldes, y mucho menos de las de la base del movimiento. Josefo no tiene prácticamente nada que decir, por ejemplo, acerca de la «escuela» farisaica de Samay, cuyos jóvenes discípulos (a diferencia de los de Hilel, más pacíficos) fueron exhortados por su maestro, famoso por su apasionamiento e intransigencia, a participar en la resistencia contra los *kittim* (el término despectivo usado en hebreo para designar a los romanos). Josefo adopta la actitud altiva del sacerdote aristócrata judío convertido en patricio romano y paniaguado del emperador, y ofrece unas caricaturas de cartón piedra de los líderes de la revuelta, a los que reduce a meros bandidos sociópatas (*leistaí*); matones sedientos de sangre, enloquecidos por el poder, ávidos de adueñarse de los bienes ajenos, que conducen a la gente crédula a la perdición movidos por sus malvados intereses. El enemigo personal de Josefo en Galilea, Juan de Giscala, era «el más perverso y astuto de todos los que han destacado por su maldad ... Dispuesto a mentir, hábil para hacer creer sus falsedades, consideraba el engaño como una virtud ... Fingía ser amable y generoso, pero la esperanza de obtener ganancia le hacía ser muy sanguinario».[44] Simón bar Giora es igualmente malvado, no tan astuto como Juan, pero un monstruo aún más perverso y cruel, un tirano mezquino que disfrutaba torturando a los ricos. Cuando estos dos y sus ejércitos de «bandidos» se apoderan de Jerusalén y empiezan a aterrorizar a la población cautiva —que, si la hubieran dejado, se habría rendido—, el destino de la ciudad queda sellado. Los zelotes nombran entonces a sus propios sacerdotes y contaminan el Templo con sus abominaciones y borracheras, algo que, según dice Anano, el afligido representante de la vieja clase sacerdotal, ni los romanos se habrían atrevido a cometer. Las cosas se precipitan rápidamente. Las bandas de zelotes se divierten saqueando las casas de los ricos y violando a las mujeres después de matar a sus maridos. Lo más curioso es que los matones de Juan se convierten en terroristas travestidos y homosexuales. «Adoptaban costumbres afeminadas, se peinaban el pelo, se ponían vestidos de mujer, se llenaban de perfumes y se pintaban los ojos para parecer más bellos. No solo imitaban el adorno de las mujeres, sino también sus pasiones, y por su desmedido libertinaje imaginaban amores antinaturales. Se revolcaban en la ciudad como si estuvieran en un prostíbulo y la manchaban toda ella con sus acciones impuras. A pesar de su aspecto femenino, tenían unas manos asesinas.»[45]

Por muy colorista y animado que sea el relato, dista mucho de ser una explicación adecuada de la sublevación social generalizada de las ciudades y aldeas de Palestina. Algo más que la intimidación de unos gángsteres tuvo que haber cuando, tras la conquista de Galilea por Vespasiano, decenas (y posiblemente centenares) de miles de personas se fortificaron frente a las legiones romanas. «Bandidos» o «salteadores» han sido a menudo los términos usados por las clases acaudaladas (de las que sin duda formaba parte Josefo) para hacer frente a una sublevación de las gentes desposeídas y asfixiadas por los impuestos excesivos.[46] Es probable que la presión ejercida sobre los territorios del interior por la rápida expansión de una economía de mercado procedente de las zonas comerciales de la costa permitiera a la élite judía invertir sus ganancias en tierras, obligando a los pequeños propietarios a adoptar la condición de colonos en arriendo, que podían ser contratados o desahuciados a su antojo por los propietarios, y que Juan y Simón reclutaran sus ejércitos de zelotes entre esa clase de gente y entre la población desplazada de campesinos contratados para las obras de construcción que estaban llevándose a cabo en la Palestina romana.[47] Un complemento más sorprendente, pero más activo y más crítico, vino a sumarse a los rebeldes, el de los soldados veteranos idumeos y sus familias que (si debemos creer a Josefo), aunque obstinadamente fieles al judaísmo, en vez de enriquecerse, se habían empobrecido durante la monarquía idumea de Herodes, y cuya actitud se había exacerbado en contra de los aristócratas y de los romanos que los protegían.[48]

Las puertas de la ciudad están cerradas ante ellos, pero cuando los zelotes y los idumeos logran penetrar, dice Josefo, es para aniquilar a los guardias, judíos y romanos, que han intentado cortarles el paso, 8.500 en una sola noche.[49] Los insurrectos instauran entonces un reinado de terror para quitar de en medio a todo el que resulte sospechoso de moderación, encarcelando, matando y (en contra de lo que establecen los mandamientos judíos) dejando a los muertos insepultos «como una manada de animales impuros». Entre sus víctimas están los símbolos de la postura institucional partidaria de contemporizar, el antiguo sumo sacerdote Anano, hijo de Anano, que había insistido en intentar disuadir a los zelotes y a los idumeos de emprender una guerra total, y cuyo asesinato público, a juicio de Josefo, fue el momento en que quedó sellado el terrible destino de Jerusalén. Los idumeos, sin embargo, insistían en que ellos eran los únicos que honraban «la casa de Dios». La ciudad, dice Josefo, era como «un gran cuerpo descuartizado». La paranoia fue agravándose; todo aquel que se atrevía a sugerir que se buscara una solución de compromiso, no ya a proponer la rendición, era ejecutado sumariamente. Según afirma el historiador, murieron así doce mil jóvenes de la ciudad.[50]

En ese momento Josefo, recuperado de su herida en la cabeza y con lágrimas en los ojos, insiste en intentar que los defensores entren en razón y se ahorren más penalidades. Su postura de compasión desinteresada podría aumentar su credibilidad si no fuera por el hecho de que también hubo judíos profundamente devotos, especialmente entre los fariseos, que defendían la paz. Creían que Dios había elegido a los romanos como instrumento último de castigo por las transgresiones cometidas, que Roma estaba en la lista de los imperios nombrados en la visión de Daniel y que seguir luchando era, por tanto, un acto inútil en contra de la voluntad divina. Siglos más tarde, el Talmud describe a Hilel debatiendo con el belicoso Shemai exactamente con esos argumentos.

Según la tradición talmúdica, al discípulo más joven de Hilel, Yohanan ben Zakkai (Yojanán, hijo de Zakai) —que en cualquier caso era sospechoso de pertenecer a la minoría dirigente de los saduceos— le angustiaba sobremanera la perspectiva de que una resistencia a la desesperada de los zelotes supusiera la ruina del Templo. Tres tradiciones ligeramente distintas presentan a Yohanan y sus dos hijos, Josué y Eleazar, haciéndose cargo de la situación e improvisando una fuga, probablemente no después de la primavera de 68 e. c., durante una tregua solicitada por Vespasiano, antes de que su hijo Tito lance el ataque final. Otra versión presenta a los espías de Vespasiano dentro de la ciudad descubriendo que Yohanan podría ser un defensor de la rendición si Roma prometiera respetar las tradiciones, los textos y la observancia del judaísmo. Al parecer, se habían lanzado flechas por encima de las murallas con mensajes clavados en ellas informando a los romanos de las posibilidades de alcanzar un acuerdo. El rabino es conducido entonces ante Vespasiano, que agradecido accede a la petición de Yohanan de trasladarse al sur, a la ciudad de Yavne, con un grupo de seguidores, crear allí una academia dedicada al estudio de la Torá y guardar los mandamientos.

Las otras dos versiones son menos imaginativas. En ambas aparece el sabio saliendo clandestinamente de Jerusalén, controlada por los zelotes, como si fuera un cadáver, en una de ellas escondido dentro de un ataúd, junto con un objeto que despide un olor nauseabundo para que el engaño resulte más verosímil; en la otra, uno de sus hijos sujeta el cuerpo agarrotado de Yohanan y el otro le sostiene la cabeza. En estos dos relatos Vespasiano no tiene la menor idea de quién puede ser el solicitante que vuelve de pronto a la vida, pero queda impresionado por su valor, su piedad e, indudablemente, también por su profético saludo, «Vive, imperator». En un gesto de modestia muy poco convincente, Vespasiano protesta diciendo que semejante saludo es prematuro, si no presuntuoso, y que si informara de él podría incluso costarle la vida. Yohanan le asegura que no le quepa duda alguna, pues ¿acaso no había profetizado Isaías que solo un rey tomaría Jerusalén y su Templo? Impresionado por todo esto (y posiblemente recordando también que ya había oído algo parecido en Jotapata), Vespasiano le concede magnánimamente su autorización: «¡Ve en paz!».[51]

Al margen del carácter real o ficticio del relato, su esencia —esto es, que el judaísmo continuaría aunque llegara a ocurrir lo peor y aunque su envoltura material externa fuera destruida por completo, y que un maestro, Yohanan, no un sumo sacerdote, sería en adelante la fuente de la autoridad judaica— dejaría una huella muy profunda en la memoria de los judíos. Sería el momento fundacional de la letanía de la resistencia. Básicamente, en ese instante se detiene el tiempo judío; la realidad del culto del Templo, sus sacrificios y sus peregrinaciones, se convierten en algo virtual, las propias festividades quedan embalsamadas en un judaísmo de la pérdida. Se dice incluso que en Yavne, Yohanan instituyó un día de lamentaciones conmemorativas, probablemente la jornada de ayuno del día 9 del mes de ab. Donde mejor queda encarnada la adaptación del judaísmo a su desplazamiento material es en el precepto de Yohanan que permite que la bendición continúe allá donde unos cuantos judíos se reúnan a celebrar el culto. El motivo sacerdotal de las manos levantadas se traslada ahora a los amuletos y las vasijas funerarias, a los *ossilegia* y en último término a las lápidas sepulcrales, de modo que hasta para los judíos difuntos, por remoto que fuera el lugar donde estuvieran, los sacerdotes estaban entre ellos. El propio judaísmo había salido de la tumba de la historia. Sería un presente perpetuo, infinitamente reanimado en la memoria. Y esa trágica lección de humillación, encarnada en las historias de Yohanan —que enseñan que un comienzo presupone un final épicamente devastador—, arroja una larguísima sombra sobre la historia de los judíos. En efecto, como dice Yosef Hayim Yerushalmi en su bellísimo libro *Zakhor*, este es el momento en el que la historia es sustituida por la memoria intemporal.[52]

Y ese es el motivo de que el autor en el que se originó el relato, Josefo, sea el primero y, durante muchos siglos, el único historiador judío. Josefo no solo admite la condición en virtud de la cual el renacimiento del judaísmo, la nutritiva transfusión a la Biblia de la sangre de los comentarios, depende de la muerte y la destrucción, sino que además, en cierto sentido profundamente doloroso, es el causante de su desarrollo. Echando la vista atrás, creo que con melancolía, desde su exilio romano, Josefo insistía también en que no era un traidor a Dios, sino solo a Juan de Giscala y a los zelotes descarriados. Antes bien, cuando intentaba convencer a sus correligionarios judíos de que se rindieran, no hacía más que expresar la voluntad manifiesta de Dios, que había abandonado Jerusalén y combatía en el bando de sus enemigos. «¡Que nunca viva yo como prisionero de guerra en una situación tal que reniegue de mi origen o me olvide de mi patria!» Ser un verdadero judío, pues, requería resistir, si no traicionar a los zelotes.[53]

El golpe de gracia es asestado en realidad por el hambre, no por el fuego ni la espada, y Josefo nos ofrece un relato clásico de horror, a la manera (y quizá según el modelo literario) de Tucídides cuando detalla los efectos de la peste en Atenas. Incomunicada por el ejército sitiador de Tito, Jerusalén se ve reducida a la miseria más extrema. Enloquecidos por el hambre, los humanos se convierten en depredadores salvajes, que devoran no solo el cuero de sus sandalias, sus cinturones y sus escudos, dice Josefo, sino también cosas repugnantes que ni los perros osarían tocar. Los niños meten las manos en la boca y las entrañas de sus padres para sacar restos de comida a medio masticar que luego ellos devoran; hay quienes saquean las casas y atraviesan con sus picas a aquellos de los que sospechan que tienen escondida una mínima porción de alimentos. El punto más bajo al que se llega es el episodio de una mujer llamada María, procedente del otro lado del Jordán, que se ve atrapada en Jerusalén y reducida a tanta miseria que mata a su propio hijo, todavía un niño de pecho, lo asa, se come una mitad y guarda la otra para más tarde. El olor de la carne despierta las sospechas de los guardias rebeldes, que la amenazan con degollarla si no les entrega la comida que esconde. «Entonces ella dijo que les había guardado una parte y descubrió lo que quedaba de su hijo. Al punto se llenaron de espanto y estupor, y al verlo se quedaron atónitos. La mujer añadió: "Este es mi hijo y esta es mi obra; comedlo, pues yo también lo he comido. No seáis más blandos que una mujer ni más clementes que una madre. Si tenéis escrúpulos religiosos y no queréis la víctima que he sacrificado, dejad que yo, que ya he comido vuestra parte, acabe también con el resto".»[54] Los sediciosos se marchan aterrados; la noticia corre por la ciudad y «todos se estremecían al poner delante de sus ojos esta atrocidad, como si ellos mismos se hubieran atrevido a cometerla». Los hambrientos suplican que acabe todo de una vez y consideran felices a aquellos que ya han perecido por no haber tenido que ser testigos de desgracias tan grandes. El propio Tito, aunque las primeras columnas de humo empiezan ya a elevarse sobre las murallas, llega a pensar que, le ocurra lo que le ocurra a aquella gente, nada podrá ser peor que tan inhumanas monstruosidades.

Josefo despacha la catástrofe que se desencadena a continuación con instructivos tonos de macabra gravedad: miles de personas consumidas por las llamas; los enormes montones de riquezas acumuladas en los almacenes del Templo confiscados; hombres y mujeres que se arrojan desde lo alto de las murallas, y, por si faltaba algo, aparece un profeta enloquecido llamado Jesús. Este Jesús en concreto (había multitud de hombres que llevaban este nombre) era hijo de Anano, el sacerdote, y cuatro años antes de que empezara la guerra había causado no poca irritación entre la gente durante la celebración de las fiestas de peregrinación gritando en tono jeremíaco: «¡Ay de ti, Jerusalén!». Por su temeridad fue «despellejado a latigazos hasta los huesos», pero no dejó de repetir sus gritos durante siete años y cinco meses, hasta que la gran calamidad vino a confirmar sus presagios. Cuando se hallaba haciendo un recorrido por la muralla y lanzando los gritos de costumbre, fue alcanzado por una piedra lanzada por una balista.[55]

A Josefo no le queda ya más que hacer recuento, de modo que el historiador liquida su metodología y se abandona a la mera numerología bíblica. Se ha convertido en un simple aritmético de la historia de los judíos. «Desde la primera construcción, que llevó a cabo el rey Salomón, hasta la ruina de hoy, en el segundo año del reinado de Vespasiano, han pasado mil ciento treinta años, siete meses y quince días. Y desde su reconstrucción posterior, hecha por Ageo en el segundo año del reinado de Ciro, hasta la conquista de Vespasiano tenemos seiscientos treinta y nueve años y cuarenta y cinco días.»[56]

Al otro lado del Muro de las Lamentaciones o Muro Occidental, con su multitud de devotos que rezan moviéndose rítmicamente, hay un cúmulo enorme de grandes piedras de la época herodiana derribadas por algún proyectil o arrojadas por los romanos desde lo alto del muro meridional del Templo. En uno de esos sillares se conserva un nicho lo bastante grande como para dar cabida a un hombre de pie, y la inscripción que hay en el interior lo identifica como el lugar «[reservado] para el trompetista», el hombre encargado de tocar el shofar, no exactamente una trompeta, sino un cuerno, al empezar y al acabar el sabbat y los días de fiesta. Silenciado para siempre. Y está también la «Casa Quemada», una atracción turística en pleno Barrio Judío, en la que, en medio de una serie de vasijas de cerámica artísticamente rotas y junto a una punta de lanza, yace una viga del techo elocuentemente carbonizada, de un azul grisáceo, como el plumaje del ala rota de un ave marina. Los turistas son conducidos entonces a la pared del fondo, ante una fotografía rodeada de un marco polvoriento. A pesar de lo borroso de la imagen, pueden verse en ella los huesos del brazo de una niña cuyo esqueleto fue encontrado entre las ruinas del sótano. Los dedos extendidos parecen querer coger algo o agarrarse a alguien, pero, sin pretender exagerar la trágica leyenda judía, es de suponer que en vano.

VI. El regreso de Yosef ben Matityahu

¿Cómo se sentiría el que fue rebautizado con el nombre de «Flavio Josefo», paniaguado del emperador Vespasiano, al ver a setecientos cautivos judíos desfilar ante él encadenados en la procesión triunfal de su amigo Tito?[57] ¿Era uno de los vencedores o de los vencidos? Su nuevo nombre era un homenaje a sus benefactores, pero los Flavios basaban su autoridad imperial sobre todo en la conquista de los judíos y la devastación total de Jerusalén. Obligado a narrar el desfile triunfal, Josefo lo hace con extraordinario detalle (se trata de la descripción más pormenorizada de un triunfo romano que tenemos en la literatura), pero sin recrearse demasiado en ello, a pesar de retratar a Vespasiano y a su hijo ataviados con los ropajes tradicionales de púrpura, a los soldados vestidos de gala, los vítores y las aclamaciones, o la procesión de tablados escénicos representando los combates y los incendios. Uno de esos escenarios móviles mostraba precisamente el incendio del Templo.

Al concluir el pasaje, Josefo alude a los «velos de púrpura» —la cortina que ocultaba el sanctasanctórum—, la mesa de oro de la proposición y, naturalmente, el candelabro de siete brazos que aparece representado en uno de los frisos que decoran el Arco de Tito. Aparte del botín más espectacular, «a continuación era transportado el último de los despojos, la Ley de los judíos», dice Josefo.[58] Pero aunque en los relieves escultóricos del friso podemos ver la mesa de la proposición, en vano buscaremos en ellos los rollos de la Ley. ¿Resultaban quizá demasiado difíciles de representar como despojos? Enrollados o desenrollados, ¿cómo podían unos simples volúmenes, escritos en pergamino, causar sensación en los admiradores de la conquista romana? ¿Quién habría podido apreciar después la imposibilidad de conquistar las palabras de la Torá, a través de una imagen esculpida o por la fuerza del ejército? ¿Quizá se produjo un momento repentino, de turbación silenciosa, cuando resultó irremediablemente patente la impotencia de la exhibición del trofeo? A diferencia de Simón bar Giora —obligado a desfilar por las calles, con una soga al cuello, hasta el Foro, donde fue torturado y ejecutado, dándose así por concluidas las celebraciones—, los *Sifrei Torá*, la esencia de la identidad judía, por definición no podían ser eliminados. Las palabras derrotan a las espadas. Las palabras salen de su encarnación material y flotan libremente como el *nefesh* fuera del cuerpo. Mientras alguien las guardara en la memoria, mientras alguien las hubiera copiado en otro sitio, las palabras sobrevivirían a la destrucción de todo lo demás. Yohanan ben Zakkai tenía razón. Los trofeos sólidos fueron guardados en el «Templo de la Paz» de Vespasiano, al que no se le podría haber puesto un nombre más cómico, y del que se decía (al menos lo decían con satisfacción los vencedores, por supuesto) que los judíos visitarían con asombro y entre suspiros y el resto de Roma, con admiración (pues de hecho se convirtió en el primer museo público de la ciudad).[59] No se sabe si la exposición incluía también los volúmenes de la Torá, pero ¿por qué habrían debido exponerlos? No eran más que unos pergaminos escritos; no tenían nada de interesante.

Quizá sí que lo entendiera Josefo, pues la obra más impactante (y relativamente breve) que escribió, *Contra Apión*, se convierte, cuando llega a su impresionante y conmovedor clímax, en una explicación y alabanza a un tiempo del carácter imperecedero y —paradójicamente— universal de la Torá. En el historiador de la familia y protegido de los Flavios quedaba todavía mucho de Yosef ben Matityahu, descendiente de sacerdotes y de la estirpe de los asmoneos. Incluso antes de que concluya el trágico relato de la guerra, su tono cambia, quizá porque aquel terrible acto final se desarrolló en 73 e. c., apenas dos años antes de que empezara a escribirlo.[60]

El escenario se traslada de Jerusalén a Masadá, previamente tomada por los zelotes, antes incluso de que estallaran las hostilidades propiamente dichas. Con su habitual determinación de megalómano, Herodes había construido aquel palacio-fortaleza con vistas al mar Muerto que dominaba los accesos por tierra desde el oeste, un bastión lo bastante poderoso como para resistir tanto frente a los judíos desafectos como frente a Cleopatra, la agresiva reina de Egipto, que le profesaba un odio implacable. Se hizo acopio de víveres y pertrechos, y se construyó un asombroso sistema de recogida y almacenamiento de agua. Fue en aquel baluarte de montaña donde se refugiaron los supervivientes de la revuelta que aún quedaban, apenas unos mil, al huir de Jerusalén tras el incendio. Josefo dice que la mayoría de ellos eran sicarios, el núcleo duro de navajeros que habían pasado de delincuentes que actuaban aprovechando las aglomeraciones durante las festividades de la Pascua a rebeldes desesperados, pero parece más probable que fueran una mezcla de bandas de zelotes y sus familias. Al mando de Eleazar, el tercer cabecilla de la sublevación, acamparon en medio de los mosaicos, las piscinas y los baños rituales, los almacenes y las terrazas excavadas en la roca.

Resisten durante tres años después de la caída de Jerusalén. Pero no hay escapatoria. El general encargado de su persecución, Flavio Silva, construye laboriosamente la rampa por la que subirán sus máquinas de asedio y sus soldados para sellar el destino de los rebeldes. Josefo nos presenta así a Eleazar reuniendo a los supervivientes y proponiéndoles llevar a cabo un suicidio colectivo. «Mis valientes, hace tiempo que tomamos la decisión de no ser esclavos ni de los romanos ni de ningún otro, sino de Dios, pues solo Él es el auténtico y justo señor de los hombres. Ahora llega el momento que nos reclama poner en práctica nuestro propósito … Pues nosotros hemos sido los primeros en sublevarnos [contra los romanos] y seremos los últimos en luchar contra ellos.»[61] Dios ha tomado la decisión de hacer expugnable la fortaleza que era inexpugnable. Todo está en manos de los romanos, excepto la facultad de morir libremente. «Que nuestras mujeres mueran sin ser injuriadas y nuestros hijos sin conocer la esclavitud. Después de que estos últimos perezcan, concedámonos mutuamente un noble favor al conservar nuestra libertad y hacer de ella una hermosa tumba.»

Si estas palabras nos suenan familiares y sospechosas a un tiempo es porque Josefo ha montado la escena para que la de Eleazar suene como una actuación más virtuosa que la que él mismo protagonizó en Jotapata. Eso es lo que a él le habría gustado decir. Esa es la única voz que resonará a lo largo de toda la historia de los judíos, desde los suicidios de la Europa medieval hasta el levantamiento del gueto de Varsovia en abril de 1943. Ante el terror comprensible de todos aquellos a los que invita a morir, Eleazar intenta entonces tranquilizarlos pronunciando un segundo discurso en el que afirma la inmortalidad del alma, liberada de la simple cáscara que es el cuerpo. «Es justo considerar dichosos —dice Eleazar— a los que murieron en la lucha, pues cayeron en defensa de la libertad, sin traicionarla.» Aquellos a los que los romanos capturan vivos son torturados y azotados hasta la muerte. «¿Quién es tan enemigo de su patria o quién será tan cobarde o tan apegado a la vida, que no se arrepienta de seguir vivo?»

¿Quién si no el historiador de la desgracia? Se desarrolla entonces la sangrienta tragedia, pero el último ejecutor no se pasa al enemigo, como hiciera Josefo, sino que contempla los 960 cadáveres que yacen en el suelo, provoca un gran incendio en el palacio «y con toda la fuerza de su mano se clavó en su cuerpo su espada completa». De los judíos, solo una anciana y cinco niños, que se habían escondido sin que nadie los viera en una galería subterránea, quedan vivos para contar lo sucedido.

Quizá hubiera momentos en los que Josefo deseara haber corrido la suerte de Eleazar, pero decide aguantar de un modo completamente distinto y con unas consecuencias quizá más grandes. Las *Antigüedades de los judíos* y *Contra Apión* fueron escritos probablemente veinte años después que la *Guerra de los judíos*, época en la que Josefo, hombre ya de mediana edad, había tenido tiempo de ponderar qué pensaba Roma —y en particular sus escritores— de los judíos que vivían entre ellos. Había en la ciudad unos treinta mil, buena parte de ellos descendientes de los cautivos tomados durante la primera campaña de Pompeyo, aunque la orden de expulsión decretada en 139 a. e. c. pone de manifiesto que ya en aquella fecha tan temprana existía una nutrida comunidad de mercaderes judíos en Roma, una colonia más de las que ya existían como consecuencia de la gran diáspora de los judíos por el Mediterráneo.[62] Numerosas *insulae* o bloques de pisos atestados de gente daban cobijo frente a la isla Tiberina a muchas de las familias más pobres, como sucedería a lo largo de otros dos mil años, hasta la redada de octubre de 1943. Aunque las sátiras de Juvenal y la obra de Petronio se burlan de los judíos circuncidados, dados a la mendicidad y enemigos de los cerdos, lo que al parecer era una sinagoga fue erigida por primera vez en la ciudad portuaria de Ostia durante el reinado de Claudio, de modo que una vez más había ya una comunidad de judíos orientada principalmente al comercio lejos de la presión de las populosas calles de Roma.

Josefo no formaba parte de ella, por supuesto; vivía suntuosamente, por cortesía de su patrono, Tito, el nuevo emperador a la muerte de su padre, Vespasiano, en 79 e. c. Pero debió de abandonar cualquier esperanza de convertirse en el tipo de judío que (como los príncipes herodianos) encajaba a la perfección sin plantear el menor problema en la sociedad y la cultura imperiales al ver el desagrado altivo que sin duda notaba entre al menos algunos de los que eran iguales que él por naturaleza y pertenecían a su misma clase, los escritores y retóricos de Roma. En algunos aspectos, el historiador de la estirpe de los Flavios debía de estar protegido de las burlas mal disimuladas, pues indudablemente la familia imperial sentía una especie de amor-odio por los judíos, empezando por el propio Tito, que, como es sabido, se enamoró perdidamente de una mujer judía mayor que él, pero muy atractiva y sofisticada, casada ya tres veces, Berenice, la hermana de Agripa II (de quien se decía que era también su amante), hasta el punto de que algunos patricios, horrorizados, temieron que llegara a casarse con ella.[63]

Desde Séneca hasta los poetas Marcial y Juvenal, el estribillo sería y seguiría siendo previsible. Aunque el judaísmo había sido declarado oficialmente *religio licita*, escritores como Tácito insistirían en que tenía más que ver con una *superstitio* vil y degradante.[64] Se decía que los judíos eran misántropos, que se mantenían obstinadamente al margen del resto de la sociedad, negándose a comer con la gente o (al contrario que el estereotipo griego) a acostarse con mujeres de otras naciones, a pesar de su famosa adicción a la lujuria. Tácito llegaría incluso más lejos en su paranoia acerca de la autoexclusión de los judíos al afirmar que «existe entre ellos una lealtad inquebrantable ... pero contra todos los demás sienten un odio propio de enemigos» («sed adversus omnis alios hostile odium»).[65] Se circuncidaban para marcar la diferencia, pero también para facilitar su insaciable apetito sexual, propio de bestias. Evitaban comer carne de cerdo porque adoraban al cerdo por ser el primer animal que cavó surcos en el suelo con su hocico. Y adoraban también al burro —erigiendo la estatua de un asno de oro en su Templo— porque durante su peregrinación tras ser expulsados de Egipto, convertidos en parias y víctimas de la lepra y la sarna, un burro los condujo hasta un manantial cuando se morían de sed. Del mismo modo, el descanso del sábado, del que tanto se jactaban (un mero pretexto para la ociosidad, suponían muchos), procedía de las horribles úlceras en las ingles que habían padecido los israelitas tras las seis primeras jornadas de su peregrinación, y que los obligaron a descansar al séptimo día.

Muchas de estas odiosas absurdidades, dice Josefo, han sido perpetuadas por el bibliotecario y gramático alejandrino Apión. «Es una gran vergüenza para un gramático no escribir una historia verdadera.» Claro que, por desgracia, era natural que alguien perteneciente a una raza que adoraba a los cocodrilos y a las víboras pensara que los judíos veneran a los burros. «Entre nosotros, como entre otras gentes sensatas, los asnos transportan la carga que se les pone encima» y nada más.[66] Apión dejó su impronta en la memoria de los romanos cuando se presentó ante Calígula en el siglo I e. c. para explicarle por qué los judíos de Alejandría habían atraído hacia sí el oprobio e incluso la violencia de los egipcios. Su adversario fue el filósofo judío Filón, hermano de un recaudador de impuestos y tesorero de los ptolomeos y tío de Tiberio Julio Alejandro, que más tarde sería el segundo al mando al lado de Tito durante la guerra de los judíos. Haciendo un esfuerzo ímprobo, Filón intentó hacerle ver a Calígula que su decisión de obligar a que erigieran una estatua suya, como el dios que decía ser, tanto en las sinagogas como en cualquier otro lugar de culto, estaba prohibida por la ley y las tradiciones judías, y que esa negativa había sido el pretexto para que una violencia horrorosa, instigada por el gobernador romano de Egipto, Flaco, se abatiera sobre una comunidad inocente. Los judíos de Egipto no solo se habían visto privados de repente de la autonomía de la que gozaban sus comunidades desde tiempo inmemorial y habían sido recalificados como extranjeros en su propio país de nacimiento, sino que además el populacho había expulsado a los judíos de cuatro de los cinco distritos de Alejandría que ocupaban y los había relegado a un solo barrio atestado de gente. Luego sus casas habían sido saqueadas e incendiadas, las familias habían sido objeto de ataques y las sinagogas habían sido arrasadas.

La respuesta de Apión había consistido en reciclar la versión mítica de la historia de los judíos injuriosamente inventada por el gramático y sacerdote del siglo III a. e. c. Manetón: su expulsión en el curso de un año de plaga por ser un pueblo impuro de mutilados, el episodio de la ayuda prestada por el asno, etcétera. A semejantes necedades, dice Josefo en *Contra Apión*, se les debe hacer frente no solo con la justa indignación, sino también con la demostración irrefutable de su imposibilidad, sobre todo porque, cuanto más espectacularmente violentas sean, más probable es que prendan en la imaginación popular. El mito del viajero griego apresado por los judíos y engordado para después ser sacrificado y devorado en un banquete caníbal (anécdota repetida, entre otros, por el severo historiador Tácito), era un caso habitual. Se decía que «el rey Antíoco» (no está muy claro cuál de los Antíocos, pero presumiblemente se trata del «civilizador» Antíoco IV) encontró a ese griego atado en el patio más recóndito del Templo gritando que lo liberaran; se hallaba acostado en un lecho ante el cual habían dispuesto gran cantidad de manjares, pescados y carnes de animales terrestres y volátiles. La leyenda contaba que, cuando el prisionero estaba bien gordo y lustroso, lo llevaban a un bosque y lo mataban. A continuación, todos los judíos celebraban una asamblea secreta y se comían sus vísceras. Para empezar, señala Josefo con siniestra mordacidad, y al mismo tiempo ateniéndose estúpidamente a la literalidad de lo que decía Apión, «¿cómo es posible que todos los judíos se reunieran junto a estas víctimas y que sus vísceras bastaran para que las probaran tantos miles de hombres?».[67] Lleno de espanto y desconcierto, Josefo identifica los inicios de una demonología (cónclaves secretos y caníbales de judíos llegados de los rincones más apartados cebándose con los cadáveres de pobres gentiles desamparados) que después se propagaría indefinidamente.

Al parecer, Josefo pensaba que aquella fobia tan intensa de los romanos era una respuesta defensiva ante la fascinación de una divinidad única, invisible e incluso innombrable. A menudo se ha exagerado el atractivo del monoteísmo judío para los gentiles y los romanos de su época, pero evidentemente constituía un motivo de preocupación para los escritores y los rétores latinos. Incluso durante el reinado de Nerón, Séneca había escrito, a propósito de la presuntuosa superioridad del monoteísmo judío, que «los vencidos dieron las leyes a los vencedores». ¿Cómo no iba a resultar angustioso que el judaísmo ganara adeptos cuando la propia esposa del emperador, se decía, era una simpatizante «temerosa de Dios», y otras mujeres de la alta cultura imperial y cortesana tenían la misma tentación? La expulsión de los judíos en el año 19 e. c. la desencadenó la alarma que despertó la conversión de una noble dama romana, una tal Fulvia. Y quizá resultara también inquietante saber que la dinastía real de Adiabene, región del nordeste de Asiria, donde las legiones romanas se hallaban crónicamente acorraladas, se había convertido al judaísmo; se contaba que su reina, Helena, había visitado Jerusalén y había concedido su patrocinio al Templo y al pueblo judío.

En el otro extremo de la sociedad, se decía que los esclavos recibían de sus amos judíos la oferta de la libertad a cambio de su conversión. En un caso de singular valentía, el erudito Marco Terencio Varrón intentó aproximar el judaísmo y el paganismo romano sugiriendo que el Dios único y sin forma de los judíos era en realidad idéntico a un proto-Júpiter, el mismo *summum deum* que en los tiempos más primitivos y también más puros, de Roma había sido igualmente anicónico y amorfo.

Algunos de los textos más fóbicos revelan un ligero reconocimiento de que la lealtad de los judíos a un Dios único, cuya naturaleza trascendía todo aquello que pudiera ser modelado a partir incluso de los materiales más preciosos, podía de hecho resultarles atractiva, por ejemplo, a los platónicos, para quienes la fuerza creativa esencial radicaba en el ámbito del espíritu puro. En una feroz digresión a lo largo del breve relato que hace de la guerra de los judíos, Tácito dice que «creen en un solo dios concebido solo con su pensamiento ... Aquel ser supremo y eterno ni se puede imitar ni puede perecer. Así pues, no se erigen estatuas en sus ciudades y mucho menos en sus templos. No ofrecen semejante adulación a los reyes ni honor a los Césares».[68] De ese modo, aunque Tácito califica sus ritos de «siniestros y repugnante» y sus costumbres de «absurdas y mezquinas», afirma que la «primera lección que reciben» es «despreciar a los dioses, renegar de su patria», e insiste en que «para los judíos es profano todo lo que es sagrado entre nosotros y, a su vez, entre ellos se permite lo que entre nosotros es un sacrilegio», transmite, aunque a regañadientes, cierta idea de que la peculiaridad de su culto no es del todo despreciable. La inquietud no desapareció. Se llevaron a cabo otras dos expulsiones durante el reinado de Claudio, en 41 y en 49 e. c., en nombre del «orden público», aunque parece que los judíos que eran ciudadanos y libertos quedaron protegidos frente al desahucio.

La especie de cumplido al revés que supone la posterior admisión por parte de Tácito del misterioso poder del monoteísmo invisible brindaría a Josefo una oportunidad para educar a los gentiles en la verdad acerca de los judíos y del judaísmo. Eran seres humanos, no monstruos (evidentemente, este era un principio que había que dejar bien sentado; ¡por Dios!, podía incluso haber algunos que vestían la toga, como él), y sus cultos y rituales eran humanos y nobles, no sórdidos ni siniestros. Dando por supuesto que la creencia de Tácito de que los padres judíos no eran honrados por sus hijos y viceversa era ya un tópico habitual entre la élite de los romanos, a Josefo le cuesta trabajo señalar que en realidad lo cierto es justamente lo contrario. «Nos dedicamos preferentemente a la educación de nuestros hijos, a la observación de las leyes y a las prácticas piadosas que conforme a esas leyes han sido transmitidas.»[69] El latrocinio y la piratería, añade, refutando la vieja reputación difamatoria del poco escrúpulo de los judíos en materia económica, les son ajenos, pues «no nos atrae el comercio ni el trato con otros pueblos que de él se deriva. Nuestras ciudades han sido edificadas lejos del mar, vivimos en un país fértil que cultivamos con afán».

Moisés, aclaraba pacientemente, no fue el caudillo de una horda de réprobos y leprosos, sino «el más antiguo de los legisladores», movido por una concepción del Dios inmutable que habrían compartido Platón y los estoicos. Un Dios «de belleza superior a toda forma mortal, cognoscible para nosotros por su poder, pero incognoscible en su esencia». En las leyes que transmitió se unían la cultura del precepto (la palabra) y la cultura de la práctica, mientras que los atenienses tenían solo la primera y los espartanos, la segunda. El meollo del judaísmo era el conocimiento de esas leyes, inculcadas desde la más tierna infancia. «Cualquiera de nosotros al que le pregunten las leyes, las dirá todas con más facilidad que su propio nombre.» Esa es la consecuencia de haberlas aprendido casi tan pronto como se tiene conciencia de las cosas, de modo que «las tenemos grabadas en nuestras almas».

Sorprendentemente para un historiador que tanto había insistido en la discordia de los judíos durante la rebelión (y, por lo demás, de forma muy poco verosímil), Josefo sostiene que la permanencia de la Torá determinó «nuestra admirable concordia». Además, en esas leyes no había nada oscuro ni siniestro, y mucho menos ridículo o «supersticioso». Se prohibían los vicios de la ebriedad y la sodomía, la violación de las vírgenes y el adulterio; se ordenaba orar por el bien común de todos y se establecía la realización de entierros decentes, pero modestos, y no las extravagancias de los monumentos funerarios; se exigía honrar a los padres y se prohibía la usura y (so pena de muerte) que los jueces aceptaran sobornos.

Asimismo, aunque esos preceptos sociales y religiosos aparecieron primero entre los judíos y constituyen un tesoro particular e imperecedero, todos los pueblos civilizados, incluidos los griegos, han seguido sus principios rectores, que se han convertido así, hasta cierto punto, en un bien universal, empezando por el fin de semana. «No hay una sola ciudad griega, ni un solo pueblo bárbaro, donde no se haya extendido nuestra costumbre del descanso semanal.»[70] Otros pueblos han seguido la obligación judía de la limosna, la «concordia mutua» y las limitaciones morales de la justicia en los tratos económicos. Y todo ello se ha impuesto «por sí mismo», sin recurrir a ninguna fuerza o poder convencional, rasgo que Josefo destaca como típicamente judío. Las leyes, dice, no necesitan más defensa ni elaboración. Ni siquiera cuando de lo que se trata es de poner de manifiesto las perversas difamaciones vertidas contra los judíos, pues esas leyes «han demostrado por sí mismas que no enseñan la impiedad, sino la piedad más verdadera». Y, como si quisiera responder a las reprobaciones de Tácito, añade que «no invitan al odio, sino a la participación de todos en los bienes; que son enemigas de la injusticia y que se preocupan de la justicia, rechazando la pereza y el lujo y enseñando la moderación y el trabajo; que condenan las guerras de conquista, pero preparan a los hombres para que las defiendan valientemente».[71]

Y, por fin, Flavio Josefo —que ha perdido a su propio pueblo y se ha visto distanciado de un modo tan innegable y doloroso de los que lo han adoptado— se dirige orgulloso y desafiante a los que, como Séneca, Marcial y Tácito, presumían que no tenían nada que aprender de las supersticiones bárbaras de esos judíos viles, rapaces, lúbricos, amigos del secretismo y las conspiraciones y misántropos, y pronuncia las únicas palabras de jactancia que un judío considera digno pronunciar: «Nosotros hemos iniciado a otros pueblos en muchas y hermosas ideas».

VII. ¿El Fin de los Tiempos?

¿Cómo puede permitir Dios que le ocurra a su pueblo una cosa así? Eso es lo que nos preguntamos siempre cuando la carbonilla escuece en los ojos y empezamos a escupir hollín. ¿Qué fue de la alianza, de las promesas de que prevaleceríamos sobre los que intentan aniquilarnos? Siempre vuelve la misma respuesta, una vez tras otra. ¡Lee la letra pequeña! ¿Ves lo que dice sobre el Justo? ¿Qué está pasando? ¡Infracciones! ¡Iniquidades! ¡Abominaciones, palabrería destructiva! ¡Eso es lo que está pasando! ¡Ya es hora de hacer una buena limpieza! ¿No escuchasteis a los profetas? No digáis que no estabais avisados. Pero protestamos.

Somos humanos. ¿Ha habido alguna vez que no nos hayamos extraviado, con respecto a la dieta, con respecto al sabbat, y no nos hayamos apartado de la senda estrecha? Fijaos en David y su lujuria, en Salomón y su vanidosa poligamia. ¿Verdad que fueron pisoteados en el polvo? ¿O no? Así que dejadnos tranquilos, ¿vale? ¿Un poco de carne de animal de pezuña no hendida, un poco de comida no escupida, algún que otro esportillero trabajando el día de descanso, y Jerusalén es destruida, y multitudes de gentes son incineradas? ¿De verdad? ¿Otra vez?

La pregunta no cesa. Si YHWH es el dueño de todas las cosas y de la historia de los judíos en particular, ¿cómo se produce siempre semejante *tsurus*, semejante complicación?

Los judíos del Segundo Templo y de la época de su destrucción tenían la respuesta. No era ortodoxa, carecía de autoridad, no era estrictamente bíblica, pero también fue escrita y leída, y no solo por unos excéntricos marginales. Lo sabemos por los fragmentos de quince copias distintas del libro de los Jubileos, otros fragmentos de siete copias del libro de Enoc, un «Génesis Apócrifo» con una versión curiosamente distinta de cómo y cuándo recibieron los judíos su Ley (en el momento de la Creación), y muchos otros fragmentos de unas sagradas escrituras paralelas o más bien alternativas, aparecidos todos entre los ochocientos cincuenta y tantos manuscritos descubiertos entre 1947 y 1955 en las cuevas de Qumrán.[72] Entre ellos están todos los libros de lo que constituiría el canon de la Biblia hebrea, excepto el de Ester y (algo que resulta más misterioso, dada la profunda importancia que tiene para la historia de la Torá) el de Nehemías. Uno de ellos, el de Isaías, está íntegro. Se encontraron también numerosas copias de Isaías, los Salmos y el Deuteronomio, rasgo que probablemente constituya una guía de lo que era lo más importante para la *yachad*. La mayoría de ellos están escritos en hebreo; uno, el libro de Job, tiene una traducción *targum* al arameo, y además hay comentarios (*pesharim*) a libros como el de Habacuc o el de Isaías. Algunos de estos textos hebreos contienen sugestivas diferencias respecto del texto griego de los Setenta y el masorético (con la pronunciación añadida), autorizado por los rabinos casi mil años después, hacia finales del siglo IX.

Pero resulta que ese no es el final del relato. Entre los manuscritos de Qumrán se incluyen asimismo los libros apócrifos: Tobías, la Sabiduría de Jesús, hijo de Sirac, Judit, las dos apasionantes obras históricas que constituyen los libros de los Macabeos, la *Serekh* (la regla de la comunidad ascética o *yachad*), una letanía completa de Himnos de Acción de Gracias y Salmos, y, lo que resulta más emocionante, una serie de textos de las Sagradas Escrituras, en su mayoría escritos en los siglos III y II a. e. c., que, hasta su descubrimiento en las cuevas del desierto, solo se conocían (y no demasiado bien) por manuscritos etíopes de los siglos XV y XVI e. c., escritos en ge'ez, la lengua judeo-etíope (asociación ya bastante curiosa de por sí). El descubrimiento de estos textos en hebreo, unos mil quinientos años más antiguos, cambió por completo la historia, pues no era posible encajar esta corriente religiosa en el relato de los monoteísmos del África oriental, sino que de hecho se remontaba al meollo de la formación del judaísmo. Y era en esos libros, al mismo tiempo abstrusos y fascinantes, donde se aventuraba una respuesta a la pregunta sobre la existencia de la maldad en el mundo.

A decir verdad, se trata de una respuesta fantástica, en sentido literal; una respuesta impregnada de un relato judío que parece muy próximo a otras religiones paganas, así como a las batallas duales entre el bien y el mal, entre la luz y las tinieblas, características del zoroastrismo persa, y que pervivirían en los textos gnósticos. Si esos textos sobrevivieron en cierto número (y no hay motivos para pensar que no sobrevivieran), no cuesta ningún trabajo comprender por qué los rabinos los eliminaron incluso de la memoria apócrifa, ya que a la vista de ellos parece imposible que los judíos leyeran las dos cosas, el relato autorizado de la Biblia, guiado por la alianza, y la versión que ofrecen el libro de los Jubileos, 1 Enoc (incluido el libro de los Vigilantes y el de los Gigantes) y el Génesis Apócrifo, y menos aún que creyeran en ellas.

En estas escrituras alternativas, el Dios Uno no está solo en el espacio celeste, sino rodeado de una hueste de ángeles sobre los que ejerce un control imperfecto. Hay ángeles buenos, al mando de Miguel, que sobrevive en ambos Testamentos, pero hay también ángeles malos e insubordinados, encabezados por Belial, cuyo nombre aparece por doquier en estos libros, incluido uno de los numerosos Himnos de Acción de Gracias pseudobíblicos, por lo demás muy hermosos, el XV: «Yo me quedé mudo ... mi brazo está roto desde el codo, mis pies se hunden en el barro, mis ojos están ciegos por haber visto el mal, mis oídos por oír el derramamiento de sangre, mi corazón está horrorizado por proyectos inicuos, porque está Belial con la manifestación de la inclinación de su ser [al mal]».[73] Por su desobediencia (especialmente por negarse a admitir la presencia de apariencias divinas en los hombres creados), son expulsados del cielo y enviados como «Hijos del cielo» —o, de forma más siniestra en 1 Enoc, como «Vigilantes»— a la Tierra. Allí mantienen relacionen sexuales con mujeres mortales que engendran gigantes monstruosos, los Nefilim. El mal anda suelto por el mundo y Dios, ofendido, se retira en todo su esplendor, rodeado de los ángeles, y deja que el destino siga su curso. Enoc, el primer hombre con lengua, anda errante de un confín a otro de la Tierra, testigo del horror y los estragos, y cuenta que la maldad llena el planeta. Se anuncia el diluvio para acabar con los gigantes, pero los espíritus demoníacos sobreviven. Ellos también están destinados a perecer, aunque su jefe, un personaje satánico llamado Mastema, una especie de anti-Creador, implora que solo nueve décimas partes de ellos sean confinados a los lugares profundos de la Tierra. Sin embargo, quedan sueltos suficientes para cometer más crímenes y causar más dolor.

A continuación tenemos una serie de curiosas alteraciones del relato bíblico, especialmente en el Génesis Apócrifo. No solo Israel sella la alianza en el momento de la Creación, sino que la esposa de Abraham, Sara —descrita con la apasionada sensualidad del Cantar de los Cantares—, excita tanto el apetito de un faraón que este la rapta y la toma por esposa durante dos años. Para evitar cualquier problema, Abraham la hace pasar por su hermana.

Surgen anécdotas extrañas, pero curiosamente fascinantes. Lamec, el hijo de Matusalén, duda de si su hijo es realmente hijo suyo. Lo curioso es que esas dudas no las suscita el hecho de haberlo engendrado a la edad de 182 años, sino el temor de que su esposa, Bitenós, haya sido inseminada por algún ángel-vigilante o por alguno de los malvados hijos del cielo. «Entonces Bitenós, mi esposa, me habló muy reciamente, lloró … y dijo: "¡Oh, mi hermano y señor! Recuerda mi placer … el tiempo del amor, el jadear de mi aliento en mi pecho".» Y le asegura que, en efecto, el orgasmo mutuo garantiza que la semilla de la que nacerá Noé es suya. Lamec sigue sin estar convencido y acude a Matusalén, todavía más viejo que él, para que lo tranquilice.

Los Hijos del Cielo se cuelan en el relato bíblico con molesta regularidad. Su príncipe y cabecilla, Mastema, planea el sacrificio de Isaac, sugerencia que Dios acepta, y Moisés recibe la Ley (una vez más) de un grupo de ángeles además de Dios. La impresión acumulativa que resulta no es que Dios haya abandonado su creación, sino que, generación tras generación, su soberanía es puesta en entredicho entre el bien y el mal, con la certeza de que, en último término, en la batalla definitiva que anuncie el Fin de los Tiempos (contada con asombroso detalle, en un tono casi homérico, en el rollo más extenso, de casi nueve metros de largo), los Hijos de la Luz prevalecerán sobre la Hueste de las Tinieblas. «Y en el día en el que caigan los *kittim* habrá un combate y destrucción feroz ante el Dios de Israel, pues este será el día fijado por él desde antiguo para la guerra de exterminio contra los hijos de las tinieblas.»[74] ¡Y se prolongará durante treinta y tres años!

¿Cuánto tenían de excéntricos los autores y los lectores de esta historia alternativa de los judíos y del mundo? Evidentemente, fue eliminada por completo de las Escrituras, y su recuperación es una especie de milagro accidental. Aún existe una enconada batalla entre especialistas como Geza Vermes, que siguen creyendo que la comunidad de Qumrán era completamente esenia, y la postura sostenida por Norman Golb, según el cual la simple diversidad y el tamaño de la colección de manuscritos indican la existencia de una biblioteca de Jerusalén más ecléctica, sacada precipitadamente de la ciudad sitiada para su conservación. Aunque sigue sin convencerme la tesis de Golb, su teoría en realidad no es tan descabellada. La distancia que separaba Jerusalén de Qumrán era de unos cincuenta kilómetros, en un territorio que, tras la conquista de Masadá al sur, estaba más o menos controlado por los zelotes. Debía de saberse que Qumrán estaba ocupada desde hacía muchas generaciones por la *yachad* de ascetas. Por tanto, cabe la posibilidad de que los Manuscritos del Mar Muerto sean una mezcla (escrita en definitiva por muchas manos e incluso en muchas lenguas) de reglas y disciplinas esenias con una serie de copias adicionales de lo que sería el canon bíblico, más textos apócrifos y míticos traídos de fuera.

El ajuste realmente llamativo de nuestros supuestos en torno a la piedad judía que exigen estos manuscritos no es si son obra de los esenios y constituyen una biblioteca de esta secta o si son una colección más ecléctica procedente de Jerusalén, sino el hecho de que los judíos leían a un tiempo versiones contradictorias de su narrativa ancestral, tanto las autorizadas como las no autorizadas, tanto las rígidamente monoteístas como las míticamente dualistas. Algunos volúmenes, como, por ejemplo, el Rollo del Templo, son una reelaboración de muchos mandamientos relativos al sacrificio y también normas de pureza detalladas ya en la Torá, pero con preceptos actualizados. Ni la salamanquesa de las paredes, ni la salamanquesa de la arena, ni la «gran lagartija» ni el camaleón, que se encuentran por Qumrán y sus alrededores, por ejemplo, son kosher. El manuscrito describe un Templo decorado todavía más espléndidamente. Estas formas híbridas, en parte tomadas de la Torá y en parte no, abren la posibilidad de una erudición y una piedad judías más ricas y variadas, organizadas de modo más vago, más ajustadas al mito, más inspiradas en el misticismo y más obsesionadas con el sol de lo que permiten el canon posterior de la Biblia hebrea y el Talmud. Pero recupera de los márgenes esotéricos el resto de la cultura judía —las facetas más salvajes de los relatos míticos, la existencia de la magia y los encantamientos de la Antigüedad tardía (conocidos por los miles de cuencos con encantamientos babilónicos)— y vuelve a situarla en el centro de la práctica religiosa y la composición narrativa de los judíos.

Algunos de estos textos resultan fascinantes y delirantes por su prolijidad. El Rollo de la Guerra, por ejemplo, no habría sido muy útil como manual de armamento contra los romanos, pues dedica una cantidad desproporcionada de tiempo a detallar exactamente qué inscripciones deben llevar las trompetas, los estandartes e incluso las armas de las formaciones de batalla de los Hijos de la Luz. «En la punta de la jabalina escribirán: "Brillo de la lanza por el poder de Dios" … En el segundo dardo escribirán: "Flecha de sangre para hacer caer muertos por la cólera de Dios".» ¡Vamos a escribir hasta que el enemigo capitule! ¡Ríndete a nuestra verbosidad o de lo contrario…! Se especifican medidas precisas del tamaño de los escudos de bronce pulido, y la punta de la lanza «será de hierro blanco brillante, obra de artista orfebre, y habrá una espiga de oro puro en medio de la punta apuntando hacia arriba».[75] Si el Último Combate solo podía decidirse a fuerza de excesos literarios y de bisutería suntuosa, sería una tarea fácil para los Hijos de la Luz.

Nunca lo fue. Aun así, si la conmovedora llamada a las armas recogida en el Rollo de la Guerra, con su fe inquebrantable en la victoria final, era compartida efectivamente por la cultura común y no solo por una comunidad separatista establecida a orillas del mar Muerto, incluso una aniquilación tan total como la de Tito podría ser vista como un prólogo del triunfo final del Señor de las Huestes y de su pueblo de la alianza. La esperanza no se extinguió. La libertad (y la palabra quedó grabada en las siguientes generaciones de rebeldes) subsistió y cobró forma en la llegada del Mesías. El Señor de las Huestes volvería a montar su caballo y a cabalgar al lado de su pueblo. La cosa no ha acabado hasta que no ha acabado. Continuará.

De ahí la repetición en cuestión de sesenta años no de una, sino de dos enormes insurrecciones judías contra Roma, para sofocar las cuales fueron precisas, para mayor asombro del imperio, numerosas legiones. Más llamativo resulta todavía que la primera tuviera lugar durante el reinado de Trajano, entre 115 y 117 e. c., a lo largo de una larga franja del terreno ocupado por la diáspora mediterránea, desde Cirenaica hasta las ciudades sirias de Antioquía y Damasco, que también se vieron afectadas, pasando por todo Egipto, donde alcanzó su mayor paroxismo en Alejandría, cuya gran colonia judía fue prácticamente eliminada. Para una narración de lo que fueron ambas rebeliones desde el punto de vista judío ni siquiera podemos contar con Josefo, pero parece harto probable que se basaran en gran medida en el fermento mesiánico generalizado que late en los manuscritos heterodoxos de Qumrán; en la creencia apasionada en que el Fin de los Tiempos ya está aquí; en que los Hijos de la Luz vencerán a los Hijos de las Tinieblas; en que en una batalla inmensa el Dios Redentor combatirá en defensa de sus Hijos. Desde luego, conocemos por algunas fuentes romanas, como Dión Casio y Diodoro Sículo, la magnitud de la revuelta, la violencia y la ferocidad de las matanzas, de los incendios y de los saqueos, que significaron para esas ciudades judías lo que Tito había hecho en Jerusalén.

Quizá resulte sorprendente o quizá no, pero, dado el trauma que supuso la experiencia de 70 e. c., los judíos de Palestina no se sublevaron mientras sus hermanos y hermanas de Libia, Egipto y Siria eran masacrados. Pero en torno a 132 e. c. estalló en Judea una rebelión cuyo sofocamiento, según fuentes como Dión Casio, requirió cincuenta mil hombres y tres años de campaña.[76] Aun admitiendo lo que pueda tener de hiperbólico la noticia, no cabe duda de que la magnitud de la insurrección cogió a los romanos por sorpresa. En un momento dado el propio emperador Adriano tomó el mando de las operaciones cuando pareció que las cosas empezaban a ir mal, y el orador Frontón comparó esta segunda guerra de los judíos con los largos y trabajosos combates librados en las tierras húmedas y brumosas del norte de Britania.

No tenemos ningún Josefo que nos dé ni siquiera una idea de cómo empezó la rebelión ni de sus causas inmediatas, aunque la fundación por parte de Adriano de una ciudad que llamó Elia Capitolina en el emplazamiento de lo que había sido Jerusalén, para entonces destruida en su mayor parte, supuso casi con seguridad la mayor provocación. En otros tiempos se pensó que eso fue el resultado y no la causa de la sublevación, pero algunas monedas acuñadas en torno a 130-131 con ese nuevo nombre romano de la Jerusalén asolada ponen de manifiesto que esa fue de hecho una causa primordial. Independientemente de que el cabecilla de la sublevación, Simón bar Kosiba, se creyera que era el Mesías, el tipo de ardientes expectativas documentadas en los manuscritos de Qumrán (por no hablar de la existencia de una religión cristiana verdaderamente mesiánica) hizo que sus pretensiones resultaran verosímiles, incluso para un fariseo como Rabí Akiva, que participó en la revuelta y fue, después de Simón, su víctima más famosa.

Fue Rabí Akiva, al invocar la profecía conservada en Números 24, 17 —«Álzase de Jacob una estrella, surge de Israel un cetro»—, el que consagró la insurrección dando a su líder el nombre arameo, más acorde con sus pretensiones mesiánicas, de Simón bar Kochba, esto es, «hijo de la Estrella». Pero Bar Kochba se llamó también a sí mismo *nasi*, «príncipe», y —a diferencia de los asmoneos, por ejemplo— explotó la reiteración mesiánica en que el verdadero redentor de los judíos provendría de la estirpe de David (como de hecho se decía de Jesús de Nazaret). Bar Kochba era un defensor acérrimo de la observancia del sabbat, y se presentaba como una especie de líder neodavídico del pueblo santo. Se sabe mucho menos acerca del desarrollo de la rebelión que de la primera guerra contra los romanos, pero en la década de 1960 se encontró un escondite lleno de cartas, unas del líder y otras dirigidas a él, en una cueva del desierto de Judea.[77] La imagen que ofrecen es la de un líder guerrillero brutal, con una cadena de mandos bien organizada, que dividía su territorio en siete comandancias y estas a su vez en varios distritos, todos sometidos presumiblemente al pago de impuestos para sufragar la revuelta. Más un revolucionario que un mero rebelde, Bar Kochba hace gala de la necesaria dureza punitiva, sin la cual no habría podido durar mucho. Firma sus propias cartas, tajantes, directas, inflexibles, e incluso de esa concisión emana una especie de fuerza intensamente carismática, palpable al cabo de miles años. Pero la inscripción que aparece en sus monedas —«Por la Libertad de Jerusalén»— era una mera ilusión, pues por la distribución de esas mismas monedas es evidente que la ciudad nunca llegó a ser tomada. Con todo, en mayor medida aún que la gran guerra librada dos generaciones antes, la rebelión demuestra que los insurrectos eran conscientes de que combatían por la «libertad de los judíos», que es otro de los lemas que aparecen en sus monedas. Evidentemente, se trataba de un desafío a la famosa leyenda «Judaea Capta», escrita en las monedas romanas acuñadas tras la conquista de Jerusalén por Tito junto a la efigie de una mujer llorando desconsolada al pie de una palmera.

Volverían a derramarse lágrimas. En sus momentos de mayor éxito, en torno al año 133, Bar Kochba tenía solo Judea y Samaria, y había establecido su capital en Betar. Parece que tanto Galilea como Jerusalén permanecieron bajo el más absoluto control de los romanos. Al final, y haciendo gala de una gran prudencia, los romanos optaron por llevar a cabo una guerra de desgaste, arrinconando a los rebeldes en las cuevas fortificadas del desierto con vistas al mar Muerto, en las que se encontraron las cartas, muchas de las cuales, pertenecientes a los últimos años de la sublevación, muestran una desesperación cada vez mayor por la comida y los pertrechos, antes de que llegara el final en el año 135. Con la supresión de la revuelta llegó el fin de la propia Judea, rebautizada como «provincia de Siria-Palestina» por Adriano poco antes de su muerte.

Pero ¿acaso era posible soslayar por completo la historia, aunque no fuera uno discípulo de Yohanan ben Zakkai? Junto a los restos mortuorios de un grupo de treinta judíos aparentemente acaudalados que huían de los romanos, hallados en una cueva del desierto de Judea, estaba la correspondencia de una mujer que intentaba justo eso, o quizá simplemente ocuparse de sus propios asuntos mientras las lanzas volaban sobre su cabeza. Se llamaba Babatha y era originaria de la aldea de Maorza, en Nabatea, al otro lado del Jordán, al sudeste del mar Muerto, no lejos de la capital de la región, Petra, y sus edificios de piedra rosa. Étnicamente Babatha era idumea, pero ese pueblo se había convertido hacía más de dos generaciones, y cuando dio a luz a un hijo de su primer marido, el niño fue identificado específicamente como judío en el registro civil romano.

Su mundo y su fortuna eran los dátiles, que, como les dirá cualquiera que los haya comido recién cogidos del árbol en esa parte del país, son absolutamente incomparables por la suculencia de su carnosidad y la intensidad de su dulzor. Disfruten todo el tiempo que quieran de un dátil del mar Muerto. Babatha heredó de su padre una plantación de palmeras datileras y, a raíz de su primer matrimonio con un hombre llamado Jesús, amplió su propiedad. En 124 ya se había quedado viuda, y en 125 había vuelto a casarse con el dueño de otra plantación llamado Judanes, que tenía ya otra esposa llamada Miriam y una hija que llevaba el hermoso nombre de Shelamzion. La Torá permitía la poligamia, pero como Judanes tenía un palmeral en Ein Gedi, en la margen occidental del mar Muerto, donde en un momento determinado se estableció Babatha, es perfectamente posible que Judanes tuviera esposas y palmerales en los dos sitios.

En cualquier caso Babatha tenía lo que hay que tener para cuidarse sola. En 128 prestó a su marido la bonita suma de 300 denarios, para que pudiera darle una buena dote a Shelamzion, y además bajo unas condiciones que le permitían reclamar su devolución cuando quisiera. Cuando murió Judanes, sospechando que pudiera tener problemas con el pago de la deuda, Babatha se incautó inmediatamente de los palmerales de Ein Gedi como garantía colateral. A Miriam, la primera esposa de Judanes, no debió de gustarle mucho semejante decisión. Le puso un pleito ante un tribunal romano reclamando una indemnización, pero además contaba con jugar una buena baza: su relación con el nuevo régimen de Bar Kochba a través de un pariente o amigo, Jonatán, que era el comandante del hijo de la Estrella en Ein Gedi.

La historia estaba a punto de llegar a su final para Babatha y su fortuna, reunida con tanta tenacidad y mantenida de forma tan precaria. Sin dejarse amedrentar, se retiró a Ein Gedi para defenderse en el juicio, pero el áspero viento de la calamidad la arrastró consigo. Huyendo de los romanos hasta las cuevas de Nahal Hever (con los soldados apostados justo encima de sus cabezas, en la cara externa del barranco), Babatha sabía lo suficiente de cómo funciona el mundo para aferrarse a toda costa a su pequeño archivo jurídico, si era preciso hasta el último momento. Si Dios tenía clemencia y sobrevivía, sabía que necesitaría el archivo para convertirse ella sola en dueña y señora de los ricos palmerales. Pero algún Hijo de los Cielos se entrometió y la mujer falleció en compañía de los judíos ricos de Ein Gedi, junto con sus espejos, sus peines y sus tarritos negros de ungüentos.

No queda mucho de la rebelión de Bar Kochba, el último espasmo del desafío judío, excepto las monedas que coleccionan los numismáticos (que, incluso valoran bastante algunas de ellas, aunque muchas sean solo minúsculas superposiciones). A menudo son dolorosamente hermosas, pues representan todo lo que se había perdido: la columnata del Templo en particular, y a menudo las cuatro especies de plantas llevadas a él durante la fiesta de los Tabernáculos. Una moneda de plata reúne a un tiempo iconografía, recuerdo del Templo, redención mesiánica y el primer eslogan de liberación revolucionaria conocido en el mundo, pues rodeando las trompetas que un día sonaran en lo alto de las murallas vemos una leyenda, escrita intencionadamente en caracteres hebreos arcaicos, que la relacionan con la escritura de la Biblia: «Por la Libertad de Jerusalén».

Otras monedas llevan en una de sus caras el *tamar* o palmera datilera, que recuerda al candelabro o menorá, uno de los emblemas más repetidos de la iconografía judía. Es un tópico decir que la palmera datilera era un símbolo de la fecundidad que Dios había prometido a su pueblo de la alianza.

La palmera datilera tenía, además, otra asociación. Los egipcios y todas las culturas posteriores la conocían ya como el árbol que no muere nunca, sino que se renueva constantemente, pues cría nuevas ramas que sustituyen a las que se marchitan y se secan, colgando lánguidamente del tronco hasta que se caen. Es algo que pueden ustedes ver por sí mismos, especialmente en Israel y en Egipto. En ese sentido al menos, la palmera es inmortal, y se convirtió en una imagen de la redención y la resurrección. Razón de más para que la eligiera como símbolo el piadoso pseudomesías Simón, guiado por los sacerdotes que sabemos que lo rodeaban.

Pero eso mismo hizo otro grupo de creyentes mesiánicos, muy preocupados por la resurrección, y esa es la razón de que, cuando aparece por primera vez la imagen de la cruz cristiana, lo haga en forma de palmera.[78]

SEGUNDA PARTE

mosaicos, pergaminos y papel

5

La menorá y la cruz

I. Codo con codo

Noviembre de 1933: no corrían buenos tiempos para los judíos, especialmente en Berlín. Tampoco era precisamente una buena época para vivir en Estados Unidos. Uno de cada cuatro de sus trabajadores estaba desempleado, y el porcentaje era mayor en lugares que atravesaban por una situación desesperada como Chicago. ¿Podía el nuevo presidente ser el mesías de la Gran Depresión o acaso estaba acabada la economía estadounidense, esperanza de millones y millones de personas? El pesimismo penetraba incluso en ambientes en los que la vida había seguido adelante prácticamente igual que antes de que estallara la crisis; por ejemplo, en Yale, donde los muchachos con números romanos añadidos a sus apellidos hacían vida social y asistían a fiestas y cócteles.

Clark Hopkins no era uno de ellos. Se volcó en la arqueología, a la que recurrió para recuperar los ánimos en medio de tanta melancolía. Mientras disparaba su máquina fotográfica en las excavaciones del desierto de Siria, pensaba que, si al final lograba que se materializara alguna maravilla, algún descubrimiento tan espectacular como el que había conseguido Carter con el hallazgo de la tumba de Tutankamón, tal vez diera a aquellos que se encontraban sumidos en la desesperación algo ante lo que quedarse con la boca abierta, otra época y otro lugar a los que dirigir la mirada, lejos del pozo de hastío en el que estaban sumidos en aquel momento. ¿Qué había de malo en ello?

Esa fe en el elixir de la arqueología resultaba enternecedoramente ingenua. Pero Hopkins no perdió su optimismo. Había sido nombrado director de las excavaciones de Dura-Europos, una antigua ciudad fronteriza fortificada, situada en el Alto Éufrates, que durante siglos había permanecido oculta bajo grandes cúmulos de arena. Cuando la arena fue retirada a finales de la década de 1920, salió a la luz una gran ciudad, llena de calles delimitadas por paredes y templos. Llamar a Dura-Europos «la Pompeya del desierto» era una exageración que no caló en la opinión pública, pero no cabe la menor duda de que el lugar era una maravilla inesperada. ¡Cómo vivían los soldados de aquella guarnición fronteriza! Fundada por los griegos seléucidas aproximadamente en 303 a. e. c. ante amenazas provenientes de Irán, y situada estratégicamente en la ruta comercial que unía Babilonia y Palestina, «Europos», como solía llamársela, cayó en manos de los partos a finales del siglo II a. e. c. Como tenían por costumbre los persas, esta última fase de su expansión imperial permitió el florecimiento de todo tipo de cultos, de modo que, junto a sus propios templos, proliferaron los santuarios dedicados a las divinidades locales sirias y helenísticas. Durante los siglos de dominación de los partos, la nueva potencia presente en la región, Roma, llamó a las puertas de Dura-Europos, pero no fue hasta 165 e. c. cuando Lucio Vero, coemperador con Marco Aurelio, las abatió por completo. Los romanos, por su parte, ocuparon la ciudad durante casi un siglo, antes de que cayera definitivamente en manos del inmenso ejército del nuevo rey persa, Sapor I, de la dinastía sasánida, en 256 e. c.

A partir de ese momento, si dejamos a un lado a los pocos ermitaños cristianos que se sintieron atraídos por aquellas ruinas apenas visibles y las ocasionales reatas de mulas y camellos que avanzaban perezosamente junto a la orilla del río, Dura-Europos permaneció deshabitada y a nadie se le ocurrió explorarla. Si los sasánidas hubieran vuelto a hacer de ella una localidad persa, puede que hubieran alterado radicalmente el aspecto de la ciudad, pero lo cierto es que permaneció dormida e intacta bajo una espesa capa de cascotes y escombros. Los restos de la logística de los últimos asedios la sepultaron viva. La ciudad había cambiado de manos de romanos a persas en dos ocasiones, y tanto los atacantes como los defensores construyeron enormes terraplenes en rampa a modo de diques, dentro y fuera de las murallas occidentales que daban al desierto, rellenando con los desechos los edificios abandonados por la población civil. Las tormentas de arena acabaron por extender su mortaja sobre lo que en otro tiempo había sido Dura-Europos, ocultándola a la vista por completo, de modo que la ciudad se convirtió en un gigantesco montículo de arena alzado entre el Éufrates y los cielos de Siria.

En 1920, un oficial del ejército británico, C. M. Murphy, se puso a hurgar en el suelo con su bastón de mando y, al encontrar resistencia, dictó una orden imperial mandando que llevaran algunas palas para los *fellahin*, los campesinos y aldeanos del lugar; no tardaron en aparecer las formas de los cimientos, erosionados por el tiempo, de edificios de adobe estucado, y tras ellos surgieron muchas paredes todavía en pie cubiertas de pinturas rudimentarias que, a juicio de Murphy, parecían muy antiguas. El oficial mandó aviso a su superior, y este telegrafió a la formidable Gertrude Bell, que por aquel entonces estaba muy ocupada redactando una constitución para el reino de Irak, recién creado por los ingleses. Se recibió una oferta de apoyo oficial —en los habituales términos parsimoniosos y poco comprometedores— y dieron comienzo los trabajos de cata y exploración del terreno. Pero Dura-Europos, a medio camino entre Mesopotamia y Palmira, se encontraba en el territorio sirio bajo el mandato concedido a los franceses por la Sociedad de Naciones. Reacios a echar mano rápidamente a la pistola en los duelos suscitados en el campo de la arqueología colonial, los franceses fueron incitados a aprovechar la ocasión y ser los primeros en desenfundar por un egiptólogo estadounidense, James Breasted, que emprendió en serio las labores de excavación en 1921. Afirmando su derecho a llevar a cabo las excavaciones, los franceses se hicieron cargo de los trabajos, pero a partir de 1928 unieron sus recursos y los de los estadounidenses en una expedición conjunta organizada bajo los auspicios de la Universidad de Yale.

Durante cinco temporadas fueron apareciendo maravillas que dejaban a todos con la boca abierta: once templos y santuarios paganos —consagrados a dioses romanos y griegos o a Mitra—, algunos decorados con pinturas murales. Armaduras, papiros, objetos de cerámica y joyas fueron acumulándose a medida que aparecían en una casa tras otra y eran debidamente cepillados y desempolvados. Se encontraron inscripciones en una auténtica Babel de lenguas; mayoritariamente en griego, pero también en arameo (en muchas variantes dialectales locales), en persa parto y no parto, en latín, en árabe semítico y en hebreo. Sin embargo, lo más sorprendente de todo fue la aparición del primer edificio cristiano de cualquier tipo que se conoce, un baptisterio que data de comienzos del siglo III e. c. y, por lo tanto, mucho antes de que el Imperio romano adoptara como religión oficial el cristianismo durante el reinado de Constantino. También esta capilla estaba decorada con pinturas, aunque bastante toscas, que representaban escenas del Nuevo Testamento —la curación del paralítico, las tres Marías junto a la tumba de Jesús— y del Antiguo, con episodios como David matando a Goliat, interpretados como prefiguraciones proféticas de la venida de Cristo y de la victoria del Evangelio.

El encargado de dirigir el yacimiento de Dura-Europos en nombre de la universidad, el profesor Michael Rostoftzeff, había dado por supuesto —y desde luego así lo esperaba— que el descubrimiento de una iconografía cristiana prebizantina asombraría al mundo. Pero, para su decepción, al mundo situado fuera de los recónditos límites de la arqueología académica no pareció importarle mucho. Grecia y Roma seguían siendo los grandes focos de atención, y Egipto, colonizado arqueológicamente por los ingleses, acaparaba todos los titulares. ¿Qué podía uno hacer con esos cristianos de mente estrecha y sin imaginación? Claro que los judíos eran otra cosa... Ojalá pudieran descubrir en Dura-Europos una sinagoga en la próxima campaña, la sexta, le confesó Rostoftzeff a Clark Hopkins; entonces se vería por fin la importancia vital de aquel lugar, y sus descubridores recibirían la aclamación debida.

Y llegamos así a noviembre de 1933.

De manera bastante poco afortunada, Hopkins compara esta epifanía con la que fuera su experiencia de un choque de trenes:

> No guardo el menor recuerdo del tiempo transcurrido entre el susto recibido al ser arrojado violentamente de mi asiento y el momento en que empecé a levantarme del suelo del vagón volcado. Lo mismo ocurrió en Dura-Europos. Todo lo que puedo recordar es el asombro, la incredulidad experimentada cuando una tras otra fueron apareciendo ante mi vista las pinturas. La pared oeste estaba iluminada por el sol de la mañana, que había salido triunfalmente a nuestras espaldas revelando aquel extraño fenómeno. A pesar de haber permanecido encerrados durante siglos bajo el polvo seco, los frescos conservaban un brillo vivísimo que calificaríamos casi de milagroso ... La lámpara de Aladino había sido robada y de repente, en medio del desierto seco y pardusco, aparecían aquellas pinturas; no una sola, no ya un panel ni una pared entera, sino todo un

edificio, una escena tras otra, tomadas del Antiguo Testamento, de un modo que nadie se habría atrevido a soñar hasta entonces.[1]

El hecho de que estuvieran ante una sinagoga, una de las primeras conocidas, creada apenas un siglo y medio después de la destrucción del Templo de Jerusalén por los romanos, parecía inconcebible. Y es que aquel edificio tenía algo desconocido en cualquier otra sinagoga antigua: pinturas. Las cuatro paredes de una amplia estancia —la sala pública más grande de toda la ciudad— estaban repletas de frescos, de un extremo a otro, desde el suelo hasta el techo. ¿Cómo era posible algo así? Evidentemente, los judíos no cultivaban la pintura, y desde luego no en sus lugares de culto. Éxodo 20, 4, como luego repetía Deuteronomio 5, 8, había prohibido hacer «imágenes talladas ni figuración alguna de lo que hay en lo alto de los cielos, ni de lo que hay abajo sobre la tierra». Los rabinos, la crítica cultural y buena parte de la sabiduría recibida del mundo de los gentiles y del mundo judío habrían reflejado esa idea. La única excepción, solía decirse (a pesar de una de las tradiciones más ricas de ilustración de manuscritos que hay en el mundo, incluidos los libros de oraciones diarias y de plegarias especiales con motivo de las festividades y el Talmud), era la Hagadá de Pascua, y no se conocía ningún ejemplo anterior al siglo X e. c., ni por supuesto se dio ninguno a la imprenta antes del XVI. Vistas las cosas en retrospectiva, resulta curioso que no hubiera más estudiosos que se molestaran en analizar qué significaba exactamente el texto hebreo del Segundo Mandamiento.

Es difícil determinar con exactitud cuándo se convirtió en una verdad de Perogrullo dentro y fuera del judaísmo la opinión de que la Torá prohíbe terminantemente la pintura, en especial la representación pictórica de la figura humana. Incluso en el siglo IV e. c., los autores y codificadores del Talmud seguían interpretando que el Segundo Mandamiento contenía solo la proscripción de los objetos de idolatría, fundamentalmente tridimensionales. Y tenían buenos motivos. Éxodo 20, 4 y Deuteronomio 5, 8 utilizan dos palabras hebreas para designar los objetos prohibidos, *pesel* y *temunah*. La primera, derivada de una raíz que significa «tallar», «esculpir», no se refiere ni a pinturas ni a mosaicos, sino a las figuras labradas —esculturas y relieves—, precisamente la categoría de objetos de culto, habituales en el Oriente Próximo antiguo y en el mundo clásico, que la religión de un dios sin forma habría querido repudiar de manera radical. *Temunah* es un término más complicado, pues deriva de la palabra *min*, que significa una especie o clase de cosas que comparten unas características definitorias exactamente iguales. Más o menos por extensión, pues, parece que habría pasado a ser usado en el sentido de «semejanza», «figuración» o «copia», más o menos como la palabra griega *eikón*. La prohibición se refería a esas «figuraciones» de «cuanto hay arriba, en los cielos, [y] abajo, sobre la tierra», lo que una vez más supone una vigorosa alusión a los objetos modelados de devoción idólatra. Precisamente el siguiente versículo del Éxodo (20, 5) deja bien claro que el fundamento de su carácter ofensivo era su capacidad de recibir un culto vano.

Una famosa *agadá* (narración ejemplar) del código de leyes de los siglos ii-iii e. c. de la Misná —recogida en el tratado que se ocupa de los objetos idólatras— establece exactamente esa distinción entre decoración ornamental e imágenes devocionales. El sabio patriarcal Rabán Gamaliel está bañándose plácidamente en las «termas de Afrodita» de Ptolemaida (Acre) cuando un griego sabelotodo, Peroqlos (Pericles) Pelopsos, le reprende por no obedecer el precepto de la Torá que dice que han de evitarse los lugares donde haya estatuas. «No se puede dar una respuesta en un baño», dice el rabino, y sigue lavándose tranquilamente. Pero cuando los dos salen de las termas, replica astutamente al griego: «Nunca he penetrado en sus dominios [de Afrodita]. ¡Ella ha penetrado en los míos! No se dijo:"Hagamos un baño a Afrodita como ornamento". Antes bien se dijo: "Pongamos a Afrodita como ornamento del baño"». Y por si a alguien no le hubiera quedado claro que, como unas termas no son un templo, nadie puede acusarle de idolatría, añade: «Aunque alguien te diera mucho dinero, no te presentarías desnudo ante tu ídolo ... ni orinarías en su presencia [de la estatua] ... Pero mira, ahí la tienes [la estatua] ... y todo el mundo orina delante de ella».[2] Entendido, rabino. En una cultura en la que había estatuas por doquier, prácticamente no podían esquivarse cuando tenía uno que hacer sus cosas.

Pero las pinturas de Dura-Europos no estaban en unas termas, sino en una sinagoga en la que las pinturas y el texto de la Biblia convivían de modo inseparable como objetos de devoción. La propia Torá estaba rodeada de ellas. En la pared sur del edificio —esto es, mirando a Jerusalén, como ocurría por entonces en todas las sinagogas— hay un nicho

en forma de arco, flanqueado por columnas «salomónicas» bien tornea-
das, modeladas casi con toda seguridad a partir de las utilizadas por el
paganismo clásico y oriental. La esposa de Clark Hopkins posó para una
fotografía sentada en lo que pensó que era una especie de banco o trono de piedra. Existen algunos testimonios de «asientos de Moisés» en las
sinagogas primitivas, pero en este caso se trataba probablemente de un
poyo bajo de piedra. En un templo pagano, ese poyo se habría utilizado
como pedestal para la estatua de la divinidad venerada en él. En Dura-
Europos, el nicho servía a modo de arca para guardar los volúmenes de
la Ley. Los orificios abiertos en su interior indican que había unas cor-
tinas que lo cubrían, emulando directamente el «velo» de púrpura que
protegía la integridad impenetrable del sanctasanctórum del Templo de
Jerusalén. Las superficies lisas del «arca» estaban decoradas con imágenes
que tenían por objeto guardar el recuerdo del Templo destruido y la fe
en su reconstrucción (quizá garcias a los persas, que estaban a punto de
llegar y que ya habían hecho algo parecido con anterioridad). El propio
Templo era representado mediante un pórtico de columnas pintado al
fondo. Aparecía también un candelabro de siete brazos recuperado pic-
tóricamente de su cautiverio romano y pintado de amarillo, para dar a
entender que era de oro. A su lado se ven símbolos de las fiestas de peregrinación encarnados en las «cuatro especies» —la hoja de palma, el
limón, las ramas de mirto y las ramas de sauce— que eran llevadas a
Jerusalén para celebrar la fiesta de los Tabernáculos. Y, como en cualquier otra sinagoga primitiva, aparece la *akedá*, es decir, la «atadura», la
acción por parte de Abraham de atar a su hijo Isaac como señal de obediencia y preparativo del espantoso sacrificio exigido por YHWH
como prueba de lealtad. Los 120 judíos que habrían cabido cómodamente en la sala de reunión de Dura-Europos habrían captado las complejas resonancias del sacrificio, evitado en último término por la mano
extendida de Dios y la providencial provisión de un carnero «enredado
por los cuernos en la espesura» como víctima sustitutoria. El culto del
sacrificio de animales en el Templo (así como la prohibición de consumir sangre de animal alguno) era la afirmación de la aversión por el
sacrificio humano, pero el acto de fe ciega de Abraham debía ser pagado mediante la conclusión de una alianza entre YHWH y su pueblo,
simbolizada por el corte del cuchillo en el prepucio. Se había hecho un
voto. Si los judíos cumplían su parte del pacto, la ulterior promesa de la

llegada de un Mesías liberador y redentor y de la reconstrucción del Templo estaría asegurada. De ese modo, en los confines del Imperio romano, lo que Roma había hecho a Jerusalén quedaba deshecho en las pinturas de la sinagoga.

Muchos de los temas bíblicos que adornan sus paredes quizá fueran escogidos para transmitir este mensaje esperanzador de una redención final. Dos figuras clave para llevar a buen puerto esa promesa —Moisés y David— aparecen en los primeros momentos de sus papeles proféticos. Vemos a David en el instante de ser ungido por Samuel, y los dos personajes bíblicos llevan togas y peinados romanos.

En una pintura realmente asombrosa, la hija del faraón coge en sus brazos a Moisés niño, de pie en medio de las aguas del Nilo, cuyas cañas y juncos son sugeridos mediante formas onduladas trazadas por el pincel. La pintura está humanizada de forma naturalista y al mismo tiempo es formalmente ceremonial, como correspondería a un momento tan fatídico. La joven, que al fin y al cabo estaba bañándose en el río, lleva solo un *himátion*, que al estar mojado deja traslucir su desnudez, en contraposición con las figuras de la madre de Moisés, Jocabed, y su hermana, Miriam, vestidas modestamente, que detrás de ella contemplan con ansiedad la escena. Delante de la princesa se encuentra el cestillo de mimbre —diseñado en forma de pequeña arca, típica de las cunas de la época y del lugar— en el que ha sido encontrado el niño. Nada de realista tienen los gestos expansivos, con los brazos abiertos, de la princesa y el niño, y esa imitación mutua es casi una anticipación de las figuras de la Virgen con el Niño, pero en este caso esa repetición del gesto de uno y otro personaje responde al conocimiento del destino que se desarrollará a partir de aquel momento en las aguas del Nilo. La imagen es a la vez formal e informal, hierática y popular, misteriosa y accesible, literaria e icónica. Si fueran ustedes padres o madres judíos de Dura-Europos y estuvieran en la sinagoga con sus hijos, tendrían muchas cosas que contarles, señalando tal o cual detalle de las pinturas murales.

Los dos pilares humanos de la historia de los judíos reaparecen una y otra vez: Moisés junto a la Zarza Ardiente y, como pone de manifiesto una inscripción en arameo, «separando las aguas del mar»; y por otro lado David entronizado, como si fuera un Orfeo judío, embelesando a toda la Creación y también derrotando a los filisteos.

El principal patrono-benefactor de la comunidad de Dura-Europos —el primer mecenas de la Diáspora— fue un tal Samuel; de ahí el relieve que se le dedica a su homónimo bíblico en el momento en que David es ungido rey. Como era habitual en esta época primitiva, la sinagoga (al igual que las capillas cristianas de este mismo período) había empezado a funcionar en la casa del propio benefactor. Samuel debía de ser lo bastante rico como para permitirse el lujo de llevar a cabo la ambiciosa ampliación posterior, para la cual fue preciso demoler las paredes exteriores y construir una hermosa cubierta adornada con baldosines de cerámica pintada. Sin embargo, desde el punto de vista social, los judíos de Dura-Europos habrían sido un colectivo tan heterogéneo como el de Elefantina quinientos años antes. Como sus antecesores egipcios, eran soldados mercenarios, artesanos y comerciantes, y algunos eran incluso funcionarios locales y recaudadores de impuestos, aunque, a diferencia de lo que sucedía en Elefantina, algunos habrían sido esclavos o ex esclavos convertidos en fiadores por los conquistadores romanos. Pocos, sin embargo, debían de desconocer su Biblia, sobre todo teniendo en cuenta que habrían podido aprendérsela prácticamente de memoria gracias a aquellos brillantes frescos. En Dura-Europos disponían a la vez, gracias a las imágenes, de una sinagoga y de un centro de estudios judaicos. Era un *beit hamidrás* del pueblo, una academia de estudios y un lugar de oración a un tiempo, pero visual, accesible, distintivo.

Para los que ya sabían más, cada una de las escenas bíblicas escogidas habría llevado ecos de mensajes concretos de consuelo y esperanza. La visión por parte de Ezequiel de los huesos secos que se convierten en vida fresca palpitante de espíritu era una profecía del momento en el que resucitaría una Jerusalén muerta. La humillación de Amán, el persa que odiaba a los judíos, obligado a llevar de la brida el caballo de Mardoqueo (aunque pintada en deslumbrantes colores persas por una mano curiosamente distinta de la que pintara el hallazgo de Moisés), se desarrolla como si se tratara de una versión ligeramente actualizada de un triunfo romano, mientras que una reina Ester de espesas cejas resplandece sentada en un trono, detrás del rey Asuero, vestido con los típicos calzones persas. También esta era una imagen de esperanza fácilmente reconocible. Aunque las pinturas fueron realizadas casi con toda seguridad mientras las tropas romanas seguían manteniendo a raya a los persas, las imágenes constituían una alusión evidente a la historia de la reconstrucción del Templo de Jerusalén por estos. A los sasánidas, por entonces en pleno ascenso, les gustaba afirmar que eran la segunda venida de la antigua dinastía aqueménida de Ciro, Darío y Artajerjes, de modo que, si vencían, la fiesta de Purim todavía podría convertirse en profecía y no ser solo historia. Todo encajaba: pasado y presente, luto y festividad, destierro y regreso.

Y eso era en 240 e. c., en los inicios, o casi, de lo que se supone que debían de ser las sinagogas para una comunidad de la Diáspora posterior a la destrucción del Templo. De hecho, Dura-Europos se hallaba situada justamente entre los dos polos de la erudición rabínica —Palestina y Mesopotamia—, de modo que no hay posibilidad de que aquella sinagoga de Siria y sus pinturas fueran una especie de aberración herética de algo que habrían desaprobado los sabios. Todo indica, antes bien, que se trataba de una sinagoga ejemplar.

Era también una respuesta a las religiones vecinas que florecían en Dura-Europos, y constituye por tanto una prueba de que los judíos practicantes vivían rodeados de paganos y cristianos. La sinagoga se hallaba situada directamente enfrente de un templo de Adonis; unas cuantas manzanas más allá había otro dedicado a Zeus, y había también santuarios del culto solar de los romanos a Mitra. Es muy probable que todos ellos lucieran las pinturas tardorromanas de las que indudablemente la sinagoga tomó prestado su estilo figurativo, así como la convención «frontal» típica de los partos de alinear figuras en paralelo al plano de la imagen, mirando todas en la misma dirección, hacia el espectador.

Pero si los diseñadores y los pintores de la sinagoga tomaron prestado el estilo de los paganos para asombrarlos, asimismo tuvieron en cuenta la competencia más inmediata con los cristianos, que, en una capilla que empezó siendo también una casa particular, habían utilizado personajes judíos —como David en pie sobre Goliat caído— para manifestar por medio de imágenes que la Biblia hebrea había sido la profecía de su Mesías, y que el cristianismo era, de hecho, la realización del judaísmo, no su contrario. En una versión figurativa de los animados vaivenes de las disputas teológicas entre cristianos y judíos, que ya habían dado comienzo, en el diálogo entre Justino Mártir y el judío «Trifón» (que tal vez sea el Rabí Tarfón del Talmud, o quizá no), las pinturas de la sinagoga respondían al desafío icónico. Como la palabra «Cristo» significa «Ungido» en griego, ¿qué forma más aguda podía haber de reclamar a David para el judaísmo impenitente que mostrarlo en el momento de ser ungido por el profeta Samuel? Más curioso aún resulta que en la actitud heroica del Moisés frontal con barba, figura varonil y principesca —vestida además con una toga imperial, significativamente decorada con una gruesa franja doble de color púrpura—, hay algo que parece funcionar para los judíos como una especie de anti-Cristo: Moisés es el que dio las leyes a los judíos, el que los creó, tocado por la presencia del Todopoderoso, pero categóricamente no celestial. De manera significativa, la zarza, con las llamas detrás, está verde y rozagante, símbolo usado ya libremente por los cristianos para indicar la Nueva Vida que aquí, en cambio, empieza con la primera revelación de la Ley.

Las inscripciones colocadas en la superficie de las pinturas han sido interpretadas como un indicio de que el esplendor de la sinagoga de Dura-Europos bastaba para atraer a admiradores desde muy lejos; quizá desde Palmira, donde existía una importante comunidad de judíos, algunos de los cuales eran conversos, o incluso desde las ciudades de Mesopotamia, más al sudeste. La sinagoga decorada con pinturas quizá fuera también una especie de lugar de peregrinación para los hebreos de toda la región. En tal caso, habrían tenido que darse prisa, pues todas aquellas promesas pintadas se revelarían inútiles. La ampliación de la sinagoga y su decoración pictórica duraron poco más de una década, hasta que el rey de los persas sasánidas conquistó Dura-Europos y la dejó abandonada a merced de las arenas movedizas.

Después del descubrimiento de la sinagoga de Dura-Europos en 1933, no volvió a salir a la luz nada semejante, es decir, no apareció ningún otro lugar donde se hiciera realidad de modo tan sorprendente un judaísmo pictórico. Pero este no es el fin de la historia de las sinagogas antiguas ricamente decoradas. La abundancia de pinturas, que evidentemente formaba parte de las expectativas judías de cómo debían ser sus lugares de reunión y de culto, fue trasladada sencillamente a un medio de expresión distinto, pero más duradero —el mosaico—, tanto en la Diáspora como, de manera aún más profusa, en el corazón mismo de la recreación rabínica del judaísmo: la propia Palestina y en especial Galilea, donde presidía el «sanedrín» o asamblea Judá I, el patriarca *nasí*.

Esto no sucedió de inmediato. Hubo una época —no más de un siglo—, tras la aniquilación cultural de Judea por Adriano, en que no se construyeron nuevas sinagogas. Sin embargo, eso no bastó para hacer de este período una época oscura del judaísmo. Muchos judíos modernos, si no la mayoría de ellos, crecen con la idea trágicamente predeterminada acerca de los dos siglos que siguieron a la destrucción del Templo: una zona cero judía, la inmensa mayoría del pueblo deportado y esclavizado; un patético grupo residual que se quedó furtivamente en Palestina; los judíos de la Diáspora reuniéndose en celdas austeras para orar y estudiar lo que les habían dejado.

En realidad no fue eso lo que sucedió. Las leyes de Adriano que prohibían el estudio de la Torá, la circuncisión, la observancia del sabbat, etcétera fueron revocadas durante el reinado de su sucesor, Antonio Pío, que subió al trono en el 138, justo tres años después de la supresión de la revuelta de Bar Kochba. Según cierta tradición, el emperador sabio y el *nasí* judío se reunieron y se hicieron incluso amigos, relación que se mantuvo hasta los reinados de Septimio Severo y Caracalla. Y desde luego es bien cierto que el pacto alcanzado entre Yohanan ben Zakkai y Vespasiano —según el cual los judíos se comportarían como súbditos leales de Roma a cambio de la protección de su religión ancestral sin que nadie los molestara— se respetó. El *statu quo* previo a las rebeliones de los judíos, en el que el judaísmo era reconocido como una *religio licita* y se concedía a los judíos un alto grado de autogobierno jurídico y local, fue restaurado. Solo se conservó la prohibición de entrar y residir en Jerusalén, salvo para la lamentación anual del día 9 del mes de ab, fecha de la destrucción del Templo.

Fuera de Judea —especialmente en Galilea y en la llanura de Esdrelón o Jezreel, así como en la costa, donde habían sido construidas con anterioridad— las sinagogas no fueron demolidas. En el enorme territorio de la Diáspora, a lo largo y ancho del Mediterráneo (en el Nuevo Testamento, el libro de los Hechos de los Apóstoles constituye una gaceta virtual de las comunidades judías existentes, desde Corinto y Éfeso hasta Lidia y Jonia en Asia Menor), florecieron muchas otras sinagogas que alcanzaron incluso proporciones grandiosas. Muchas tenían vestíbulos y patios con fuentes en el centro (en el diseño de las sinagogas se incorporó deliberadamente la asociación entre el fluir de sus aguas y el Paraíso). La sinagoga porticada construida en Sardes (en la actual Turquía), probablemente en el siglo IV, dentro de lo que había sido una palestra, el centro gimnástico de la ciudad, se convertiría, en el curso de sucesivas ampliaciones, en una de las más pomposas del mundo judío: de ochenta metros de longitud, con un espacioso vestíbulo a modo de atrio, pavimentos de mosaico, una zona escalonada de asientos al fondo, frente al nicho en el que se veneraba la Torá, y una mesa de lecturas de piedra decorada con leones y águilas.[3]

Sin embargo, es verdad que el edificio del judaísmo más grandioso y duradero creado en esta época se construyó con palabras, no con piedra. La Misná vino antes que los mosaicos. Los sabios de esta época aprovecharon la oportunidad que les brindó la eliminación perpetua de la élite del Templo para redefinir el judaísmo y para nombrarse a sí mismos sus codificadores y jueces. Con una audacia pasmosa, expuesta en uno de los libros de la Misná, el Avot —incluido de forma un tanto extraña y brusca dentro de otro libro más extenso que trata de las normas de equidad en los daños—, los sabios (llamados posteriormente *tannaim*) redefinieron lo que era la «Torá». Cuando escribían que «Moisés recibió la Ley en el Sinaí» no se referían simplemente a los 613 mandamientos escritos, sino a un corpus indeterminado y sin mayor especificación de sabiduría oral en cuyos guardianes se habían convertido. El Avot está dedicado enteramente a esta genealogía de autoconcesión colectiva de autoridad. De Moisés, esta versión de la «Torá» fue transmitida a Josué, y luego a «los ancianos y los profetas» y a los «hombres de la Gran Asamblea» (fuera cual fuese, quizá el Gran Sanedrín, o tal vez no), y así sucesivamente hasta el sumo sacerdote de los asmoneos «Simón el Justo», y a continuación a lo largo de múltiples generaciones de maestros, en una extensa cadena de nombres, algunos famosos, como Hilel, Rabán Gamaliel, el hijo de Judá el Patriarca, y Yohanan ben Zakkai (Yojanán, hijo de Zakai), de Yavne, y otros perfectamente desconocidos hasta para los más eruditos, como «Nitai de Arbelá» o «Aqabias, hijo de Mahalel».

Los sabios más oscuros (y en realidad también los más famosos) señalan su puesto en esta escala descendente de sabiduría mediante manifestaciones epigramáticas (y a veces gnómicas), los *pirkei avot*. Esas sentencias comienzan de un modo conmovedor con Simón el Justo: «Acostumbraba a decir: "Sobre tres cosas se sostiene el universo: sobre la Torá, sobre el culto y sobre la caridad"». Otros continuarían realizando descaradas manifestaciones de apoyo a sus hermanos: «Yosé, hijo de Yoezer, de Sereda, ... solía decir: "Sea tu casa lugar de encuentro de los sabios; empólvate con el polvo de sus pies, bebe con sed sus palabras"». Las palabras de Hilel se han vuelto famosas por la conmovedora unión de autoconciencia humana y de insinuación filosófica enigmáticamente irrebatible. «Si yo no estoy para mí, ¿quién estará? Y si yo estoy para mí, ¿qué soy yo? Y si ahora no, ¿cuándo?» A Samay, como de costumbre, solo se le atribuyen banalidades como las que llevan los envoltorios de algunos tipos de caramelos. «Haz del estudio de la Torá algo permanente. Habla poco y haz mucho. Recibe a todo hombre con la cara sonriente.» Rabí Levitas, de Yavne, decía: «Sé humildísimo de espíritu, ya que lo que espera al hombre es la corrupción». Etcétera, etcétera.

Ninguna de estas manifestaciones guarda aparentemente la menor relación con las que las preceden o las que las suceden en el texto. Aparte de los nombres famosos, no tenemos muchas pistas sobre la cronología histórica, excepto las que se desprenden del propio texto. En el siglo X, Jacob ben Nissim ibn Shahim, de Kairuán, en el Túnez actual, le preguntó al destacado *gaón* babilónico Sherira de Pumbedita quiénes eran los autores de la Misná, y como respuesta recibió todo el linaje de los sabios: los *tannaim* (los autores de la Misná), los *amoraim* (los maestros que la elaboraron), dos o tres generaciones después —correspondientes aproximadamente a los siglos IV y V— los compiladores del Talmud y, por último, los *sevoraim* y los *stammaim*, de los dos siglos siguientes.

Pero el linaje de los sabios de la Misná no es propiamente una genealogía, y desde luego no es histórico. Por lo que a sus herederos se refiere, la historia judía —del tipo de la que se cuenta en los libros de los Reyes y de las Crónicas, en el libro de Ester y en los Macabeos apócrifos— acaba con la destrucción del Templo. La historia ya no es asunto de los judíos, excepto como puedan serlo los bordes abrasivos de los imperios contra los que chocan, regímenes que pueden cotejarse con las descripciones ofrecidas por el libro de Daniel u otras obras, indicadores del tictac del calendario mesiánico. Incluso cuando la crean los sabios, la Misná está destinada a ser no ya ahistórica, sino suprahistórica, algo que flota libremente por encima de las guerras, los imperios y los estados. Al liberarse de la eventualidad histórica y habitar en la memoria y la tradición oral, la Misná —y el Talmud que crece en torno a ella como un gran arrecife de coral de comentarios, exégesis e interpretación literaria, que se ramifica infinitamente de manera orgánica hasta convertirse en un enorme hipertexto— vivirá mientras no llegue el Mesías, mientras no vuelva Jerusalén y el Templo no sea reconstruido. Y quizá incluso más.

¿Qué es, pues, la alternativa a la historia? La Ley, pero en forma de una guía enciclopédica exhaustiva para vivir como un judío respetuoso de la Torá desde la circuncisión hasta la tumba. Nada es demasiado trivial para la competencia de la Misná. ¿Quieres saber las especificaciones exactas del zapato que debía quitarle la viuda a su cuñado para que este quedara libre de la obligación de casarse con ella? La Misná las da. Debía tratarse de una sandalia de cuero que «cubra el talón del pie» con la que pudiera caminar al menos cuatro codos. ¿Y si es un calcetín de fieltro? De eso nada. ¿Te preocupa que un perro haya comido carroña (incluso que haya mordisqueado un cadáver) antes de morir sentado en el umbral de tu casa por haber ingerido esa pitanza repugnante? Es natural. La Misná insiste en que dicho umbral queda ritualmente impuro y tiene que ser purificado enseguida. ¿Te gustan mucho los pepinillos en salmuera (¿a qué judío no le gustan?) y, para tu espanto, descubres que te has quedado sin ellos? Claro que, como tampoco cuesta tanto trabajo, piensas que hacer un poco de salmuera una aburrida tarde de sábado sin que nadie se dé cuenta tampoco hará fruncir el ceño al Todopoderoso. ¡Pobre de ti, ilícito pepinillero! Se trata de un trabajo y por lo tanto está prohibido. Por otra parte, un poquito de aliño, apenas un poquito de agua con sal que dé la casualidad de que se tiene a mano y en la que, ¡mira por dónde!, misteriosamente, de forma accidental, se empapa un pepino cortado previamente, está bien. Pero hagas lo que hagas, y por fuerte que sea la tentación, ni se te ocurra abrir una orza para satisfacer tu apetito de higos secos.

La Misná puede sorprender al lector incauto y hacerle creer que es una orgía de trivialidades. Sin embargo, dentro de su enormidad —que (de modo harto poco convincente) se aseguraba que no era más que una elaboración de los 613 mandamientos originales provista de un práctico índice de materias, junto con la explicación de muchos enigmas y la resolución de las contradicciones aparentes (y, como el Deuteronomio se aleja hasta cierto punto del Levítico, hay muchas contradicciones, langostas kosher en uno y no kosher en otro, por ejemplo)—, los autores de la Misná ofrecen veredictos acerca de asuntos éticos profundamente serios. La Misná proporciona —sin apelación posible y lamentablemente a menudo sin dar la menor pista sobre cómo se han llegado a dictar esas sentencias— el primer modo de vida cotidiana consciente y decisivamente judía. En la interconexión establecida entre los hábitos diarios y la relación con el Altísimo hay algo inexplicablemente poderoso. A través de simples minucias, la santificación llega hasta el zapato más humilde o la langosta que podría ser aplastada por él. La Misná se resiste a la posibilidad de separar el reino de lo sagrado y el de lo rutinario; la santidad lo penetra todo, y la más mínima acción, la más mínima criatura, la más mínima costumbre deben ser consideradas a la luz de la justicia de Dios. Aunque trate de minucias, no es ninguna minucia. Confiere una especie de esplendor al propio mundo, no por medio de panaceas abstractas, sino a partir de la materia real, concreta, de la que están hechos un día, una semana o toda una vida. Para los judíos, el error cometido por Pablo y todos los que siguieron su modo de pensar era su idea de que la Torá era un mero inventario de obligaciones, elaboradas además por alguien no electo para esa función, cuando, al ser desplegadas en el rollo de la Misná (pues esa es la forma en que debía leerse la obra), no son más que el comienzo de una serie de meditaciones.

Pero ni siquiera eso era suficiente para los autores de la Misná, pues aunque afirmaban que lo único que hacían era elaborar la Ley, naturalmente acabaron por rehacerla. Esta ambiciosa arrogación de autoridad la comunica el hebreo en el que está escrita la obra, que como forma lingüística pretende conseguir una especie de sonoro clasicismo moderno. Sabiendo que la lengua cotidiana de las personas a las que iba dirigida era el arameo o el griego (y ocasionalmente el latín), los autores de la Misná son plenamente conscientes de que están sacando su idioma de la escritura y trasladándolo al mundo del veredicto social. En consecuencia, el hebreo es flexiblemente ambiguo: juicioso e incluso lacónico a la hora de arbitrar en materia de disposiciones y pronunciamientos jurídicos; más relajado e informal en los relatos variados y casi fastidiosos de las disputas y los debates entre los rabinos, la *agadá*. Las opiniones agádicas puede uno acatarlas o desecharlas, ponerse uno en una página de parte de Rabí Gamaliel II y en la siguiente de Rabí Eliezer, como si estuviéramos ante un combate de boxeo muy disputado; pero en otras ocasiones se dan sentencias inequívocas, como si se tratara de una respuesta a las preguntas formales del rabino. La *halajá* resultante tiene fuerza de ley. «Si uno roba madera y la transforma luego en un instrumento, o lana y la convierte después en un vestido, ha de pagar conforme al momento en que fue robada la cosa.» Se acabó la discusión; ya está. La Misná ha hablado.[4] *Sheqet*. A callar. Y como en el tema de la equidad de las compensaciones o la naturaleza de los delitos por los cuales hay que pagar daños judiciales, la Misná no se anda con remilgos y distinciones baladíes. En el caso de los motivos por los cuales un hombre está obligado o no a casarse con la viuda de su hermano, pesan sobre el veredicto enormes cargas de justicia; como también en la orientación sobre cómo debe enterrarse a un individuo en caso de que la muerte lo alcance lejos de su casa, como debía de ocurrir tantas veces.

Así pues, el grueso de la Misná es un texto sumamente práctico, social. Pero no solo eso. Aunque resulta sorprendente lo poco a menudo que se invoca un capítulo o un versículo de la Biblia, y con menos frecuencia aún se ofrece una interpretación *midrás* de un determinado pasaje de la Escritura, en sus excursos agádicos y en sus encantadoras digresiones a menudo recuerda a los libros sapienciales bíblicos y apócrifos. «Yosé, hijo de Yojanán, de Jerusalén, solía decir: "Esté abierta tu casa de par en par, que los pobres sean familiares de tu casa".» Hasta ahí todo bien, las palabras del rabino no suenan muy distintas de las de ese otro rabí famoso por su concisión, Jesús de Nazaret. Pero a continuación añade, en un estilo que nada tiene que ver con Jesús: «No hables mucho con tu mujer».[5] Algunos consejos no son ni más ni menos que mera psicología práctica primitiva (y extrañamente sabia): «R. Simeón, hijo de Eleazar, decía: "No trates de aplacar a tu compañero en el momento en que está airado, no trates de consolarlo cuando el cadáver del difunto todavía está presente, no le hagas preguntas en el momento en que pronuncia el voto, no te esfuerces por verlo en el instante en que se envilece"». Es evidente que los autores de la Misná van más allá de su pretensión, confesada por ellos mismos, de explicar la Torá y luchar contra sus contradicciones y sus pasajes oscuros. Son pocos, si es que hay alguno, los consejos sociales acerca de hacer el bien a otro hombre (y ocasionalmente a una mujer), o de atender debidamente sus demandas de justicia y consideración, que responden a algún texto específico de la Torá. Pero los consejos y preceptos éticos de ese estilo, a menudo en cantidades portentosas, se entretejen en la Misná para formar todo un tapiz de certeza moral. Sabiduría, tranquilidad e incluso claridad parecen salir tanto del proceso espontáneo de una conversación con los sabios, incluso de aquellas pláticas en las que se ven atrapados en constantes contradicciones e interrupciones mutuas (indicio inmejorable para los judíos), como de los labios de personas reales, no de videntes oraculares casi celestiales. De un modo que no siempre podemos ver en san Pablo o en san Juan Evangelista, pongamos por caso, escucha uno a los sabios y puede imaginarlos cenando o limpiándose las uñas.

Pero ¿cuánto de real hay en el mundo en el que habita la Misná? En muchos sentidos, nada. La Misná fue escrita y organizada por una élite rabínica limitada, por unos hombres que soñaban con lo que ellos soñaban que había sido en otro tiempo el mundo judío perfecto centrado en el Templo, y que podía volver a existir si daban a su pueblo un templo de palabras, leyes e instrucciones que reparara los daños de las edificaciones derruidas y la extinción del fuego de los sacrificios. El *tamid* podía volver a encenderse, podía conseguirse que fuera tan perpetuo como su nombre hebreo indica, sencillamente mediante la reiteración de sus prácticas recordadas. De ahí la curiosa cantidad de espacio concedido a las regulaciones exactas relativas a la aspersión de la sangre de los animales sacrificados, algo que no habría tenido el menor interés práctico para todas las generaciones posteriores a la destrucción del Templo. La lógica estribaba en que, si el Mesías aparecía de repente y se obraba el milagro de la restauración del Templo, todo debía funcionar tan bien como lo había hecho en otro tiempo. Pero, casi con toda seguridad, hay otro aspecto importante en el enorme inventario de procedimientos y rituales que habían dejado de tener sentido práctico. Es la memoria, si no Dios, lo que está de hecho en esos detalles aparentemente gratuitos. La enorme profusión de recuerdos de la Misná no es muy distinta de la de las personas que intentan desesperadamente traer a su memoria la sustancia de un ser amado desaparecido recuperando detalles diminutos, en apariencia insignificantes, de su forma de vestir o de andar. De algún modo, a partir de esos detalles acaba recomponiéndose toda una persona. En el fondo, la Misná es un acto de añoranza de mil páginas de extensión.

Aun así, a pesar de su idealismo y de sus obsesiones de mundo de ensueño, la Misná habita en el aquí y el ahora, en medio de judíos reales, porfiadores, escépticos, a menudo intolerantes y puntillosos. Indirectamente, a partir de su inventario de hábitos que no pueden permitirse, nos proporciona uno de los retratos sociales más vivos de cómo eran realmente los judíos del siglo II que vivían en el mundo del Imperio romano tardío. No hagas del monte del Templo un atajo, dice la Misná (lo que demuestra que muchos debían de hacerlo); no te pongas a dormir o a charlar en terrenos sagrados (práctica habitual). Mujeres, el sábado no salgáis con hilos de lana, ni con ovillos de lino, ni con una cinta en la frente, ni con una corona de estilo «ciudad dorada» (reproducida en los mosaicos), ni con aros en la nariz, ni con una guirnalda en la cabeza «si no está bien cosida», ni con redecilla (no preguntes por qué). Hombres, no vayáis el sábado a la sinagoga con sandalias cosidas con aguja o —advertencia especialmente dirigida a los numerosos judíos que, como en Dura-Europos, volvieran a ser soldados— con coraza, casco y grebas. Aunque ninguna de estas violaciones del decoro del sabbat era tan grave que exigiera un «sacrificio por el pecado», si una mujer sale con una caja de especias, un frasco de perfume, una aguja que tenga agujero o un gorro en forma de caracol (la misma, por lo demás, que la del interior del oído), al menos según Rabí Meír constituía una ofensa punible. No era buena idea reciclar una prenda manchada de sangre menstrual para utilizarla como gala el sábado (como si dijéramos). Olvídense las ligas y las cadenillas, pues «son impuras y no se puede salir con ellas en sábado».[6]

Además, aparte de la faceta de «Manual para vivir como un judío» que tiene este texto gigantesco, planea sobre él una especie de inmenso espectro que es, paradójicamente, el fantasma del propio Templo. La Misná fue escrita por unos hombres que no pudieron conocerlo directamente, aunque sus abuelos y tal vez incluso sus padres quizá sí. Sin embargo, a veces escriben como si todavía fuera el hecho fundamental de la vida judía. Buena parte de la obra está dedicada a temas tremendamente abstrusos relacionados con el sacrificio de animales y las ofrendas de cereales, como si la rutina del Templo siguiera viva. ¿Qué defectos hacen que haya que descartar a un animal para el sacrificio? Para empezar, el buey al que todavía no le haya bajado un testículo. (Sí, la Misná proporciona también instrucciones infalibles para comprobarlo.) ¿Qué defectos humanos incapacitan a un hombre para servir en el Templo? Por lo pronto, los que tienen la cabeza en forma de nabo no son aptos para servir en el Templo. El chato no es apto (por eso yo no habría podido servir), y tampoco el que tiene orejas de coliflor (la Misná dice «el que tiene orejas como esponjas», rasgo que resulta más pintoresco); ni siquiera —y esto resulta un poquito duro— el calvo es apto. ¿Qué se entiende por calvo? «Aquel que no tiene ni una línea de pelo que le cruce la cabeza de lado a lado.» De ese modo, parece que la Misná invita a todos los que se peinan cubriéndose la calva con un mechón que les cruza la cabeza a presentarse para una selección de aspirantes al puesto de levita, haciendo cola si hiciera falta, como si la destrucción de los romanos no hubiera tenido nunca lugar. Una noticia un poco más amable es el pretendido recuerdo de los «diez prodigios [que] fueron hechos a nuestros padres en el Templo»: nunca abortó una mujer a causa del olor de la carne de los sacrificios; nunca se corrompió la carne consagrada; nunca se vio una mosca en el lugar del sacrificio; nunca padeció polución nocturna el sumo sacerdote el día de la Expiación (espero que así fuera); nunca apagó la lluvia el fuego de la leña del altar; nunca el viento logró vencer a la columna de humo; nunca se encontró imperfección en los dos panes destinados a la mesa de la proposición; los fieles estaban en pie muy apiñados, pero podían postrarse con holgura; nunca una serpiente o un escorpión hizo daño en Jerusalén, y el mayor prodigio de todos: en una peregrinación, la escasez de alojamientos no constituyó nunca problema alguno. «Nunca dijo nadie a su compañero: me resulta estrecho el lugar como para que pueda pasar la noche en Jerusalén.»[7]

¿Cómo reconstruir Jerusalén en la imaginación y en el recuerdo? Esa era la tarea. ¿Podía hacerse solo con palabras, palabras y más palabras? En un momento dado, parece que esa fue la respuesta auténticamente judía. Ahora, gracias a los datos revelados por Dura-Europos, sabemos que la densidad de los textos podía igualarse e incluso superarse mediante una densidad comparable de imágenes. Las dos formas de recordar y conservar el recuerdo de la Torá no solo no estaban en contradicción, sino que en realidad se alimentaban una a otra. Más inquietante incluso para nuestros prejuicios habituales en torno al judaísmo en el momento en que estaba tomando forma, es la certeza de que el lugar donde la palabra y la imagen se unían más estrechamente era la propia sinagoga. Dura-Europos constituía un lugar insólito, sí, pero solo por cuanto su impresionante imaginería estaba en las paredes. Había otros espacios que podían ser llenados con los signos y los símbolos de reconocimiento judío común, y esos espacios se encontraban en el plano horizontal. De hecho, en Dura-Europos el techo de la sinagoga estaba cubierto de baldosas pintadas, muchas de las cuales llevaban representados los emblemas conocidos por todos (*menorot*, etc.). Pero la superficie de las sinagogas construidas en la época de formación correspondiente a los siglos III-VI —tanto en Palestina como en el territorio de la Diáspora— que estaba atestada de imágenes era el suelo, y el medio a través del cual se representaban era el mosaico.

No es una prueba de contumacia herética. Esa misma época seminal del judaísmo fue el momento en que la poderosa Misná definió la vida del buen judío. Pero no existe ningún motivo válido que nos permita suponer que había sinagogas estrictamente seguidoras de la Misná y otras cubiertas de resplandecientes mosaicos. Precisamente, la Misná llama la atención por la vaguedad y la poca frecuencia con que habla de las imágenes. A decir verdad, lo hace en un tratado incluido en el libro más extenso dedicado a los «Daños», y el pasaje en cuestión se llena enseguida de contradicciones agádicas. Rabí Meír adopta la línea dura y dice taxativamente: «Todas las imágenes están prohibidas»; pero a continuación unos sabios no especificados afirman que «no están prohibidas sino las que tienen en su mano un bastón, o un pájaro o una esfera». Casi con toda seguridad, «esfera» quiere decir el sol y la luna y su adoración, aunque evidentemente nadie se fijó en eso. El resto del tratado está dedicado a los árboles devocionales y a los ídolos esculpidos, las *aserás*, y a los distintos tipos de desecración que pueden aplicárseles para quitarles el aura de santidad que las rodea. «Si le corta la punta de la oreja, de la nariz o de un dedo», etc.[8] (Todo ello pertenecería a los anacronismos compulsivos de una buena parte de la Misná, pues en todo caso los *asherot*, los árboles esculpidos o plantados, hacía ya muchos siglos que no se veían por ningún lado.)

Sobre las imágenes pintadas los rabinos no tienen nada en absoluto que decir, y su silencio se dio evidentemente por consentimiento, sobre todo si tenemos en cuenta que la redacción de los libros del Talmud y la aparición de las sinagogas se produjeron exactamente en el mismo momento. La única sinagoga que se conserva de las dieciocho que originalmente llegaron a florecer en Séforis, en Galilea, fue construida y decorada en la misma ciudad donde se empezó la Misná y cuya asamblea presidía Judá el Príncipe. Séforis era a la vez una ciudad de elegancia clásica, de acendrada piedad y de vistosos mosaicos.

Tampoco en las ciudades de la Diáspora eran ningún secreto los mosaicos de las sinagogas. Hasta la fecha se han descubierto y excavado ni más ni menos que cuarenta de ellos en Palestina y fuera de ella, y las posibilidades de encontrar más son muchas.[9] En los siglos en que se estaba creando la institución, las sinagogas profusamente decoradas constituían la regla, no la excepción, desde Asia Menor hasta el Magreb. En Hammam-Lif (o Naro, como la llamaban los fenicios), a las afueras de Cartago, junto a la costa, en el actual Túnez, hay una sinagoga del siglo IV en la que se han encontrado algunos de los mosaicos más vivos y brillantes del mundo antiguo.[10] Buena parte de la decoración es puramente geométrica y ornamental, provista de los típicos emblemas del Templo perdido (la menorá y el shofar). Pero hay otra sala que constituye una especie de casa de fieras en mosaico. Una sección está llena de pájaros, y otra contiene una misteriosa combinación de delfín y pez grande, extrañamente separados por un par de patos. Debajo aparecen dos pavos reales flanqueando un surtidor, y es esa fuente de vida la que nos da la clave para entender que el mosaico de Hammam-Lif no es solo un gracioso bestiario, sino una evocación de la propia Creación y del Paraíso. Si el pez lustroso y mofletudo, pero provisto de afilados dientes, que acecha en las profundidades es el siniestro Leviatán, o si (como yo prefiero) es un emblema de la felicidad, propio de un puerto tunecino, dependerá de los estudios especializados a los que el lector prefiera dar crédito.

Con mosaicos tan espléndidos, los benefactores que los hicieron posibles se aseguraron de que se les atribuyera el mérito correspondiente y se les recordara poniendo inscripciones en arameo con sus nombres en medio de las figuras. «Juliana, *de su propio peculio* —subraya una de las inscripciones—, pavimentó de mosaico esta santa sinagoga de Naro para su salvación.»[11]

El hecho de que una mujer celebrara su acto de beneficencia en Hammam-Lif no debería sorprender a nadie. El papel limitadísimo asignado a las mujeres en la Misná, especialmente como destinatarias de las sentencias de los varones acerca de sus derechos y sus reclamaciones, quizá constituya una indicación equivocada de lo que era la realidad social. La realidad era que hombres y mujeres asistían juntos a esas sinagogas sin que hubiera ningún tipo de separación entre ellos. De hecho, ni la Torá ni la Misná tienen nada que decir al respecto, y pese a la abundancia de testimonios procedentes de las sinagogas de esta época, no se ha encontrado resto alguno de galería o de cualquier otro tipo de separación. Como muchos otros elementos considerados de antemano una práctica de los judíos desde tiempo inmemorial, esa obligación fue instituida muchos siglos después. Fue una innovación, no una tradición. Y lo mismo vale para el abandono de la prosternación completa, probablemente debida a la necesidad de diferenciarse de la práctica de los musulmanes (lo que supone una doble ironía, pues casi con toda seguridad el islam adoptó de los judíos la prosternación y otros muchos rituales, como, por ejemplo, el hecho de descalzarse). El pasaje relevante en el libro de los Avot da por supuesta la prosternación como práctica habitual.

Pero, además, las sinagogas profusamente decoradas de los siglos III-VI nos obligan a replantearnos todos nuestros prejuicios acerca de las casas de oración y lectura de la Torá de los judíos. Ponen de manifiesto que el judaísmo, tal como fue restablecido, estaba compuesto, en algunos aspectos, casi tanto de imágenes como de textos. En este aspecto fundamental, el judaísmo enlazaba con las culturas que lo rodeaban, no se separaba de ellas. Por lo pronto, esos mosaicos —no solo de animales y plantas, sino también con figuras humanas— podían verse asimismo en cualquier casa particular de gente acomodada en ciudades como Hammam-Lif, Tiberíades, Escitópolis (Betsán) o Séforis. Las sinagogas de estas ciudades —como la vida judía en general— eran curiosamente una extensión de la cultura en general, no un mundo encerrado en sí mismo y alejado de ella. El estilo y la iconografía de los mosaicos procedían del mundo pagano en el que los judíos habían vivido relativamente sin problemas. Vides, palmeras datileras, delfines y leones eran una propiedad cultural común de los dos monoteísmos (al igual que la Biblia hebrea, por supuesto) y, de hecho, también del paganismo. Como sucede en Dura-Europos, David o Daniel podían aparecer igualmente en iglesias y en sinagogas.

Por si hicieran falta más pruebas de la actitud abierta del judaísmo ante las culturas en medio de las cuales vivía y prosperaba, tenemos las chicas de calendario que nos miran ceñudamente desde los pavimentos de mosaico de las sinagogas construidas en esta época seminal del judaísmo rabínico. Son personificaciones de las estaciones, caracterizadas por los meses. Tevet, la chica del invierno, con la cara llorosa, nos mira melancólica tras los pliegues de un velo (extrañamente parecido a un *hiyab* islámico moderno), ocultando el cabello, más debido al frío de la estación que a cualquier obligación de decencia. Nisán, la muchacha de la primavera, en cambio, tiene gruesas trenzas de pelo rubio, recogidas en lo alto de la cabeza y sujetadas exactamente con el tipo de diadema que la Misná prohibía llevar el sábado. Peor o mejor aún, de la oreja izquierda le cuelga un pendiente inequívocamente de bisutería. Tamuz, el mes estival, relacionado a veces con el momento en que los veleidosos israelitas decidieron adorar al becerro de oro, luce un elegante sombrerito plano y lleva un hombro provocativamente desnudo.

En ciudades como Séforis podían verse, en los pavimentos de las casas opulentas que flanqueaban las calles y las grandes avenidas, mosaicos no solo con imágenes de mujeres hermosas, sino también con todo el repertorio de lo que consideramos la iconografía profana de los paganos: animales, en particular conejos, patos y ciervos. Cada nueva temporada de excavaciones, la aparición de más decoraciones espectaculares de este tipo revela que la ciudad estaba impregnada de esa imaginería paradisíaca y arcádica.[12] Séforis está tan ricamente decorada y muestra tantos ejemplos de lo que era el estilo grecorromano —un espacioso teatro (cerca de la sinagoga que se nos ha conservado), o las grandiosas avenidas porticadas del cardo y del decumano— que su estética tiene un aspecto inequívocamente pagano clásico. Pero en realidad Séforis no era una ciudad gentil pagana. Era mayoritariamente una ciudad judía, y los miembros de su consejo municipal (la *boulé*) eran en su inmensa mayoría judíos. El teatro había sido construido para un público judío, no romano, que asistía regularmente a él como lo hacían los judíos en cualquier otro punto del Imperio romano tardío, del mismo modo que iban a las carreras de carros y a los combates de gladiadores. No hay ningún motivo para pensar que esas mansiones lujosamente construidas y decoradas —como la «Casa del Nilo», con sus pinturas sobre la festividad de Osiris y todo un bestiario fluvial egipcio (cocodrilos, hipopótamos, el lote completo)— no pertenecían a familias judías. Y los mosaicos más exquisitos de toda la ciudad —que incluyen la figura de una mujer hermosísima, posiblemente Afrodita, así como la de Hércules y otros personajes clásicos habituales— pertenecen a la «Villa de Dioniso», situada en las estribaciones occidentales de la ciudad (no lejos del teatro y de la sinagoga), en un barrio que, debido al descubrimiento de unas pinturas de *menorot* y otros objetos parecidos, se sabe que estaba densamente poblado de judíos. ¿A quién habría pertenecido esa Villa de

Dioniso? Las discrepancias son muchas, pero por lo menos algunos estudiosos están dispuestos a admitir la extraordinaria posibilidad de que la casa fuera la residencia de Yehudá Hanasí (Judá el Príncipe), amigo de emperadores, redactor principal de la Misná y jefe del sanedrín.[13]

El mapa urbano básico de Séforis, ciudad opulenta y cosmopolita, pero también piadosa, había adoptado la forma que vemos ahora en los siglos II y III, cuando fue rebautizada Diocesarea, pero a mediados del siglo IV la localidad sufrió dos catástrofes, una política y otra natural. En 351 fue el centro de una violenta rebelión contra el gobierno del coemperador Constancio Galo, en parte con motivo de las imposiciones fiscales. Su cabecilla fue un tal «Isaac de Diocesarea», que logró reunir unas tropas lo bastante formidables como para tomar diversas fortalezas incluso tan al sur como Lida, hasta acabar sufriendo una derrota cerca de Acre. El precio que tuvo que pagar la ciudad por participar en estas grandes revueltas contra Roma fue su destrucción militar. Doce años después, en 363, un gran terremoto con epicentro en Galilea destruyó lo que aún quedaba en pie. Séforis/Diocesarea fue reconstruida, sus grandes calles fueron restauradas en un bonito estilo tardoclásico, y entre los nuevos edificios levantados había varias sinagogas, una de las cuales es la edificación en forma de basílica que aún se conserva, alargada y estrecha, provista de mosaicos que parecen traducir sin ningún problema las imágenes de un espacio residencial privado a otro comunal sagrado. Aunque no tienen la calidad de los de la Villa de Dioniso, siguen impresionándonos de manera excepcional, entre otras cosas porque demuestran que el judaísmo de las generaciones correspondientes a su formación rabínica dejaba un espacio a la pintura.

Los judíos modernos se han educado en la creencia de que en las casas de oración y lectura de la Torá las imágenes, si es que están presentes, se hallan confinadas ocasionalmente a alguna modesta ventana adornada con vidrieras. Sin embargo, en esta ciudad, en que las sinagogas adoptaron su forma y su traza originales, las imágenes —la majestuosa superficie de un mosaico a modo de alfombra, que se extiende de un extremo a otro de la sala— dominan todo lo demás, engrandeciendo visualmente lo que en realidad era un espacio estrechamente delimitado, semejante a un granero con tejado a dos aguas. Esas imágenes, además, no quedaban ocultas por la congregación o asamblea de fieles, ya estuvieran sentados o de pie. Aunque en Séforis no hay bancos de piedra, sabemos que los fieles se sentaban —probablemente en bancos de madera— a lo largo de tres de los lados del perímetro de la sala, protegidos por la techumbre de la basílica judía. De modo que desde cualquier posición habrían tenido una vista inmejorable de esas pinturas, que permitirían al poder de la memoria derrotar a la realidad de la política.

Como cabría imaginar de la iconografía judía, son imágenes verbales. Textos, inscripciones y letreros aparecen incorporados a los mosaicos en griego, en arameo y en hebreo, especificando los signos del zodíaco, los meses o los nombres de los benefactores. Tenemos también la profunda sensación de que las escenas bíblicas están inspiradas en los comienzos del *midrás*, el estudio interpretativo sistemático de la Torá y de la Biblia que se llevó a cabo junto con la elaboración de la Misná que desembocó en el Talmud. Contrariamente a las doctrinas recibidas acerca de la tradición judía, textos e imágenes cooperan entre sí, no van los unos en contra de las otras. Las figuras no son una especie de accesorio ilustrativo del judaísmo textual. Para los judíos que iban a esta sinagoga y a otras por el estilo —y que con toda probabilidad eran muy distintos por su educación y sus inclinaciones de la comunidad rabínica de la *beit hamidrás* o «casa de estudio» (pero que, como podemos afirmar a raíz de la rebelión, eran al fin y al cabo judíos furibundos todos ellos)—, las imágenes estructuran su concepción de lo que era heredar la memoria judía y traducir esa memoria a una práctica social concreta. Desencadenan una mnemotecnia visual. Las chicas de calendario y la gran rueda del zodíaco que aparecen en el centro del pavimento de numerosas sinagogas de esta época, coexisten con iconos del Templo perdido —la menorá o candelabro de siete brazos, el shofar o trompeta y la mesa de la proposición— y con relatos de la Biblia cargados (como en Dura-Europos) de significados redentores.

Ninguna de estas imágenes era escogida arbitrariamente. El hecho no solo de que se repitan en sinagogas tan alejadas entre sí como la de Beit Alpha, en las estribaciones orientales del valle de Esdrelón, y la de Hammat Tiberíades, mucho más cerca de Séforis, indica que a partir del siglo IV como muy tarde debió de haber una especie de manual de imágenes de pavimentos para sinagogas que se suponía que habían de seguir los mosaiquistas, independientemente de su sofisticación o de su falta de ella (la torpeza del pavimento de Beit Alpha recuerda a los dibujos de un niño). Y, lo más curioso, semejante manual debió de contar con la aprobación de las autoridades rabínicas para que se repitiera con tanta frecuencia y de una forma tan idéntica. Así pues, la Misná y los mosaicos no eran ni mucho menos excluyentes, sino complementarios; al igual que en Dura-Europos, se trata de un programa de palabra e imágenes para la congregación y el culto de los judíos.

La división formal del espacio del suelo era fundamental para la forma de actuar sobre la vista y sobre la mente que tenía ese programa. En la parte más próxima a la entrada estaban las referencias y los relatos bíblicos, entre los cuales figuraban invariablemente el sacrificio de Isaac, a menudo la consagración de Aarón (como correspondía a un mini-templo) y a veces la visita de los ángeles a Sara. Los mosaiquistas —o los que encargaban sus obras— tenían luego libertad para variar los detalles anecdóticos, que podían llegar a ser encantadores, pero siempre carga-dos de elementos mínimos sumamente significativos. La versión del sa-crificio de Isaac reproducida en Séforis incluye la emotiva representa-ción de dos pares de sandalias, unas para Abraham, el padre, y otras mucho más pequeñas para Isaac. (Todas las representaciones primitivas de esta escena hacen de Isaac un niño, no el hombre de treinta y tantos años del que habla luego con insistencia el Talmud.) Al aparecer unas al lado de otras, esas sandalias humanizan dolorosamente la antinatural exigencia de YHWH a Abraham, pero aluden también al espacio sagra-do del monte Moria, que exigía que sus visitantes se descalzaran respe-tuosamente para pisarlo.

Este detalle debía de aludir a otros momentos posteriores de signi-ficativas epifanías con los pies descalzos recogidas en la narrativa judía, como la de Moisés ante la Zarza Ardiente, cuyo recuerdo (de nuevo como en Dura-Europos) habría sido perpetuado por los fieles descalzos en su sinagoga. Las hileras de sandalias a la puerta habrían vinculado a los ju-díos de Séforis a las vidas de sus antepasados. Del mismo modo, la pre-sencia del sustituto providencial, el carnero, habría supuesto un recorda-torio de los sacrificios del Templo, sobre todo durante la Pascua, y de su monumento simbólico, la cena pascual. Justo en ese momento, tanto el culto cristiano como el judío estaban profunda y mutuamente absortos en la figura y el significado del cordero.

En el extremo más alejado del pavimento de la sinagoga, cerca del sagrario o edículo de la Torá, se acumulaban los signos visuales y los símbolos del Templo perdido, del que la sinagoga no era tanto una aproximación cuanto una especie de cámara del recuerdo. Ocupando un lugar central estaba una imagen estilizada del sanctasanctórum con múltiples puertas representadas una tras otra y a veces, como en Dura-Europos, con columnas salomónicas. A uno y otro lado había leones custodios-protectores o dos *menorot* (candelabros de siete brazos), como si, al menos en la mente y la memoria de los judíos, la menorá hubiera sido liberada de su cautiverio romano. A su alrededor aparecían repartidos el mobiliario y demás enseres del Templo: las trompetas que convocaban a los fieles al comienzo de los ayunos, de las fiestas y del sabbat, las paletas y (ocasionalmente) las tenazas para el incienso, y la mesa de oro de los panes de la proposición. De ese modo, mientras que los orígenes de la alianza según las Escrituras eran representados a la entrada, la realización de esa alianza ocupaba el fondo de la sala.

La instauración de la alianza según las Escrituras y su establecimiento en el Templo eran organizados en bandas horizontales de imágenes. Pero entre ellas tenemos el gran ciclo o rueda del zodíaco, que, como parece girar sobre el pavimento, es siempre la zona más espectacularmente atractiva y dinámica de los mosaicos. Es también la sección que debe más directamente a la iconografía pagana. Las propias chicas de calendario son iconos clásicos de las estaciones, pero en el centro de la rueda del zodíaco está la figura absolutamente no rabínica de Helios, el dios del sol, el favorito en especial de Antonino Pío y de otros muchos emperadores paganos posteriores. La devoción solar como una especie de emanación del Creador, por lo demás informe, tenía tras de sí una larga historia en el yaveísmo, muy anterior a la cultura clásica.[14] En Séforis adopta la forma eufemística de una ráfaga de rayos arrastrada por un poderoso tiro de caballos, pero en Hammat Tiberíades y en Beit Alpha aparecen representados sin ambages el rostro y el cuerpo de la criatura celeste. Dentro de la rueda se distribuyen los signos del zodíaco, cuyos nombres se dan en hebreo, en griego y en arameo, a veces en una mezcla de las tres lenguas, y sin tener demasiado en cuenta lo que cabría suponer (ahistóricamente, desde luego) que eran los cánones de decencia judíos. Cuando un signo, como Géminis o Acuario, requiere la representación de una figura humana, los mosaiquistas no dudan en ejecutarla: unos deliciosos niños gemelos en Séforis, y el desnudo integral de un joven aguador musculoso en Hammat Tiberíades. El protagonismo de las imágenes de Helios parece a primera vista sorprendentemente incompatible con el judaísmo en esta época de creación del Talmud. Pero el judaísmo ha sido siempre una religión de calendario, cuyas fiestas y días santos han seguido de cerca el año agrícola. En todos los pavimentos de mosaico aparecen representados cestos de primicias y las «cuatro especies» —la palmera, el mirto, el sauce y el limón— llevadas a Jerusalén por los peregrinos en la fiesta de los Tabernáculos, celebrada en otoño, y trasladadas luego a la sinagoga, como sigue haciéndose en la actualidad. Y entre los Manuscritos del Mar Muerto se conservan documentos que dejan patente que el compromiso absoluto con el judaísmo no era ni mucho menos incompatible con un intenso compromiso con la astronomía... y con la astrología. Algunos manuscritos están llenos de comentarios y especulaciones basadas en la observación del firmamento. Este es otro ejemplo, por supuesto, de que los judíos eran unos apasionados del mundo clásico, pero sin querer ello decir en absoluto que semejante actitud tuviera algo que ver con flirtear con el paganismo. Helios, el dios del sol, solo habría podido ocupar ese lugar central en los pavimentos de mosaico cuidadosamente diseñados de las sinagogas de Galilea si no hubiera sido concebido, en cierto modo, como un atributo de YHWH, la fuente de la luz. El carro del sol en el centro del cosmos habría podido ser asociado con el *merkabá*, el carro de la ascensión a los palacios celestiales que aparece ya en las obras místicas y en la poesía exactamente por esta misma época.[15]

En otras palabras, en los abigarrados y hermosos mosaicos de las sinagogas palestinas de los siglos III-VI no había nada que hubiera podido escandalizar a los rabinos, ni siquiera en la ciudad que, dos siglos antes, había creado la Misná. Pero las imágenes y los textos iban dirigidos a dos tipos distintos de congregaciones judías. La Misná estaba hecha a la medida no tanto de los judíos de la sinagoga como de la otra institución iniciada también en tiempos de estas generaciones, la *beit hamidrás*, la antepasada de las academias tipo *yeshivá*. En efecto, allí debía ser excluido el mundo vulgar, vocinglero y profano de la heterodoxia, para destilar mejor en toda su esencia las palabras de la Torá y las palabras pronunciadas y escritas acerca de las palabras de la Torá, que constituían el principio de la infinita maraña de interpretaciones, exégesis y comentarios que acabaría siendo el Talmud. Casi en todas sus páginas, el Talmud es consciente del modo en que un judío justo debía actuar en el mundo exterior, aunque a menudo parece un recinto desprovisto de ventanas, un lugar en el que da la impresión de que la mente debe mirar hacia dentro, concentrándose solo en el poder autónomo de la palabra sagrada.

La estructura, las imágenes y las inscripciones de las sinagogas de la Antigüedad tardía y de comienzos de la Edad Media, leídas con cuidado y teniendo prudentemente en cuenta el momento y el lugar específicos que ocupan en la historia de los judíos, nos ofrecen algo más que la visión rabínica de los silenciosos lugares de devoción introspectiva. Encarnan la realidad viva de cómo debía de ser un judío en su sinagoga, y desde luego un judío en el mundo. Eran instituciones relacionadas con el carácter y el estilo abigarrado de la ciudad, no apartadas de ellos. Las lenguas vernáculas de la vida cotidiana —mayoritariamente el griego y a menudo también el arameo— fueron incorporadas a las inscripciones de los mosaicos. Los nombres de la Misná son los nombres de los rabinos y los sabios. Los nombres de la sinagoga, escritos en pavimentos y paredes, son los de los judíos corrientes, y a menudo se especifican sus ocupaciones: comerciantes, tintoreros, médicos. Los primeros son legendarios y los segundos, reales, y reclaman su derecho al honor de ser recordados (como siguen haciendo en la actualidad); «Sean recordados para bien» es la fórmula que se utiliza convencionalmente. Séforis, por ejemplo —donde parece que un grupo de familias prominentes fue el que destacó en la creación de la sinagoga de la ciudad, de forma alargada y estrecha—, devuelve a la vida a los espíritus de «Yudán, hijo de Isaac, el sacerdote, y Paregri, su hija. Amén, amén», o de «Tanhum, hijo de Yudán y Semqah, y Nehorai, hijo de Tanhum». Cuando pienso en Séforis, pienso en Judá el Príncipe, pero desde luego siempre recordaré a Yudán y a Paregri. Con semejantes nombres, ¿quién podría no recordarlos?

Por consiguiente, las primeras sinagogas no eran desde luego lugares en los que la observancia constituyera el requisito para excluir al resto del mundo y sus creencias. Tenían que disponer de luz suficiente para la lectura de la Torá, y su forma de basílica estaba siempre provista de claraboyas o columnatas abiertas y de puertas amplias. Sabemos por la inscripción de su «archisinagogo», Teódoto, que en Jerusalén fue construida una sinagoga cuando el Segundo Templo se hallaba todavía en pie, y por inscripciones similares de Egipto nos enteramos de que las sinagogas empezaron siendo centros de la comunidad; no casas de oración, sino albergues que acogían a peregrinos y viajeros, les daban de comer y les proporcionaban agua. Cuando se convirtieron en lugares centrados en la oración y la lectura de la Torá, no desapareció del todo su carácter social, y desde luego esa función siguió viva.

La historia de la cultura sufre a veces las consecuencias de ser escrita en serie, de ser una sucesión de «ismos», que se superponen totalmente unos a otros, o que dejan a sus predecesores marginados y a la defensiva, camino de la desaparición. Eso desde luego no le sucedió al judaísmo en los años comprendidos entre la destrucción del Templo y el establecimiento del cristianismo como religión estatal de la Roma del siglo IV. No se trató de la casi eliminación de un monoteísmo original y de su marginación tras la llegada de un Evangelio conquistador. Fue una época en que tanto el judaísmo como el cristianismo fueron creados y recreados; y durante algún tiempo —quizá tres siglos—, y pese a que sus respectivas tradiciones parecían exigirlo, no fueron excluyentes mutuamente, no desde luego hasta el punto de precisar la aniquilación del otro.[16] Indudablemente ambos cultos rivalizaban por conseguir la adhesión de los seguidores del monoteísmo. Los puntos en común —de personas y de costumbres— eran numerosísimos. Muchas prácticas rituales originarias de la Torá siguieron siendo observadas por los que llamaban el Señor a Jesús y por los que no. El sabbat siguió guardándose y, a pesar de la férrea insistencia de Pablo en que la «nueva alianza» encarnada en el sacrificio de Cristo había venido a sustituir la antigua «circuncisión» carnal, muchos de los que se consideraban cristianos judíos siguieron practicándola. Ese fue el punto que dividió inexorablemente a dos judíos de nacimiento —Pedro y Pablo— en Antioquía, donde, para espanto de Pablo, Pedro no quiso compartir la mesa con los incircuncisos.

Durante los siglos II y III, mientras las dos religiones siguieron sometidas a la autoridad imperial pagana, ambos credos rivales compartieron el mismo espacio urbano sin la obligación de odiarse. Curiosamente, a veces compitieron en su celo por destacar a los mártires judíos. En Antioquía hubo un culto cristiano de los siete hermanos Macabeos (y de su anciano padre, Eleazar, y de su madre), algunos de los cuales se decía que habían sido enterrados en Dafne, a unos cuantos kilómetros del centro de la ciudad, donde los judíos tenían su sinagoga más famosa.

El hecho de que los judíos tuvieran prohibido efectuar enterramientos en una sinagoga no disminuía en modo alguno la credibilidad de la leyenda ni impidió que aquella acabara convertida en iglesia. Pero la idea de que los Macabeos fueran objeto de una acendrada devoción cristiana dice mucho acerca de las complejas conexiones entre las dos religiones y de sus tradiciones durante los años de su formación.[17]

Nada refleja ese «efecto de eco» —el estilo del pasado clásico-pagano mantenido en el presente monoteísta y oscilando entre las dos religiones— de modo más dramático que la forma en que los judíos romanos enterraban a sus muertos.[18] Las catacumbas judías de la Vigna Randanini, en la Via Appia Antica, al sur de la ciudad, y otras situadas al norte, en Villa Torlonia, fueron descubiertas originalmente en una viña a comienzos del siglo XVII y, por supuesto, se dio por hecho que eran cristianas. Esta tesis no fue modificada lo más mínimo cuando fueron excavadas de manera más sistemática a mediados del siglo XIX, y sobre esta base los dueños del campo obtuvieron el permiso de las autoridades pontificias para seguir adelante con las excavaciones. No lejos de la escalera de entrada, que bajaba a los túneles de la necrópolis, apareció un inequívoco candelabro de siete brazos pintado en rojo sobre la pared. Y tras él aparecieron muchos más, a menudo acompañados de inscripciones en griego y ocasionalmente en hebreo («Shalom», reza una de ellas), lo que dejaba fuera de toda duda la filiación de las catacumbas. Lo que se descubrió fue un cementerio subterráneo puramente hebreo, al que tenían acceso todos los miembros de la judería romana, desde las clases más modestas a las más pudientes.

Construidas por la misma época que las catacumbas cristianas o un poco después, las judías adoptaron los mismos tipos de cubículos, cámaras y nichos. En Vigna Randanini, sin embargo, hay algunos *kokhim* o espacios funerarios tallados en perpendicular, no en paralelo, a la galería subterránea. De modo que, al menos en algunos aspectos, las catacumbas judías de Roma son también una traducción de las cámaras mortuorias judías típicas antes y después de la destrucción del Segundo Templo, especialmente las de la ingente necrópolis de Beit Shearim, al oeste de Galilea, inaugurada en el siglo II. Esta, a su vez, debía mucho a los enterramientos helenísticos en forma de galerías subterráneas, los hipogeos. En Roma, la mayoría de los enterramientos son cavidades poco profundas que corren en paralelo a la dirección de los túneles, y entre ellos destacan los incontables nichos de pequeño tamaño para acoger los cadáveres de los niños y los recién nacidos, entre los que se intercalan los cubículos subterráneos, mucho más grandes destinados a los más ricos y a los personajes notables. De manera muy ocasional aparece algún sarcófago decorado en su totalidad, pero la mayor parte de las veces la ornamentación se limita a *menorot* estilizadas y a frases de cosecha propia y epigramas de repertorio. La inmensa mayoría de los judíos de la Roma de esta época eran gente humilde o pobre; libertos llegados a la capital como esclavos y sus descendientes, pero también artesanos y tenderos. No tan pobres, sin embargo, como para no poder dar su propio nicho a los hijos fallecidos a consecuencia de alguna de las epidemias que asolaban habitualmente la ciudad, acompañado a veces de patéticas palabras de despedida pintadas o garabateadas en la pared y de elogios de la inocencia de los difuntos.

En el fondo del laberinto de túneles estaban los lugares destinados a los miembros más prominentes de la judería. En una inscripción una mujer llora a su esposo, el *grammaticus* de la comunidad —su secretario—, adoptando el estilo altisonante de la poesía latina. La evidencia de un estilo particular de pintura mural pone de manifiesto que las catacumbas datan del siglo IV e. c., época en que hubo una nutrida comunidad judía en Roma y en su puerto, Ostia, donde existía también una sinagoga (decorada con mosaicos de estilo geométrico), pero asimismo la época en que el cristianismo fue declarado religión estatal del Imperio romano. Por consiguiente, es probable que las catacumbas cristianas, mejor conocidas y más pobladas, fueran construidas siguiendo el modelo previo de las judías, y no al revés, pues los judíos se limitaron a trasladar a los territorios de la Diáspora las costumbres funerarias de Palestina.

Más sorprendente incluso (a menos que se conozcan los préstamos atestiguados en lugares como Hammam-Lif y Séforis) es el estilo pagano de la decoración de las paredes y los techos de los sepulcros de las familias más prominentes —cámaras en forma de capilla— que se encuentran en los lugares más recónditos de las catacumbas. En Vigna Randanini esas imágenes desmienten una vez más la idea preconcebida de la aversión de los judíos por la decoración, especialmente en los enterramientos, pues los hermosos diseños —que van de pared a pared y recorren la bóveda de la tumba— incluyen motivos vegetales, flores, animales y, en algunos casos, figuras que corresponden inequívocamente a las Musas, a criaturas mitológicas como Pegaso y a divinidades muy parecidas a Diana, Venus, Apolo y Mercurio. Una de esas cámaras, cuya bóveda está pintada de un color azul brillante, como si quisiera traer la luz de los cielos eternos a las celdas de la oscuridad, tiene una guirnalda tan delicada de figuras de este tipo que los arqueólogos creen que originalmente debió de ser una cámara funeraria pagana. En un momento determinado habría sido aprovechada por los judíos, que evidentemente no solo no encontraron ofensiva su hermosa decoración, sino que además pensaron que se adaptaba a la perfección a sus gustos funerarios. La más exquisita de estas cámaras decoradas (aunque no la más grande) es un cubo casi perfecto, con palmeras datileras (el viejo símbolo judío) en sus cuatro esquinas y con las paredes estucadas en blanco y cubiertas de una profusión tan delicada de flores, gacelas brincando y delfines saltando que representa, sin lugar a dudas, una visión del Paraíso, el *gan eden* o Jardín del Edén, en el que la imaginación y la fantasía poética de los judíos situaban a sus amados difuntos. Como tantas de las ideas preconcebidas acerca de lo que se supone que era la experiencia inmemorial de los judíos (la separación de los sexos en las sinagogas, por ejemplo), el concepto de unas prácticas funerarias marcadas por la más absoluta austeridad se ve desmentido por las pruebas reales de lo que solían hacer los judíos en esta fase formativa de su cultura. Bajo tierra, lejos de la luz, no se escatimaban esfuerzos en decorar y adornar aquellos lugares de descanso; con simples *menorot* y pequeñas inscripciones o palabras de despedida en el caso de los más humildes y los pobres, o con jardines o huertos subterráneos enteros —la visión paradisíaca de la salvación celestial— en el caso de los más acaudalados. Esta visión judía del jardín de los muertos ha sobrevivido incluso a lo largo de los siglos durante los cuales se impusieron las posteriores normas de severidad marmórea (aunque, como veremos, solo con un éxito parcial e intermitente). «Adiós, querido, que duermas en el *gan eden*» fueron las últimas palabras que le dijo mi madre a mi padre cuando vio su cuerpo sin vida en el hospital de Hampstead y le dio un beso de despedida en la frente. Judía practicante, habría estado encantada de que Arthur Osea descansara en una de las tumbonas de rayas a las que era tan aficionado, en una frondosa cámara celestial como esas.

II. Separación

En sentido estricto, el conflicto entre judíos y cristianos fue una disputa familiar. Ello no impidió, sin embargo, que resultara fatal; antes bien, quizá precisamente facilitó que así fuera, pues fueron un grupo de judíos, los seguidores de Jesús de Nazaret, los primeros en imbuir en la mente de los cristianos el tópico de que los miembros de su pueblo que no se habían convertido eran monstruos inhumanos que habían dado muerte a Dios, unos deicidas. No es solo que la versión del Evangelio de Mateo presente a los judíos asumiendo voluntariamente la responsabilidad de su culpa eterna: «Caiga su sangre sobre nosotros y sobre nuestros hijos». Mucho peor, pero que mucho peor es el pasaje del Evangelio de Juan en el que el propio Jesús pone de manifiesto que su muerte será perpetrada por un pueblo cuya característica definitoria es la de ser unos homicidas poseídos por el diablo.

El pasaje en cuestión se encuentra en el capítulo octavo de Juan, cuando, tras defender Jesús a la mujer adúltera, el enfrentamiento con los fariseos indignados adopta un giro siniestro. Quizá se trate del momento más crudo, más profundo, de todo el Nuevo Testamento, aquel del que infelizmente arrancarían todas las desgracias, todos los malentendidos y las malévolas caracterizaciones mutuas que enfrentarían a judíos y cristianos. «¿Tú quién eres?», preguntan los fariseos, los que —en su propia opinión— observaban la ley de la Torá. «Es enteramente lo que os estoy diciendo», responde Jesús sentenciosamente, tras lo cual pasa a hablar de su Padre. Pensando que al menos algunos de sus oyentes escucharán sus palabras, Jesús los anima y dice: «Conoceréis la verdad y la verdad os hará libres». Ese es el tipo de cosas que se suponía que debía decir un mesías humano, el liberador ungido de Jerusalén. Pero sus palabras no impresionan a todos. Los que ya han oído antes toda clase de cosas responden (de modo un tanto absurdo) que muchas gracias por el favor, pero que ya son libres: «Somos linaje de Abraham». «Sé que vosotros sois linaje de Abraham —replica Jesús adoptando de repente una actitud irritada—, pero buscáis matarme, porque mi palabra no ha sido acogida por vosotros ... Si sois los hijos de Abraham, haced las obras de Abraham». Y a continuación repite: «Pero ahora buscáis quitarme la vida, a un hombre que os ha hablado la verdad». Los judíos se ponen a la defensiva y le interrumpen, presintiendo la inminencia de algo feo y afirmando que tienen «un padre, que es Dios». No, dice Jesús incendiándose en justa cólera: «Si Dios fuera vuestro padre, me amaríais a mí; porque he salido y vengo de Dios». Pero no le escuchan y no pueden entenderle porque obedecen a otro padre completamente distinto, que les tapona los oídos y no les deja ver la luz. ¿Y qué padre es ese? «Vosotros sois nacidos del diablo, y queréis cumplir los deseos de vuestro padre. Él es homicida desde el principio y no se mantuvo en la verdad, porque la verdad no estaba en él.» Los antagonistas no tardan en intercambiarse insultos y en acusarse de ser hijos del diablo o de estar endemoniados. Los judíos, horrorizados, acusan a su vez a Jesús de ser un verdadero demonio, ni más ni menos que un samaritano, o quizá peor aún, entre otras cosas por prometer la inmortalidad a los que le sigan.

Cuatrocientos años después, en 386 e. c., otro Juan, presbítero reverenciado por su ascetismo y su elocuencia —de ahí el apelativo honorífico que luego se le daría, Crisóstomo, «de áurea boca»—, se erguiría en el púlpito de una iglesia de la ciudad también áurea de Antioquía, situada entre las montañas de Siria y el mar, y advertiría a sus feligreses, temeroso de que se dejaran arrastrar por la curiosidad, que en las sinagogas de los judíos, y especialmente en Matrona, en el barrio residencial situado en medio de los bosques de Dafne, estaban los centros de reunión de los demonios, peores que los burdeles y otros lugares de impiedad. «En ellos se alza también el altar invisible del engaño», afirmó Juan indignado, evocando los siniestros lugares diabólicos «en los que se inmolan no ya corderos o novillos, sino las almas de los hombres».[19] Pero eran las mujeres de Antioquía las más susceptibles a las añagazas de los demonios, pues tenían la costumbre de ir hasta allí en busca de entretenimiento e inspiración. Como las elaboraciones o *midrashot* de la Torá, si no la propia lectura de la Ley, se realizaban en griego, podían ser entendidas por las cristianas más crédulas que se dejaban arrastrar a las sinagogas por la llamada del shofar con ocasión del Año Nuevo. «No corráis al oír sus trompetas —recomendó Juan—. Por el contrario, deberíais quedaros en casa gimiendo y llorando por la terquedad de ese pueblo [los judíos].»[20] Y añadió: «¿No os da miedo bailar con los demonios?».[21] Y si esas mujeres tenían el descaro de pasar el día con los judíos, dijo Juan a sus maridos (Juan de Áurea Boca creía firmemente en la fidelidad del matrimonio), «¿no os da miedo que no vuelvan a casa?». ¡No os relacionéis con ellas! ¡Evitad su contacto como evitaríais entrar en una casa contaminada por la peste! Pues el hecho de «judaizar», como se denominaba ese tipo de flirteos con los judíos, era una enfermedad terrible y podía enredar a los incautos en la trampa urdida por el diablo.

¿No era de todos sabido que los judíos practicaban las negras artes de la hechicería? ¿Acaso no se había enfrentado san Pablo en Pafos al malvado mago judío Élimas, un verdadero «hijo del diablo»?[22] «¡Denunciad a los hechiceros! —exigía Juan—. ¡No les dejéis entrar en vuestras casas!»[23] Según algunas de las primeras representaciones de los judíos en la Antigüedad clásica, se creía que eran maestros consumados en los conocimientos esotéricos, seguidores de una ambigua línea de magia y medicina creada por la imaginación, y desde luego se dedicaban a la venta de amuletos; los había que contenían inscripciones, otros eran piedras con poderes protectores (contra la infertilidad o contra el aborto) y unos terceros tenían forma de anillos y pulseras.[24] Dueños de esa poderosa sabiduría, los judíos estaban siempre dispuestos a recitar bendiciones para los campos y las viñas con el fin de asegurar una rica cosecha, y a la vista del furor de los predicadores es evidente que muchos agricultores cristianos pensaban que tales bendiciones no tenían por qué causarles ningún daño. En vista del furor de Juan Crisóstomo ante sus fechorías (y por las objeciones de otros padres de la Iglesia), sabemos que había multitud de motivos para que los cristianos tuvieran por costumbre frecuentar las sinagogas. Iban a ellas a escuchar sermones homiléticos de predicadores de reconocida elocuencia. Iban a ellas a firmar contratos porque, evidentemente, confiaban más en los tribunales de justicia judíos que en los suyos. Iban a ellas para prestar juramentos, pues creían, señala Juan Crisóstomo entre incrédulo y sarcástico, que los juramentos hechos en la sinagoga eran más solemnes. Si alguna de estas razones o todas ellas en conjunto proporcionaban a los cristianos alguna justificación para ir a la sinagoga, el presbítero se mostraba encantado de ofrecer a los cristianos una medida profiláctica. «¿Cuál es la única forma de entrar en una sinagoga? Si os hacéis en la frente el signo del cristiano, se alejará enseguida el poder maléfico que habita en ella; pero si no os santiguáis, si arrojáis de ese modo vuestras armas en la misma puerta, el demonio os agarrará desnudos e inermes y os infligirá miles de heridas espantosas.»[25]

La cadencia temporal de los ataques judeófobos ha sido siempre la misma. Una ciudad, un país o un estado entran en crisis; los conflictos, las disputas, la necesidad y el pánico ya han traspasado el umbral, y cosas aún más terribles llaman a la puerta. Ya está; echadle la culpa al pueblo del diablo; que se la carguen los judíos. El mal que aquejó a Antioquía en 386-387 fue la posibilidad de unas represalias catastróficas de los romanos por un acto de ofensiva temeridad contra la persona o, al menos, la imagen del emperador Teodosio y su nueva esposa, Gala. La populosa ciudad, opulenta y cosmopolita, la tercera más grande del imperio después de Roma y Alejandría, era también el puesto de mando y control de vanguardia frente a la amenaza perpetua de los persas sasánidas (que poco más de un siglo después destruirían Antioquía). Su defensa resultaba muy costosa, especialmente para el Imperio bizantino, demasiado dilatado desde el punto de vista geográfico. Se obligó a pagar un nuevo impuesto en oro a los habitantes de la sibarítica ciudad, que estaba atravesando por una mala racha: sequía, escasez de alimentos, alza de los precios y dañinos brotes de peste. Las protestas de palabra dieron paso a los motines, y los motines a estallidos de iconoclasia.

La agitación contó también con una vertiente cristiana. Puede que Antioquía fuera famosa por su grandiosidad y su vida placentera, por sus monumentos, sus teatros, sus termas y sus villas, pero al mismo tiempo era el hogar de furibundos ascetas, muchos de los cuales vivían como ermitaños o monjes en las colinas de los alrededores. Esas dos facetas de la ciudad —la piadosa y la profana— se alimentaban mutuamente y constituían un engranaje cultural que funcionaba a la perfección.[26] Los perversos hedonistas de Antioquía hacían lo que les daba la gana y se convirtieron en el blanco de furibundos predicadores como Juan Crisóstomo, que los acusaban de despreocuparse de los pobres y de la misericordia mostrada hacia ellos por el Salvador. Naturalmente, los hedonistas disfrutaban también con aquello. ¡Qué actuaciones tan dramáticas! En la ciudad había muchísimos pobres y también en las llanuras pantanosas de los alrededores, donde se cultivaba arroz; un trabajo duro como pocos. En ningún otro sitio vivían tan cerca santos y pecadores. Los antioquenos estaban muy orgullosos de su famosa historia cristiana. Había sido en su ciudad donde, según los Hechos de los Apóstoles, se había acuñado el término «cristianos». En su ciudad había residido ocho o nueve años Pablo, y en ella había sustituido a «los circuncisos» por los gentiles como el público al que se dirigía el Evangelio. En ella descansaban y eran objeto del afecto del pueblo toda una congregación de santos y mártires famosos: Pelagia la Pecadora Penitente, otrora la cortesana más famosa de la ciudad, que, tras recibir el bautismo, concedió la libertad a sus esclavos, siempre cubiertos de joyas, repartió todas sus riquezas entre los pobres y vivió retirada en una remota ermita, donde adoptó la identidad de un santo eunuco, sin que se descubriera su verdadero sexo hasta su muerte; el obispo Bábila (también llamado en español Babil o Babilés), que desafió a sus perseguidores romanos y pidió que lo quemaran vivo tras ser encadenado, y Tecla, considerada «igual a los apóstoles» y seguidora de Pablo, que dejó plantado a su prometido, se cortó el pelo y se consagró como esposa de Cristo, sobreviviendo a varios intentos de asesinato por medio de leones, toros y serpientes.

Frente a tales ejemplos, ¿qué era un simple emperador? La multitud amotinada recorrió Antioquía derribando estatuas y bustos de la pareja imperial y arrastrándolos por las calles como si fueran prisioneros. Semejante comportamiento no sentó nada bien en Constantinopla, especialmente teniendo en cuenta que Teodosio acababa de casarse en segundas nupcias tras el fallecimiento de su primera esposa. Antioquía tendría que pagar por ello. Fue mientras la ciudad esperaba como una cautiva con la soga al cuello cuando una legión de monjes y eremitas barbudos vestidos de negro, capitaneados por un anciano llamado Macedonio, cayeron sobre Antioquía «como una hueste de ángeles», dice Crisóstomo, que vio en aquel episodio una especie de milagro. Los monjes y él pidieron clemencia y más o menos la obtuvieron, de modo que el emperador se limitó a ordenar unas once ejecuciones ejemplares.

Fue en medio de este ambiente frenético en el que Crisóstomo pronunció sus ocho homilías *Contra los judíos*, la acometida retórica que demonizaba literalmente a los judíos, haciendo de ellos unos hijos del diablo y de sus sinagogas una sucursal de la madriguera infernal. Su impacto fue inmediato y además duradero, pues Juan Crisóstomo tenía fama de orador brillante (había estudiado con el maestro pagano de retórica Libanio). Era considerado también un santo irreprochable, pues no había querido regresar a Antioquía hasta que toda una vida de mortificación amenazó con acabar con él si no cejaba en tanto sacrificio. Juan tenía mucho trabajo que hacer; la tarea más urgente era separar a los cristianos de los judíos, y de una vez por todas.

Y es que llevaban mucho tiempo viviendo puerta con puerta; aunque no siempre en armonía, tampoco siempre enfrentados. Los judíos habían estado presentes en Antioquía desde su fundación por el macedonio Seleuco en 300 a. e. c., con toda probabilidad en calidad de soldados mercenarios (una de sus profesiones favoritas), y se les habían concedido tierras en recompensa por los servicios prestados, como en Egipto. Tras la sublevación contra Antíoco IV Epífanes, los asmoneos se habían visto envueltos en las guerras civiles de los seléucidas, llegando en un momento a enviar un ejército de mil hombres a combatir por uno de los contendientes, Demetrio Nicátor. Su recompensa fue la obtención de un lugar claramente asentado en la ciudad, un *políteuma* autónomo. Los contactos con Jerusalén y Judea eran muy estrechos.

Cuando la ciudad cayó en la órbita de Herodes, fue añadida a su larga lista de proyectos arquitectónicos. La hermosa *stoa* o pórtico con columnas a lo largo de la calle principal, en dirección norte-sur, fue obra de Herodes. La ciudad disponía ya de una gran riqueza de templos paganos y de un anfiteatro; los romanos añadieron un gran hipódromo para las carreras de carros y los certámenes de gladiadores, levantaron un escenario con columnas en su principal teatro y construyeron las consabidas termas. Todos los indicios apuntan a que los judíos disfrutaban de estos placeres urbanos en igual medida que sus vecinos gentiles. Su estilo de vida era tal que atraía a muchos inmigrantes ricos, procedentes incluso de Babilonia, como Zámaris, que entró en la ciudad a caballo con un séquito de quinientos jinetes y cien hombres más entre deudos y parientes, se compró una finca a las afueras de la capital en la que cultivaba una variedad local de arroz, y se adaptó a la vida del patriciado judío de Antioquía.[27] El opulento suburbio de Dafne, donde los griegos habían construido un templo dedicado a Apolo, se convirtió en un barrio residencial de amplias villas provistas de los habituales mosaicos y fuentes. En él vivían los judíos acaudalados, que constituían la élite que se congregaba en la sinagoga de Matrona, edificio a todas luces tan hermoso que, para mayor escándalo de Juan Crisóstomo, las mujeres cristianas realizaban excursiones hasta él para escuchar los toques del shofar el día de Año Nuevo y aplaudir junto con los judíos las lecturas efectuadas en griego y los sermones pronunciados en esta misma lengua. ¡Qué actos de apostasía tan increíbles!

Había muchísimos judíos cuyo estilo de vida difería del de los habitantes de Dafne y cuyo barrio era el Cerateo, situado en el sudeste de la ciudad, donde se encontraban también los anfiteatros más nuevos. Su sinagoga (y a todas luces había muchas más repartidas por toda la ciudad) llevaba el nombre de Ashmunit, así llamada con toda seguridad por su relación con los asmoneos. También esta atraía a turistas religiosos cristianos que provocaban las iras de Juan, pero asimismo iban a ella los judíos más humildes, artesanos y vendedores de las artes y los oficios en los que los judíos ya entonces estaban especializados: la platería y la orfebrería, la marroquinería fina y los tejidos labrados y bordados. En los campos de los alrededores, los terratenientes judíos cultivaban el arroz sirio, y algunos de los colonos que arrendaban sus tierras y trabajaban para ellos eran también judíos. En las zonas rurales limítrofes con Mesopotamia —en Apamea y Misis (Mopsuestia)—, toda una constelación de sinagogas provistas de los habituales mosaicos e inscripciones con los nombres de sus donantes (incluida una magnífica representación del Diluvio Universal) atestiguan la vitalidad y la riqueza de este mundo, que formaba parte de la Diáspora y al mismo tiempo no formaba parte de ella. Por las inscripciones encontradas en la necrópolis de Beit Shearim sabemos que muchas de las personas acaudaladas que murieron en Antioquía o en sus inmediaciones, incluido un tal «Adesio, presidente del consejo», mandaron volver a enterrar sus huesos allí, lo más cerca de Jerusalén que podían llegar, en el aniversario de su fallecimiento.

Así pues, los judíos de Antioquía, incluso cuando tenían que sobrevivir a las amenazas de expulsión y a los estallidos periódicos de animosidad contra ellos, estaban muy arraigados en su ciudad natal, formando orgánicamente parte de su sociedad y de su historia. Pero era precisamente la idea de que la cohabitación entre los que habían aceptado la figura del Salvador y los que continuaban negándola era imposible, lo que encendía la vehemencia de Juan Crisóstomo. Era preciso separar a los que se obstinaban en su ceguera de los salvados y marcar unas diferencias bien claras; de lo contrario, el *corpus christianum*, que era verdaderamente el cuerpo perpetuo de Cristo, daría cabida en su seno a aquello que lo corrompería.

Los dos monoteísmos no habían sido siempre tan marcadamente excluyentes. Como en las doctrinas de Jesús, tal como habían sido transmitidas, había poco o nada que exigiera el rechazo de la Torá, era perfectamente posible ser cristiano judío, y una cantidad considerable de los miembros de las primeras generaciones posteriores a la muerte del Salvador eran precisamente eso, tanto en Palestina como fuera de ella. Justino Mártir, en el combativo diálogo mantenido en Corinto con el judío «Trifón», escrito en 140 e. c., llamaba a esos cristianos judíos «ebionitas», término derivado del hebreo *evyon*, que significa «pobres». (Los rabinos los denominan de vez en cuando *minim*.) Su nombre probablemente tuviera menos que ver con el lugar que ocupaban en la sociedad que con la pobreza que abrazaban rigiéndose por el espíritu del Sermón de la Montaña de Jesús. Siguiendo el Evangelio de Mateo (el único que leían), los ebionitas admitían que Jesús era el Mesías, pero en la forma humana en que la Biblia hebrea había profetizado que vendría. Era el «Hijo de hombre» llegado en medio de las nubes del cielo, al que el «Anciano de muchos días» de Daniel 7, «cuyas vestiduras eran blancas como la nieve y los cabellos de su cabeza como lana blanca», había prometido «el señorío, la gloria … y … dominio eterno». Todo ello hacía al Jesús de los ebionitas humano y corporal, hijo de José y de María y, definitivamente, no fruto de un nacimiento virginal. Rechazaban en él toda idea de divinidad, así como todo lo que para un judío de cualquier tipo suponía la idea hostil y blasfema de que Cristo coexistía con Dios (en vez de haber sido creado por él), pues era algo que habría violado la verdad definitiva de la unicidad de Dios, afirmada todos los días en el *shemá*. No obstante, admitían la resurrección de aquel mesías-hombre, pues no era más inverosímil que muchos de los milagros contados en la Biblia, aunque la idea de que la muerte de Jesús borrara los pecados de la humanidad los superaba.

Muchas de las prácticas de los ebionitas narradas por Epifanio de Salamina reflejan lo que sabemos acerca de las de la comunidad de Qumrán. Unos y otros tenían un elaborado culto de los ángeles; unos y otros se enfrentaban a la minoría dirigente del Templo (pues aunque los fariseos son presentados en el Nuevo Testamento como adversarios de Jesús, el blanco de sus invectivas era en buena parte la aristocracia de los saduceos), y unos y otros practicaban compulsivamente los baños y las purificaciones rituales. Salvo una excepción fundamental —su oposición a los sacrificios animales exigidos por la Torá (pues los ebionitas eran estrictamente vegetarianos)—, observaban todos los demás preceptos de la Torá: los ayunos y las fiestas, las leyes sobre la dieta y el sabbat. Se cuenta que Santiago el Justo —hermano de Jesús y jefe fundador de la «Iglesia de Jerusalén» (la primera congregación organizada de jesusitas tras la resurrección y ascensión del Maestro)— se encargó celosamente de impedir la exclusión de los ebionitas si se imponía el rechazo total y absoluto de la ley de la Torá como requisito para formar parte de la comunidad cristiana. Pedro, cuya primera misión fue dirigida en un principio a los «circuncisos», compartía la opinión de Santiago. Los neófitos que creían en Jesús como Mesías podían continuar con los ritos judíos y ser recibidos en el seno de la Iglesia.

No así, en cambio, para Pablo, el verdadero fundador y creador de la teología cristiana, que adoptó la línea dura que acabaría haciendo que fuera imposible rendir culto a la vez en la iglesia y en la sinagoga.[28] El carácter judío de Santiago y de Pedro los inclinaba a querer presentar el jesusismo como una forma de judaísmo, impregnado del espíritu de las Escrituras hebreas y profetizado por ellas, que reforzaba el seguimiento de la Torá, no su abandono. En algunos aspectos importantes, Pablo también pensaba que el cristianismo no era un rechazo del judaísmo, sino el cumplimiento último de sus promesas. Pero Pablo leía de manera retrospectiva las promesas mesiánicas de la Biblia. La alianza de Abraham con Dios era en último término una alianza para toda la humanidad; el propio patriarca habría sido, como dice el Génesis, padre de muchas naciones, y su confianza en Dios al atar incluso a su hijo de pies y manos para sacrificarlo (otra prefiguración) era ante todo un acto de fe, etc., etc. Pablo creía que la Biblia había manifestado su propia sustitución, o más bien la sustitución de la ley de Moisés por la nueva alianza, la nueva fe. Pablo comparaba la ley con la labor de un «ayo» o «maestro de primaria», una instrucción necesaria cuyas enseñanzas, sin embargo, impiden al hombre acceder a la revelación de la fe. A esas alturas estaba, por tanto, de más.

Pablo se enorgullecía de sus orígenes judíos, pero en el sentido opuesto al de Santiago y Pedro. ¿Quién mejor que el solícito perseguidor de los cristianos para comprender el abismo que separaba la antigua versión de Israel de la nueva? En Antioquía, Pedro y él escenificaron una agria disputa en torno a las pretensiones residuales de observar la

Torá. Pablo interpretó la negativa de Pedro a comer en compañía de los incircuncisos como una especie de cobardía moral (relacionada tal vez con su negación de Jesús por tres veces), que se apartaba de la simple verdad evangélica según la cual la nueva alianza de la sangre de Cristo había hecho que la vieja marca en la carne estuviera de más. «En Cristo Jesús ni la circuncisión vale nada ni la incircuncisión, sino la nueva criatura.»[29] Aferrarse a lo antiguo era apartarse de la salvación ofrecida por el sacrificio. No era solo que la ley de Moisés estaba ahora de más, sino que sus preceptos eran en realidad una nube que ocultaba la potente luz de la mera fe. «Que por la ley nadie se justifica ante Dios es manifiesto, porque "el justo vive de la fe", y la ley no es fe.»[30]

Cuando Pablo trasladó el meollo de la teología cristiana de la vida de Cristo a su muerte, hizo que la intervención de los judíos en su ejecución fuera no solo inevitable, sino fundamental para la doctrina de la nueva religión. Y como Cristo era ineludiblemente de la misma naturaleza que Dios Padre, dicho delito se convertía en un deicidio. Esto, a su vez, acentuaba las diferencias entre las explicaciones judías de la destrucción del Templo. Para los sabios o *tannaim*, esa destrucción era (como había ocurrido con el Primer Templo) un castigo por haber desobedecido a la Torá; para Pablo se había debido a que no la habían desobedecido bastante o por lo menos a que no habían admitido su sustitución. Después de ser los guardianes de la antigua ley y de sus profecías del Mesías, resultaba tanto más incomprensible e imperdonable que los judíos no hubieran reconocido el significado de sus propias Escrituras (o al menos así pensaba Pablo). Solo una especie de posesión diabólica podía justificar tanta torpeza y terquedad por parte de los «duros de corazón» (calificativo que pasaría a formar parte de la descripción cristiana de los judíos casi desde el primer momento).

Una vez perdida toda esperanza en los judíos, su propio pueblo, aunque aceptando en último término el sentido de su religión, Pablo se mostró agradecido por haber recibido la misión de llevar el Evangelio a todo el mundo, a los gentiles. Pues iba en contra de la razón que, mientras los judíos insistían en que la Torá era para ellos solos, el sacrificio de Cristo se hubiera llevado a cabo para absolver los pecados de toda la humanidad; de lo contrario, ¿qué sentido tenía? De ese modo Pablo basaba todos los principios universalizadores de la Biblia —y eran muchísimos, empezando por el Génesis y de ahí en adelante— en el carácter ecuménico del Evangelio. Los gentiles eran, según la encantadora metáfora usada por Pablo, el «acebuche» injertado en las ramas del árbol primitivo. Y, por supuesto, resultaba muy útil que los aspectos más dolorosos de la ley mosaica, por no decir los más excesivamente rigurosos, pudieran ahora ser descartados en beneficio de la iglesia en general de la mera fe.

¡Cuán inexplicablemente enojoso, pues, fue para Pablo y sus seguidores descubrir que no solo los gentiles, sino incluso algunos de los que se llamaban a sí mismos «cristianos», se veían inexplicablemente atraídos por los ritos de los judíos, por los cultos de sus sinagogas, por sus trompetas y sus lecturas, por sus ayunos y sus banquetes, por la cena de la Pascua y no por la Eucaristía! Y es que tenemos muchos indicios, no solo antes de que Constantino hiciera del cristianismo la religión oficial del Imperio romano, sino incluso después, de que la antigua alianza se perpetuó de algún modo junto con la nueva, y de que el judaísmo no fue simplemente sustituido en su totalidad por el Evangelio. Ello se debió en parte, por supuesto, a la labor de los propios Padres de la Iglesia. Los judíos debían ser preservados como testigos de Cristo y como reclutas de la conversión que anunciaría su regreso. Pero debió de resultar incómodo descubrir que el ecumenismo cristiano era alcanzado por la dispensa rabínica concedida a los gentiles que quisieran observar la esencia de la Torá. Las seis «leyes de los hijos de Noé», que cierta tradición sostenía que habían sido dadas ya a Adán en el Edén, exigían solo a los gentiles que se abstuvieran de la idolatría, la blasfemia, el robo, el asesinato, la fornicación y el consumo de carne de animales que hubieran sido estrangulados y, por consiguiente, conservaran la sangre (se suponía que comer sangre era algo abominable para todos los humanos). Reveladas de nuevo a Noé tras el diluvio, se añadió un nuevo precepto, concretamente la creación de tribunales de justicia. (¡Cuánto les ha gustado siempre a los judíos su ley!) Por su condición de «gentiles justos» o «temerosos de Dios», pese a no ser admitidos en la alianza de los judíos, a los que respetaran estas pautas fundamentales se les aseguraba la redención en el *olam habá* o «mundo futuro». Si los ebionitas eran cristianos judíos, ¿es posible que hubiera algo parecido a una especie de judíos cristianos? Se conservan algunos testimonios tentadores de la existencia de al menos una comunidad de ese estilo en la ciudad de Afrodisias, en Caria (región situada en el sudoeste de la península de Anatolia), en la que los judíos y los temerosos de Dios compartían una misma sinagoga, pues encontramos una larga lista de benefactores integrada por sesenta y ocho judíos, cincuenta y cuatro temerosos de Dios (o ebionitas) y tres simples prosélitos.[31]

La intensidad con la que las versiones gnósticas del Evangelio insistían en la naturaleza doble de Cristo —humana y divina— no hizo más que reforzar la posibilidad de que se produjera algún tipo de síntesis, aunque en último término inaceptable para los guardianes estrictos de una y otra doctrinas. Al fin y al cabo, seguía habiendo muchos puntos en común; la fracción del pan sin levadura —la *matzá*— y la copa de vino en la cena de Pascua son un reflejo evidente de la ingestión de pan y vino en la Eucaristía, entendidos como el cuerpo y la sangre del Salvador. La inclusión en el banquete del Séder de un hueso de pierna de cordero asado como recuerdo de la «pascua» del Templo —el nombre que se da al propio sacrificio— es otro reflejo de la imagen del Salvador como cordero. Era como si las dos religiones, ambas en proceso de elaboración, fueran buscando constantemente la una el hombro de la otra para apoyarse en él. Y como la Torá no tenía nada que decir acerca de ningún tipo de banquete de Pascua (aparte del sacrificio y la lectura del Éxodo), ha habido quien se ha atrevido a sugerir que la invención rabínica del Séder quizá fuera una respuesta a los ritos pascuales cristianos y no al revés.[32] No cabe duda de que en esta etapa formativa las dos religiones participaron en un reñido diálogo entre sus respectivas Pascuas. Incluso después de que el Concilio de Nicea de 325, al que asistió el propio Constantino, separara las dos fiestas y se encargara de que, si caían en el mismo día, fueran los judíos los que trasladaran de fecha la suya, este polémico diálogo continuó.

Fue Constantino quien asignó a Juan Crisóstomo la misión de desvincular las dos religiones de una vez por todas. En la carta enviada a los obispos que no pudieron asistir en persona al Concilio de Nicea, Constantino dejaba inequívocamente clara, de forma incluso violenta, su posición intensamente paulina:

> Se ha considerado que sería una práctica indigna de la santidad de la Iglesia solemnizar esa fiesta según la costumbre de los judíos, que, habiéndose manchado las manos con semejante crimen, es lógico que tengan el espíritu enceguecido ... No tengamos, pues, nada en común con la odiosa

nación de los judíos … alejémonos celosamente de tan infame contacto … ¿En qué pueden tener razón los cálculos de unos hombres que se han hecho culpables de la muerte del Señor? … La prudencia os obligaría a desear que la pureza de vuestro espíritu no se ensuciara observando ninguna costumbre relacionada con las de un pueblo tan malvado [como el judío].

Juan Crisóstomo podría decir que no hacía más que seguir el espíritu y la letra de las órdenes del primer emperador cristiano que —¿quién sabe por qué motivo?— no habían sido obedecidas. Para empezar, un cambio muy saludable sería reconocer que verdaderamente era imposible ser cristiano y judío al mismo tiempo. «¿Es acaso pequeña la diferencia que existe entre los judíos y nosotros? —decía Juan—. ¿Por qué mezcláis cosas incompatibles? Ellos crucificaron a Jesucristo, al que vosotros adoráis. Como podéis ver, la diferencia es total y absoluta.»[33] Tanto coqueteaban los cristianos de su grey con los judíos de Antioquía que solo estaba dispuesto a transigir con una separación física total entre ambos. Y para conseguirlo no bastaba con calificar a los judíos (como había hecho Justino Mártir en su diálogo con Trifón) de ciegos, torpes y tercos. Debían ser convertidos en siniestros seres infrahumanos.

Lo que llevó a cabo Juan Crisóstomo en sus ocho homilías de finales de la década de 380 iba mucho más allá de la irritación paulina; por primera vez se habla de una verdadera patología social de los judíos. Debía mucho a las viejas demonologías que ya habían venido circulando en la Antigüedad —los judíos como conspiradores y secuestradores rapaces, cuyos ritos sagrados los obligaban a devorar a los gentiles, a los que cebaban precisamente con dicho fin—, pero a esas fábulas añadía la nueva certeza de que la muerte de Cristo a manos de aquellos no era más que una extensión de su propensión innata al homicidio. Habían asesinado a Cristo, sí, ¿y cómo habrían podido no hacerlo si, según ellos mismos admitían (decía Juan), habían asesinado a sus propios hijos e hijas? «Es evidente —truena en la segunda homilía— que tienen mucho que ver con el asesinato.»[34] Basándose en dos versos del Salmo 106, que casi con toda seguridad aluden a los espantosos sacrificios llevados a cabo por el rey Manasés, Juan daba por ciertas esas antiguas atrocidades (suponiendo que llegaran a ser perpetradas), como si hubieran sucedido ayer. «Inmolaron a los propios hijos y a las propias hijas a los demonios, ofendiendo a la propia naturaleza … su conducta es más inhumana que la de los animales, pues hasta estos a menudo dan la vida por sus hijos y desprecian su propia conservación por defenderlos. Los judíos, en cambio, sin tener necesidad, sacrifican con sus propias manos a aquellos a quienes han engendrado para honrar a los enemigos de la vida, los demonios maléficos.» Aunque fuera algo sucedido hacía muchas generaciones, Juan clamaba que los judíos seguían teniendo el gusto de la sangre en sus lenguas. Su sexta homilía comienza con una terrorífica analogía con las fieras salvajes, que, una vez probadas la carne y la sangre, no se sacian nunca de ellas. Pues bien, esas fieras son los judíos.

Y había más. Al parecer, todos estaban asquerosamente gordos, «igual que cerdos» (metáfora escogida con cuidado), obstinados voluptuosamente en engullir su bazofia (a todas luces algo abominable para un asceta como Juan).[35] Su lujuria era de sobra conocida; los antiguos ya habían escrito acerca de ella (otro motivo de su pretendida devoción por la circuncisión mosaica, que solo era un pretexto para inflamar aún más su deseo). Como sabía todo el mundo, eran todos «viles traficantes y mercaderes», capaces de robar al primero al que echaran el ojo. «¿Qué más puedo decir? ¿Debo hablar de su rapiña, de su avaricia, del abandono en el que tienen a los pobres [sorprendente acusación, pues los judíos eran ya famosos por sus obras de caridad], de los robos que cometen, de las trampas y engaños en sus acciones? Pero ni un día entero bastaría para contarlo todo.»[36] Inútiles por completo para el trabajo, recomendaba Juan, «solo valen para hacer con ellos una carnicería». Ese era el motivo, sentenciaba, por el que Cristo había dicho: «Cuanto a esos mis enemigos, que no quisieron que yo reinase sobre ellos, traédmelos acá, y delante de mí degolladlos».[37]

Si no se los podía matar a todos, al menos no de momento, como mínimo había que poner fin a los actos de los «judaizantes», a su camaradería informal con los judíos y a sus visitas a las sinagogas en los días santos. Por las prohibiciones expresas a los clérigos a asistir a ellas, podemos deducir que algunos incluso habían tomado por costumbre frecuentar las sinagogas.

Sé que muchos respetan a los judíos y piensan que su modo de vida es honesto incluso hoy día; por eso es por lo que insisto en arrancar de raíz esta opinión tan perniciosa … Pero, como algunos piensan que la sinagoga es un lugar santo, será preciso decir unas cuantas palabras para desengañarlos. ¿Por qué veneráis ese lugar que debe ser despreciado y execrado y del que debéis alejaros? En él se guardan la Ley y los libros proféticos, dicen. ¿Y eso qué tiene que ver? ¿Acaso basta con que los libros santos estén en un sitio para hacer de él un lugar sagrado? … Decidme, si un individuo hubiera matado a un hijo vuestro, ¿estaríais dispuestos a verlo, a escucharlo, a dirigirle la palabra? ¿No os alejaríais de él como de un demonio maligno, como del propio diablo? … ¿Y no os espanta reuniros con esos seres demoníacos, con esos individuos, poseídos por tantos espíritus impuros, alimentados con las matanzas y las carnicerías? ¿Es posible intercambiar con ellos un saludo y conversar con ellos? ¿No habría que estremecerse ante su presencia y evitarla, como la de los leprosos, como si fueran una verdadera peste para el género humano? ¿Qué crímenes no se han lanzado a cometer? … ¿Qué tipo de iniquidad no han empalidecido con sus asesinatos? Han sacrificado incluso … a sus hijas a los demonios.[38]

Un verdadero cristiano decente solo tenía a su alcance un único recurso: evitar cualquier contacto con esos miasmas andantes, excepto para recordarles en todo momento la verdad del Evangelio: «Vosotros matasteis a Cristo, vosotros pusisteis la mano encima al Señor, vosotros derramasteis su preciosísima sangre. Por eso no tenéis ningún medio de expiar vuestro crimen, ninguna esperanza de perdón, ninguna defensa».[39]

Esta opinión no era la de un trastornado que viviera en un remoto rincón de la cristiandad, sino que salía de labios del propio Juan «el de Áurea Boca», del predicador más respetado e influyente, no ya en su ciudad natal, Antioquía, sino en todo el mundo cristiano de Oriente. Llegó a pensarse que la de Juan Crisóstomo era la voz de la auténtica piedad, una voz capaz de sortear la comodidad mundana de la ciudad cosmopolita para recordarles a aquellas gentes demasiado pagadas de sí mismas cuáles eran sus auténticas obligaciones. Un tipo de voz en la que se mezclaban un firme llamamiento a la austeridad sin paliativos y un fanático grito de batalla contra los enemigos de Cristo, sus asesinos. Aquella mezcla resultaría funesta para los judíos, pues tendrían que enfrentarse a ella una y otra vez a lo largo de los siglos de la era cristiana.

¿Hasta dónde llegaría ese llamamiento a hacer de ellos una tribu de parias? ¿A oídos de quién llegaría? ¿Los protegerían las leyes del imperio de los ataques físicos si se llegaba hasta ese extremo o permanecería el estado al margen, no fuera que los encolerizados volvieran su odio contra él y lo acusaran de indiferencia ante los llamamientos de Cristo? La verdad es que las palabras de Crisóstomo no fueron ignoradas ni desoídas. El hecho de que las homilías sobrevivieran en copias manuscritas y fueran puestas en circulación por los que las oyeron es por sí solo una prueba de cuánta atención les prestaron sus contemporáneos. En 398, apenas once años después de redactarlas, Juan fue elevado al patriarcado de Constantinopla, posición que lo situaba tan cerca de la sede del poder imperial como hubiera podido desear. Semejante ascenso debió de resultar muy gratificante, pues la intensidad de sus desahogos fóbicos venía determinada, en parte al menos, por el recuerdo, aún aterradoramente vivo, de Juliano, el emperador apóstata, que en 362-363 prometió en la mismísima Antioquía devolver a los judíos a Jerusalén y reconstruir el Templo.

La breve pero espectacular campaña de descristianización del Imperio romano llevada a cabo por Juliano, restaurando los templos de los paganos, restableciendo sus fiestas religiosas y tolerando todas las religiones por igual, resultó tanto más mortificante para la Iglesia, por cuanto el apóstata había sido educado por unos padres cristianos. Su padre era hermanastro de Constantino, el primer emperador cristiano, quien, pese a preservar el derecho de los judíos a practicar su religión según sus tradiciones, hablaba de su «espíritu enceguecido» por haberse «manchado las manos» con su «crimen». Juliano sería diferente, sería un emperador filósofo. El Pueblo del Libro no lo apreciaba demasiado debido a su epicureísmo, y él veía con cierto disgusto el contenido de ese libro y sentía particular desagrado por la alianza especial con Dios, que suponía que solo los israelitas gozaban de las verdaderas bendiciones divinas; pero no veía ningún motivo para que no debieran ser protegidos, como cualquier otro pueblo, y no se les permitiera practicar el culto de la divinidad que prefirieran, siempre y cuando no intentaran imponérselo a todo el mundo (como hacían los cristianos). Y su benignidad se extendió a los judíos de la época, que habían perdido su Templo y su ciudad dorada. El único día en que se les permitía peregrinar a ella, el 9 del mes de ab (el aniversario de la destrucción), lo que quedaba del muro occidental del Templo de Herodes se había convertido ya no solo en escenario de sonoros lamentos públicos, sino también en una auténtica atracción turística para los cristianos, que la contemplaban con sentimientos encontrados. En 333 un viajero decía que cuando llegaban junto a la estatua de Adriano, erigida en el lugar donde había estado el Templo, «lloraban a voz en cuello y se desgarraban las vestiduras, tras lo cual regresaban a sus casas».[40]

Juan Crisóstomo debió de sentir un estremecimiento repentino especialmente intenso, porque el escenario donde se produjo ese inesperado y extraordinario entendimiento entre el último emperador pagano y los judíos fue su propia ciudad, Antioquía. Juliano se desplazó a ella en 362 para pasar revista a las tropas que pensaba conducir al campo de batalla frente a los persas. Algunas fuentes, en su mayoría contrarias a la figura de Juliano, nos lo presentan recibiendo a una delegación de judíos de la ciudad y de toda Siria y preguntándoles por qué no hacían sacrificios a su Dios, como mandaban las leyes de Moisés. Las leyes de Moisés, le respondieron, no les permitían hacer sacrificios fuera de Jerusalén. «Devuélvenos la ciudad, reconstruye el Templo y el altar, y haremos sacrificios como hacíamos antaño.» Efrén de Siria, un predicador violentamente judeófobo, presenta la imagen de una alianza sacrílega, con los judíos alegrándose de la maldad de «Juliano, el mago y el idólatra». «Los circuncidados hicieron sonar sus trompetas y se comportaron como locos.» Pero parece bastante más atinado pensar que al menos parte de los judíos tuvieron sentimientos encontrados ante el proyecto, dado que se suponía que el requisito para la restauración del Templo era la llegada del Mesías.

De repente el proyecto interesó a Juliano, el ambicioso configurador de la historia, entre otras cosas porque habría desmentido de modo espectacular el cliché cristiano, según el cual las ruinas del Templo servirían de recordatorio eterno de las consecuencias de haber rechazado al Salvador. Aun así, no deja de sorprender el hecho de que un emperador romano, y más tratándose de un hombre nacido de padres cristianos, llegara a pensar que «para perpetuar la memoria de su reinado», como dice su contemporáneo, el historiador Amiano Marcelino, no habría habido nada mejor que «restaurar a un elevadísimo coste ... el otrora espléndido templo de Jerusalén», destruido por uno de sus antecesores.[41]

En la primavera de 363 las cosas se precipitaron. Juliano nombró supervisor del proyecto al antioqueno en el que más confiaba, Alipio, que había prestado servicios como gobernador de Britania. Se envió una carta al patriarca Hilel II solicitando un cálculo del coste de la reconstrucción, se nombró un recaudador de impuestos encargado de administrar los donativos efectuados por las comunidades judías para el proyecto (un recordatorio del viejo impuesto pagado en siclos para el mantenimiento del Templo), se trasladaron a Jerusalén suministros de piedra caliza y de madera, y de hecho llegó a crearse una sinagoga provisional en uno de los pórticos semidestruidos del antiguo edificio. De camino a la campaña contra los persas, Juliano hizo saber: «Voy a construir con toda diligencia el nuevo templo del Dios altísimo».

Y entonces, al menos por lo que concierne a los Padres de la Iglesia, Dios dio su veredicto inequívoco. Según Amiano Marcelino, a finales de mayo «estallaron unas temibles bolas de fuego junto a los cimientos, causando quemaduras a varios operarios y haciendo que el lugar resultara inaccesible. Y de ese modo, como si los propios elementos rechazaran la empresa, el proyecto fue abandonado».[42] Las explosiones fueron casi con toda certeza sacudidas de un gran terremoto en Galilea, pero, por supuesto, los cristianos de Palestina y Siria las interpretaron como una señal divina. Para que no cupieran más dudas de lo que pensaba el Todopoderoso de aquella restauración prematura, Juliano perdió la vida un mes más tarde en plena campaña tras ser herido por una lanza persa.

Los cristianos lanzaron un suspiro de alivio y ofrecieron fervorosas plegarias por haber sido librados de las garras del paganismo y el judaísmo. La pesadilla de un mundo cristiano puesto patas arriba había quedado atrás, pero había conseguido que los Padres de la Iglesia se dieran clarísima cuenta de que el arraigo del Imperio romano cristiano era quizá más precario de lo que se habían figurado. Pese a todo, tras el interludio de Juliano, el peso de la represión punitiva recayó con más dureza sobre los paganos que sobre los judíos. El judaísmo se mantuvo como *religio licita*; el paganismo no. Sus templos fueron destruidos y sus cultos, suprimidos, y practicarlos incluso en la privacidad de una casa se convirtió en un delito. Aunque los Padres de la Iglesia más combativos intentaron presionar al gobierno imperial para dificultar más todavía la vida de los judíos —tanto mejor para fomentar su conversión—, se contentaron con intensificar la separación de las dos comunidades: no se permitirían los matrimonios mixtos (en un momento en que los rabinos se mostraban más flexibles en este sentido); no se permitiría la circuncisión de los criados o esclavos gentiles; se prohibiría la bendición de los cultivos y los campos de los gentiles, y no se podría compartir la mesa con judíos.

Encontramos dos actitudes reticentes en la campaña emprendida para marginar e incluso deshumanizar a los judíos y al judaísmo. En primer lugar, los Padres de la Iglesia más elocuentes y eruditos mostraron una actitud vacilante en torno a la agresividad con la que debía llevarse a cabo su conversión y a la conveniencia de confinar, como si fueran parias, a los que se resistieran obstinadamente a ella. Jerónimo, que había pasado varios años en Palestina y había aprendido hebreo para realizar una traducción latina del texto bíblico original —la *Vulgata*—, estaba físicamente más cerca de los judíos, sobre todo de sus maestros conversos, pero se mostraba inflexible respecto a su perversión y su terquedad y en lo concerniente a su culpabilidad por la crucifixión. «El que no es de Cristo está contra Cristo.» Todo lo referente a los judíos tenía que ser leído retrospectivamente en función de su participación en la crucifixión, incluidos lo pernicioso de sus costumbres, el despreciable absurdo de su circuncisión carnal y su vulgar obsesión por atenerse a la letra de la Ley. Agustín, por su parte, de modo curiosamente excepcional, veía a los judíos y su Torá desde un punto de vista más histórico. Si Dios los había escogido para que recibieran su Ley, ¿cómo era posible pensar que podía haber algo indigno en ellos, incluso la circuncisión, que, a juicio de Agustín, al ser una «eliminación» de la carne, era de hecho una prefiguración del modo en que el propio Cristo se había despojado de la suya? ¿Acaso el propio Pablo, al que tanto le irritaba la negativa de los judíos a reconocer que la circuncisión había sido superada, no había obligado a Timoteo a circuncidarse? De modo parecido, Agustín hacía el esfuerzo de imaginación histórica necesario para demostrar el carácter plenamente judío de Jesús y los Apóstoles. Pues bien, como le escribiría a Jerónimo en una serie de cartas polémicas sutilmente argumentadas, era preciso garantizar a los judíos la observancia de sus tradiciones y sus leyes sin que nadie los molestara, pues Dios debía de haber querido que se dispersaran por todo el mundo, vagando sobre la faz de la Tierra, como guardianes de las profecías de la Biblia acerca de Cristo, como si fueran un museo viviente de anticipación perpetua. Realmente solo podrían salvarse mediante su conversión, pero esta debía llevarse a cabo en la plenitud de los tiempos, si Dios quería, y a través de la persuasión, no de la coacción.[43]

La segunda actitud reticente la vemos en el conservadurismo legalista de la figura imperial hegemónica en las postrimerías del siglo IV,

Teodosio I, que, al tiempo que hizo todo lo posible por erradicar el paganismo y evitar de ese modo cualquier posibilidad de que se produjera otra revolución como la de Juliano, se atuvo al viejo pacto implícito en virtud del cual, mientras los judíos se mostraran leales (y su elevado número en la Babilonia persa hacía de ello una cuestión trascendental), tendrían derecho a la protección de la ley ante todo tipo de acoso físico o cualquier otra amenaza peor. Apenas acababa Juan Crisóstomo de pronunciar sus homilías cuando los efectos de su violencia verbal pusieron a prueba la firmeza de Teodosio. El año 388 fue testigo de una epidemia de ataques del populacho contra las sinagogas de todo el Imperio de Oriente, incluida Alejandría, aunque donde adquirió mayor virulencia fue en Siria. En Calinico, a orillas del Éufrates, la sinagoga fue incendiada por completo por una muchedumbre encabezada por el obispo de la ciudad. Al principio Teodosio reaccionó con una severidad ejemplar, ordenando al obispo la reedificación de la sinagoga de su propio peculio, pero su decisión provocó una auténtico aluvión de protestas de los clérigos, horrorizados ante la posibilidad de que los cristianos fueran obligados a sufragar la construcción de un lugar de culto para los judíos. Uno de los obispos más escandalizados, Ambrosio de Milán, irritado ya por la orden dictada un año antes por Magno Máximo obligando a reconstruir una sinagoga en Roma, desafió al emperador calificando su sentencia de impía y presentándose a sí mismo ante Teodosio como si fuera el profeta Natán ante David. Haciendo gala de un curioso sentido histriónico (y de toda su cultura patricia y su educación en la retórica clásica), Ambrosio se ofrecía a reemplazar al reo, a recibir el castigo e incluso el martirio, si era preciso, antes que permitir que la Iglesia pagara compensación alguna a los judíos. «Aquí se presenta ante ti —afirmó ante el emperador—, aquí tienes al reo confeso. Declaro que yo quemé la sinagoga, y desde luego que se lo mandé hacer a otros para que no quedara en pie un lugar en el que se niega a Cristo.» Como Dios había ordenado la destrucción de la sinagoga por cualquier medio que se le ocurriera, Ambrosio lo habría hecho sin vacilar en cuanto se le hubiera presentado la ocasión. En cuanto a los judíos, «no se te ocurra rezar por ese pueblo, no pidas misericordia para él».[44] Tras aquel enfrentamiento personal, Teodosio rebajó la pena y ordenó que se utilizaran fondos municipales y estatales para la ejecución de la obra, pero ni siquiera eso se llevó a cabo. Las señales no podían ser más ominosas.

Lo peor, sin embargo, estaba por llegar. Un siglo después, los gobernantes del dividido Imperio romano cristiano, acorralados en todos los frentes —por los bárbaros en Europa, por los persas en Asia Menor, por sus propias conspiraciones y los asesinatos mutuos—, y ante las profundas sospechas suscitadas por la lealtad de los judíos, se mostraron más abiertos a la campaña emprendida por la Iglesia para asignarles una condición inferior a la de los ciudadanos romanos. Entre los años 435 y 438, durante el reinado de Teodosio II, se promulgaron una serie de decretos que dificultaban al máximo la vida colectiva de los judíos en el Imperio bizantino, convirtiéndola en un fenómeno anómalo. No solo se prohibió construir nuevas sinagogas, sino también efectuar arreglos y reparaciones en los edificios viejos. Aquello equivalía a fomentar la acción de los incendiarios, pues los judíos no podían ya pedir que se les resarciera por los daños sufridos. Los clérigos podían presentarse (y de hecho se presentaban) en el escenario de una sinagoga medio destruida y consagrar inmediatamente sus ruinas como iglesia, convirtiendo el edificio al cristianismo, ya que no a los que asistían a ella. En adelante, ningún judío podría ejercer cargo público alguno, excepto el de recaudadores de ciertos impuestos, lo que les acarrearía el odio de la gente y ningún privilegio. Tampoco podrían prestar servicio en el ejército, y aunque la medida pudiera parecer un tanto absurda, pues llevaban ya mucho tiempo exentos de tal función, venía a poner fin a la larga tradición de actividad de los judíos como soldados mercenarios en Egipto y en el Asia Menor grecorromana.

La fibra judía, integrada en el tejido cultural del mundo grecorromano, estaba deshilachándose. El símbolo de la asociación entre el imperio y los *Ioudaioí* —el patriarcado, que había comenzado con los legendarios pactos entre Judá el Príncipe y Antonino Pío o Caracalla— acabó con la muerte de Gamaliel VI en 425. Se prescindió oficialmente de la existencia de un patriarca de los judíos, intensificándose de paso la angustia de estos ante la eventualidad de convertirse en una población absolutamente sometida, privada de toda protección de la ley. Algunas de las quimeras más terroríficas, salidas del púlpito de Juan Crisóstomo y de las doctrinas paranoides de Simón el Estilita y Efrén de Siria, empezaron a arraigar en la cultura popular cristiana. Especialmente sospechosa se volvería la fiesta de Purim, quizá debido a su relación con los persas y al papel central desempeñado en ella por la reina judía Ester.

Abundaban las fábulas según las cuales, al celebrar ese banquete, los judíos representaban una parodia de la crucifixión so capa de festejar la ejecución de Amán. Peor aún, se decía que raptaban a niños cristianos para torturarlos y crucificarlos. En Inmestar, no lejos de Antioquía, se produjo un motín en 414 cuando empezaron a circular rumores de que los judíos se habían llevado a un niño para matarlo durante Purim. Mil quinientos años después, todavía había gente en Siria que se creía ese cuento, aunque la fiesta de la conspiración homicida judía había sido trasladada a la Pascua y el delito perpetrado consistía en añadir sangre de cristianos a la masa de la *matzá*. De la insistencia de Juan Crisóstomo, por lo que a los judíos se refería, en que los que una vez habían sido un hatajo de asesinos siempre lo serían a la acusación efectiva de tortura y sacrificio de niños, no había más que un paso.

La posibilidad de un mundo urbano compartido por judíos y cristianos —incluso aunque supusiera un disgusto teológico vivir en él, bajo las condiciones de tolerancia sin proselitismo expresadas por Agustín— estaba desvaneciéndose. Y con ella desaparecía la protección jurídica de la que había gozado el judaísmo en todo el Imperio romano antes y después de su cristianización. Cuando en 532 se promulgó el código del emperador Justiniano, por primera vez dejó de mencionarse el hecho de que el judaísmo era una *religio licita*. En todas las sinagogas, desde África hasta Siria, la gente se daría cuenta de esa omisión escalofriante. Tres años después, en 535, se publicaría otro edicto aún más restrictivo. Todas las sinagogas del imperio debían convertirse en iglesias.

III. Un lugar distinto

No obstante, el crepúsculo se abatiría rápidamente sobre el imperio que los poetas judíos identificaban con la cuarta bestia del delirante sueño apocalíptico de Daniel, la terrible criatura de diez cuernos, dientes de hierro y garras de bronce. También aquella fenecería; de hecho, los diez cuernos se volverían contra la bestia que los había criado y la atacarían. Eso era todo lo que podía hacer un emperador romano acorralado, incluso un monarca con unos sueños tan poderosos acerca de una Roma cristiana unida, y el decreto de Justiniano en virtud del cual todas las sinagogas debían convertirse en iglesias nunca fue puesto en vigor de un modo mínimamente serio. Solo se conoce un caso, en Gerasa, al este del Jordán, en el que una hermosa sinagoga del siglo IV fue convertida en iglesia a comienzos de la década de 530. El edificio judío era a todas luces demasiado escandalosamente vistoso para los cristianos que lo ocuparon, pues su mosaico del diluvio y de Noé (algunos de cuyos fragmentos han sobrevivido de manera independiente) fue destruido y reemplazado por otro con un diseño geométrico más sobrio, aunque algunos animales —una oveja, un ciervo y unos toros— seguirían paciendo en medio de las teselas de piedra.

El propio Justiniano hubiera debido saber que no iba a producirse una conversión masiva de la noche a la mañana, por mucho que su programa fuera concebido más a la manera agustiniana de atraer a los judíos hacia Cristo que de convertirlos por la fuerza. Se les prohibió leer la Misná, medida que, por extrema que fuera en su maldad, cometía el craso error de no tener en cuenta que la obra había empezado siendo una ley oral y que la mayor parte de ella estaba arraigada en la práctica jurídica y social de los judíos. En otro decreto, Justiniano declaraba que el griego era la lengua en la que debían hacerse las lecturas de la Torá en la sinagoga a lo largo de todo el ciclo trienal, pero en mucho lugares ya era así. La versión que debía leerse era la de los Setenta de Alejandría, la traducción de los judíos del Segundo Templo de Jerusalén.

Si se imaginaba que iba a acelerar la extinción del hebreo, el Imperio romano cristiano había llegado demasiado tarde. Lejos de estar de más, la lengua de la Biblia había entrado en una nueva fase de intensa vitalidad y de poderosa inventiva. Los dos Talmudes —el de Jerusalén («Yerushalmi», aunque de origen galileo) y el de Babilonia («Bavli»), escrito en las academias babilonias de Pumbedita, Nehardea y Sura— habían añadido a la Misná un enorme conjunto de comentarios ulteriores, la Gemará. De esta forma, habían creado un inmenso corpus de «literatura» hebrea, sorprendentemente elocuente, que trataba desde los sagrados misterios de la divinidad hasta las instrucciones jurídicas pertinentes en caso de herida accidental por asta de toro. El Talmud era lo bastante grande y voluminoso como para resultar pesado no solo como orientación jurídica en la comprobación cotidiana de la legalidad de las cosas, de su aclaración y discusión, sino también como fuente de inspiración e incluso de distracción.

El Talmud era el imperio religioso de los sabios académicos, los *amoraim*. También por esta época empezó a desarrollarse otro tipo de literatura hebrea, destinada no ya a los eruditos y los jueces, sino a las voces de la sinagoga. En Babilonia, las sinagogas solían ser propiedad de los rabinos, y a menudo se encontraban en su propia casa (como sigue ocurriendo con muchos *rebbes*), una extensión de su *beit hamidrás*, la casa de estudio, a la que asistían sobre todo sus discípulos. Pero en Palestina, que se veía cada vez más acorralada por la agresividad de la Iglesia y la hostilidad de los decretos imperiales, las sinagogas seguían siendo centros colectivos, donde aquellos a los que se llamaba despectivamente «am ha'eretz» («la gente del país»), los que no pertenecían a la aristocracia ni social ni espiritual, podían reunirse junto con los sacerdotes, los levitas y los notables de la localidad (aquellos cuyos nombres eran conmemorados ostentosamente en los mosaicos). Los nuevos poemas, los *piyyutim*, escritos en un hebreo furioso, casi colérico, constituían para ellos unos lazos que unían a la congregación frente a la adversidad, una efusión emocional cantada o salmodiada entre las oraciones formales —que ya estaba prescrito que debían ser el *shemá* y los *tefillin* o la *amidá* (la oración de pie) de los días de diario, consistente en las dieciocho bendiciones e invocaciones—, y antes y después de la lectura de la Torá. Algunos de los más antiguos estaban escritos expresamente como altisonante prólogo a los momentos de dramática solemnidad —el toque repetido del shofar durante la festividad de Año Nuevo, por ejemplo—, y en diversas versiones posteriores los *piyyutim* siguen actuando de ese modo. Los más familiares y queridos por la gente, que conocen hasta los judíos que solo practican la religión de modo ocasional —*Ashrei*, *Adon Olam*, *Yigdal*, *Ein Keiloheinu*— son composiciones medievales posteriores. Aunque su datación es, según es bien sabido, engañosa, pues los poemas se conocen en su mayoría por fragmentos conservados en el gran depósito (Genizá) de materiales judaicos de la Fustat medieval (El Cairo antiguo), los primeros han sido fechados, por motivos estilísticos claros, en los siglos VI y VII.[45]

Estos fieros versos tienen mucho de grito de desahogo, de contraataque poético contra los opresores de los que se sienten amargamente distanciados. De hecho, hacen gala de un odio despiadado. «Ojalá el soberano de Dumah [Edom, esto es, Roma] sea humillado, sea envilecido y se alimente de heces como un gusano —dice uno, obra de Yannai—.

Que haya gran matanza en las tierras de Edom, que el fuego brille en sus campos.» Eleazar ben Qillir, su discípulo, era, si cabe, más dado a la venganza poética, y su sed de sangre era aún mayor: «¡Derriba a los hijos de Esaú, los insolentes malvados, la perdición de los huérfanos y las viudas!».[46] Puede que todo ese fuego y azufre se extendiera a sus propias relaciones, pues se dice que Yannai llegó a sentir tanta envidia de su discípulo Ben Qillir que lo mató introduciendo un escorpión en su zapato. Pero el más antiguo de estos poetas —Yose ben Yose, activo en Palestina allá por el siglo VI— utilizó la Biblia y a sus intérpretes como vehículo de sus lamentos y de sus esperanzas mesiánicas. Su voz es la de la propia sinagoga, personificada en la esposa del Cantar de los Cantares, que aguarda, con un dolor cada vez más desesperado, la llegada de Dios en forma del esposo. La injusticia lo ha obligado a salir huyendo, y en vano lo buscan en sus antiguas moradas del mar y del desierto. Pero queda un rayo de esperanza. «Para siempre me pondrá de sello sobre su corazón, desde que me despertó al pie del manzano con una sola voz.» El canto de las aves se une a sus lamentos, como si se tratara de la voz doliente de la paloma. «El gorrión de Egipto ha llorado en el desierto, / La paloma de Asiria hizo oír su voz. / Visita al gorrión, busca a la paloma. / Suene para ellos la trompeta.»[47] Se da entrada al propio shofar y a la esperanza, mediante el arrepentimiento de los pecados cometidos y el anhelo de redención, de un momento mesiánico que está ya a la vuelta de la esquina, en cuanto el esposo vuelva a la sinagoga; Edom cae y Jerusalén es reconstruida. Reuniendo simplemente los fragmentos de estos versos, nos resulta posible percibir la función de la sinagoga tal como sigue observándose hoy día su celebración (al igual que los correspondientes servicios de las iglesias): una orquestación de oraciones, lecturas y sermones, todo salpicado de poesía litúrgica e himnos de alabanza.

Al margen de que fueran exportados o no a los territorios de la Diáspora y a Babilonia, los primitivos poemas litúrgicos fueron en gran medida obra de una comunidad bajo presión, todavía marcada por una aguda añoranza de Jerusalén, tan cerca y a la vez tan lejos. El Talmud de Babilonia, escrito por aquellos a los que Yose ben Yose califica poéticamente como «los que comen el pan del mayor esmero», se encuentra en el polo opuesto en cuanto a temperatura emocional respecto de la exaltada intensidad de los *piyyutim*. Y es tan mundano a su modo como otro género poético, derivado del misticismo de Qumrán (la literatura *hejalot*, llamada así por los palacios a través de los cuales el verdadero devoto asciende hasta contemplar el rostro y la forma del propio Dios sentado en su carro-trono), es extraterrenal.

Pero, además, el Talmud es obra de un mundo —la Babilonia persa, bajo el poder de los sasánidas— que se hallaba en gran medida libre de los profundos temores y la constante demonización que afligían a los judíos que vivían en tierras cristianas. No había ningún judío implicado en la muerte del profeta Zoroastro; de hecho, su deceso es apenas mencionado en su libro sagrado, el Avesta. Durante los cuatro siglos que siguieron a la conquista persa, la vida de los judíos en las ciudades mesopotámicas del Tigris y el Éufrates —Nehardea, Pumbedita, Sura y Mahoza, un barrio residencial de la capital de los sasánidas, Ctesifonte— no estuvo completamente libre de inquietudes. Hubo dos períodos de persecución a mediados del siglo IV, durante los reinados de Yazdegir II y Peroz, pero, casi siempre de un modo desconocido en la cristiandad bizantina, los judíos y el judaísmo pudieron florecer gracias a la protección de los persas. Mientras que en el mundo bizantino ningún judío podía testificar en contra de un gentil, y su testimonio ni siquiera era tenido en cuenta, en la Babilonia persa los judíos tenían los mismos derechos que cualquier otra persona, y en consecuencia utilizaban los tribunales de justicia persas tanto como los suyos, si no más. «El derecho [civil] es una ley válida», afirmaba inequívocamente Samuel, uno de los rabinos más destacados. Su *resh galuta*, el exilarca, era una autoridad reconocida que tenía el mismo rango que un miembro de la pequeña nobleza persa, vivía con suntuosidad y gozaba de acceso directo a la corte sasánida. En un ámbito totalmente distinto del de los rabinos y los sabios de las academias talmúdicas, los exilarcas se daban muchos aires y presumían de ser los descendientes de Joaquim, el último vástago de la estirpe real de David, que marchó al destierro tras la destrucción del Primer Templo. Circulaban leyendas acerca de la familiaridad mutuamente respetuosa entre los exilarcas y los reyes. A comienzos del siglo V, el exilarca Huna ben Natán se hallaba en una audiencia concedida por el rey Yazdegir I cuando el cinturón de la túnica, idéntico al *kustig* zoroástrico, se le cayó, y el monarca no dudó en ayudarle a ajustárselo con sus propias manos.[48]

Y todo porque el judaísmo no desempeñaba ningún papel en la tradición zoroástrica, y mucho menos un papel deicida, de modo que los persas no se sentían amenazados por él, sobre todo porque muchos preceptos de las dos religiones mostraban ciertas afinidades. Desde luego, compartían la obsesión por la pureza en lo tocante a los muertos y la creencia en el carácter impuro de la menstruación y de la polución nocturna, y es también probable que la singular exigencia judía de enterrar los recortes de las uñas proceda directamente de la práctica del zoroastrismo persa. Evidentemente, no existía el prejuicio de que, cuando los judíos vendían amuletos y encantamientos (comercio muy boyante en Babilonia, igual que en tantos otros lugares), comerciaban con obras diabólicas.

Al vivir en una de las sociedades más densamente urbanizadas y sofisticadas del mundo, los judíos de lengua aramea ocupaban los estratos más ricos y más pobres de la sociedad, y por supuesto también los intermedios. Se dedicaban al comercio y al transporte fluvial, eran prestamistas y arrieros, médicos y terratenientes. Y como los autores del Talmud querían dirigirse a los judíos de todo tipo y condición, la obra ofrece a veces una rica imagen etnográfica de sus diferencias. La Misná se había contentado con incluir los cosméticos femeninos entre las cosas que estaban prohibidas, tanto como la «levadura» durante la Pascua.[49] Los sabios del Talmud no se quedarían ahí y ofrecerían su opinión sobre los productos de depilación usados por las adolescentes. Experto a todas luces en la materia, Rav Yehudá dice: «Las chicas pobres se ponen cal [¡ay!], las ricas utilizan flor de harina y las princesas [la primera vez que una princesa judía aparece en la literatura] se untan aceite de mirra durante seis meses». Como es habitual en sus imparables asociaciones libres, este comentario conduce naturalmente a un debate sobre «¿Qué es el aceite de mirra?», tema sobre el cual los rabinos discuten acaloradamente, haciendo gala cada uno de mayor incompetencia que los otros, pues, al parecer, piensan que este aceite esencial procede de las aceitunas verdes, mientras que en realidad se extrae del fruto de un árbol espinoso, la *Commiphora myrrha*; es decir, a menos que en Babilonia se vendiera aceite de oliva como depilatorio, en cuyo caso los rabinos deberían dictar alguna norma sobre el fraude en el campo de la cosmética. Sin embargo, la mayor parte de ellos pretenden que las muchachas ricas (una subsección de las princesas) dejen de aplicarse harina sobre la piel durante la Pascua. Y, de paso, quieren despejar todas las dudas en torno a los ingredientes que no deben usarse en la elaboración de una salsa durante el Séder de Pascua: nada de vinagre edomita (romano), por supuesto, ni cerveza «de Media», fabricada con cebada, detalle que, a su vez (y por motivos incomprensibles), inducía a los rabinos a ofrecer sus opiniones no solo sobre cosmética, sino sobre los alimentos que astringen o aligeran los intestinos. Como cabría esperar, la comida que consume el *am ha'eretz* —la «gente corriente»— es la que «incrementa el volumen de las heces, hace disminuir la estatura y priva al hombre de una quingentésima parte de la luz de sus ojos»; esos alimentos eran en teoría el pan negro, las verduras crudas y la cerveza fermentada demasiado deprisa. Para corregir esa tendencia, había que consumir pan de harina refinada, vino añejo y carne grasa, preferiblemente de cabra que todavía no hubiera parido.[50] Consejos que sitúan la sapiencia en materia de nutrición de los sabios casi al mismo nivel que sus consejos sobre productos de cosmética y depilatorios.

Por cuestionables que puedan ser los consejos dados sobre casi todos los ámbitos concebibles de la vida, el Talmud es una obra comprometida con la experiencia del mundo real, no una especie de árido manual de leyes. Es además, inequívocamente, no un producto de la segregación cultural, sino que procede de un mundo en el que la vida de los judíos estaba abierta a la cultura que la rodeaba, sin que en ningún momento dé la sensación de que el producto resultante es una especie de versión del judaísmo de la Torá adoptada como solución de compromiso. En este sentido, el Talmud abarca todas las cuestiones y perplejidades, todos los temas acerca de «cuán abierto y cuán cerrado» hay que ser que han acompañado desde entonces la vida de la Diáspora. Precisamente porque las costumbres sociales perso-babilónicas coincidían tanto con las prácticas judías, en especial en los asuntos de la pureza, resulta curioso que la cuestión de hasta dónde cabía adoptarlas y adaptarlas a los usos de los judíos dividiera a los talmudistas, así como al *am ha'eretz*. El derecho persa defendía una visión inclusiva respecto a quién tenía derecho a prestar testimonio en un juicio, postura que algunos rabinos seguían y otros no. Al vivir en el mundo encopetado del barrio residencial de Mahoza, Rabí Nahmán ben Yaakov, pariente del exilarca, por ejemplo, consideraba perfectamente aceptable que un hombre sospechoso de mantener una relación con una mujer casada pudiera actuar como testigo. De igual modo, Rava, un prolífico talmudista, no veía ninguna pega en permitir que testificara un judío del que se sabía con toda claridad que comía alimentos no kosher, mientras que Rabí Abaye, del mundo más estrictamente judío de las escuelas de Pumbedita, no compartía su opinión. La división estaba entre la élite rica y despreocupada de los judíos de Babilonia, aunque fueran rabinos, y los que vivían en el mundo más sencillo, más cerrado, de las academias. Muchos rabinos de la primera categoría solían ser polígamos al estilo persa, aprobaban tomar «esposas temporales» cuando se estaba en el extranjero —así lo hacían ellos mismos— y no consideraban que para ello hiciera falta divorciarse de la primera esposa.[51]

Las diferencias de opinión entre los talmudistas no eran, naturalmente, solo cuestión de geografía social; los que tenían una forma más estricta o más laxa de interpretar la Torá y la Misná lo hacían siguiendo su particular modo de pensar. Lo curioso del Talmud es su elasticidad, la forma en que se amplía para dar cabida a toda esa conversación intergeneracional a varias voces que se interrumpen mutuamente, hasta el punto de resultar a veces cacofónica. Es el primer hipertexto del mundo, en el sentido de que da cabida a un comentario sobre otro comentario, a una fuente sobre otra fuente en una misma «página» (para mayor asombro, los diferentes tratados, las diferentes manos e incluso las diferentes lenguas cuando incluían traducciones del arameo, habrían llenado el espacio del volumen, pues los judíos no utilizarían códices —la primera modalidad de libro— hasta el siglo IX). De modo que la forma de rollo debió de hacer que la vaguedad formal de lo que era el Talmud resultara incluso más vaga, pues al irse desenrollando iría abriendo una sucesión interminable de asociaciones libres, con sus maravillosas divagaciones y excursos a medio camino entre el derecho, la leyenda, la visión y el debate. Toda su autoridad estaba ligada a la oralidad, con sus saltos repentinos de la intuición a la conversación, sus inesperados rayos de luz que nadie sería capaz de apagar, por no hablar de su relevancia para el asunto en cuestión. Cuando uno se zambulle en el Talmud no lee, sino que más bien oye.

Pero también ve. Dos rabinos importantes, Hiyya y Jonatán, van paseando por un cementerio. Los flecos del mantón de uno de ellos, el *tzitzit*, van rozando el suelo. «Levántatelos —dice Hiyya— para que los muertos no digan: "Mañana estarán con nosotros, pero ahora se burlan de nosotros".» Jonatán responde (levantándose los flecos sin dejar de pasear, ¿o se detendrían quizá a discutir señalándose uno a otro con el dedo?): «¿Qué quieres decir? ¿Qué van a saber los muertos? ¿No dice acaso el Eclesiastés: "Los muertos nada saben"?». Hiyya replica irritado: «Mira, por favor, si lo hubieras leído como se debe sabrías que al hablar de los "vivos" alude a los justos, que incluso después de muertos son llamados vivos, y los "muertos" que nada saben son los malvados que "nada saben" independientemente de cuál sea su estado físico».

El tratado sobre el sabbat está salpicado de constantes anécdotas, especialmente de Hilel y Samay. Con el fin de fomentar la virtud de la paciencia, se cuenta la historia de un hombre que apostó a que era capaz de provocar la cólera de Hilel, famoso por su calma imperturbable. El viernes por la tarde «Hilel estaba lavándose el pelo» (al Talmud de Babilonia le encantan esos detalles) cuando el que había hecho la apuesta llama a su puerta. Hilel se echa precipitadamente algo por encima y le pregunta qué quiere. «Querría plantearte una cuestión. ¿Por qué los babilonios tienen la cabeza redonda?» Hilel ni se inmuta. «Porque sus parteras no están a la altura de su profesión.» «¡Ah, bueno!» Una hora más tarde vuelve. «¿Por qué a los de Palmira les escuecen los ojos?» «Buena pregunta, hijo mío. Porque viven en un lugar en el que hay mucha arena.» La cosa sigue. Ni rastro de disgusto en el gran hombre cuando el desconocido impertinente le advierte: «Tengo un montón de preguntas que hacerte». «Pregunta todo lo que quieras.» «Bueno, según dicen, eres príncipe. Pues ojalá no haya muchos como tú en Israel.» «¿Por qué no, hijo mío?» «Porque acabas de hacerme perder 400 *zuzim*.» Hilel remata la faena con una ternura definitiva: «Más vale que pierdas tú 400 *zuzim* en lugar de que sea Hilel quien pierda la paciencia».[52]

Al igual que la Misná en torno a la cual dispone sus tupidos semilleros de interpretaciones, comentarios y anécdotas de sabios populares, el Talmud, todavía más voluminoso, contiene reflexiones éticas de la mayor importancia, incluso cuando el texto parece girar en torno a auténticas minucias. ¿Cuándo tiene derecho una mujer a divorciarse (solo hay acuerdo sobre un punto: cuando haya sido infiel, pues «odio el divorcio, dijo el Señor Dios de Israel»)?[53] ¿Cuándo una cuestión de vida o muerte está por encima de la observancia del sabbat (siempre, así que ponte a calentar agua si hace falta)? De manera tan conmovedora como elocuente (y seguramente con la inflexión de dolor provocada por las desgracias de Palestina en el Talmud de Jerusalén, o quizá las de la época del siglo v en que los sasánidas arremetieron contra los judíos), los sabios se preguntan qué pueden preguntarle al gentil que desee convertirse. «Le decimos: "¿Por qué quieres convertirte? ¿No te das cuenta de que hoy día los israelitas se encuentran agobiados, son despreciados, acosados y perseguidos?". Si responde: "Lo sé y me considero indigno [de compartir sus desgracias]", lo aceptaremos de inmediato.» Le hablarán de los mandamientos que son difíciles de observar y de los que son fáciles de seguir; de los castigos por su violación y de las recompensas por su observancia.[54]

Pero ser admitido en el judaísmo talmúdico, por mucho que la vida resultara más fácil (aunque no siempre) en la diáspora babilónica, era no solo compartir el recuerdo de la pérdida, sino también sentirla, verla y oírla como si todavía estuviera produciéndose. ¿Qué cantaban los levitas, pregunta un capítulo, cuando estaban en su tarima el día 9 de ab mientras los ejércitos de los babilonios derribaban las puertas del Templo y entraban con violencia en él? ¿Qué sucedió cuando Betar cayó en poder del ejército de Adriano y «el monte del Templo fue arrasado»? Había que compartir también el mundo de esperanzas mesiánicas en que, cuando hubieran ocurrido determinadas cosas —la caída de «Edom», el regreso del Esposo (Dios) a su Esposa (la Sinagoga), Jerusalén, hacia la cual miraban todos cuando rezaban, cuando leían la Torá, cuando cantaban los himnos *piyyutim*— el Templo de puertas de oro, al fondo del cual se encontraba el velo del sanctasanctórum, sería restaurado.

A veces, los rabinos del Talmud, el exilarca y su corte, y las multitudes de *am ha'eretz* pensaban que hasta los tiempos más oscuros ocultan una luz. Así fue cuando a comienzos del siglo VII Heraclio, el emperador de Bizancio, llegó al colmo del fanatismo misionero y decretó que no había más remedio que los judíos se convirtieran, a la fuerza si era necesario, pues solo a través de Cristo podían alcanzar la salvación, y mientras siguieran ciegos a la luz del Evangelio resultarían peligrosos, como criaturas diabólicas que eran. Ya puesto, Heraclio ilegalizó también los servicios entre semana y, en su afán de acabar con el propio corazón del judaísmo, prohibió la recitación del *shemá* en cualquier momento. (Se cuenta que los cantores se saltaron la normativa insertándola de modo arbitrario en cualquier momento durante el servicio.) Solo se conoce una comunidad de la diáspora bizantino-romana que fuera víctima de la conversión forzosa en masa: la de Borium, en el Magreb.[55]

Y es que, antes de que la visión de Heraclio llegara a hacerse realidad, se produjo de repente un momento cargado de posibilidades mesiánicas. A comienzos del siglo VII el rey del Imperio sasánida, Cosroes II, decidió apelar a la población judía de su reino para apoyar una campaña militar contra los bizantinos, capitaneada por su general Shabahraz. Se cuenta que el hijo del exilarca, Nehemías, movilizó un ejército de veinte mil efectivos auxiliares judíos para combatir al lado de los persas. La marcha logró atravesar las defensas bizantinas. Antioquía, gloria y corazón mismo de la cristiandad, fue conquistada, tras lo cual unas tropas auxiliares judías al mando de un tal Benjamín de Tiberíades, que había reclutado muchos soldados entre los judíos de Galilea —en Séforis, Nazaret o la propia Tiberíades—, se unieron al ejército persa. Invadieron Judea y, al cabo de tres semanas de asedio, los judíos recuperaron su ciudad y establecieron, por primera vez después del decreto de prohibición de Adriano, una ciudad-estado autónoma dentro del Imperio persa.

Los martirologios describen las traumáticas destrucciones infligidas a las iglesias y los ataques sufridos por los cristianos. La arqueología ha encontrado muy pocas pruebas de lo primero, pero sí que se han encontrado restos óseos al menos en un punto de Jerusalén, junto a la piscina de Mamilla, convertido en la actualidad en un centro comercial y una urbanización residencial. Independientemente de que los judíos se vengaran o no de sus opresores, el momento en cuestión no llegó a ser mesiánico. Casi antes de que pudieran empezar las labores de limpieza y reconstrucción, los persas se vieron hostigados en otro punto y decidieron abandonar a su suerte a Jerusalén y a los judíos. En 628, apenas catorce años después de su derrota, las tropas de Heraclio regresaron y tomaron unas represalias terribles. Los cristianos debieron de pensar que, una vez más, la decepción de los judíos era consecuencia de su aversión a reconocer que no había más llegada del Mesías que el regreso de Jesús. Los judíos debían poner fin a sus ilusiones y aceptar que el dominio de Cristo prevalecería en Jerusalén para siempre.

Tal vez fueran los cristianos los que sufrieron la mayor decepción. Solo transcurrieron diez años entre la reconquista de la ciudad y su conquista por los musulmanes al mando del segundo califa, Omar, en 638. Según fuentes judías y musulmanas posteriores, los judíos que acompañaban al ejército de Omar condujeron al califa al emplazamiento del monte del Templo, desde donde se decía que Mahoma había ascendido al cielo, consultando de paso a los profetas judíos. Se cuenta que Omar, abatido al ver los montones de escombros con los que los cristianos habían mancillado deliberadamente el solar del Templo, ordenó que el lugar fuera debidamente despejado, siendo por supuesto los judíos los encargados de hacerlo. Como consecuencia de ello, se permitió a setenta familias originarias de Galilea residir en Jerusalén e incluso construir una sinagoga cerca del emplazamiento del Templo. Fue así como nació una cultura de coexistencia entre judíos y musulmanes.

Eso, en todo caso, es lo que se cuenta.[56]

6

Entre los creyentes

I. Mahoma y los Cohen de Arabia

En las bodegas de los barcos amarrados en el puerto de Yótabe podían
verse jaulas de guepardos, leones y hasta de los rarísimos rinocerontes,
junto con cofres llenos de mirra y nardo.[1] Al oeste se hallaba el extremo meridional de la península del Sinaí, y al este la costa septentrional
de Arabia. La isla, en forma de tiburón (llamada actualmente Tirán),
yacía justo en medio de los bajíos, cortando el paso a los navíos que se
dirigieran al norte desde el mar Rojo o en dirección sur desde el golfo
de Aila (hoy día Aqaba). Todos estos factores hacían de Yótabe el lugar
ideal para el cobro de aranceles y peajes aduaneros, y el historiador
Procopio de Cesarea nos dice que los judíos que vivían allí llevaban
generaciones haciendo precisamente eso. Exceptuando los pocos cristianos que habitaban en ella, Yótabe era una isla judía, cuya población
se creía que se había establecido en ella tras la destrucción de Jerusalén
por los romanos, pero como los hebreos llevaban saltando de isla en isla
desde antes del siglo I e. c., su presencia en Yótabe, tan estratégica desde el punto de vista comercial, probablemente datara de mucho antes.
El adelanto de dinero resultaba muy convincente, sobre todo para los
imperios demasiado extensos territorialmente, de modo que los judíos
de Yótabe tenían entre manos un negocio de lo más lucrativo, consistente en adelantar dinero en metálico a cambio del derecho a recau-
darlo y en sacar provecho de todo lo que cayera en sus manos a cambio
del desembolso efectuado previamente. Semejante componenda resultaba conveniente para cualquier fisco que pudiera beneficiarse de ella,
y bastó desde luego para que el Imperio bizantino concediera a Yótabe
el rango de microestado autónomo; una república comercial en minia-

tura, de apenas ochenta kilómetros cuadrados de extensión, habitada por judíos.

Es decir, hasta mediados del siglo VI, cuando el arrogante emperador Justiniano, con su ilusoria obsesión por reconstruir la integridad del Imperio romano cristiano, decidió poner fin a la libertad de la isla. La desgracia era previsible. Justiniano no estaba dispuesto a ceder el control estratégico del estrecho a ningún colectivo que no estuviera plenamente comprometido con las guerras que llevaban tanto tiempo librándose contra los persas, y los judíos de la frontera eran bien conocidos por su habilidad para nadar y guardar la ropa. Pero, incluso después de verse sometidos a la condición de súbditos, los judíos de Yótabe siguieron a lo suyo, recaudando aranceles y supervisando los cargamentos de fieras salvajes destinadas a los últimos espectáculos de cacería (declarados ya oficialmente ilegales), las *venationes*, organizados por las languidecientes aristocracias de Roma y Bizancio, hartas de ver simplemente osos y jabalíes descuartizados en sus circos privados. Aparte de los grandes felinos y los elefantes, también pasaban por las aduanas de Yótabe las riquezas de Arabia, muy lucrativas todas ellas: el almizcle; el olíbano, utilizado como incienso tanto por los cristianos como por los judíos y paganos; los aceites y resinas perfumados; las piedras preciosas y el coral, recogido entonces, lo mismo que hoy en día, en los arrecifes del mar Rojo, y llevado en forma de amuletos y talismanes colgados de cadenas de plata u oro. Desde que las primeras crónicas de los griegos los describieran como expertos en comunicarse con los astros, se había pensado que los judíos tenían acceso a poderosos misterios esotéricos —pócimas y fórmulas secretas elaboradas con plantas, animales y minerales—, y también estos productos encontraron un mercado susceptible de ser gravado con impuestos. Desde más lejos llegaban, además, las sedas asiáticas con destino al norte y al oeste, que eran cambiadas por lino egipcio, enviado hacia el sur y el este.

El potencial recaudador de Yótabe sobre la navegación se basaba en el cuello de botella que constituía el mar Rojo, taponado en su extremo meridional, donde había otra numerosa comunidad de judíos árabes establecida en el puerto de Adén, que controlaba la salida hacia el océano Índico y la entrada del tráfico procedente del Cuerno de África. Además, entre Yótabe y Adén había una larga cadena de colonias y ciudades judías diseminadas a lo largo de las rutas camelleras de la *Via*

Odorifera, que se extendía desde Yemen, a través de la periferia del desierto, salpicada de oasis, hasta el Hiyaz, el flanco noroccidental de la península Arábiga, y ciudades como Hegra, al-Ula y Tabuk.[2]

Esta era, pues, la geografía social que casi nadie puede imaginar que existiera: la Arabia Judaica, patria de árabes judaizados y de judíos árabes, un fenómeno que hoy día nos parece una verdadera antinomia, pero que dos siglos antes de la llegada del islam era la cosa más natural de mundo, y que floreció tanto económica como culturalmente. Estas gentes habían adquirido de los nabateos del Néguev y de las colinas de Moab el arte de recoger y conservar el agua procedente de los preciosísimos chaparrones repentinos y de canalizar las corrientes subterráneas, para que pudieran prosperar las palmeras datileras. Los lazos que los unían en una dirección con los judíos de Palestina y en otra con las comunidades de Mesopotamia pusieron a su disposición una red comercial ya existente. Por los testimonios epigráficos, conocemos incluso los contactos que mantenían entre sí las ciudades de la propia Arabia. En Hegra, una de esas inscripciones funerarias de mediados del siglo IV afirma que fue erigida por «Adnón, hijo de Hmy, hijo de Shmwl [Samuel], príncipe de Hegra, para su esposa Monah, hija de Amrw ... hijo de Shmwl, príncipe de Tayma».[3] Había tribus y clanes judíos, cuyos nombres conocemos por las historias del islam primitivo, propietarios de palmerales y plazas fuertes, dedicados además a conducir caravanas de camellos a través de toda Arabia (de hecho, muchos eran beduinos judíos que seguían las sendas de los rebaños), y que, antes de la aparición de Mahoma en 610, dominaban ciudades mercantiles fortificadas como Tayma, donde llegaron a ser lo bastante poderosos como para imponer el judaísmo a toda la ciudad y a los cristianos y paganos a los que se les ocurriera establecerse en ellas. En Jaybar, una ciudad oasis provista de torres y de murallas fortificadas, donde había suficientes corrientes de agua procedentes de las colinas circundantes (recogida en depósitos de captación) para regar los palmerales y las viñas, los terratenientes judíos se especializaron en fabricar y almacenar armas, armaduras, catapultas y toda clase de máquinas de asedio, así como en el comercio de la seda y los tejidos importados del reino meridional de Himyar. Algunas fincas de Jaybar, especialmente en el oasis de Fadak, eran propiedad del clan de Banu Nadir, que había sido uno de los fundadores de Yathrib, unos cien kilómetros más al sur, la ciudad que acabó siendo la más

Pinturas murales de la sinagoga de Dura-Europos, del siglo III e. c., que echaron por tierra la presunción de que el judaísmo aborrecía las imágenes. En las primeras sinagogas ocurría todo lo contrario. (*Arriba*) Hallazgo de Moisés por la hija del faraón. (*Abajo*) Detalle de las figuras del rey Asuero y la reina Ester.

Pavimento de mosaico de la sinagoga de Séforis, en Israel: (*arriba, a la izquierda*) el mes de tevet, que representa el invierno; (*arriba, a la derecha*) el mes de nisán, que representa la primavera. (*Abajo*) Emblemas del Templo: el candelabro de oro, el recipiente de las «cuatro especies» de la fiesta de los Tabernáculos y el shofar o trompeta.

Palmeral representado en la decoración pictórica de las catacumbas judías de Vigna Randanini, a las afueras de Roma, siglo IV e. c.

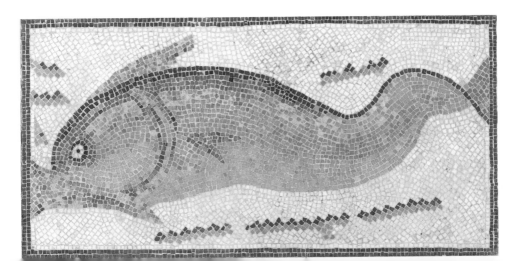

Cuaderno de ejercicios de hebreo de un niño con dibujo de camello; procedente de la Geniză de El Cairo, depósito de documentos del mundo judío medieval, la mayoría de ellos en judeo-arábigo (lengua árabe escrita en caracteres hebreos), prueba evidente de los cruces culturales.

Vidriera del siglo XIII de la catedral de Lincoln en la que aparece, a la derecha, el «niño de Bourges» arrojado al horno por su padre (tocado con el típico gorro cónico de color rojo); a la izquierda el niño aparece sano y salvo dentro del horno gracias a la intercesión de la Virgen, con la cabeza rodeada de un halo dorado, que se inclina con gesto protector hacia la criatura.

Caricatura judeófoba con el letrero «Aaron fils diaboli» («Aarón, hijo del diablo»), incluida en un documento del siglo XIII del archivo del Tesoro inglés.

Página del Libro de las Ofrendas del *Misné Torá* de Maimónides, con una miniatura en la que aparece Moisés recibiendo las tablas de la Ley y un ciervo corriendo en lo alto del folio, figura que a menudo representaba a Israel. De un original francés de finales del siglo XIII.

La *Hagadá de cabezas de pájaro*, Alemania, *c.* 1300.

Frontispicio de la *Guía de perplejos* (*Moré Nebujim*) de Moisés Maimónides, de 1356, procedente

poblada y poderosa del Hiyaz. Allí, en el lugar donde Mahoma creó su comunidad de creyentes, los judíos, que constituían al menos el 60 por ciento de la población, eran terratenientes, dominaban el mercado, trabajaban como orfebres y plateros, y hablaban y escribían en *yahudiyya*, el dialecto judío del árabe. Pero había también *kahinan*, como los llaman las fuentes musulmanas, esto es, *cohanim*, sacerdotes, algunos de ellos descendientes, según dice el Talmud, de los miles de judíos que huyeron a Arabia tras la destrucción del Templo, y otros enviados como misioneros (pues, contrariamente a lo que afirma la sabiduría convencional, hubo muchos) desde Tiberíades y otras ciudades de la Palestina romano-bizantina. Eran, en efecto, los Cohen de Arabia. Había además una comunidad levita, y algunos de los términos más arraigados de su religión —*nabí*, «profeta»; *sadaaqa*, la obligación de practicar la caridad y la justicia, o *rahman*, «misericordia»— pasarían íntegramente al islam. Había marineros judíos árabes, y también escultores, escribas y poetas, mercaderes, agricultores, campesinos y pastores nómadas que vivían en tiendas; una cultura entera.

A nosotros nos parece perfectamente natural estimar la antigüedad de una población árabe cristiana porque dicha comunidad subsiste hoy día como una cultura coherente. Pero a ese escenario de los siglos IV-VI debemos añadir una población árabe judía —de judíos viejos y de conversos recientes— pugnando enérgicamente con el monoteísmo rival por la adhesión de los paganos a su fe. Según la historia de la Iglesia de Filostorgio, cuando el emperador Constancio II envió misioneros a Arabia en 356, se sintieron muy frustrados al ver la poderosa competencia y el éxito del proselitismo de los que las fuentes islámicas llaman los *rabban'iyun*.

A finales del siglo IV, justo cuando la vida de los judíos empezaba a volverse más dura en la cristiandad, el judaísmo consiguió su conquista más espectacular en Arabia con la conversión del reino de Himyar (que se correspondería territorialmente con el Yemen actual, y que fue la potencia hegemónica de la península Arábiga durante 250 años). Durante mucho tiempo se dio por supuesto que la conversión de Himyar se limitó al estrecho círculo que rodeaba a la figura del rey —el último del linaje de los Tubba, Tiban As'ad Abu Karib— y quizá a la aristocracia guerrera. Todavía es muy intenso el debate en torno a la difusión del judaísmo en Himyar, pero los testimonios de las inscripciones y, lo que es más significativo, de las excavaciones llevadas a cabo en Zafar, la capital del reino, en la zona montañosa, donde ha salido a la luz lo que parece un antiguo baño purificatorio o *mikvá*, sugieren a muchos de los especialistas más recientes (aunque no a todos) que la espectacular conversión de Himyar fue más profunda, generalizada y duradera de lo que ha venido creyéndose.[4] Puede que los himyaritas fueran devotos del «sol y la luna», además de practicar la circuncisión a los ocho días, pero, como hemos visto por los mosaicos de las sinagogas de esta época, el culto al sol también era un elemento indiscutible de la práctica del judaísmo. De hecho, según el cronista Ibn Abbas, una de las principales causas de la sospecha de que Ka'b al-Ahbar, el compañero del califa Omar en la conquista de Jerusalén, era un falso musulmán era que afirmaba que el día del Juicio el sol y la luna serían procesados «como toros castrados», opinión, según se decía, típicamente judía (?).[5] Como la aristocracia himyarita mandaba sus restos mortales a Beit Shearim, para ser enterrados en su gran necrópolis, no cabe duda de cuáles eran sus creencias religiosas ni de cuán estrechos eran los lazos que la unían con la Palestina judía. Fuentes musulmanas posteriores hablan incluso de la llegada de rabinos procedentes de Tiberíades para adoctrinar a la corte himyarita. Al margen de la veracidad o no de la noticia, es evidente que, durante los siglos anteriores a la aparición de Mahoma en 610, los judíos distaban mucho de constituir una presencia extraña y exigua en medio del mundo étnicamente árabe del Hiyaz y de Himyar.

La conversión de Himyar solo fue posible porque a ningún converso se le habría ocurrido la idea de que la religión que adoptaba era de algún modo extranjera. Los judíos estaban radicados en tierras arábigas tan profundamente y desde hacía tanto tiempo que se habían convertido en un elemento orgánico de ese mundo. En las recientes excavaciones llevadas a cabo en Zafar, construida en el interior de una serie de antiguos cráteres volcánicos, se ha encontrado un anillo con sello de cornalina datado en el siglo II o III, que lleva grabada la representación simbólica del altar de la Torá, estilizado exactamente igual que como aparece en los pavimentos de mosaico de las sinagogas primitivas, y la imagen especular del nombre Yishaq bar Hanina tallada en caracteres hebreos.[6] Los judíos como Yishaq y sus descendientes hablaban árabe además de arameo, y algunos, como el señor de la guerra Samw'ayal ibn Adiya, de Tayma, escribieron poesía árabe de una elocuencia tan bravucona que merecieron ser incluidos en un *divan* o antología de sus versos, reunidos por los compiladores musulmanes de poesía guerrera. Lleva-ban nombres árabes, se vestían de un modo que no permitía diferen-ciarlos de los árabes, estaban organizados en clanes familiares semitriba-les como los árabes y —no solo en Himyar, sino en toda la región, desde el océano Índico hasta el desierto del Néguev y el Sinaí— mu-chos de ellos eran étnicamente árabes.[7]

A lo largo de los siglos, desde que los asmoneos impusieron a la fuerza el judaísmo a los habitantes del desierto, los itureos y los idu-meos, poblaciones étnicamente árabes, había habido tantas conversiones que resulta imposible diferenciar a los judíos árabes surgidos de los emi-grantes que llegaron de Palestina antes o después de la destrucción del Templo, de las multitudes de árabes que habían sido paganos y luego habían elegido el judaísmo y no el cristianismo como religión mono-teísta. Estudios recientes acerca del ADN de los judíos yemeníes lleva-dos a cabo por la genetista Batsheva Bonne-Tamir han confirmado que sus orígenes ancestrales se encuentran en las conversiones de los árabes y los beduinos del sudoeste de la península Arábiga.[8] Esta mezcla preis-lámica de identidades árabes y judías se vio reforzada cuando el último rey judío de Himyar, responsable también de la campaña proselitista más combativa, Dhu Nuwas, el Señor de los Rizos (también llamado Yusef As'ar), fue derrotado por el rey cristiano axumita de Etiopía, Ka-leb, en una batalla definitiva librada en 525. Anteriormente, parece que el Señor de los Rizos intentó llevar su judaísmo agresivo hasta el centro mismo de la península Arábiga. Guiado a todas luces por su afán de vengarse de los cristianos por la persecución a la que eran sometidos los judíos en el Imperio bizantino, así como por la quema de sinagogas en la ciudad predominantemente cristiana de Najrán, Dhu Nuwas encar-celó y ejecutó a los mercaderes cristianos que viajaban por Himyar ca-mino de Etiopía. La noticia de esos asesinatos encendió la llama de la revuelta en Najrán, que Dhu Nuwas reprimió con una ferocidad terri-ble. La matanza se convirtió inmediatamente en fuente de los martiro-logios divulgados por los monjes y sacerdotes de la zona. El poder de Bizancio —y los accesos a los territorios del sur y del este— se vio re-pentinamente amenazado por una combinación beligerante de auténtica pesadilla formada por el poder de los persas y el de los judíos. Empeña-do en mantener la frontera contra los sasánidas, el emperador Justiniano I apeló al reino africano de Axum, que acababa de convertirse al cristianismo, para que interviniera. Al frente de un ejército enorme (quizá de unos sesenta mil hombres), el rey axumita Kaleb invadió Himyar en 525 y derrotó a Dhu Nuwas, poniendo fin a la historia del reino árabe judío y a la vida del más llamativo de sus monarcas. La anécdota de Dhu Nuwas montado a caballo arrojándose al mar desde un acantilado es pura leyenda, pero de lo que no cabe duda es de que el último y también el más agresivo de los reyes judíos de Himyar no sobrevivió al destino de su ejército derrotado, ni tampoco lo hizo el sueño de un estado judío panarábico federado.

Sin embargo, lo único que consiguió la desintegración del Himyar judío en 525 fue enviar a sus habitantes leales al judaísmo al norte, al Hiyaz, donde se incrementó la población de las ciudades y los oasis, ya en gran medida judeo-árabe. (Naturalmente, algunos se quedaron bajo el dominio de los axumitas cristianos conservando su fe judaica, pues la antigüedad de los judíos yemeníes sobrevivió de forma ininterrumpida desde la Edad Media hasta la emigración masiva que tuvo lugar después de la Segunda Guerra Mundial.)[9] Ello supuso que el monoteísmo judaico penetrara profundamente en Arabia durante casi un siglo antes de que Mahoma anunciara en 610 la revelación recibida en una de las ciudades —Makka o La Meca— donde se habían asentado aquellos himyaritas. Precisamente, fue por los tintes judaicos tan poderosos que tenía el monoteísmo árabe (a diferencia de la engañosa versión «tres en uno» difundida por el cristianismo, era de hecho judaísmo árabe) por lo que Mahoma, que había vivido toda su vida entre judíos, pudo pensar que contaba entre ellos con una audiencia al menos de simpatizantes, incluso que fueran quizá los más receptivos a su profecía, pues la parte relativa al islam era la verdadera religión de Abraham.

No resulta demasiado difícil ver los motivos del optimismo de Mahoma cuando en 622, tras no poder imponerse en La Meca, realizó la hégira, es decir, el viaje hacia el norte, a Yathrib/Medina, donde al final triunfaría el islam y se crearían sus primeras instituciones de gobierno. Puede que los clanes judíos de Yathrib —que eran muy numerosos— ya no dominaran política y socialmente la ciudad, pero tampoco cabe duda de que seguían constituyendo en ella una importante fuerza económica y cultural. El islam, pues, nació en un crisol urbano judío. La creencia que tenía Mahoma de que los judíos serían sus aliados más naturales se explica por la afinidad entre las dos religiones monoteístas, pero la relación entre ambas era mayor incluso. El judaísmo arábigo-himyarita quizá fuera, en un sentido muy profundo, el padre directo del islam, pues históricamente no tiene sentido clasificar el núcleo de las doctrinas de Mahoma sino como esencialmente judaicas, rasgo evidente en la indivisibilidad del Dios único, invisible y omnipotente (al fin y al cabo, el judaísmo himyarita y árabe lo llamaba «*rahman*, el misericordioso y compasivo que estás en el cielo y en la tierra»); la venida de los Últimos Días (creencia fundamental de la comunidad del Corán); el aborrecimiento de la idolatría; el justo mandamiento de la caridad (*sadaaqa* en árabe, *tzedaká* en hebreo); la prohibición estricta de consumir no solo carne de cerdo, sino también carne que contenga todavía sangre viva, o la insistencia en las abluciones y purificaciones rituales, especialmente antes de la oración. No es de extrañar por tanto que, hasta su doloroso rechazo por los clanes judíos de Yathrib, Mahoma ordenara a los creyentes rezar en dirección a Jerusalén, entre otras cosas porque consideraba que él mismo se encontraba en la línea de sucesión de los profetas bíblicos. Otros preceptos suyos —las múltiples oraciones diarias (que también exige el zoroastrismo); las purificaciones rituales; el ayuno el día 10 de tishri (el día de la Expiación de los judíos), solo más tarde sustituido por el Ramadán, así como los ayunos semanales los lunes y los jueves, o la obligación de la circuncisión— respondían plenamente a la práctica judaica habitual.

Es perfectamente comprensible, pues, que, al igual que los posteriores críticos cristianos del judaísmo basado en el Talmud, los autores musulmanes insistieran también en que el islam era el verdadero cumplimiento de la Biblia judía; que en sus páginas, especialmente en las epopeyas de Abraham/Ibrahim y Moisés/Muza, podían encontrarse las promesas cumplidas finalmente por Mahoma, y que la religión a la que seguían apegados los judíos de la época era una invención moderna del Talmud rabínico sin la autoridad conferida por la revelación divina. Al fin y al cabo, era una tesis que compartían los samaritanos y la nueva congregación de los caraítas, que rechazaban todos los añadidos rabínicos a las leyes contenidas en la Torá.

Entonces, ¿por qué los judíos del Hiyaz no respondieron positivamente a Mahoma y lo rechazaron de forma tan vehemente que, al menos en Yathrib, invitaron a su erradicación y a su destrucción física? La respuesta la tenemos en una versión reescrita de la Biblia, y en particular del Génesis, que suponía un atentado contra el canon de la Torá, definitivamente ya cerrado. Si Mahoma hubiera aparecido en escena seis siglos antes, sus variaciones quizá no habrían parecido tan heréticas, dado que los propios Manuscritos del Mar Muerto están llenos de pseudoepígrafos que fundamentalmente comportan una reformulación no solo de las leyendas de los patriarcas (y de forma más espectacular de las matriarcas), sino también del relato de la Creación ofrecido por el Génesis. Y, como hemos visto, aquella fue también una época marcada por la previsión de un drama maniqueo de los Últimos Días que suponía virtualmente un prototipo de la versión dada por el islam, por no hablar del espacio concedido a toda clase de profetas de última hora y de mensajeros del Todopoderoso cargados de informaciones celestiales. Como buena parte de las profecías y de la literatura del *merkabá*, el carro místico que traía a los mensajeros de los reinos celestiales y los devolvía a ellos, Mahoma afirmaba que había estado en el cielo y, como los que viajaban al Paraíso, recitaba oraciones mántricas y se envolvía en un manto de misterio. El de Mahoma fue un problema de oportunidad, al aparecer ante los judíos de Yathrib y del Hiyaz mucho después de que los sabios hubieran proclamado categóricamente el fin de los profetas.

Para muchos de esos judíos, y especialmente para aquellos a los que el Corán llama los *rabban'iyun* —esto es, la minoría dirigente rabínica—, Mahoma era un presuntuoso lleno de pretensiones y además peligroso, sobre todo porque se presentaba trayendo solo la noticia de una revelación personal basada únicamente en su palabra, que no paraba de repetir que venía a sustituir la autoridad escrita de la Torá. ¿Dónde estaba un Libro escrito con su revelación, algo comparable a lo que se había «encontrado» en el Templo en tiempos de Josías y se había conservado milagrosamente durante el cautiverio y el exilio de Babilonia, para ser devuelto a Jerusalén por el sacerdote-escriba Esdras? ¿Y con qué derecho falseaba y alteraba Mahoma la Torá y hacía de Ismael (Isma'il), no de Isaac, el objeto de la orden dada por Dios a Abraham de sacrificar a su hijo, o presentaba a Abraham visitando a Ismael y a Agar en su destierro del desierto para concederles su bendición? Peor aún que esta descarada reescritura blasfema era la desvergonzada insistencia en que los autores de la Torá eran unos falsificadores y unos mentirosos, que tenían que ser debidamente corregidos por el Corán.

Una vez detectadas todas estas ofensas, los indignados guardianes de la tradición judía de Medina no tuvieron el menor empacho en dar a conocer la magnitud de la herejía. Lo hicieron, además, a través de un medio típicamente árabe, la poesía pública, a menudo recitada en la plaza del mercado, que en Medina seguía en manos de los judíos. Existía una larga tradición beduina de este tipo de recitaciones y, junto con otras prácticas adoptadas en Arabia, los judíos habían asumido fácilmente el papel de versificadores y declamadores. Ahora utilizarían su arte y su mordacidad con fines polémicos. La más desdichada de esas intervenciones tuvo lugar en 622 y fue obra del venerable poeta Abu Afaq (de 120 años de edad, según se decía), que se burló de las pretensiones de Mahoma e instó a todos los creyentes en el Dios único a abandonarlo y a dar de lado tanto su mensaje y como a su persona. Las biografías más antiguas del Profeta reseñan el alcance de la furia de Mahoma ante tal desafío. «¿Quién se encarga de ese bellaco?», se dice que preguntó, y el encargo lo asumió de inmediato uno de sus seguidores más incondicionales, Salim ibn Umayr. «Hacía una noche muy calurosa y Abu Afaq dormía al aire libre. Salim ibn Umayr lo sabía, así que le puso una espada sobre el hígado y la empujó hasta atravesar la cama. El enemigo de Alá gritó y los que eran seguidores suyos [esto es, los judíos] fueron corriendo hasta él, se lo llevaron a su casa y lo enterraron.» En algunas tradiciones, una mujer convertida al judaísmo y también poetisa, Asma bint Marwan, se sintió tan disgustada por el asesinato de Abu Afaq que lanzó su propia denuncia satírica pública y también fue asesinada, rodeada de sus doce hijos, el menor de los cuales tuvo que ser arrancado de los pechos que lo amamantaban antes de que su madre fuera apuñalada. Parece que las cantautoras judías —algunas de las cuales, como una tal Hirra al-Yahudiya, eran originarias de la región de Uadi Hadhramaut, al sur de Himyar, donde quizá fueran tradicionales sus actuaciones en público— estuvieron entre los opositores más notorios de las pretensiones de Mahoma, e invariablemente pagaron con la vida su osadía.[10]

Las cosas cambiaron drásticamente en Medina. Debido al rechazo de los judíos, Mahoma modificó la orientación de la *qibla*, la dirección del rezo, de Jerusalén a La Meca. Políticamente había sido bien recibido por muchos como una figura capaz de trascender las disputas de los clanes tribales, que debemos subrayar que no eran de judíos contra árabes, sino entre diversos grupos judeo-árabes que establecían alianzas o tenían enfrentamientos temporales. En vez de convertirse en un árbitro imparcial, Mahoma se enzarzó —con mucha astucia— en esas batallas entre facciones. Pero en 622 era ya evidente que iba a adoptar una línea cada vez más dura con el más importante y poderoso de los clanes judíos, todos los cuales estaban peligrosamente aliados de un modo u otro con sus diversos adversarios. El hecho de que se creyera que podían sobornar a los clanes no judíos para que se unieran en una gran coalición contra Mahoma no hizo más que empeorar las cosas. En algunos casos, puede que el predominio económico de los judíos hiciera que la estratagema no funciona, pues tal vez contribuyera a atraer a algunos partidarios que aspiraran a sacar provecho (y de hecho lo sacaron) de su expulsión, especialmente en el caso del clan de Banu Nadir, que dominaba los palmerales de los alrededores de Yathrib y de Jaybar. El de Banu Qaynuka estaba compuesto principalmente por orfebres, y sus propiedades quizá fueran otro incentivo para la hostilidad de que fueron objeto. Los dos clanes fueron expulsados rápidamente de la ciudad de sus antepasados y se trasladaron hacia el norte, a Jaybar, y, según los cronistas musulmanes, más allá incluso, al sur de Siria, quizá a Palmira. Para el más poderoso de estos clanes, el de los Qurayza —que cometió el funesto error de aliarse con los enemigos más encarnizados de Mahoma en La Meca (posiblemente porque el clan tenía miembros de la familia en esa ciudad) tras el asedio infructuoso que le dio el control de Yathrib—, el Profeta se reservó una respuesta mucho más brutal a su «traición». En un intento de aplacar su cólera, los Qurayza dijeron que habían contribuido a la defensa de Yathrib proporcionando cubos y palas para cavar trincheras, pero su credibilidad se vio seriamente en entredicho. Tras preguntar a un creyente de una de las tribus locales, la de los aus (en la que había también un clan judío), cuál debía ser el castigo de los Qurayza, se decidió que todos los varones pertenecientes a este clan (entre cuatrocientos y novecientos, dependiendo de la fuente histórica que se utilice) fueran ejecutados y que las mujeres y los niños fueran reducidos a la esclavitud y convertidos a la fuerza. Algunas de esas esclavas fueron vendidas para comprar armas para las tropas de los fieles, y otras fueron obligadas a casarse con musulmanes, entre ellas una tal Rahaina, que se convirtió en esposa del Profeta. La despiadada matanza de los hombres se llevó a cabo tal como había sido anunciada.

Aunque la veracidad de semejante carnicería ha sido puesta en entredicho en época moderna, el brutal relato es repetido una y otra vez en todas las primeras biografías del Profeta, y, al fin y al cabo, no habría sido un suceso particularmente insólito en la Medina de los siglos VI y VII. Los judíos himyaritas habían hecho lo mismo un siglo antes con los cristianos de Najrán. Pero si debemos dar crédito a un documento que aparece también en las biografías del siglo VIII, y que generalmente ha sido considerado auténtico desde el punto de vista histórico, los Qurayza no fueron los últimos judíos de Medina y de otras ciudades del Hiyaz. Muchos de los subclanes que quedaron son reseñados por su nombre en ese documento, conocido como la «Constitución de Medina», que es un pacto con las tribus vencidas en el que se establece la estructura básica de la autoridad de la *umma*, la comunidad de los creyentes. De los cincuenta artículos de los que consta el documento, no menos de diez afectan en concreto a los clanes judíos que presumiblemente quedaban en Medina tras la matanza y la expulsión de las tres grandes tribus. Pero, sorprendentemente, el documento de la *umma* da por supuesta la solidaridad de la alianza militar entre judíos y musulmanes, especificando que los primeros debían pagar «su parte de los gastos» mientras lucharan juntos. La siguiente cláusula estipula algo que contrasta todavía más con la forma en que los judíos acabarían siendo tratados como Pueblo del Libro. La cuestión se complica por el hecho de que en el seno de la tribu a la que se hace mención —los poderosos Banu Aus— había tanto musulmanes como judíos. Pero el texto no puede ser más explícito cuando afirma que seguirá considerándose que los judíos, aunque continúen siéndolo, están no fuera, sino dentro de la *umma*; en otras palabras, que jurídicamente no se diferenciarían de los musulmanes. «Los judíos de los Banu Aus constituyen una sola comunidad con los creyentes; los judíos tienen su ley religiosa y los musulmanes tienen su ley religiosa.»[11] Este detalle de coexistencia fraternal es subrayado todavía más por el empleo de la palabra *din*, término idéntico en hebreo y en árabe para indicar la expresión de la religión dentro de la ley y a través de la ley. El «tratado» también ponía de manifiesto que, si los judíos decidían no luchar al lado de los musulmanes, cabía esperar que

—como miembros de la *umma*— compensaran su inacción pagando la parte que les correspondiera de los gastos de la campaña.

Por solemne que fuera este pacto entre Mahoma y esos no creyentes, no fue así como se desarrollaron los acontecimientos (dejando a un lado las matanzas) ni siquiera mientras vivió el Profeta. La primera ciudad en ser tomada tras salir de Medina, una vez pacificada esta, fue, irremediablemente, Jaybar, la de múltiples torres, donde los judíos locales habían quedado comprometidos por las alianzas con los enemigos que Mahoma tenía entre los miembros de su propia tribu, la de los Quraysh. Tras ser expulsados de Medina, los Banu Nadir se habían dirigido al norte, a Jaybar, donde muchos de ellos ya poseían tierras. La plaza estaba armada hasta los dientes, pero resultó que también estaba dividida de modo fatal entre sus tres torres —Nataq, al-Shiqq y Katiba—, cada una de las cuales albergaba su propio clan familiar y que, durante el posterior asedio del 628-629, se preocuparon únicamente de su supervivencia. Las historias musulmanas hacen de la batalla de Jaybar una gesta decisiva, durante la cual Mahoma logró introducir dentro de las murallas a unos falsos huéspedes que se volvieron contra sus anfitriones durante un banquete y los mataron, asesinando de paso al jefe de los Banu Nadir, Huyayy ibn Ajtab, y a su yerno, y capturando a su hija Safiyya, que se convirtió en la segunda esposa judía de Mahoma. El primo y yerno del Profeta, Alí, atacó a Marwab, el más formidable de los guerreros judíos, y partió su casco en dos, atravesando el cráneo del campeón.

Algunas fuentes musulmanas afirman que Mahoma decidió expulsar a los judíos de Jaybar por su temeridad al aliarse con sus enemigos, pero tras la rendición, y pensando tal vez en otros medios de pacificación, se dice que aceptó la propuesta que ellos mismos le hicieron de permitirles quedarse y practicar su religión a cambio de la entrega de la mitad de sus cosechas. Independientemente de que este detalle sea o no cierto desde el punto de vista histórico, no cabe duda de que el sometimiento de Jaybar se convirtió en un modelo de las condiciones impuestas por el islam a las poblaciones que fue conquistando con una rapidez y un brío sorprendentes. Aun así, el más asombroso de los califas guerreros, Omar I, en muchos sentidos el arquitecto del imperio religioso-militar del islam, incumplió el pacto de Jaybar al afirmar en 642 que antes de su muerte, acaecida hacía ya diez años, Mahoma había insistido en que en Arabia solo podía haber una religión. Todos los infieles —tanto cristianos como judíos— debían quitarse de en medio por voluntad propia o serían quitados de en medio por los métodos que fueran necesarios. En virtud de un decreto oficial, Arabia fue depurada de los judíos que habían estado viviendo en ella durante al menos quinientos años. Indudablemente, muchos se sometieron al islam, y en especial en el antiguo Himyar se quedaron y siguió habiendo judíos, probablemente hasta mediados del siglo xx. Otras pequeñas comunidades del Hiyaz —en Uadi Qura y Tayma— quizá también se quedaran, pues entre los materiales encontrados en la Genizá de El Cairo, el depósito de la sinagoga de Ben Esdras, perteneciente a los judíos palestinos de Fustat, la antigua El Cairo, han aparecido cartas procedentes de esas ciudades que han sido datadas en los siglos xi y xii. Aunque no llegó a verlos personalmente, el viajero del siglo xii Benjamín de Tudela describió a los «recabitas», unas comunidades nómadas de judíos, guerreros, ganaderos y pastores, que tenían su propio líder o *nasí*, que iba vestido de negro, no comía carne ni bebía vino, pero celebraba los banquetes y guardaba los ayunos tradicionales. Benjamín dice incluso que en Jaybar había una comunidad de cincuenta mil judíos. Menos de fiar es el viajero Abdías de Bertinoro, de finales del siglo xv, según el cual había una tribu de judíos gigantes que se llamaban a sí mismos «árabes de *Shaddai*» (el nombre del Todopoderoso), tan fuertes que eran capaces de cargar un camello sobre un solo hombro. Pero, aparte de las comunidades que indudablemente siguió habiendo en Jaybar, Tayma y Yemen, la Arabia judía se convirtió en algo del pasado.

Pero si los judíos perdieron Medina, ganaron Jerusalén. Durante las generaciones posteriores a las conquistas de Mahoma, de su sucesor, Abu Bakr, y de Omar, unos se fueron en una dirección, hacia el oeste, a Siria, Palestina y Egipto, y otros en la contraria, hacia el este, a las ciudades de Mesopotamia, conquistadas a los persas, en las que estaba completándose la elaboración del Talmud. Y en todos estos lugares, así como en muchas otras ciudades, islas y países por los que se extendió el islam, los judíos encontraron el modo de sobrevivir. La expulsión de Arabia resultaría la excepción, no la regla. No se les prohibiría la entrada en ningún otro sitio, y, a diferencia de lo ocurrido en la Europa cristiana y en Bizancio, en ninguna ciudad se decretaría su confinamiento forzoso en un barrio especial. Tampoco, al contrario de lo que ocurriría en la cristiandad, se prohibiría a los judíos dedicarse a ciertos oficios, aparte de la administración pública y el gobierno de la *umma*. Y, lo que es más importante, como «Pueblo del Libro», igual que los cristianos, serían protegidos en la práctica de su religión, bajo ciertas condiciones de obligatorio cumplimiento.

Según algunos historiadores musulmanes posteriores, esas condiciones fueron regularizadas en un «pacto» o «tratado» que, según se dice, fue redactado por los cristianos sirios sometidos a Omar I. Pero va más allá de toda verosimilitud suponer que los vencidos estuvieran en condiciones de imponer los términos de su rendición al vencedor y, además, de hacerlo en un árabe que, en aquellos tiempos, ignoraban por completo. Es mucho más probable que fuera el califa del siglo VIII Omar II el que formalizara la posición del Pueblo del Libro en las tierras de la *umma*.

En muchos aspectos, este tratado debía de prometerles una existencia incomparablemente más benigna que la que llevaban en la cristiandad. Los judíos habían irritado al Profeta, pero no lo habían matado, de modo que no se les adjudicó el estigma de deicidas ni fueron deshumanizados como demonios vivientes y compañeros de fatigas del diablo. Eso suponía una gran diferencia. Por otro lado, tampoco serían considerados iguales a los musulmanes e incorporados a la comunidad de los creyentes (como ocurría en el documento de Medina de 622). Eran los *dhimmi*, los «ignorantes tolerados». Y, siguiendo el precedente de Jaybar, su protección dependería del pago de un impuesto anual sobre las personas físicas, la *jaliya* o *jizya*, en dinares de oro, cuya cantidad iba de uno a cuatro, dependiendo de la fortuna del individuo y de dónde viviera.

A los no creyentes, los infieles, y en particular a los judíos, debía recordárseles su humillación y su degradación ante los musulmanes en casi todos los aspectos de la vida. Por un lado, se reprimía toda manifestación pública de su religión (lo que suponía una gran molestia para los cristianos, que tenían vetados sus desfiles procesionales) y se prohibía que las sinagogas superaran la altura de las mezquitas; por otro, no tenían derecho a ir montados a caballo, e incluso cuando montaban en burro se les ordenaba hacerlo a mujeriegas, en la humillante posición de las mujeres (y utilizando una silla distintiva). Más peligroso resultaba el hecho de que los judíos tuvieran prohibido incluso portar armas, lo que los convertía en víctimas del acoso, el ataque y los atracos con violencia (en especial durante los viajes que realizaban habitualmente). Su condición de individuos de segunda clase quedaba asimismo definida por no permitírseles actuar como testigos en los tribunales de justicia musulmanes, y por la estricta prohibición de que un judío pudiera contraer matrimonio con una musulmana (mientras que lo contrario, esto es, la unión de un musulmán con una judía, era perfectamente legal). Además, precisamente porque resultaba imposible decir quién era judío y quién musulmán por la sola apariencia, se les obligaba a utilizar unas ropas distintivas de color amarillo mostaza al tiempo que se les prohibía llevar turbante o cualquier otra prenda del vestuario decente de un musulmán (aunque el cumplimiento de estos requisitos distara mucho de aplicarse siempre y en todo lugar). Sus tocados debían tener una forma y un estilo particulares; el califato abasí de Bagdad les ordenó llevar un distintivo amarillo, que luego se extendió a todos los territorios del reino; además, los judíos tenían la orden de no utilizar cinturón, sino una faja suelta alrededor de la túnica como señal de su sometimiento e indefensión.

Naturalmente, a nuestra mentalidad contemporánea le cuesta trabajo ver en esos distintivos amarillos otra cosa que el inicio de algo que llegaría a tener unas implicaciones siniestras no ya en el siglo XX, sino en la Edad Media y aun después en muchos territorios cristianos. ¡Mirad a los judíos! ¡Despreciad a los judíos! ¡Atacad a los judíos! Y eso era, en efecto, lo que sucedía a menudo en el islam durante la Edad Media. Pero también es muy importante no exagerar al proyectar nuestras ideas modernas hacia el pasado y convertir en norma los episodios de brutalidad y matanza, porque en realidad no lo fueron. Lo cierto, sin embargo, es que los judíos, que tan inextricablemente unidos estaban al mundo de Arabia y de Oriente Próximo, fueron arrancados de esa antigua coexistencia sin fisuras. Ello no significa, pese a todo, que no pudieran crear un nuevo tejido cultural, extraordinariamente rico, entre los creyentes.

II. Aves del Paraíso, criadores de palomas y chupatintas

¿Cuál es el color de la llama? ¿Anaranjado? ¿Dorado? ¿Azul? ¿Rojo? ¿Todos ellos, y cada lengua oscila entre un extremo y otro del espectro?

El color que no era desde luego era el amarillo mate que se suponía que los judíos del mundo islámico debían llevar como distintivo de su vileza. En cualquier caso, el de la llama era el color que Salama ben Musa ben Isaac —originario de la ciudad portuaria de Sfax, en Túnez, pero, como tantos otros, emigrado a Egipto— insistía en llevar para que su figura resaltara el día de la Expiación. Como podemos comprobar, la vanidad no era uno de los pecados de los que se arrepintiera Salama, pues la túnica que encargó no sabemos exactamente en qué momento de mediados del siglo XI constituía la última moda: «Corta y entallada, y de tejido fino, no basto».[12] Pero por entonces el impuesto de capitación anual rigurosamente cobrado, la *jaliya*, obligatorio para los *dhimmi* (en virtud de lo establecido varios siglos antes en el «Pacto de Omar»), no tenía mucho que ver con la forma en que vivían realmente los judíos en el vastísimo mundo musulmán, que hacia finales del siglo IX se extendía desde la península Ibérica y la costa del Magreb, Sicilia y el sur de Italia, hasta Egipto, Adén, Palestina y Siria, Irak e Irán.

Las cartas comerciales encontradas entre los cientos de miles de documentos desechados de la Genizá de El Cairo, el depósito de la sinagoga de Ben Esdras en Fustat, parecen a veces un catálogo de modas. Los judíos de Egipto estaban muy relacionados con el comercio de tejidos (¿cuándo y dónde no lo han estado?) de todas clases, de lino y seda, sí, pero muchos tipos de sedas: la gruesa o *ibrisim* y la ligera o *jazz*; la *lalas*, «seda fina roja», y la *lasin*, la barata, destinada al sector popular del mercado.[13] Los compraban, los vendían y los teñían. De hecho, cada tintorero estaba especializado en el empleo de un colorante distinto: zumaque, púrpura, añil o azafrán. Trabajaban como hiladores, tejedores, bordadores y fabricantes de brocados. Los más humildes pasaban el día desenredando las fibras de lino de las semillas, que luego eran machacadas en aceite; otros devanaban el finísimo y delicado hilo de los capullos de gusano de seda. Los más acaudalados compraban y vendían el tejido ya elaborado para convertirlo en chales y vestidos, pañuelos, cojines y alfombras.

Y si muchos eran los que trabajaban en el negocio, eran más todavía los consumidores ávidos de telas y trajes espectaculares, pues los judíos de Fustat no eran gente que anduviera por la calle con la cabeza gacha y vestida austeramente. De hecho, miraban por encima del hombro a los judíos de Jerusalén, que eran los únicos del mundo musulmán que se limitaban a vestir de negro con la única nota de color de un ribete rojo. En Fustat y en los innumerables lugares a los que enviaban sus telas, los gustos eran mucho más sofisticados, tanto para las mujeres como para los hombres. Las sedas y los linos (como el *sha'zab*, entretejido con oro) que parecían respirar y ondularse estaban muy solicitados, y los judíos andaban por las calles, los patios y las *dar* o «casas» de los bazares vestidos con materiales que brillaban y lanzaban destellos. Los más discretos quizá se engalanaran con algún toque carmesí «sangre de gacela», almizcle o violeta. En las bodas, un novio bien vestido iba de verde pistacho, pues, según se decía, ese era el color que llevaban los justos en el Paraíso. El ajuar de una novia judía de mediados del siglo XII constaba de seis vestidos blancos, tres de color azul nube, tres de azul y oro, uno de color rojo granada, tres de tono nacarado, dos color gris ceniza, dos verde oscuro y dos azafranados. Y eso para una novia de clase media. Probablemente tendría también a su disposición toda una colección de velos, pues las mujeres judías, como las musulmanas, solo salían a la calle cubiertas con uno. Por término medio, el 40 por ciento de los bienes que una novia aportaba al matrimonio se invertía en sus galas, de modo que la calidad y el color de los vestidos se especificaban siempre con minuciosa exactitud en los contratos matrimoniales. Parece claro que a comienzos del período fatimí, en el siglo X, el requisito de vestir trajes de color mostaza raramente se hacía cumplir, y en cualquier caso había tintes mixtos de bella factura que permitían soslayar tal restricción, y no me refiero solo al color «llama», sino a otros tonos brillantes que llevaban nombres de especias, como la cúrcuma o el azafrán.

Y también completamente diferentes son los tocados que aparecen como habituales en los documentos de la Genizá de El Cairo; de hecho, encontramos justamente los turbantes de alto rango que llevaban los musulmanes y que los judíos tenían oficialmente prohibido portar. Entre los documentos en cuestión hay encargos de telas finas para confeccionar el *wa-mi'jarha*, un turbante de mujer que daba varias vueltas a la cabeza hasta quedar recogido en la coronilla, para luego bajar rodeando el rostro por debajo de la barbilla, desde donde caía por detrás del cuello y de los hombros; lino o seda de color blanco si se quería que el efecto fuera grácil, pero recatado, o verde, entretejido con oro si se pretendía otra cosa. Los turbantes que llevaban los hombres judíos podían ser igualmente espectaculares. Para el gran erudito, mercader, poeta y líder de la comunidad Nahray ben Nissim, se encarga un *baqyar*, la última moda en materia de tocados, que, una vez desplegado, alcanzaría, según se decía, los veinticinco codos de longitud, es decir, más de cien metros. A los grandes personajes solo les correspondía lo mejor, especialmente si se trataba de un *hulla*, un traje de fiesta completo. Un mercader del siglo XII originario de la India llegó a encargar un *dabiqi* propio de su elevado estatus para su hijo (probablemente con motivo de su cumpleaños), con su nombre bordado.[14] Un comerciante de comienzos del siglo XI se alegraba del bonito traje guarnecido con plumas que había recibido para un anciano de la comunidad, Abu Zijri, pero se quejaba del tono de la túnica amarilla que le habían mandado sus proveedores, y quería que, además, le enviaran otro de color rojo oscuro. La pesada túnica de damasco azul y blanco, aunque «de extraordinaria belleza», no era la que había encargado, «de color cebolla azul», expresión que, según el traductor S. D. Goitein, designaría la tonalidad más pálida de una cebolla abierta, probablemente el color producido por la piel de las cebollas rojas o moradas.[15]

¿Dónde podían lucir sus exquisitas galas la gente distinguida de la Fustat medieval, o los elegantes de Kairuán, Sfax, Damasco o Bagdad? En las recepciones y los banquetes privados, en los que la poesía ocupaba un lugar destacado, celebrados con motivo de la llegada o la despedida de algún huésped ilustre, algún socio con el que se hacían negocios o algún pariente lejano (a menudo las tres características se unían en una sola persona), pero no en las procesiones públicas con motivo de bodas, funerales o fiestas, pues los judíos tenían terminantemente prohibida la asistencia a ellas (al igual que los *dhimmi* cristianos). Por mucha relajación que mostraran los distintos regímenes (y no todos la mostraban), en aquel mundo los judíos no eran nunca social o jurídicamente iguales que los musulmanes y había muchas ocasiones para recordarles su inferioridad.

El momento más ofensivamente punitivo era el del pago anual de la *jaliya* o impuesto de capitación que debían efectuar los *dhimmi*, independientemente de la clase a la que pertenecieran, como condición de la tolerancia de sus prácticas religiosas. La *jaliya* era una expresión ritual y simbólica de sometimiento e indefensión, y algunos juristas islámicos medievales señalan con espeluznante detalle los procedimientos de humillación. Se suponía que los recaudadores debían hacer esperar a los que fueran a pagarles, y además se recomendaba gritarles, cogerlos del cogote e incluso abofetearlos. Bajo ningún concepto la mano del pagador debía elevarse por encima de la del cobrador, requisito que exigía un gesto de subordinación extraordinariamente retorcido desde el punto de vista físico. Como es natural, el pago del tributo suponía, además, un castigo y una dificultad económica enorme para la inmensa mayoría de la gente menos acomodada. Durante los primeros siglos posteriores a la conquista de los árabes, se tomaron medidas para eximir del pago a los verdaderamente menesterosos, pero parece que incluso estas se habían vuelto menos indulgentes en la época que tenemos atestiguada en la Geniza de El Cairo, esto es, de comienzos del siglo XI en adelante. Para los que estaban más apurados, el tributo constituía el terror de sus vidas. Sin la *bara'a* —el recibo que certificaba el pago— podían ser objeto de amenazas y de ataques físicos, además de ser encarcelados durante meses enteros; los infortunados iban debilitándose en prisión debido a la absoluta falta de alimentación y eran apaleados sin piedad y de forma gratuita, de modo que para quien no pagaba el tributo la pena de cárcel equivalía a una condena a muerte. A veces, el único recurso que quedaba era la huida, la separación de la familia, aunque como los *dhimmi* tenían terminantemente prohibido viajar sin sus correspondientes certificados de pago, los fugitivos corrían un doble riesgo, e, invariablemente, la desaparición personal no hacía más que trasladar la carga y el temor a los demás miembros de la familia (que podía extenderse a toda la parentela), considerados responsables de los atrasos del fugitivo. De vez en cuando, los atrasos en el pago de un individuo tenían que ser sufragados por sus parientes después incluso de la muerte del moroso. Una petición de ayuda escrita en el siglo XII por un anciano platero de Ceuta, en el norte de África, que estaba pasando por una mala racha, contiene todas esas notas de desesperación. Se hallaba, decía, «marcado por la enfermedad, la invalidez, la necesidad y el temor excesivo, pues me busca el cobrador de la renta, que es muy duro conmigo y envía a ordenanzas para localizarme, y temo que encuentren mi escondite. Si caigo en sus manos, moriré de la paliza que me darán o tendré que ir a la cárcel y morir allí. Ahora busco mi refugio en Dios».[16]

Pero la imagen que reflejan los documentos de la Geniza de El Cairo no es la de una comunidad que, dejando a un lado los problemas del pago del tributo, viviera con inquietud o temblando de miedo. De vez en cuando aparecía algún monarca voluble —como sucedió en el caso del desquiciado califa fatimí al-Hakim bin Amr Allah a comienzos del siglo XI— que, de repente y sin previo aviso, se lanzaba a la intimidación o incluso a la persecución de las comunidades de *dhimmi*. Tras un período de tolerancia convencional, en 1012 al-Hakim ordenó que todos los judíos llevaran una faja negra suelta (en vez del cinturón, que daba mayor seguridad y dignidad) alrededor de la túnica y solo pudieran usar turbantes negros. Por la calle debían lucir un becerro colgando de un collar, y en los baños públicos un cascabel para indicar su identidad. (Los cristianos iban marcados por una cruz de hierro.) Y, lo que es más grave, al-Hakim ordenó la destrucción de iglesias y sinagogas.

No obstante, los tiranos volubles como al-Hakim fueron la excepción a la regla. El mundo judío documentado en la Geniza de El Cairo es rico en dinares, ideas, poesía y filosofía religiosa (y no religiosa); amores e intrigas familiares; partidas de dados los sábados por la tarde (siempre y cuando no se apostara nada más que pipas y semillas); carreras de palomas desde los tejados de las sinagogas (una especie de obsesión de los judíos de Fustat y de Alejandría); visitas semanales a los baños públicos, donde las amigas charlaban y estrechaban los lazos sociales; tertulias en los patios ajardinados y los huertos de las casas en las que (pese a las estrictas prohibiciones del Corán, de las que nadie hacía caso) los socios y conocidos musulmanes se mezclaban con los judíos para beber juntos y escuchar poemas en árabe, y recepciones y banquetes de bienvenida en honor de algún personaje ilustre o, más a menudo, de despedida, para desearle un buen viaje. En el mundo de la Geniza resuenan los murmullos y las quejas de incontables litigios y peticiones; negociaciones matrimoniales y peticiones de divorcio; disputas por testamentos; pleitos llevados ante los tribunales religiosos; dolencias del cuerpo expuestas ante el médico; tratos comerciales impropios expuestos ante los tribunales de justicia, y peticiones de caridad, misericordia, consideración, favor, promoción, venganza, reconocimiento, satisfacción y reivindicación, incluso en el más allá. Las cartas revelan cadenas de relaciones entre familiares, amigos, parientes e incluso rivales y adversarios comerciales desde la India hasta el Cuerno de África y más al oeste, hasta el Magreb y la península Ibérica, Sicilia e Italia. Lo que unen son el destino y la suerte de todas esas personas: temores de ataques imaginarios y reales; relatos tristes de naufragios y ahogamientos; de caravanas víctimas de los merodeadores (o simplemente perdidas); de comunidades enteras desesperadas y de miseria repentina; de cautivos de los cruzados que deben ser rescatados; de otras sociedades judías que hacen gala de su munificencia, incluso de reinos lejanos, como el de los jázaros o jazares, que se han convertido al judaísmo. En otras palabras, ante lo que estamos es ante toda una civilización.

Y por primera vez estamos también ante un mundo judío de papel. Material utilizado no para todo; los grandes cambios vitales —contratos matrimoniales, divorcios, manumisiones o liberaciones de esclavos— eran considerados demasiado solemnes para ser confiados al papel y siguieron siendo registrados en pergaminos kosher. Pero todavía quedan en la Genizá cerca de trescientos mil documentos distintos en papel, el mayor imperio de papel del mundo medieval que se ha conservado. En un momento determinado, a finales del siglo IX, por la época en que se completaba el Talmud, llegó a Fustat una carta procedente de una de las *yeshivás* de Babilonia, escrita en hebreo, en una gruesa hoja de papel. Es el documento de este material más antiguo que se conserva, procedente de las fábricas creadas apenas una generación antes en Bagdad. La llegada del papel al mundo islámico ha sido asociada durante mucho tiempo con una fábula transmitida por el historiador musulmán Thaalibi en su *Libro de informaciones curiosas y entretenidas*.[17] Según esa tradición, respetada durante mucho tiempo, se dice que el arte de fabricar papel, celosamente guardado por los chinos, fue revelado por unos cautivos del ejército del emperador Tang derrotado por las tropas del califa abasí en la batalla de Talas, en Kazajistán, en 751 e. c. Pero Thaalibi escribía trescientos años después de la supuesta transmisión de esa tecnología, y, en cualquier caso, existen muchos testimonios de que el papel fabricado con trapos o con lino machacado era conocido en Asia central mucho antes de esa fecha.

Pero no por los árabes ni por musulmanes de ningún tipo, incluidos los de Irán, que eran los que estaban más cerca del mundo asiático del papel, ni por las culturas indias, que siguieron utilizando hojas de palmera. Sin embargo, una vez que cuajó el nuevo medio de comunicación, no hubo forma de pararlo. Para empezar, es muy probable que los judíos egipcios importaran sus folios de las fábricas iraquíes y también de Siria, donde se fabricaba papel de gran calidad. En el siglo X, los elevados precios de las importaciones condujeron a la conclusión, por lo demás evidente, de que no había nada que impidiera que la tecnología de los ríos de Mesopotamia pudiera ser reproducida a orillas del Nilo, y Fustat estaba situada en un lugar perfecto para el establecimiento de esa industria. A comienzos del siglo XI, el papel y la tinta (de dos tipos, la marrón, hecha a base de agallas, y la negra, a base de carbón, superponiéndose a veces una a otra) se habían convertido en parte integrante del mundo laboral judío. La Geniźá de El Cairo está llena de ellos: sentencias de los tribunales religiosos escritas en folios de sesenta centímetros de largo por casi veinte de ancho, cargados de gravedad; pequeños pagarés y formas primitivas de cheque en los que el signatario garantiza que puede responder de sumas pagaderas en lugares tan lejanos como Adén o la India, de modo que el proveedor de nuez moscada, de alcanfor o de cobre pueda entregar la mercancía al agente del mercader. Para reforzar su crédito, se añaden pedacitos de papel, a veces de apenas siete o diez centímetros cuadrados de tamaño, con garantías adicionales escritas en tres lenguas —árabe, arameo y hebreo— con la palabra *emet*, «verdad», atravesando el pliegue o la costura de los folios más grandes. Había incluso «papel de pájaro», tan delgado y ligero que podía adjuntarse a las palomas mensajeras que cubrían el servicio postal, sin retrasar lo más mínimo su efectividad.

¡Y cuánta hambre de palabras tenían aquellos judíos que garabateaban los papeles! A diferencia de los mandatos judiciales y administrativos publicados en Bagdad, donde la perfecta caligrafía arábiga se ve favorecida por el generoso uso del espacio, los judíos garabatean sus palabras en cada milímetro disponible, llenando los márgenes, volviendo los folios del derecho y del revés, y empezándolos de nuevo, dejando solo en el pliegue exterior espacio suficiente para poner el nombre del destinatario y su dirección, pues no existían los sobres. Los dedos que escriben la lengua arábiga en caracteres hebreos de forma cuadrada son apremiantes, codiciosos, posesivos, sienten horror por el vacío; la página, como señala con enorme perspicacia Goitein, se parece más bien a una alfombra tejida con puntos muy apretados. O quizá hubiera otro modelo al que intentaban aproximarse, los comentarios talmúdicos, con su multiplicidad de voces, argumentos y contraargumentos, saturando la página a todos los tamaños, con toda clase de columnas y estilos. También aquí, en el mundo del papel, vemos chocar unas con otras en el folio distintas facetas de la vida: recetas de medicinas, listas de la compra, declaraciones eruditas, ajuares, cuentas comerciales, tropezando unas cosas con otras como sucede en la vida real.

De modo que cuando Solomon Schechter, el catedrático de estudios talmúdicos de la Universidad de Cambridge nacido en Rumanía y educado en Viena, subió por la escalera de mano apoyada a la pared de la galería de las mujeres de la preciosa sinagoga de Ben Esdras (siempre en constante restauración) de Fustat, en el Viejo Cairo, en diciembre de 1896, y escudriñando a través del agujero en forma de arco abierto en ella contempló lo que luego llamaría «un verdadero campo de batalla de libros … *disjecta membra*», estaba asomándose al equivalente a nueve siglos de papeles y pergaminos de esa comunidad. Era, como él mismo subrayaría (y como recalcaría también el gran experto en la Genizá, S. D. Goitein), todo lo contrario de un archivo. Se trataba más bien de un depósito desordenado de cualquier cosa escrita en caracteres hebreos. En medio de aquel caos inmenso había libros sagrados estropeados o desechados —libros de oraciones de días festivos y de diario, los *siddurim*; ediciones del Pentateuco; escritos talmúdicos—, materiales todos ellos que estaba prohibido destruir. La lectura y la escritura habían sido, como hemos visto, la condición y el medio gracias a los cuales había nacido en primer lugar una identidad judía, pero también la condición y el medio gracias a los cuales sus libros se habían moldeado a través de la memoria y de formas fáciles de transportar, incluso como miniaturas, para sobrevivir a la destrucción de otras instituciones. Era natural, por tanto, que unos libros que habían «muerto» a lo largo del tiempo fueran tratados con la veneración concedida al propio pueblo judío. La personalidad viva de los libros, su esencia vital, su *nefesh*, tal vez se hubiera esfumado, pero la cáscara residual de su cuerpo que aún quedaba tenía que ser almacenada o enterrada en algún lugar donde pudiera de algún modo quedar reducida a polvo. Quemarlos o romperlos resultaba tan brutalmente horroroso como maltratar los cadáveres de las personas.

Schechter había llegado a El Cairo después de que a comienzos de ese mismo año se produjera un descubrimiento electrizante. En uno de los pergaminos llevados de Egipto a Cambridge por dos monjas presbiterianas escocesas de mediana edad, Agnes Lewis y Margaret Gibson, había reconocido un manuscrito del Libro de la Sabiduría de Jesús, hijo de Sirac, el apócrifo conocido en la tradición judía como el Eclesiastés. Aunque esas monjas y Schechter son llamados a menudo los «descubridores» de la Geniza de El Cairo, el depósito de la sinagoga era conocido desde hacía tiempo, al menos desde que el picaresco tío abuelo de Heinrich Heine, Simon von Geldern, capitán de una pandilla de bandoleros judeo-árabes, diera con él a finales del siglo XVIII. Posteriormente habían sido muchos los que se habían percatado de su presencia sin molestarse lo más mínimo en explorar su contenido. Al fin y al cabo era un vertedero de papeles y pergaminos, no un archivo, y el siglo XIX fue el período de apogeo de la organización de los archivos de toda Europa. Además, los documentos de la Geniza, en su apabullante riqueza, no eran ni estéticamente hermosos ni tenían una potencia inmemorial. Había habido algunas excepciones a esta indiferencia generalizada debido a personajes de especial interés, tales como el caraíta Abraham Firkovitch, pero fue Schechter quien, tras su viaje a Fustat, convirtió en la pasión de su vida guardar en un solo lugar cuanto fuera humana y económicamente posible conservar de la Geniza, temiendo (y no se equivocaba) que, al estar como estaban en la época de los cuatreros culturales de levita, pudiera desaparecer y perderse en lugares tan apartados como San Petersburgo o Nueva York, y pensó que ese lugar debía ser la Universidad de Cambridge, donde él mismo enseñaba. Schechter encontró un mecenas y un mentor en el gran orientalista y especialista en la Biblia de Christ's College, William Robertson Smith (cuyo retrato estaba colgado en la Old Combination Room, donde solía yo almorzar allá por las décadas de 1960 y 1970). Naturalmente, no tardó en producirse el habitual tira y afloja con su eterna enemiga mortal, la Biblioteca Bodleiana de Oxford, cuya colección de manuscritos hebraicos ilustrados solo puede rivalizar con la de la Biblioteca Vaticana. Pero al final no habría quien llevara la contraria a Schechter, hombre de fuerte personalidad y aficionado a masticar puros.

En lo que originalmente fuera la Biblioteca de la Universidad, alojada en lo que ahora recibe el nombre de «Escuelas Viejas», donde se encuentra la administración de la universidad, Schechter se puso a trabajar en la lectura, traducción, clasificación e identificación de aquellos cien mil folios escritos, intentando encontrar en ellos una especie de senda. A veces, en una sola página de pergamino había que descifrar más de un documento, pues cuando ya se habían llenado de letras todo espacio y rincón imaginable, la superficie original era raspada y sobre ellas se superponía un segundo escrito, lo que se denomina un «palimpsesto». De modo que Schechter tenía muchas cosas que aclarar en su cabeza si, tras el gran descubrimiento del Eclesiastés, quería seguir la pista de más monumentos de la erudición y el conocimiento sagrado del judaísmo: comentarios sobre comentarios; investigaciones filosófico-religiosas; respuestas a cuestiones urgentes planteadas a los tribunales y *yeshivás* de Fustat. Por descontado, le aguardaban incomparables luminares que le permitirían gratificar tanto esfuerzo y tanta labor de investigación, entre ellos un autógrafo del ilustre filósofo, médico y rabino medieval Moisés Maimónides, más de cuarenta *piyyutim* o poemas litúrgicos del siglo VI obra del maestro Yannai, y otros de su odiado discípulo Qillir. Y muchas otras sorpresas.

Todo ello era y sigue siendo valiosísimo, lo mismo que la enorme cantidad de documentos que Schechter pasaría por alto como si fueran chatarra, pero que para los especialistas en historia de la sociedad y de la cultura (entre los cuales Goitein no tiene rival) son en realidad oro puro. Y es que resulta que lo que se mandó a la Genizá de El Cairo no fueron solo libros y manuscritos religiosos o de inspiración elevada, sino prácticamente todo documento que pasara por la comunidad y hubiera sido escrito en caracteres hebreos, aunque en realidad estuvieran en lengua árabe o en arameo. A todos esos materiales también se les permitió descansar en el recogimiento de la Genizá, y, a la hora de la verdad, se les concedió una existencia imperecedera (aunque manchada y estropeada). Buena parte de esta historia (aunque no toda) fue escrita sobre papel, y resulta asombrosa debido al enorme ámbito social que abarca. Desperdigadas en medio de la colección hay listas de la compra y recetas de platos para banquetes o de medicinas; poemas formales y no tan formales; modalidades primitivas de cartas de crédito y letras de cambio; cuentas domésticas y comerciales; respuestas de los tribunales religiosos o de líderes de la comunidad, como Moisés Maimónides, a individuos que se sentían perplejos o desesperados, o simplemente a curiosos de todo el mundo judío de las tierras del islam; libros de ejercitación del alfabeto para niños, rellenados además con dibujos cuando la criatura se cansaba de repetir infinitamente las letras y prefería convertirlas en gatos o camellos. Hay cartas personales de supervivientes de naufragios; cartas de súplica de gente que se ha empobrecido de repente o no tan de repente; quejas airadas de encargos de tejidos que no han sido satisfechos correctamente; dificultades con los pagos por adelantado en países lejanos que había que efectuar para asegurar la importación de mercancías a Egipto y con las aduanas de otros sitios; contratos de esponsales prenupciales; arbitrajes sobre cuestiones abstrusas de observancia de la ley en las que el Talmud confundía al lector o (algo por lo demás no infrecuente) se contradecía. En otras palabras, en la Geniza de El Cairo había todo un mundo, un universo, un cosmos del ser judío. No solo es la colección más rica y curiosa de fuentes judías; quizá sea también (pues todavía falta mucho por ser traducido y aclarado) el más grande de todos los archivos medievales.

Está atestada de relatos, imágenes, mapas y efigies, aunque todo ello en forma de escritura judeo-arábiga. Nos habla, como diría Goitein, siempre ilusionado y posiblemente demasiado optimista, de lo que él llamaba la «simbiosis» de las culturas judía e islámica en Egipto y fuera de él. «Simbiosis» es una palabra demasiado grande —da por supuesta una verdadera independencia, orgánica y funcional, que quizá la supere—, pero, en comparación sobre todo con las sociedades cristianas medievales, es bastante cierto que, en muchos sentidos trascendentales y definitorios, los judíos y los musulmanes convivieron estrechamente.

En dos aspectos en particular, las incontables vidas de estas dos culturas pertenecían al mismo ámbito: el lugar donde vivían y el modo en que trabajaban. A diferencia de los que vivían en el mundo cristiano, los judíos del islam no estaban confinados por ley a ninguna zona de la ciudad. Si preferían congregarse en un barrio en concreto, era (como había sucedido en Antioquía y en la Alejandría clásica) por su proximidad a la sinagoga en la que transcurría gran parte de su vida. En Fustat había tres comunidades distintivas: la babilonia, la palestina y otra radicalmente distinta, la caraíta, que rechazaba toda autoridad rabínica posbíblica. A qué sinagoga rabanita se unía un judío o una judía procedente de Sicilia, de Siria o del Yemen era cuestión de gusto, o de los contactos de sus parientes, amigos o colegas de negocios. Cada sinagoga, sin embargo, tenía su propia forma de leer la Torá, de rezar y de salmodiar.

Las de los judíos babilonios o iraquíes tenían tras de sí la autoridad del voluminoso Talmud, concluido en el siglo IX, y se decía (lo decían sobre todo los que no se habrían dejado ver en ellas ni muertos) que las academias de Sura y Pumbedita eran más excelsas, graves y antiguas que las de los palestinos. Los babilonios tenían cantores, pero los palestinos contaban con coros de niños y los rollos de la ley más hermosos (eso decían ellos), y, como leían la Torá en el plazo de tres años, sus fragmentos eran más cortos. Los caraítas conservaban muchas de las costumbres que, según decían, habían sido copiadas por los musulmanes (y no al revés): descalzarse, postrarse en el suelo, etcétera.

En Fustat, la sinagoga de Ben Esdras y su Geniză estaban en una zona llamada «La Fortaleza de la Lámpara» y cerca de varias iglesias (sigue estándolo todavía). Los lugares de culto de ambas comunidades de *dhimmi* no estaban separados del resto de Fustat. Como los judíos no llamaban a la oración, no les afectaba lo más mínimo la prohibición de tener un edificio más alto que una mezquita; no necesitaban torres. Al igual que en otros lugares y en otras épocas, la sinagoga funcionaba no solo como casa de oración, sino también como escuela (de niñas, cuyas maestras eran las mismas que enseñaban a los más pequeños y a los niños de su edad); como albergue para los viajeros judíos venidos de lejos y, lo que es más importante, como tribunal de justicia, que se reunía dos veces a la semana; toda su belleza y autoridad se concentraban en el interior.

Aunque ha sido restaurada y parcialmente reconstruida muchas veces, especialmente tras el gran incendio que se produjo a finales del siglo XIX, se dice que la sinagoga de Ben Esdras ha conservado el aspecto que habría tenido la gran sinagoga medieval. La sala abovedada tiene en el centro el *bema*, la mesa de las lecturas, originalmente móvil, que luego devino fija, de mármol finamente modelado y pulido. Al fondo estaba el Arca, el *aron hakodesh*. Los fieles se congregaban de pie a su alrededor, como lo habrían hecho en Séforis o Antioquía, o sentados sobre cojines y alfombras que proporcionaban los propios miembros de la comunidad. No se sabe si fue o no en respuesta a la costumbre islámica, pero lo cierto es que en el mundo de la Geniză hombres y mujeres estaban separados; las mujeres disponían de una tribuna de madera y una celosía tallada desde la que podían seguir perfectamente las oraciones, los cantos y las lecturas (pues muchas de ellas conocían el hebreo y el judeo-arábigo, y las más cultas también algo de arameo). Lámparas de aceite de bronce iluminaban la sala, arrojando su luz sobre los tejidos y las superficies de piedra y madera labrada, lanzando reflejos sobre las coronas y las campanas en forma de granada o *rimmonim* que decoraban los remates de la Torá cuando era llevada en procesión por toda la sinagoga.

Así pues, aunque la presencia judía se concentraba en una determinada zona de la ciudad, judíos y musulmanes vivían puerta con puerta. Los documentos de la Genizá revelan que a veces un judío vivía encima de la tienda de un musulmán o viceversa. Un juez judío residía en la calle de los perfumistas, muchos de los cuales, aunque no todos, eran judíos, y otro judío ilustre vivía en la calle de los cereros. Y precisamente porque los oficios de los judíos no tenían ningún tipo de limitación (aparte del servicio de las armas), con mucha frecuencia compartían un mismo taller con los musulmanes o eran socios suyos en negocios y viajes comerciales de corta duración. Aunque había algunas industrias y oficios en los que destacaban los judíos —sobre todo los relacionados con los tejidos y el tinte, pero también con los medicamentos y distintos tipos de preparados, así como en la elaboración de perfumes y su comercialización, importando ámbar gris de la Castilla atlántica, olíbano de Arabia o almizcle de lugares todavía más lejanos—, eran tantos otros los negocios y las profesiones practicados por los judíos que, como se juntaban todos en las calles dedicadas a cada especialidad y en los *dar* o bazares, por fuerza habrían tenido que trabajar y comerciar junto a los musulmanes y los cristianos de su mismo ramo. Los trabajos y los oficios de los judíos son tan variados que solo enumerarlos equivale a olerlos y sentirlos: elaboración de azúcar; importación de papel; confección de botellas de cuero; fabricación de objetos de cobre o de estaño y de bronce, para los que son necesarios los otros dos materiales; fabricación de barritas de khol; marina mercante (como propietarios de los barcos y como tripulantes); importación y exportación de especias —canela, nuez moscada o cardamomo—; alfombras; fabricación de vidrio (gran especialidad de los judíos); piedras preciosas, corales y cristales (los judíos dominaban el bazar de las piedras preciosas); confitería y conservas, dulces de pasta de almendra y mermelada de rosa, otro de los productos favoritos de los judíos, como fabricantes y como compradores.

No había sitio al que los judíos no estuvieran dispuestos a viajar en busca de algo valioso que vender, de algún producto para el que hubiera mercado en la propia Fustat o que pudiera ser enviado al oeste o al norte. Si se tardaban cuatro meses en llegar a Sumatra en un viaje largo y peligroso para conseguir el mejor alcanfor del mundo, pues allá que iban. Había tres grandes ejes geográficos del comercio de larga distancia. Uno se dirigía al oeste, a Sicilia, Túnez, Marruecos y a veces más allá todavía, a la España musulmana, de suerte que los documentos comerciales de la Geniza están llenos de dinastías de parientes situados a lo largo de esta ruta. Un segundo comercio, mucho más antiguo, se dirigía al nordeste, a Siria y Palestina, o más allá todavía, a Irak e Irán, enlazando en el Cáucaso con la ruta de la seda, que venía de Extremo Oriente. La tercera ruta era la más peligrosa, la del sudeste, por el mar Rojo hasta Adén, y cruzando el océano Índico hasta las costas de Malabar y Coromandel, fuente de muchas de las especias más valiosas. Por el camino, en el Cuerno de África, habría sido posible comerciar con el oro sudanés, del que todo el mundo quería tener una muestra. A lo largo de la ruta y en los puntos de compra, había apostados agentes comerciales de todo tipo. Se suponía que los más fiables podían encontrarse entre los miembros de la propia familia en sentido lato —hijos, por supuesto, pero también primos, tíos y sobrinos—, convencimiento a menudo desmentido por el archivo de diputas y riñas familiares descubierto en la Geniza. Más de fiar (aunque no del todo libres de queja) eran los esclavos domésticos, establecidos en los despachos y oficinas de los puertos de todas las estaciones de las rutas comerciales de larga distancia, considerados parte del negocio dinástico y valorados personalmente como tales, aunque no siempre lo bastante como para permitirles obtener la libertad. En Fustat, la poderosa figura del *wakil* actuaba como depositario oficial de las mercancías en tránsito y destinadas al mercado interior, y había también una especie de cámara de compensación y centro de autorización de pagos. Pero las distancias eran tan grandes, y el envío de capital al exterior a través de terceras personas (pues los judíos lo tenían prohibido) tan arriesgado, que a lo largo de la ruta se desarrollaron redes de crédito que trabajaban sobre la base de la confianza personal o familiar, expresada —aparentemente por vez primera— por medio de pagarés y obligaciones en papel, que constituirían de hecho los primeros cheques.

En el batiburrillo documental de la Geniza aparecen en algún momento judíos ejerciendo todos los tipos y clases de trabajo imaginables, detalle que nos aporta una pista importante de lo que era la vida de los hebreos en el mundo islámico; incluso en el mundo de los negocios, el dinero no era lo único que importaba. No es que los peces gordos (y desde luego los había muy gordos) ni, por supuesto, los chicos fueran precisamente indiferentes a la fortuna material, pero en la sinagoga, en la *yeshivá*, en los banquetes, los ayunos y las ceremonias, escuchando el *derash* el sábado por la tarde, respetando al *muqaddam* que dirigía la oración y tomaba las decisiones en torno a los casamientos y los divorcios, esperando a que el *rav* diera su respuesta a una determinada pregunta, o presentando a los *rayyis* seglares —los personajes influyentes que mantenían relación con las máximas instancias del tribunal— una petición en nombre de un familiar o un amigo angustiado en algún remoto lugar del mundo que pudiera necesitar dinero, intercesión o la liberación de un cruel cautiverio, el mundo judío cristalizó en torno al antiguo concepto que tenía de la ética. Por lo tanto, no debería extrañarnos descubrir que el estatus del que gozaba hasta el más grande entre los grandes no venía determinado, tanto por el volumen de su fortuna cuanto por su reputación como erudito, como sabio o como hombre piadoso, y lo mismo cabe decir de las mujeres. Tampoco debería sorprendernos encontrar hombres de negocios preocupados y angustiados que en su tiempo libre se dedicaban a componer poesía. Abraham ben Yiju, el mercader originario de la India que se estableció durante muchos años en la costa de Malabar, era muy aficionado a escribir versos o al menos a intentarlo; algunas composiciones suyas copiaban de modo flagrante a los grandes *payetanim* o autores de versos litúrgicos, y otras se acercaban más al estilo arábigo. Pero, además, Ben Yiju tenía a todas luces una vertiente romántica, pues manumitió a su esclava india, Ashu, antes de que la mujer se convirtiera a la *berajá* («bendición») judía y de casarse con ella. En Adén no consiguió con ello disipar las sospechas y la estrechez de miras de los censores locales, que se negaron a considerar legítimos ni la *berajá* de Ashu ni a Abú, el hijo de la pareja. «Me aturdían y me machacaban —escribe Ben Yiju en una vindicación en verso—, me golpearon ... Y además me robaron y me enredaron ... y me calumniaron.» Pero había personajes menos pintorescos que Ben Yiju, para quienes la poesía y los estudios filosóficos no constituían solo un adorno cultural, sino una actividad humana básica, sin la cual la riqueza era solo una especie de ordinariez bañada en oro. De modo que los hombres de negocios, con sus fortunas valoradas en miles de dinares, perseguían a los eruditos para casarlos con sus hijas y se empapaban del Talmud y del *midrás* los comentarios a los textos bíblicos. Se ganaban el respeto en la *beit hamidrás* lo mismo que en la plaza del mercado o en las tiendas del *funduq*. Querían que sus nombres fueran venerados y quedaran grabados en la memoria.

Las distancias comportaban ausencias. Los largos períodos de separación daban lugar a menudo a distanciamientos e interrupciones de la vida familiar; incertidumbre para la esposa sobre si su marido estaba vivo o no; soledad angustiosa, decisiones dolorosas sobre si había que aceptar o no lo peor y pedir formalmente al tribunal permiso para tener la libertad de volver a contraer matrimonio, e inquietud por si el marido ausente habría tomado o no la segunda esposa a la que tenía derecho. Milah se había trasladado de Fustat a Alejandría en su afán por darle a su hijo de siete años una educación superior a la que podía recibir en la escuela local, pero una vez allí la atormentaba el temor de que su marido volviera a casarse y le quitara al niño.[18] Sin embargo, el persistente dolor de la separación iba en las dos direcciones. Un abogado, casado con la hija de un juez de la ciudad de al-Mahalla, en el delta del Nilo, se trasladó a El Cairo para ascender en su carrera y se sumió en un abismo de nostalgia de la querida esposa que había dejado atrás, Umm Thana.[19] Desconocemos la edad de este marido solitario, pero desde luego sufría los típicos altibajos de la angustia de un adolescente, oscilando entre la autocompasión —«No hay nadie que me quiera, oh Umm Thana, excepto tú»—, la petulancia ofendida (ya sabe que su esposa es virtuosa, pero él también lo es) y las amenazas desesperadas de muerte casi suicida. ¡Evidentemente, nuestro desgraciado maridito se había empapado a fondo en la poesía árabe y quizá hebrea!: «Ven, pues, o abandonaré esta tierra y desapareceré para siempre». Desapariciones de ese estilo eran sin duda bien conocidas. Menos histriónico, pero profundamente conmovedor, es el mercader para el que la noche del viernes, cuando, en ausencia de su esposa, le tocaba encender las velas del sabbat, constituía el tormento más atroz, pues, según los preceptos de la Misná, esa era la noche recomendada para la *onah*, el momento de dar y recibir la bendición del sexo. De modo que el acto de celebrar la llegada del día santo significaba para el marido solitario ser atormentado por el deseo y quizá, violando las más estrictas prohibiciones religiosas, intentar hacer algo para remediarlo. «Cuando enciendo la vela y la coloco en cualquier mesa que Dios me haya puesto delante, pienso en ti. Solo Dios sabe lo que pasa por mi cuerpo.»

El chantaje emocional podía ir en los dos sentidos. En la Geniزá hay cartas de mujeres que respondían a sus maridos, que siempre estaban quejándose de los dolores y sufrimientos de su cuerpo, de su cerebro y de su corazón, suspirando: «Pues mira, si te piensas que tú tienes problemas, imagínate los míos».[20] Y ni que decir tiene que la Geniزá contiene su correspondiente dosis de madres judías afligidas que se quejan de que sus hijos no les escriben. Una muestra virtuosísima, realmente incomparable, de cómo culpa una madre a un mal hijo, que la ha descuidado todo el verano, precisamente cuando esperaba que le mandara por lo menos una carta (¿acaso era mucho pedir?), dice así: «Parece que no te das cuenta de que recibir una carta tuya es para mí un sucedáneo de ver tu cara». No te preocupes, diviértete, haz lo que quieras, yo estoy bien. Solo que esto me está MATANDO. «No comprendes que mi vida entera depende de recibir noticias tuyas … No me mates antes de que llegue mi hora.» Vale, muy bien. Si no quieres mandar una carta, al menos, si no es mucha molestia, señor importante, que siempre está ocupadísimo, al menos envíame la ropa sucia, una camisa mugrienta o dos, para que a esta pobre madre abandonada pueda evocarle al menos el cuerpo de su hijo y «tranquilizarle el ánimo». ¡Qué consumada artista![21]

Los documentos de la Geniزá están llenos de mujeres fuertes de todo tipo, la mayoría de las cuales, como eran analfabetas y por regla general nadie las estimulaba a aprender el arte de la escritura, tendrían que encargar a algún escriba que redactara sus cartas. Pero algunas de las más avispadas sabían desde luego leer y escribir perfectamente, pues entre las mujeres de la Geniزá hay maestras de primaria, y algunas daban clase tanto a niños como a niñas, aunque una, hija del director de la *yeshivá* de Bagdad, daba clase a los niños desde una ventana, detrás de una celosía, de modo que su educación les llegara desde unos labios invisibles. Otras, con menos pretensiones culturales, trabajaban fuera de casa como bordadoras y tejedoras, pero no desarrollaban su labor como una especie de pasatiempo ornamental, sino más bien con el objetivo completamente práctico de aumentar los ingresos familiares. Otras se ganaron muy buena reputación como «agentes comerciales», actividad que, como comportaba hacer publicidad y pregonar las virtudes de los productos que había en los mercados y bazares, implicaba que trabajaran y anduvieran en el mundo de los hombres. Según la tradición judía, las mujeres tenían la obligación de ir vestidas modestamente, pero los tocados que les tapaban la cara (como demuestran los encargos de turbantes) podían estar diseñados con vistosa elegancia, atendiendo siempre las exigencias de la decencia.

Además, con mucha frecuencia destacan en la Genizá personalidades fuera de lo común que desmienten todos los tópicos acerca de lo que era la vida familiar en aquel mundo. Una de las «agentes comerciales» era a todas luces una banquera y mujer de negocios en toda regla, no una simple mujer del mercado, pues llegó a hacerse verdaderamente rica, dejando al morir una fortuna de unos 700 dinares. Se llamaba Karima, aunque era conocida por todos como al-Wuhsha la Corredora, hija de una familia de banqueros, y, según dice Goitein, aparece en los documentos de su época más a menudo que cualquier otro individuo.[22] Y no es de extrañar, pues era tan escandalosa como exitosa e influyente. Un matrimonio de juventud del tipo habitual resultó breve y presumiblemente desgraciado, pues se echó como amante a un tal Hassun, de Ascalón, y quedó encinta de él. Ya durante el embarazo (durante el cual se presentó descaradamente en la sinagoga iraquí con motivo del Yom Kippur, el día de la Expiación, y a todas luces no para asistir a los rezos penitenciales), Wuhsha, mujer siempre práctica, empezó a preocuparse por si el carácter ilegítimo de su hijo podía descalificarlo para recibir la parte debida de su herencia.[23] Hassun y ella habían llevado a cabo algún tipo de ceremonia ante un funcionario islámico, pero por consejo de un conocido llamado por todos el Diadema, familiarizado con los requisitos de la ley judía (y tampoco era que Wuhsha fuera una indocumentada en ese terreno), se las arregló para ser descubierta en la cama con Hassun, demostrando así que el padre natural de su hijo, Abú, era al fin y al cabo judío.

Una vez que Hassun cumplió con su cometido, Wuhsha se deshizo de él, que se escabulló (o, mejor dicho, posiblemente huyó para salvar la vida) y regresó a Palestina. Wuhsha no volvió a casarse, aunque tuvo una hija. Representaba en Fustat un personaje tan peligroso como sofisticado, lo bastante conocido como para que muchos se negaran a tratarla en la sinagoga. Pero supo muy bien cómo vengarse del ostracismo al que la condenaron aquellos santurrones. En su testamento, en el que especificaba que Hassun no debía embolsarse «ni un céntimo» (¿qué habría hecho el tal Hassun?), Wuhsha asignó un legado a aquella sinagoga que se había encargado de mantenerla alejada —dinero para el aceite de las lámparas, de modo que los jóvenes pudieran quedarse a estudiar hasta altas horas de la noche, y para el mantenimiento del edificio—, lo bastante generoso como para que los ancianos no pudieran resistir la tentación de aceptar el regalo. A su muerte, y seguramente mucho antes, la invencible benefactora recibió la satisfacción de que el nombre de Wuhsha la Corredora fuera evocado en una inscripción y pronunciado todos los grandes días de la vida de la comunidad para que no cayera en el olvido.

III. ¿QUÉ SE PODÍA DECIR EN HEBREO?

En algún momento de mediados del siglo X, un judío del extremo occidental del mundo conocido agarró su pluma, la mojó en tinta fabricada con agallas y escribió una carta a otro judío residente en el extremo oriental del mundo, que casualmente, además, era rey. El autor de la carta, Menahem ibn Saruq, realizaba la tarea en nombre de su amo y señor, Hasdai ibn Shaprut, el hombre indispensable y factótum del califa de al-Andalus, en la península Ibérica, Abderramán III. Para eso era para lo que le pagaban, no con demasiada generosidad, pensaba a veces. Menahem estaba acostumbrado a dirigir cartas a los poderosos, pues el califa confiaba a menudo a Hasdai las negociaciones con las potencias cristianas, ya fuera con el emperador de los «romanos», con sede en Constantinopla, o con el rey de León, en el norte de la península Ibérica. El contacto directo entre cristianos y musulmanes era impensable, pero el judío Hasdai, que hablaba todas las lenguas imaginables y, al parecer, tenía parientes o agentes en todos los puertos y ciudades del mundo, y que era famoso además por disimular su astucia bajo el manto de una cortesía encantadora, podía llevar a cabo los encargos diplomáticos del califa allí donde los emisarios musulmanes tenían prohibida la entrada. Hasdai deshacía siempre el nudo de la dificultad. El judío conocía bien el bálsamo político que constituyen los regalos. Su magnífico gusto y su elegancia le permitían distinguir cuál era el bálsamo adecuado para el rey de los francos o para el de los alanos, y comprobaba siempre lo que se recibía a cambio antes de presentar el regalo a su señor. Entonces se liberaba a un preso o se negociaba una alianza táctica con la emperatriz de Bizancio, dirigida contra su enemigo común, el califa abasí que había usurpado el trono en Bagdad. De un modo u otro se arreglaban las cosas, pero siempre era Menahem, la pluma que transcribía los pensamientos de su señor, el que reunía las palabras encargadas de abrir las puertas de cualquier entendimiento.

La última tarea encomendada, la carta de presentación para saludar y tantear a José, el rey judío de los jázaros, requería algo más que las formalidades de costumbre. Como bien sabía Menahem, en aquel encargo se veían comprometidos las pasiones y los anhelos de Hasdai, no solo su formidable inteligencia comercial y estratégica. Por una de las embajadas que traían regalos —procedente de la provincia persa de Jorasán—, Hasdai se había enterado de la existencia de un gran reino judío situado en las altas praderas de Asia occidental, bañadas por el bajo Volga, que limitaba con el mar Caspio (por entonces llamado Jorján) al este, con el mar Negro o mar «de Constantino» al oeste y con las montañas del Cáucaso al norte. Toda Crimea, y al parecer también la ciudad de Kíev, estaban en su poder. La inesperada noticia, confirmada en 948 por un judío jázaro que se entrevistó con uno de los hombres de Hasdai en Constantinopla, había excitado y dejado mudo de asombro al ministro del califa, que se enorgullecía del conocimiento que poseía de la geografía de la dispersión. La idea de que toda la Tierra estaba plagada de judíos yendo y viniendo, siempre atareados excepto los sábados y los días de fiesta o ayuno, convertía la amargura del destierro en consuelo. Pero oír hablar de un estado judío situado al este de los eslavos, los cristianos y los musulmanes era como si el cuerpo de los judíos hubiera extendido inesperadamente un brazo hacia Asia. «Quedamos asombrados, levantamos la cabeza, nuestro ánimo revivió y nuestra mano se reforzó.»

Por el jázaro de Constantinopla, Hasdai se había enterado de que aquellos judíos de tierras lejanas habían sido antaño guerreros nómadas, paganos devotos del dios del sol, Tungri, y de sus chamanes, que vivían en su mayoría en yurtas. Su «emperador» o kagán era un personaje sagrado, pero su poder tenía unas limitaciones sorprendentes. Al acceder al trono, los grandes señores le preguntaban cuánto tiempo pretendía reinar, y si permanecía en el poder más tiempo de lo que había dicho, era asesinado de inmediato. Una y otra vez tenía que hacer frente al desafío de su general, el *bek*, que también aspiraba a la autoridad real. Durante las últimas generaciones se habían creado ciudades, como Atil, la capital, en las tierras altas del kaganato, en las que los palacios de ladrillo permitían vigilar los rebaños y los campos de una población próspera. Se trataba de un milagro casi tan portentoso como el reino de los judíos perdidos que el viajero Eldad el Danita había jurado que adoraban al Dios único, el Todopoderoso, en las tórridas mesetas de África. Hasdai quería estar seguro de que las recientes informaciones que había recibido no eran un simple cuento de viajeros, y preguntó a los integrantes de otra embajada procedente de Constantinopla, llegada recientemente a Córdoba, quienes le aseguraron que el reino judío de Al Kuzarí existía realmente, que se encontraba a quince días de navegación de su capital, que el soberano que ocupaba el trono por aquel entonces se llamaba José, y que de su país llegaban pieles, pescados «y mercancías de todo tipo». Tras recibir estas informaciones, Hasdai no perdió el tiempo y envió a sus hombres a Constantinopla con la orden de viajar al reino de los jázaros. Sin embargo, al cabo de seis meses de intentos de organizar la marcha, las autoridades bizantinas les dijeron taxativamente que desistieran en su empeño, que habría sido demasiado peligroso emprender el viaje «pues el mar estaba tempestuoso» y ya no era navegable en toda aquella temporada. Hasdai sospechaba que el peligro anidaba solo en la mente de los gobernantes del imperio cristiano, que, pese a mantener relaciones amistosas con los jázaros, quizá se sintieran inquietos ante la perspectiva de una asociación entre el califato musulmán de al-Andalus y un estado judío guerrero situado al este.

Pero Hasdai estaba hechizado por la idea de aquel reino judío, y ahora le tocaba a Menahem la ardua tarea de abrir con sus palabras las puertas que los cristianos habían cerrado. Tenían además que ser palabras hebreas, no el lenguaje habitual de los intercambios diplomáticos, pues ¿de qué otro modo podría haber un entendimiento entre los judíos de al-Andalus y los de Jazaria? ¿Y quién mejor para ello que Menahem ibn Saruq, pues la gran obra de su vida había sido el primer diccionario de hebreo en ver la luz? Había llegado de joven a Córdoba procedente de Tortosa, en el noroeste de la Península. En la gran capital del nuevo califato de los omeyas, en medio de los estanques y los palomares de los jardines, el padre de Hasdai, Isaac ibn Shaprut, había tomado a Menahem bajo su protección, a cambio de la composición de poemas ocasionales e inscripciones ceremoniosas, entre ellas una celebrando la donación efectuada por Isaac a la más grandiosa de las sinagogas de Córdoba. Cuando murió Isaac, Menahem redactó el correspondiente encomio e hizo lo mismo para consolar a Hasdai por la pérdida de su madre. En aquellos momentos, todo lo que deseaba era regresar a Tortosa y ganarse modestamente la vida como fuera para poder cultivar su verdadera pasión, el estudio de la gramática hebrea.

Fue entonces cuando Hasdai, que también estaba profundamente versado en la Torá y el Talmud, ascendió inesperadamente a unos niveles altísimos en la corte del califa. En el mundo musulmán había dos cosas que se esperaban de los judíos, dos formas, si se quiere, de progresar en la vida: la medicina y el dinero. El ascenso de Hasdai se debió a la primera, y la permanencia en el poder se la garantizó el segundo. La carne de víbora tuvo mucho que ver con todo ello, pues ese era el ingrediente indispensable (según se decía) del *theriacum*, la triaca, la milagrosa panacea habitual en la Antigüedad, pero luego condenada al olvido por los médicos. La triaca era el antídoto de todos los venenos, conocidos y presuntamente desconocidos —uno de los azares habituales de la vida en la corte del califa—, pero, además, podía obrar toda clase de maravillas: volver fértiles a las mujeres estériles y viriles a los hombres impotentes; curar las enfermedades repentinas; dar a los duros de oído la capacidad auditiva de un ciervo en pleno bosque; mover los intestinos perezosos y dar brillo a los ojos. Y Hasdai ibn Shaprut, un médico que había estudiado la ciencia de los griegos y los romanos —además de ser un hombre dedicado al comercio, de enorme refinamiento literario y erudición piadosa—, pretendía introducir sus secretos en la corte de Abderramán III. Independientemente de que el fármaco surtiera o no el efecto anunciado, nadie, ni siquiera los envidiosos médicos de la corte, acusó nunca a Hasdai de fraude farmacéutico. Por el contrario, una vez que llamó la atención del califa, su utilidad lo llevó a seguir ascendiendo. Si había que correr el riesgo de atraerse el odio de la población por recaudar impuestos, que lo hicieran los judíos. Así pues, se concedió a Hasdai el puesto de recaudador de los aranceles cobrados al comercio fluvial que llegaba a Córdoba por el Guadalquivir, y de ese modo prosperaron al mismo tiempo el tesoro del califa y la fortuna del judío.

La carta de Menahem al rey José denota un cálculo de lo más artificioso. Hasdai necesitaba presentarse a sí mismo como el más eminente de los judíos de Córdoba, quizá de todo al-Andalus, pero sin tomarse la confianza de dirigirse al rey de igual a igual. Antes bien, el panegírico debía simular cierta humildad literaria, pero sin recurrir a la lisonja desagradable. Y Menahem se sintió lo bastante complacido con sus esfuerzos como para introducir una pequeña nota de orgullo personal en la floritura inicial de la carta, un acróstico, esto es, una composición cuyos versos comienzan con las letras iniciales no solo del nombre de Hasdai ibn Shaprut, sino también del suyo propio, Menahem ibn Saruq, como si estuvieran los dos a la misma altura, una sutil impertinencia que tendría que lamentar. El primer objetivo de la carta, sin embargo, era establecer un principio de cortesía judía, situar a los judíos andaluces en la larga línea de la historia:

> Yo, Hasdai, hijo de Isaac, bendita sea su memoria, hijo de Esdras, bendita sea su memoria, perteneciente a los judíos desterrados de Jerusalén en Sefarad, servidor de mi Señor el Rey, me inclino ante él y me prosterno hacia la morada de Vuestra Majestad. Desde un país lejano me regocijo de vuestra tranquilidad y magnificencia, y tiendo mis manos a Dios en los cielos para que prolongue vuestro reinado en Israel.
>
> ¿Pero quién soy yo y cuál es mi vida para atreverme a escribir una carta a mi Señor el Rey? Fío, sin embargo, en la integridad y la rectitud de mi propósito. Pues, en efecto, ¿cómo puede ser expresada una idea con palabras hermosas por quienes han andado errantes desde que pasó la gloria del reino, por quienes llevan tanto tiempo sufriendo aflicciones y calamidades? ... Pues somos lo que queda de los israelitas cautivos ... viviendo pacíficamente en el país en el que estamos, porque nuestro Dios no nos ha abandonado ni su sombra se ha apartado de nosotros.

Unas cuantas líneas más adelante, Menahem convertía a Hasdai en un noble del exilio, digno de dirigirse al rey. Una antigua tradición afirmaba que los primeros judíos de la Península habían llegado al país en tiempos de Tito el Conquistador a instancias de sus cónsules, a juicio de los cuales tenían muchas cualidades como colonos. No obstante, habían sufrido en tiempos de los romanos, y luego aún más durante los siglos de dominación de los bárbaros visigodos, que, como cristianos, persiguieron a la pequeña población judía. Menahem enlazaba esta historia con la larga cadena bíblica de calamidades puestas sobre la espalda de los judíos por Dios para castigar sus constantes desacatos. Pero cuando «Dios vio su miseria y sus penalidades y se dio cuenta de que estaban indefensos, me envió [es decir, a Hasdai] a presentarme ante el rey y ha vuelto graciosamente su corazón hacia mí, no por mis méritos, sino por su misericordia y por su alianza. En virtud de esa alianza, las manos de los opresores se relajaron … y por la misericordia de nuestro Dios el yugo se aligeró».

Después, utilizando su vena más lírica, Menahem iniciaba un extravagante y entusiasta elogio de al-Andalus. Si bien entre todos los lugares del destierro no era la verdadera Sión, en la que corrían ríos de vino y miel, Sefarad, «como se llama en la lengua sagrada», era sin duda el mejor, un palacio del tesoro de la naturaleza, un sitio donde descansar.

> La tierra es rica, abundan los ríos, las fuentes y los acueductos, una tierra de grano, aceite y vino, de frutos y de toda suerte de delicias, de jardines de recreo y de huertos, de árboles frutales de todo tipo, incluida la especie de cuyas hojas se alimenta el gusano de seda, de la que tenemos gran abundancia. En las montañas y los bosques de nuestro país se recoge la cochinilla en gran cantidad, hay también montañas cubiertas de flores de azafrán y en las que existen numerosos filones de plata, oro, cobre, hierro, estaño, plomo, azufre, pórfido, mármol y cristal de roca. La riqueza de los mercaderes es muy grande, y los traficantes de los confines de la Tierra, de Egipto y de los países vecinos, traen especias, piedras preciosas, mercancías magníficas para los reyes y los príncipes, y toda clase de cosas deseables procedentes de Egipto. Nuestro rey ha reunido un tesoro tan grande de plata, oro y objetos valiosos como no ha llegado a acumular nunca rey alguno.[24]

A pesar de tanta abundancia y de la tierna benevolencia del califa, si fuera cierto que los «desterrados israelitas constituyen en algún sitio un reino independiente y no están sometidos a ningún soberano extranjero … entonces, despreciando toda la gloria de la que gozo, abandonando mi alto estado y dejando a mi familia, subiría montañas y colinas, atravesaría mares y tierras, hasta llegar allí donde reside mi Señor el Rey, para poder ver no solo su gloria y su magnificencia, sino también la tranquilidad de los israelitas. Ante semejante visión mis ojos se iluminarían, mis espaldas exultarían de regocijo y mis labios elevarían himnos de alabanza a Dios».

Era mucho lo que Hasdai quería saber acerca de aquel reino judío del este. Qué extensión tenía, cuán poblado estaba, cuántas ciudades y municipios había dentro de sus fronteras, cómo estaba gobernado. Pero había otra pregunta que esperaba que el rey José fuera capaz de responderle, un cómputo del calendario de la redención. Hacía casi mil años que los romanos habían destruido el Templo. ¿Acaso el Todopoderoso obraba en números redondos? ¿Acaso estaba por fin cerca el día del Mesías? ¿Era acaso un indicio de ello la coexistencia de dos eminencias judías situadas a uno y otro extremos del mundo? Pese a todo su conocimiento de la aritmética celeste, Hasdai sentía que seguía sumido en la ignorancia. Quizá el rey José —que debía de haber sido nombrado por Dios, como un Salomón del este— tuviera facultades adivinatorias, algún conocimiento particular de la proximidad del día «que llevamos esperando tantos años, durante los cuales hemos ido de un cautiverio a otro, de un destierro a otro».[25]

El rey José en realidad no estaba en condiciones de contemplar el calendario de la historia de los judíos muy a largo plazo, pues su propio reino estaba a punto de inaugurar la crónica de sus desastres. Acosado por los ejércitos de la Rus de Kíev (formada por escandinavos y eslavos) y periódicamente por los bizantinos, el imperio jázaro —judío durante probablemente un siglo— estaba empezando a contraerse. A lo largo de los cincuenta años siguientes sería invadido en su totalidad y la capital del reino, Atil, sería saqueada.[26] Los jázaros conmemorarían con demasiada exactitud el desastre ocurrido mil años atrás. La mayoría de la población sobreviviría y se sometería a sus conquistadores y a las religiones de estos, aunque algunos jázaros obstinadamente fieles al judaísmo andarían errantes y dos de ellos aparecerían un siglo más tarde en Toledo como estudiantes, convirtiéndose su presencia en España en un posible acicate para la redacción del *Kuzarí* o *Libro del jazar*, la gran novela dialogada de carácter filosófico del poeta Yehudá Haleví, que defiende su propia concepción del judaísmo, escrita en torno a 1140.

No obstante, por acosado que estuviera, parece que el rey José quería responder a Hasdai y tuvo tiempo de hacerlo, de un modo u otro, salvando los miles de kilómetros que los separaban. Existen dos versiones de su «contestación», una publicada ya en 1577 y otra más completa de finales del siglo XIX.[27] En las dos el rey José relata ciertas visiones angélicas que indujeron a un antepasado suyo, el rey Bulan, a convertirse a la religión monoteísta. A Bulan lo sucedió su piadoso hijo, Abdías, que organizó un debate entre los portavoces de las tres religiones, musulmana, cristiana y judía, en el que los otros dos monoteísmos expresaron su tesis de que la fe de Israel era preferible a la de su inmediato rival. Abdías (que, al parecer, organizó el acontecimiento aun sabiendo de antemano cuál iba a ser el resultado) pudo así decantarse públicamente por el judaísmo.

Por fantástica que pueda parecer, una parte al menos de la historia no era una fábula, sino real. En varios tesoros descubiertos en Crimea y en la Escandinavia de los vikingos, han aparecido monedas en las que se superpuso la leyenda «Moisés es el mensajero de Dios» en una cara y en la otra «País de los jázaros», y la superposición de esa inscripción está fechada en 837 y 838. De ese modo Moisés desplazaba a Mahoma en lo que era la afirmación de todos conocida, y por tanto es evidente que en la primera mitad del siglo IX tuvo lugar algún tipo de conversión. Más información acerca de cómo y cuándo se produjo esa conversión nos la proporcionan los inquietantes fragmentos de cinco cartas que a todas luces no fueron escritas de puño y letra por el rey de los jázaros, pero casi con toda seguridad sí dictadas por él, descubiertas por Solomon Schechter en el enorme cúmulo de documentos de la Genizá de El Cairo. Dichas cartas ponen de manifiesto que, efectivamente, hubo contactos por escrito entre la Jazaria judía y Córdoba. El autor de estas misivas, escritas en hebreo (hecho que de por sí es ya una especie de milagro), se identifica como un judío jázaro, pero en vez de una conversión repentina, fruto de alguna epifanía, habla de una historia más dilatada de «vuelta» al judaísmo. Fue cuando los bizantinos derrotaron a los persas a mediados del siglo VII y entró en vigor la política de conversión forzosa emprendida por el emperador Heraclio, cuando un número indeterminado de judíos de lengua griega huyeron de diversos lugares de los Balcanes y de la Crimea perteneciente al antiguo reino del Bósforo, especialmente de la ciudad de Panticapea, donde habían prosperado durante siglos, y tras cruzar el Cáucaso se refugiaron en Jazaria, que todavía era pagana.[28] Allí fueron bien recibidos y permanecieron en el país durante varias generaciones, formando matrimonios mixtos y, según dice literalmente uno de los fragmentos, «convirtiéndose en un solo pueblo»; la mayoría, como suele ocurrir, perdieron la letra de la estricta observancia, que se limitaba apenas a practicar la circuncisión y guardar el sabbat. Pero, precisamente porque con el paso del tiempo se habían convertido completamente en jázaros, un judío pudo llegar a *bek* de sus ejércitos y, a raíz de una victoria particularmente espectacular, fue elevado al trono. El *bek* que pasó a ser denominado con la palabra hebrea que significa «rey», *melej*, probablemente fuera el Bulan de la «contestación», y, aunque distanciado de la religión, debió de ser animado por su esposa Seraj, también de ascendencia judía, pero más fiel a la fe de sus padres, a organizar el famoso debate, que quizá fuera en efecto un hecho histórico. Se sacaron unos volúmenes de la Torá de una biblioteca escondida en una cueva, al estilo de la de Qumrán, situada en las llanuras de Tiyul, que se convirtieron en el medio para obtener una educación más completa. Como rey, Bulan adoptó el nombre teóforo de Sabriel, se hizo circuncidar y mandó a sus nobles que también lo hicieran, hizo venir sabios de Bagdad y Persia, construyó sinagogas y un gran santuario, y comenzó a guardar los ayunos y las fiestas. Se concedía tal importancia sobre todo a la Hanuká y a la Pascua, que el *bek* se desplazaba desde las llanuras hasta Atil para celebrarlas. Los fragmentos de la Genizá ponen de manifiesto que las reformas judaizantes se extendieron a toda la población (en que en todo caso existía ya un núcleo que había llegado huyendo de Armenia), y que unos seis reyes siguieron por la misma senda que Bulan/Sabriel y se pusieron nombres hebreos: Abdías, Ezequías, Manasés, Benjamín, Aarón y por último José. Pero el siglo de la Jazaria oficialmente judía no debió de durar lo necesario para que arraigara lo suficiente y fuera capaz de hacer frente a las invasiones procedentes de la Rus de Kíev. Cuando estas se produjeron, apenas dos décadas después de que se establecieran las relaciones entre Córdoba y Atil, resulta imposible determinar qué proporción de los judíos jázaros se fue y cuántos se quedaron y adoptaron las nuevas religiones.

Del mismo modo que los jázaros judíos estaban al borde del desastre justo en el momento en que llegaron a conocimiento de los judíos de al-Andalus, también lo estaba el hombre cuyo conocimiento del hebreo permitió entablar el contacto entre unos y otros. Poco después de iniciar su correspondencia con los jázaros, Hasdai importó de Bagdad una nueva lumbrera de la literatura hebrea que además era más joven, Dunash ben Labrat, y no tardó en quedar patente que en el círculo de Hasdai no había sitio para los dos. Menahem y Dunash eran como el agua y el aceite, y, lo que era más peligroso para el primero, Dunash representaba una manera completamente nueva de utilizar el hebreo. Su primer nombre indica un origen bereber y de hecho había eclosionado en Fez, pero como escritor había nacido en la ciudad babilónica de Sura, donde estudió con el gran sabio Saadia el Gaón. Este maestro era la encarnación misma del descubrimiento de un modo de reforzar la enseñanza de la Torá y el Talmud, y no dudó en aplicar ese método a la cultura filosófica y literaria en la cual vivía inmerso. Todo se debió al trascendental redescubrimiento de la filosofía griega, transmitida a través de fuentes árabes sirias. Nadie podría ni remotamente acusar al erudito Saadia, hombre profundamente piadoso, de flirtear con sabidurías extrañas (aunque sí que se podría acusar de ello a Dunash), pero su principal obra, el *Libro de las creencias y las opiniones*, supuso el primer intento desde los tiempos de Filón de Alejandría, casi mil años antes, de justificar los principios básicos del judaísmo a través de la investigación racional y, de hecho, de convertir el método basado en el razonamiento en una señal de la bendición especial de Dios. Significativamente, aunque Saadia era un consumado maestro del Talmud e incluso quien definió su canon, su libro vuelve a basarse en la Torá y en la Biblia posiblemente en respuesta directa a la nueva secta de los caraítas, que, desde aproximadamente el siglo IX, rechazaban por completo las leyes y los comentarios rabínicos posbíblicos. Más significativo todavía es que, a la manera greco-arábiga, el largo tratado sobre los significados bíblicos va seguido de una guía sobre cómo llevar una vida verdaderamente judía. La obra es por primera vez un verdadero libro judío, no un volumen en forma de rollo, y los capítulos acerca del deseo sexual, el afán de riqueza, el comportamiento justo con los vecinos, etc., se apartan por completo del intrincado lecho digresivo de la discusión talmúdica y se limitan a dar orientaciones claras, tendiendo invariablemente a la represión, pero reconociendo al mismo tiempo la fuerza sensual e instintiva de esos apetitos.

Esta respuesta en doble sentido —reforzar la tradición y reconocer de paso la fuerza del mundo físico— había dejado una profunda impronta en la poesía y la filosofía árabes, y eso fue lo que Dunash se llevó consigo a Córdoba, con la determinación de orientar al hebreo en esa misma dirección. A las acusaciones de arabizante, Dunash podía replicar que, por el contrario, lo que pretendía era sustituir el ideal de *arabiyya* por algo que nadie, excepto Saadia, había comprendido hasta entonces, la *yahudiyya*, una lengua apta no solo para los cantos y la liturgia, sino también para la filosofía, la poesía y quién sabe qué más. Y lo haría insuflando el aliento de una nueva vida en el hebreo verdaderamente bíblico que se había vuelto áridamente mecánico. Arrogante por su concepto de la superioridad intelectual de la sabiduría babilónico-saadiana, Dunash no perdió el tiempo burlándose de los áridos estudios lingüísticos de Menahem y en particular de su diccionario de hebreo, el *Mahberet*, con su obsesivo énfasis en las raíces trilíteras de todas y cada una de las palabras de la Biblia, que Dunash rechazaba por considerarlo simple miopía de rapaz nocturna. No servía de mucho, desde luego, que Menahem no conociera nada de la obra filológica y lexicográfica de Saadia, que había allanado el camino a las aventuras de Dunash con el nuevo hebreo antiguo. En Córdoba estallaría una pequeña guerra cultural, sucia y encarnizada, sobre cuál era el destino del hebreo, su autenticidad, sus tradiciones y su vida presente y futura, y los dos contendientes movilizaron a sus discípulos para lanzarse dardos envenenados. Ridiculizado por Dunash como un pedante laborioso pero estrecho de miras, Menahem sufrió una dolorosa humillación, y esta no hizo más que agravarse cuando Dunash escribió y publicó poemas litúrgicos destinados a su inclusión en el culto, que fueron rápidamente adoptados por toda la Andalucía judía. En cierto modo, Dunash había conseguido la cuadratura del círculo: tomar las formas métricas y los modelos de rima del árabe y conseguir no que debilitaran, sino que reforzaran lo que, según él, constituía la auténtica tradición hebraica en todo su antiguo vigor. Salpicó su poesía y su liturgia con un vocabulario tomado directamente de la Biblia. Además, por si fuera poco su esposa escribía versos. Así pues era nuevo y antiguo al mismo tiempo; un fenómeno invencible.

Hasdai se dejó conquistar completamente por todo aquello y por su joven y avispado portavoz. A aquel hombre que había pasado toda su vida dentro de la alta cultura árabe y musulmana debió de parecerle que ahora podía por fin adoptar plenamente su elegancia de pensamiento y de expresión sin comprometer en modo alguno su judaísmo. El estilo propugnado por Dunash era la forma de volver a robustecer un hebreo que había corrido el riesgo de esclerotizarse. Poniéndose a la defensiva y luchando por su vida profesional, Menahem replicó en público que eso era precisamente lo que hacía la literatura puesta repentinamente de moda por Dunash: traicionar la tradición antigua para flirtear casi sin el menor disimulo con el islam. Pero, como discípulo aventajado de Saadia

—de cuyos versos el maestro había afirmado que «todavía no se ha visto en Israel nada parecido», aunque al mismo tiempo le parecían profundamente ortodoxos—, el joven escritor era invulnerable a los azotes críticos de Menahem.

La guerra cultural siguió subiendo de tono y acabó resultando mortal. Menahem no estaba dispuesto a morderse la lengua, y menos aún cuando se dio cuenta de que su enemigo estaba decidido a acabar con él, como si fuera armado con un puñal. Hasdai contemplaba el espectáculo, disfrutando de aquel combate de gladiadores, y finalmente decidió levantar el pulgar con gesto majestuoso en favor de Dunash. Cuando Menahem (y sus discípulos leales) se negaron a dejarse acallar, Hasdai se lo tomó como una ofensa personal. La guerra por el hebreo no era un simple juego académico. Un sábado, el agresivo y anciano secretario sufrió en su propia casa un violento ataque, en el transcurso del cual le arrancaron a tirones el pelo de la cabeza y acabó encarcelado. Fue el final violentamente vengativo de una carrera larga y leal. Evidentemente, no convenía propasarse con el gran Hasdai ibn Shaprut.

Pero la desesperación aviva el ingenio. Menahem escribió a su antiguo señor una carta utilizando exactamente las rimas formales que tanto despreciaba su rival, pero cargándolas de recuerdos y de una fuerte dosis de culpabilidad dirigida a la conciencia de Hasdai. ¿Algún problema? ¡Pues echemos mano a los benditos padres, y que descansen en paz! «Recuerda la noche en que murió tu noble madre … Por Dios, llegaste a pie hasta a mí a medianoche / Para pedirme que compusiera su panegírico y una endecha en rima. / Me encontraste ya escribiéndola … Cuando murió tu padre, / Le escribí un gran panegírico, / Que todo Israel recitó, uno cada día, / Durante todos los días del duelo. / Compuse las páginas de esos encomios a mata caballo. / Elaboré el relato de tu gloria, que circuló por todas las ciudades.»

Hasdai no se conmovió. Aunque soltaran a Menahem (y no es ni mucho menos seguro que saliera de la cárcel), era ya un hombre acabado. A sus desconsolados discípulos les tocó defender su causa, y su versión de lo que consideraban un hebreo verdaderamente santificado llegaría de hecho a tener un nuevo capítulo en la historia de la lengua. La autenticidad del hebreo será rabiosamente discutida mientras haya alguien capaz de leerlo. Pero, de momento, Dunash y el estilo por él preconizado —a la vez emotivamente bíblico y netamente contemporáneo— se alzaron con la victoria, empleando un hebreo que se apropiaba la seda de la forma arábiga y rodeaba con ella los hombros de una hermosa nueva literatura hebrea. Había llegado el *yahudiyya*. Y como los versos de Dunash eran sueltos y fluidos, se adaptaban fácilmente al canto. Algunos pasaron a formar parte de la liturgia; otros se adaptaron a la primitiva música de la observancia informal, los cantos de la víspera del sabbat. El fantasma de Menahem merodeaba por las academias de los devotos, pero Dunash cruzó el umbral y se adueñó del fuego del hogar, siendo cantado a la luz de las velas del sabbat.

IV. La poesía en el poder

Hay cosas que la poesía no puede hacer; prolongar la vida de los estados condenados a muerte, por ejemplo. Lo que Dunash había iniciado tendría un largo y apasionante futuro entre los judíos sefardíes de la península Ibérica, pero no tendría un gran desarrollo en la Córdoba de los omeyas. En la primavera de 1013, veintitrés años después de que muriera Dunash ben Labrat, la grandiosa ciudad de Abderramán III fue saqueada por los mismos guerreros bereberes descontentos que originalmente habían sido conducidos a la ciudad para defenderla. Casi toda Córdoba fue destruida, excepto la grandiosa mezquita situada en el centro. La próxima vez, pagad a los bereberes.

Uno de los que abandonaron precipitadamente Córdoba, justo antes de que fuera reducida a escombros, fue un joven judío llamado Samuel ibn Nagrella.[29] Se decía que su padre, Yehosef, había sido un hombre lo bastante erudito y piadoso como para mandar a su hijo a estudiar con el afamado sabio Hanoch ben Moshe, que, si damos crédito a la leyenda (y no deberíamos hacerlo), se dice que estuvo al servicio del califa con sus setecientos discípulos, cada uno en su propio sofá. Nagrella no sería recordado por la hondura de su piedad, sino por algo completamente distinto, la sorprendente conjunción en su persona de la poesía y el poder. Políticamente era tan astuto como Hasdai ibn Shaprut, y al menos tan erudito como él en la multitud de disciplinas que dominaba —medicina, filosofía y literatura—, pero, a diferencia de Hasdai, era su propio poeta. Un cronista musulmán de la Granada del siglo XIV califica a Nagrella de auténtico dechado en el cultivo de las artes y las ciencias, que «profundizó en los principios de la lengua arábiga y estaba familiarizado con las obras más sutiles de los gramáticos», además de «sobresalir en … matemáticas y astronomía».[30] Sería nombrado *nagid* de los judíos de Granada, su guardián-protector, y *wazir* («visir»), principal ministro, de dos reyes de la dinastía zirí. Y, lo que es más sorprendente, Nagrella fue, si no el general en jefe (y puede que lo fuera), desde luego un alto oficial de los ejércitos de los emires bereberes de Granada, el estratega de su victoria.

Pero todo esto queda empalidecido por lo que consiguió con sus versos. Nagrella tomaría las formas poéticas arabizadas que introdujera Dunash y las utilizaría en un nuevo tipo de poesía hebrea radicalmente nueva: sensual y terrenal; ingeniosa y apasionada; manchada de sangre y jactanciosamente guerrera; aletargada por las largas fiestas nocturnas bebiendo vino junto a los estanques bordeados de flores, e incluso por los efluvios viscerales y el hedor del zoco vocinglero. En un poema abrumador cuyo punto culminante es la denuncia de todos los que se imaginan que están por encima de los torpes animales que aguardan el cuchillo del matarife, Nagrella conduce a su lector —o mejor a su oyente, pues se suponía que la poesía estaba destinada a la recitación, a menudo con acompañamiento musical de flauta (*halil*), laúd y tambor— por un «mercado en el que se hallaban juntas ovejas y vacas … reses incontables … y montones de aves, todas esperando la muerte. / La vida quedaba congelada en cuajarones de sangre / Mientras los matarifes seguían cortando yugulares».[31] Cuando uno se adentra en un poema de Nagrella, todos los sentidos están alerta. «¿Qué no haría yo por el muchacho / Que me despertó en la noche al son de las consumadas flautas y laúdes / Y viéndome ahí, con la copa en la mano, me dijo: "Bebe aquí de mis labios la sangre de la uva"? ¡Oh, la luna era una *yod* [la letra del alfabeto hebreo que parece un apóstrofo] minúscula / De oro líquido en el manto de la aurora!»[32]

Aunque siempre ocupado en los asuntos de estado y en los de la comunidad, parece que Nagrella pocas veces dejaba descansar la pluma. Cuando alojó una noche a su regimiento en «una vieja fortaleza, arrasada hace mucho tiempo por la guerra», hace que el lector vea a los soldados dormidos, tumbados entre las ruinas: «Y me pregunté … qué había sido de la gente que había habitado aquí antes que nosotros, / ¿Dónde estaban los constructores y los soldados, los ricos / Y los pobres, los esclavos y sus señores? ... Se aposentaron en el lomo de los campos, / Pero yacen ahora en el corazón de la tierra; sus palacios magníficos se volvieron tumbas, / Sus regaladas cortes se convirtieron en polvo». Pero el general poeta no es un sentimental elegíaco. Quizá en un momento determinado desfallezca de amor y de deseo por la doncella o el mancebo que vierte el vino en su copa, pero al siguiente quiere que sepamos que ya lo ha visto todo. «Al principio la guerra se parece a una hermosa doncella a la que todos queremos galantear y creer. / Luego es más una repulsiva puta vieja / Cuyos clientes son la amargura y el dolor.» De ese modo, dentro de la fortaleza, ve a los jinetes que roncan diseminados sobre la hierba, pero ante los ojos de su mente desfila la caravana de sus antiguos ocupantes y se estremece ante la perspectiva que le aguarda. «Si pudieran levantar sus cabezas y salir a la superficie / Nos quitarían la vida y nuestros placeres. En verdad, alma mía, en verdad muy pronto / Seré como ellos y como esos durmientes.»[33] No había habido nunca nadie como él, y aunque después vendrían otros grandes poetas, hasta ese momento no había habido nadie que pudiera comparársele. La suya no es una poesía provinciana de corto alcance. Podemos leerlo (aunque sin el elástico sentido de la rima y el ritmo del original hebreo) sin atender especialmente a su época o a su religión; léase como se lee a Donne, a Baudelaire o a Brodsky.

Porque en Samuel ibn Nagrella el lector encuentra, por vez primera en toda la literatura judía, un ego insolentemente desmesurado, la personalidad de un forzudo musculoso, velludo, exuberante, enorme, capaz al mismo tiempo de la más profunda introspección y de un enorme *pathos* erótico. Incluso en sus momentos más meditativos, cuando reflexiona sobre el inexorable paso de los años, Nagrella es la más terrenal de todas las grandes presencias poéticas del hebreo medieval. Si cabe concebir un poeta hebreo que fuera también un guerrero que sale al campo de batalla y un político activo, ese sería Nagrella, el más mínimo movimiento de cuya mente y cuya energía nos hablan de las luchas de poder que se desarrollan dentro de su ser, sometido siempre a la máxima tensión.

Su bravura quedó patente desde el primer momento. Cuando el joven Nagrella dejó tras de sí una Córdoba destruida, no lo hizo suspirando por el hogar que había perdido. Se marcha, provocado por los amigos presuntuosos que suponen que se va a buscar «una vida fácil o riquezas». No era eso, ni mucho menos, escribe, sino de hecho todo lo contrario. «Juro por Dios y los que son fieles a Dios / —Y cumplo siempre mis juramentos— / Que subiré barrancos / Y bajaré hasta el pozo más profundo / Y coseré el remate de todos los desiertos recorriéndolos de punta a punta, / Y cruzaré esta quebrada y la de más allá, y todas si hace falta, / Y remontaré las pendientes más empinadas, / Hasta que las palabras "por siempre" tengan sentido para mí / Y mis enemigos me teman / Y mis amigos en ese temor / Hallen sosiego.»[34]

El poema es descaradamente jactancioso, imitando el tono de la poesía guerrera musulmana. Pero él disfrutaba peleando con las palabras. Una tradición cuenta que el joven Nagrella participó en un debate en torno a los méritos respectivos del judaísmo y del islam, sin restricciones, con el escritor árabe Ibn Hazm. La provocación llevaría entonces a Ibn Hazm a prorrumpir en estallidos de odio contra Nagrella y los judíos por poner en entredicho el Corán y al Profeta. Pero buena parte de la poesía hebrea más potente debe su fuerza a cierto espíritu de lucha. A veces se da por sentado, erróneamente, que bajo los gobiernos musulmanes estables se desarrolló en España una «edad de oro» de la poesía hebrea en medio de un ambiente sereno de simpatía mutua. En realidad, ese auge tuvo lugar en medio del caos y la violencia que siguieron al colapso del califato de los omeyas, pues mientras las distintas facciones y las taifas o miniestados musulmanes se dedicaban a conspirar para destruirse unas a otras, se suponía que los judíos, excluidos del gobierno, estaban libres de ambiciones políticas.

Sin embargo, no eran inmunes a las batallas, los asedios o las reyertas casuales en los caminos. Tenían prohibido portar armas de defensa so pena de sufrir terribles castigos. Las alforjas de sus mulas eran un objetivo primordial. A pesar de sus bravatas juveniles, Samuel ibn Nagrella se vio obligado durante algún tiempo a regentar una tienda de especias en el puerto de Málaga. Algunas biografías posteriores, especialmente la historia de los judíos de Ibrahim Da'ud, del siglo XII, dicen que allí lo descubrieron unos servidores del *wazir* de Granada, que se percataron de que era un consumado maestro en el complicado árabe que se necesitaba para tratar los asuntos de estado. La labor de escritor le abrió muchas puertas. Nagrella fue invitado a trasladarse a la ciudad fortificada en lo alto de la colina, se convirtió en secretario del *wazir*, y se reveló tan imprescindible en la guerra y en la diplomacia que, cuando falleció el visir, fue nombrado su sucesor.

Una vez en el puesto más encumbrado, Nagrella supo cómo permanecer en él. A la muerte de su señor, Habbus, en 1038, los dos hijos del emir reclamaron el trono y se mostraron dispuestos a combatir por él. Enfrentándose a la mayoría de los miembros de su comunidad, que se sentían orgullosos e inquietos a la vez por el elevado rango alcanzado por su correligionario más famoso, Nagrella se puso de parte del menor, el príncipe Baddus, que, contra todo pronóstico, acabó imponiéndose. A partir de ese momento, el poeta, guerrero y erudito judío —algo que ni siquiera se había atrevido a soñar Hasdai ibn Shaprut— se convirtió en el gobernador indiscutible de Granada, en el administrador de sus rentas y en el jefe de sus ejércitos. Y todo ello en un estado que, durante algún tiempo, fue la potencia hegemónica de la Andalucía oriental. Comentaristas posteriores dejarían bien claro que a algunos les chocó mucho que los emires ziríes confiaran los destinos de su reino a un infiel, pero políticamente Nagrella se benefició de su propia incapacidad de aspirar al emirato. Estaba, como dice un cronista, «libre del afán de poder», o al menos de la sospecha de abrigar tal deseo.

En muchos aspectos (salvo en el único que al final contaba), Nagrella no podía distinguirse de los musulmanes a los que servía con tanta eficacia, y precisamente ese talento suyo resultaría fatal para su hijo y sucesor. Su árabe era elaboradísimo; sus modales, refinados; su cortesía, exquisita, y su capacidad para mostrarse despiadado cuando era necesario estaba sobradamente demostrada. Si alguien encarnaba y personificaba la unión de la cultura y el poder islámicos con el judaísmo más descarado, era Nagrella. Ese es el motivo de que algunos comentaristas árabes, como Ibn al-Jatib, hartos como estaban de los infieles, y un tanto perplejos ante la posibilidad de que un judío pudiera encargarse eficazmente de gobernar un estado musulmán, admitieran que «aunque Dios no le dotó de la religión debida», Nagrella debía ser considerado «un hombre extraordinario ... en el que se daban a un tiempo ... un carácter sólido y sabio, un espíritu lúcido y unos modales corteses y amables».[35] Una fuente árabe posterior dice, en un tono más ofendido, que cuando Nagrella aparecía en público con su señor, el emir, hermosamente engalanado, resultaba imposible decir quién era el que mandaba y quién el mandado. También su poesía seguía las formas árabes: las moaxajas o poemas rimados «de doble faja», con su jarcha o dístico en lengua vernácula al final. El tema favorito de este tipo de poesía —las fiestas que se prolongaban toda la noche, cuando los bebedores, casi narcotizados, a medio camino entre el desplome somnoliento y el despertar erótico, tienden la mano hacia la copa de licor o el mancebo o la doncella que se la ofrece— constituía una violación tanto del islam como del judaísmo y hacía gala de la misma complacencia sensual. «En compañía de buenos bebedores, / Estoy sentado en un lecho de flores de almendro / Y contemplo al joven copero rubio que sirve / La bebida, y cómo va y viene al tonel del vino, / Mientras un zagal con una pluma sin tinta escribe música en el laúd y la borra. / La vida no es más que un baile, / La tierra una muchacha que ríe con sus castañuelas. / El cielo, un ejército que todo lo pisotea acampado en la noche. / Delante de la tienda de cada uno luce un farol.»[36]

Muchos poemas de Nagrella (y de los que siguieron sus pasos, como Moisés ibn Esdras, otro poeta rabino de Granada) son inequívocamente homoeróticos. «Emet», empieza diciendo un poema que podría traducirse por «de acuerdo, estoy enamorado de» ese muchacho que ha estado cortando rosas en tu jardín. Y luego (después de una trifulca), «Le'at!», «Dame un respiro, ¿quieres? Mi corazón no está hecho de hierro y tu cólera, amor mío, ahora es más de lo que puedo soportar». El *tzeví*, el ciervo que le «robó el corazón», es inequívocamente de género masculino (la cierva sería la *tzeviyá*). Y como los mismos poetas eróticos escriben versos de la más profunda espiritualidad, algunos comentaristas, incómodos por el asunto o demasiado incrédulos, han insistido, contra toda evidencia, en que su enamoramiento es metafórico, no realmente carnal, una herencia del Cantar de los Cantares bíblico, en el que el cuerpo del amado es descrito con el más mínimo detalle, pero que se consideraba una expresión del deseo de unión con Dios. Sin embargo, como se sabe que la cultura sexual árabe de la época consentía la bisexualidad, no hay absolutamente ningún motivo para pensar que no pudiera ocurrir lo mismo con los escritores-cortesanos judíos que vivían en ese mismo mundo. En las reuniones de árabes y judíos estaban presentes los mismos *saqi* o coperos, acostumbrados a los galanteos, las mismas chicas con el pelo cortado como los muchachos, y todos tenían a su alcance las mismas tentaciones, a las que podían ceder o resistirse. Nagrella contaba con un famoso antecedente bíblico en su atracción a la vez por lo sexual y lo espiritual: el rey David, voyeur y adúltero; David, político y guerrero brutal; David, el penitente angustiado, con el que se identificaba tímidamente, pero también con cierto engreimiento. Al igual que su modelo, Nagrella está tan empapado de judaísmo y de sensualidad que sus versos más audaces rayan casi en lo blasfemo. Cuando ordena a un amante que agarre «el pecho y el muslo» está invocando de manera insultante las partes escogidas del cuerpo del carnero de la consagración reservadas para los sacerdotes del Templo que hacían la ofrenda sacrificial a Dios.

Nagrella, el *wazir*, era un pez gordo en un pequeño estanque. Pero Granada tampoco era una potencia con la que se pudiera jugar. Libró batalla tras batalla —contra Almería, contra Sevilla y contra otros reinos bereberes— y casi siempre venció. Nunca sabremos si el judío fue también el comandante en jefe de un ejército bereber o no, pero ningún estudioso cree que concibiera su poesía guerrera recostado entre almohadones en un jardín bien cercado. Sus versos están llenos de suciedad y sangre. Muchos siguen, como cabría esperar, las convenciones de la épica árabe, en la que el enemigo despreciable cae aplastado ante los vencedores. Hay muchas imágenes de animales y de pájaros; por ejemplo, leones, cuyas garras desgarran los lomos del ciervo que intenta huir. Y, fiel a la forma, Nagrella importa de su propia tradición algunos pasajes de la poesía arcaica más altisonante de la Biblia, aunque algunos versos son tan sumamente gráficos que casi parecen sacados de un documental:

> Durante el día los cielos retumbaban con el tumulto de los caballos, mientras que sus evoluciones hacían que la tierra temblara y se agitara …
>
> Vi avanzar a una multitud lanzando piedras, y luego oí gritos de júbilo y trompetas.
>
> Subimos hasta lo más alto de una escala hecha de arcos y flechas volando …
>
> Abrimos una senda hasta sus puertas para todos los que quisieran saquearla y entramos en sus patios como quien entra en una ciudad en ruinas …
>
> Teñimos en su sangre los montones de tierra, hicimos una calle con los cuerpos resecos de sus señores.
>
> Cuando avanzábamos, pisoteábamos los cuerpos y los cráneos y oíamos los gritos de los que tenían heridas mortales.[37]

Nagrella fue a la vez el beneficiario de las infinitas guerras de los emires de la dinastía bereber de los ziríes y la víctima previsible de su inexorable crueldad. Las últimas campañas, cuando era ya un hombre maduro, harto de montar a caballo, lo agotaron y lo indujeron a reflexionar sobre la futilidad de la victoria cuando, como es sabido, el triunfo final es siempre el de la Muerte. Algunos de los informes de campo más conmovedores fueron dirigidos a su hijo Yehosef, nacido en 1044 y todavía joven cuando su padre era ya un veterano que peinaba canas. Al final, la historia de Nagrella —y por extensión la historia de los judíos en la Granada de los ziríes— trata solo de un padre y un hijo.

Gracias a Yehosef conocemos muchas cosas acerca de su padre, pues fue él quien confeccionó la antología de sus obras, el que las editó, el creador de dos divanes o colecciones de poesías, cuyos títulos, de resonancias bíblicas —*Pequeño libro de los Proverbios* y *Pequeño libro del Eclesiastés* (meditaciones)—, probablemente fueran idea del propio Samuel. De modo que es el hijo el que nos proporciona el poema que atestigua lo estricto de las instrucciones y las tareas impuestas por su padre incluso —o, mejor dicho, sobre todo— cuando salía de campaña. Desde el campo de batalla, envía a Yehosef un libro de poesía árabe «copiada por mí mismo mientras sacaba la espada», para asegurarse de que su hijo la dominaba lo suficiente como para sucederle. «Aunque la tumba me acecha por doquier, no puedo dejar de educarte.» (¡Esos padres judíos!) «Fíjate en lo que te digo, el hombre culto es como un árbol frutal; hasta sus hojas curan al enfermo, / Mientras que los tontos son como los árboles del bosque, que solo valen para ser consumidos por el fuego.»[38] El momento más hermoso de esa comunicación entre padre e hijo se sitúa en un jardín, junto a un estanque. Yehosef —que evidentemente, hacía con su padre lo que le venía en gana— le señala lo que ve: «Nunca ha estado tan lleno de flores ... / Y he plantado una zona de césped para poder tumbarme en él, / Y a su alrededor he puesto un canal rebosante de agua, / Que lo bordea como el cielo bordea la tierra». Se tumban al pie de los granados y los castaños, mientras un criado llena dos copas de cristal y las coloca en una «balsa de juncos moteados / Y las mandó flotando sobre el agua hacia nosotros, / Como si fueran dos esposas portadas en litera / Y nosotros sus maridos. / Nos las bebimos de un trago / Y las cargamos, ya vacías, en la cubierta, para devolvérselas al barquero, / Que en un santiamén las rellenó / Y con un "¡Pa' dentro, señores!" / Nos las volvió a mandar».[39]

Se trata de una escena de una intimidad y una camaradería ternísimas; un último atisbo de serenidad antes de que llegaran los problemas. Agotado, meditando melancólicamente sobre su propio fin, Samuel ibn Nagrella murió en 1056, dejando como sucesor a su hijo, de apenas veintiún años. Pese a todos aquellos años de atenta tutela, parece que Yehosef no estaba listo para asumir tanta responsabilidad, aunque las únicas noticias que tenemos del mal gobierno del *wazir* Yehosef proceden de fuentes árabes enconadamente contrarias a su figura. Estas crónicas pintan la imagen de un joven arrogante y despótico, presuntuoso, corrupto e incluso siniestro, que convierte al emir en una marioneta haciéndolo beber hasta perder el sentido, quizá mezclando con el vino alguna misteriosa poción judía elaborada para mantenerlo dócil y manejable. De repente se invocaron todos los preceptos que prohibían a un gobernante musulmán como es debido situar a los judíos en puestos de autoridad sobre los creyentes, y los viejos estereotipos volvieron a imponerse con renovada saña. El odio se contagió de Yehosef a todos sus correligionarios, que fueron objeto de virulentas diatribas en las que se sacaban a relucir todos los viejos prejuicios contra los judíos. Ibn Hazm, el antiguo socio y sparring literario de Samuel, se mostró particularmente mordaz. Los judíos, escribía, «son propensos a la mentira ... [y] en cuanto se presenta alguna dificultad, intentan escurrir el bulto». Su Torá está plagada de muestras de ignorancia e inmoralidad. «¡Por Dios que ese es el modo de los judíos! Nunca encontrarás entre ellos, salvo raras excepciones, a nadie que no sea malo y traicionero ... Que todo príncipe sobre el que Dios haya derramado su bondad ... se aleje de esa canalla sucia y hedionda, perseguida por la cólera y la maldición de Dios, la desgracia y el infortunio, la inmundicia y la mugre, como no habido otro pueblo. Sepa [el judío] que las ropas con las que Dios lo ha envuelto son más contagiosas que la elefantiasis.»[40] Abu Ishaq al-Ebiri vitupera todavía con más saña al emir por «escoger a un infiel como *katib* ... La Tierra tiembla ante tal inmoralidad». ¿Cómo se atrevían los judíos (que por entonces eran varios millares viviendo en su propio barrio en la colina) a darse tantos aires de grandeza cuando «antes solían andar por la calle en harapos ... cubiertos de desprecio y de humillación deberían hurgar en los basureros buscando algún trapo sucio que sirviera de sudario para enterrar a sus muertos ... Los musulmanes piadosos están atemorizados al ver al vil mono infiel que se ha apoderado de las rentas de Granada ... luciendo ropajes exquisitos, mientras que vosotros os veis obligados a poneros las ropas más humildes ... Daos, pues, prisa en matarlo, asesinarlo, degollarlo y ofrecerlo en sacrificio como el carnero cebado que es»? Y lo mismo había que hacer con todos los de su ralea: «No consideréis traición matarlos, / No. Traición sería dejarlos seguir burlándose de nosotros».[41]

La demonización surtió efecto. En diciembre de 1066, diez años después de ser nombrado *wazir*, Yehosef fue asesinado y el barrio judío fue víctima de un ataque de la muchedumbre que se llevó por delante la vida de la mayoría de la comunidad judía de Granada, unas cuatro mil personas según las fuentes árabes, no necesariamente fiables. Nunca sabremos con seguridad cuán altivo y despótico llegó a ser Yehosef ibn Nagrella, pues las noticias acerca de su desgobierno proceden de fuentes notoriamente contrarias a su persona. Tal vez más que alguna fechoría en concreto, fuera el hecho de que se produjera una sucesión dinástica judía en el gobierno de Granada lo que alimentara las sospechas de que Nagrella conspiraba para convertir el reino en un estado judío.

Al fin y al cabo, un proyecto especialmente caro a Yehosef habría podido confirmar tales sospechas. En la colina de la Sabika se conservaban las ruinas de una pequeña fortaleza del siglo IX llamada, por el color de sus ladrillos, la al-Hamra, la Roja. En su afán por enraizar a la dinastía de los ziríes en la antigüedad de Granada, Samuel había excavado lo que aún quedaba de sus cimientos y había proyectado crear un nuevo palacio que se levantara sobre sus ruinas. Como el barrio de los judíos se hallaba en sus inmediaciones, no les habría hecho ningún daño asociarse con aquel acto de piedad y poderío arquitectónicos. Evidentemente el proyecto lo heredó Yehosef, que quizá empezara a ampliarlo para que la obra constara de todo un palacio con jardines. Fue así como la Alhambra empezó siendo un proyecto judeo-musulmán, pero acaso fuera precisamente esa circunstancia —esto es la creación de una residencia fortificada desde la cual el judío y sus compañeros habrían gobernado el reino como si fuera un feudo suyo— lo que provocó una reacción tan sangrienta. Cuando acabaran la matanza y los saqueos, los judíos volverían a Granada, pero los planes de la Alhambra serían postergados. Dos oleadas sucesivas de conquistadores procedentes de Ma-

rruecos, los almorávides, que conquistaron la ciudad en 1070, y los almohades, todavía más agresivamente puritanos, llegados un siglo más
tarde, hicieron que la visión de un palacio en lo alto de la colina que
había tenido Nagrella tardara dos siglos en materializarse bajo la dinastía de los nazaríes, hasta que al fin se erigiera en Andalucía la expresión
más perfecta de la poética arquitectónica musulmana que ha visto el
mundo.

V. Lanzado a las profundidades: las peregrinaciones de Yehudá Haleví

El jardín bien cercado era el lugar en el que mejor encajaban los judíos
en el mundo musulmán de al-Andalus. Como la poesía en la que habían alcanzado total maestría sus autores, tenía una forma y unas medidas dentro de las que florecía la exuberancia de la naturaleza. Los granados sombreaban los senderos y los estanques, derramando a su alrededor
hojas de tacto untuoso. Los jazmines trepaban por las tapias de ladrillo,
cuando el sol se ponía sobre Granada y Córdoba, de repente su perfume, intenso y complejo, cogía por sorpresa a los sentidos. Las cuerdas de
un laúd empezaban a dejar oír sus acordes, mientras la palma de una
mano golpeaba rítmicamente la superficie de un tambor monótono.
Los invitados se acomodaban sobre los cojines, recibían las primeras
copas de manos de las «gacelas» y, cuando las canciones y el vino habían
infundido en todos los asistentes un placentero aturdimiento, empezaban las recitaciones, que versaban sobre de los temas habituales: la crueldad de la belleza, el tormento del deseo, la carnosidad de los labios, la
agilidad de los miembros, la noche aterciopelada, la insensata vanidad de
los amados, la copa consoladora. Las interpelaciones hebreas eran sono-
ras; las árabes, ingeniosas. Los poetas respondían a los desafíos de sus
amigos y rivales y restaban importancia a las derrotas. Los poetas judíos
parecían tan placenteramente interrelacionados con ese mundo como
las formas sinuosas de los poemas con cinturón de doble vuelta, las
moaxajas, que constituían su verdadero epítome.

Eso era lo que debía de esperar el adolescente Judá Leví (Yehudá
Haleví), hijo de levitas, cuando realizó su largo viaje al sur, hasta Granada, desde su ciudad natal, Tudela, en el reino cristiano de Navarra,

cuando empezó a salirle la primera pelusa negra en la barbilla, circunstancia que merecía (y que recibió) la composición de uno o dos versos. Habían transcurrido veinte años desde la matanza de Granada. El terror había pasado, y los judíos que habían salido huyendo habían regresado a la colina de la Sabika. Rezaban, comerciaban y seguían recaudando impuestos, pero mostraban una inquieta diplomacia en la forma en que realizaban sus actividades. Siguieron incluso escribiendo poesía. El autor más consumado, Moisés ibn Esdras, pertenecía a una vieja familia cortesana de Granada que había logrado sobrevivir a la degollina de 1066 y que había regresado al trabajo silencioso, esmerado y próspero. Los poemas del joven Haleví, enviados una y otra vez desde el norte a modo de presuntuosas cartas de presentación, habían llamado la atención de Ibn Esdras, veinte años mayor que él. Debían de ser lo bastante buenos, pues el maestro no tardó en enviar una invitación a aquel adolescente precoz, que, a su llegada en torno a 1088-1089, se mostró unas veces alocado y otras devoto. Se sabía de memoria los viejos estribillos, pero lo que hacía diferente a Haleví era la coordinación entre la vista y la mano. Veía las cosas de un modo distinto y sabía encontrar las palabras para describirlas. Una «gacela» lava su ropa en la pila llena no de agua, sino de las lágrimas de su amante rechazado, y luego la tiende a secar al calor de su propio esplendor. Haleví sufre una verdadera insolación, totalmente feliz bajo aquel calor. El pelo castaño cae sobre una frente húmeda «de cristal» (el fuego y el hielo han formado siempre una buena combinación) y al término de la noche se disuelve en el amanecer, perfectamente risueño, como una poscombustión del deseo: «Enrojeciendo las nubes con sus llamas».

Haleví fue bien recibido no solo en el jardín de la poesía de Ibn Esdras, sino también en su casa. Quizá prestara incluso servicio durante algún tiempo como secretario suyo, que era el trabajo que habitualmente desempeñaban los aprendices protegidos. Pero apenas había tenido tiempo de oler los jazmines cuando la paz del jardín bien cercado fue rota para siempre y la Granada judía desapareció. A finales del siglo XI se repitió lo que les había sucedido a los omeyas a comienzos de esa misma centuria. Unos guerreros bereberes procedentes de Marruecos, llamados en auxilio de los estados musulmanes frente a los avances de los cristianos, cumplieron tan bien con su cometido que se volvieron contra sus patronos y se apoderaron de toda Andalucía, incluida Granada. Como había sucedido anteriormente en otros momentos de renacimiento islámico, esos guerreros tenían un talante ascético muy combativo y eran hostiles a la relajación y al lujo, y todo eso —no hace falta ni decirlo— era malo para los judíos. Bajo aquel nuevo puritanismo era impensable que unos infieles ocuparan altos cargos. Los hermanos de Moisés abandonaron Granada para siempre y sus bienes y posesiones fueron confiscados. El poeta se quedó unos años más antes de abandonar la colina de la Sabika y lanzarse a una vida triste de viajes sin fin cruzando una frontera tras otra, pensando siempre en su Andalucía perdida. Luego, cuando era ya un hombre de mediana edad, Haleví escribiría unos versos a Moisés recordando los tiempos en que «Nadie aparejaba ni montaba / En las carretas de la peregrinación por los caminos … nuestros días eran enteros y plenos. / El tiempo nos dio a luz por separado, pero el amor que nos hizo nacer [como si fuéramos] gemelos, / Nos crió en su jardín aromático / Y nos amamantó con buen vino».[42]

Después de imaginar una vida serena al lado de un mentor benévolo en Granada, Haleví acabaría familiarizándose con esas «carretas de la peregrinación». Resulta difícil trazar con exactitud el mapa de sus viajes, pero parece que después de abandonar Granada se trasladó un poco más al oeste, a Lucena, ciudad andaluza predominantemente judía, donde Haleví conocía al director de la *yeshivá*. El judaísmo de la localidad, sin embargo, hizo de ella un objetivo primordial de los conquistadores almorávides, que impusieron unos tributos exageradamente punitivos a la comunidad a cambio de no obligar a sus miembros a convertirse forzosamente al islam. Haleví se marchó a Sevilla, donde sobrevivió de hecho gracias a sus dotes de poeta, escribiendo poemas para las bodas, los funerales y cualquier ocasión festiva que se presentara en el mundo cada vez más limitado de los judíos andaluces. Los poemas de estos años —que, sin embargo, destacan por su frescura y su inmediatez coloquial— surgen la mayor parte de las veces de esa situación de inestabilidad: partidas, separaciones, ausencias, añoranzas. Mantenido «de forma despiadada» en cautiverio por una «cierva» y luego obligado a irse, el amante apenado pide «Socorro a una manzana, / Cuya fragancia recuerda a tu aliento, semejante a la mirra, / Su forma a tus pechos y su color, al rubor que recorre tus mejillas cuando te arrebolas».[43] Otro poema, probablemente de esta misma época, reproduce onomatopéyicamente en hebreo el sonido de un suspiro quejumbroso. Cada verso termina con un «ay» mientras el amante abandonado se lamenta en tono coloquial de que ella no lo llame ni le escriba: «¿Por qué, cariño mío, has negado cualquier noticia / Al que se lamenta por ti dentro de la jaula de sus costillas? / ¿No sabes acaso que los pensamientos de un amante / Solo se preocupan por el sonido de tus saludos? / Al menos si la separación fuera el destino que nos estaba reservado, / Deberías quedarte hasta que mis ojos dejaran de contemplar tu rostro».[44]

Finalmente, en la primera década del siglo XII, Haleví decidió que ya estaba harto de los almorávides y cruzó la frontera religiosa y militar para trasladarse a Toledo, en la Castilla cristiana. No llegaba a un mundo desconocido. Había pasado su infancia en Tudela, un poco más al norte, en el reino también cristiano de Navarra. El rey Alfonso VI de Castilla se había mostrado hospitalario con los judíos precisamente por lo útil que le resultaba su conocimiento de la lengua y la cultura de sus enemigos musulmanes, pero su hospitalidad fue más allá de la mera conveniencia estratégica. En Toledo había una numerosa y próspera comunidad judía, de la que ahora formaban parte el antiguo mentor de Haleví, Moisés ibn Esdras, y el famoso Yosef ibn Ferrusel, un poderoso personaje de la ciudad que, además, era médico del rey. Quizá fuera la demanda de doctores judíos lo que indujo a Haleví a hacerse médico como forma de redondear sus ingresos. Pero aunque Yehudá permaneció en la ciudad veinte años, y en ella se casó y tuvo tres hijos, parece que nunca fue un sitio donde se sintiera seguro ni especialmente feliz. El trabajo como médico era pesado; Moisés ibn Esdras había tenido que marcharse perseguido por la sombra de un escándalo en el que algo había tenido que ver una sobrina; su amigo Salomón ibn Ferrusel, sobrino de Yosef, fue asesinado en un camino, circunstancia que provocó un estallido de dolor y rabia contra los cristianos. Dos de las tres hijas de Haleví murieron, una desgracia que sacó del afligido padre uno de sus poemas más dolorosamente hermosos, escrito a tres voces, la suya, la de su esposa y la de la niña muerta. «Por más que llorara / Ríos enteros por ella, / Seguiría yaciendo / En la gusanera de la fosa, / En el fondo del sepulcro, / Coronada por una diadema de tierra. Hija mía, no hay clemencia, / Pues la muerte se ha interpuesto entre tú y yo.»[45] La muerte no lo dejaría en paz en Toledo. En 1109, cuando falleció el benévolo Alfonso VI y se esperaba la sucesión al trono de su yerno, el rey de Aragón, tuvo lugar otro violento ataque contra los judíos.

¿Dónde había en España un lugar seguro? En ninguna parte, pues Castilla empezaba a poner las cosas cada vez más difíciles a los judíos, y los almorávides, que habían relajado un poco su rigurosa actitud frente a ellos, precisamente por eso estaban a punto de ser sucedidos por otra tribu guerrera, los almohades, procedentes de una zona, entre el Atlas y el mar, en la que constantemente se desencadenaban campañas de limpieza puritana. Los almohades harían la vida de los judíos casi insoportable, sometiéndolos a infinitas oleadas de violencia, destruyendo sinagogas y comunidades e imponiendo la conversión forzosa a punta de navaja. De momento, sin embargo, los almorávides aguantaban, lo suficiente en todo caso para que Haleví cargara su carreta a finales de la década de 1120 y emigrara por segunda vez en su vida al sur, de nuevo hacia las golondrinas de Andalucía. El lugar donde anidaría durante algún tiempo sería la ciudad en la que un siglo y medio antes había surgido la nueva poesía hebrea, la Córdoba de Hasdai.

Aquel constante ir y venir huyendo de diferentes grupos de perseguidores había cambiado a Haleví. Por entonces era un hombre de mediana edad y —cosa tal vez comprensible— dado a lanzar maldiciones contra los perseguidores de los judíos, tanto cristianos como musulmanes. La incipiente, dolorosa convicción de que los judíos no podían esperar amparo, socorro ni comprensión algunos de nadie más que de su Dios y de su religión, estaba llevándolo a excluir la posibilidad de que llegara a darse una verdadera coexistencia con los musulmanes o con los cristianos y a establecer una intensa comunión con el judaísmo. La noticia, conocida a través de sus corresponsales en El Cairo, de la matanza de los judíos de Jerusalén y la quema de sus sinagogas a manos de los famosos cruzados, no hizo más que profundizar su desesperación y su resolución.

Pero los persistentes fantasmas de la Córdoba judía indujeron a Haleví a reflexionar una vez más sobre su poesía y su judaísmo. Yehudá Haleví, en cuyas manos la poesía hebrea, siguiendo modelos árabes, había alcanzado unas cotas extraordinariamente altas de vitalidad y belleza, empezaba a evocar aquella vieja guerra de poetas rivales cuyo resultado fue brutalmente decidido por Hasdai ibn Shaprut. Como todos los buenos versificadores, Haleví había seguido la emulación de las formas árabes propugnada por Dunash ben Labrat y las había perfeccionado. Pero ahora pensaba en el que parecía haber perdido aquella guerra sangrienta, en Menahem ibn Saruq, literalmente aplastado por su presunción y sus sospechas de que el hebreo de la Biblia y de los *piyyutim* litúrgicos lograría salir adelante. Quizá Menahem y sus seguidores tuvieran razón. Quizá fuera posible escribir un hebreo intensamente espiritual que conservara la fe en todo lo que el judaísmo consideraba sagrado. Si se quería componer una poesía amorosa que cantara también el amor de Dios con los tonos del deseo físico más profundo, ¿por qué no hacerlo en el lenguaje del Cantar de los Cantares, y no con el de la poesía arábiga del vino? De ese modo, la poesía de Haleví empezó a cambiar, a adquirir peso, gravedad y pasión antigua. Era como si Menahem ibn Saruq, con la cabeza llena de calvas debido a la acción de los matones de Hasdai que le habían arrancado el pelo a tirones, estuviera detrás de Haleví, finalmente satisfecho con aquella reivindicación tardía.

Hubo otro recuerdo de esa época que llegaría a tener una importancia trascendental para las preocupaciones de Haleví: la carta escrita por Menahem en nombre de Hasdai al rey de los jázaros. En Toledo, movido por la triste constatación de que el hecho de compartir una misma lengua, una vida en paz e incluso muchos elementos religiosos con los musulmanes y los cristianos no significaba en último término nada cuando estos decidían volverse violentamente contra los judíos, Haleví había empezado a escribir una obra en la que se proponía reafirmar sin tapujos la singularidad del judaísmo y la historia verdaderamente única que emanaba de él. El espejismo del recuerdo de un reino remoto en el que los judíos y el judaísmo habían podido realmente subsistir (y quién sabe si seguían haciéndolo) reforzaba todavía más su indignación ante la indefensión en la que ahora se encontraban. Privados del poder de las armas, Haleví se encargaría de que afirmaran el poder de su lengua y de su religión. El *Kuzarí* adopta la forma de un diálogo entre un rabino erudito y el rey innominado de los jázaros al que habían convencido de que debía convertirse al judaísmo junto con todo su imperio. Pero fue en Córdoba, en la que seguía vivo el recuerdo del momento histórico real de este episodio de hacía casi dos siglos, donde Haleví concluyó este ataque paradójicamente filosófico contra los presupuestos de la filosofía metafísica. Y, de modo harto elocuente, escribió en árabe un libro que, entre otras cosas, rechazaba la dependencia del hebreo respecto del árabe, la lengua en la que había sido transmitida la filosofía griega y, naturalmente, la lengua de los que habitualmente expresaban su desprecio por la inferioridad de los judíos.

Haleví, el dramaturgo literario de la venganza y la reivindicación, prepara al rey para la previsible inspiración inesperada. Su relato se basa en la leyenda de la visita en sueños de un ángel al rey, tras lo cual el monarca manda llamar a los representantes del islam y del cristianismo para que defiendan los postulados de sus respectivas religiones. No es convocado ningún adalid de los judíos, porque son tan despreciados por todos que sería impensable que al final sus creencias pudieran salir victoriosas del debate. Sin embargo, aunque tanto el sacerdote como el imán reconocen los antiguos fundamentos judaicos en los que se asientan sus respectivas religiones, cada uno afirma que la de su rival es una pura falsedad. El rabino prácticamente no tiene que hacer más que aparecer para conseguir que el rey se ponga de su lado, puesto que si es cierto que los monoteísmos posteriores no son más que simples correcciones del original —y único—, uno, además, teñido de pseudopaganismo y el otro bastante sospechoso debido a su pretensión de que Dios había seguido hablando directamente a un profeta de pocos siglos atrás, ¿por qué no abrazar sin más la religión fundacional? El rey se traslada hasta la cueva en la que se han conservado los volúmenes de los judíos, se convierte formalmente a su fe, se circuncida y vuelve a su capital lleno de planes de construcción de sinagogas y proyectos de educar a su pueblo en los principios y la práctica de la nueva religión.

Resulta imposible leer el *Kuzarí* sin tener la sensación de que Haleví está escribiendo tanto para clarificarse las cosas a sí mismo como para ilustrar a los demás. Algunos de los pasajes más apasionados de la obra defienden la singularidad irreducible de la «primera lengua» (según él creía), el hebreo, como vehículo perfecto de todo tipo de expresión, tanto práctica como espiritual. Es como si —pese a escribir en árabe— quisiera purificar al hebreo de la arabización que había sufrido durante tanto tiempo. Asimismo, quería liberar al judaísmo de las investigaciones greco-arábigas sobre la naturaleza de Dios. El libro, escrito en árabe, lleva por subtítulo *Apología de la fe de Israel*, y su autor pretende que está libre de todos los principios hermenéuticos que caracterizan la metafísica griega. El método dialéctico de preguntas y respuestas, heredado de Platón y Aristóteles y diseñado para alcanzar el conocimiento de Dios por medio del estudio de su Creación, pasando gradualmente de la comprensión de los fenómenos naturales a la revelación de la Causa Primera, es un ejercicio condenado a la inutilidad, pues el Dios de los judíos es en último término intrínsecamente incognoscible. En vez de lanzarse a ese ejercicio absurdo propio de racionalistas, el judaísmo aconseja la comunión y es por tanto un estado de constante deseo, más parecido a los apetitos imposibles de expresar y de saciar de los amantes que a las investigaciones reflexivas de la razón pura, que se satisfacen solas. Haleví va haciendo cada vez más que su poesía exprese ese anhelo con una intensidad que lo sitúa al borde mismo de la frontera que separa la vida y la muerte:

> Todo mi deseo esta aquí ante ti,
> tanto si hablo de él como si no.
> Intentaría obtener tu favor y luego moriría.
> ¡Ojalá me concedieras lo que deseo!
> Pondría en tus manos mi espíritu
> y me dormiría, y en ese sueño hallaría la dulzura.[46]

La rendición a ese anhelo no significa una indiferencia por la sabiduría social. En cambio, la Torá está llena de esas necesidades éticas. Las exhortaciones de amor a los padres, de aborrecimiento del asesinato, el adulterio y la codicia, que es la puerta del delito, son todas ellas instrucciones sociales y racionales. Pero significativamente siguen lo que son los mandamientos originales, que son afirmaciones racionales y principios primordiales: «Yo soy el Señor, tu Dios; no tendrás otro dios que a mí; no tomarás mi nombre en vano», etc. Y el judaísmo no es en buena medida ni más ni menos que la decisión de abrazar esa singularidad, observar las leyes que emanan de ella y guardar las costumbres (las filacterias o *tefillin* atadas al brazo y a la frente; los flecos del *tzitzit*) como una manera de vivir de forma constante e ininterrumpida con la presencia de lo sagrado.

De modo que, al mismo tiempo que repudia la autosuficiencia de la razón e incluso la necesidad, defendida por Filón mil años antes y por Moisés Maimónides un siglo después, de abrir la religión a la investigación, el judaísmo de Haleví no es místico. Antes bien, el doctor (aunque a regañadientes) se esfuerza por contarle al rey de los jázaros que los judíos eran antiguamente expertos en astronomía, que habían dado al mundo unas divisiones del tiempo que desde entonces han sido aceptadas por todos, y el día de descanso semanal que también había pasado a ser de uso común. La Torá, insiste, quizá parezca excéntrica, pero como los rabinos y los sabios del Talmud se habían empeñado en explicar, está de hecho llena de instrucciones materiales, por ejemplo sobre cómo determinar en los animales las imperfecciones e impurezas que hacían que no fueran aptos ni para el sacrificio ni para el consumo humano. La actitud de Haleví ante las cuestiones sagradas no terrenales es, como no es de extrañar, poética; la esencia de Dios oculta a la vista de la razón, ausente del mundo cotidiano, encarnada solo en formas de nombres piadosos, pero que necesita una verbalización y una vocalización en común, ya sea a través de la oración cantada o recitada.

Aunque, como sería de prever en este tipo de obra, el rey jázaro a menudo se limita a emitir exclamaciones de asombro y de alegría ante las aclaraciones y la iluminación que el rabino pone ante sus ojos, hay momentos sorprendentes en los que encarna las facetas del poeta que constantemente riñe a Yehudá por sus vacilaciones, sus contradicciones y su cobardía moral. El momento crítico llega cuando Haleví describe el destierro de Sión como una especie de sueño; se produciría el despertar cuando los judíos volvieran al país en el que se selló la alianza, se recibieron las leyes y los profetas tuvieron sus visiones. Aunque la *shejiná*, la presencia divina, ya no reside allí, los rabinos y los sabios han dicho que «es mejor habitar en Tierra Santa, incluso en una ciudad habitada mayoritariamente por paganos, que fuera de ella, en una ciudad habitada mayoritariamente por israelitas, pues el que habita en Tierra Santa es comparable a aquel que tiene un Dios, mientras que el que habita en otro lugar es comparable a aquel que no tiene Dios». Ser enterrado allí es ser enterrado al pie de un altar, añade.[47] En ese momento el rey replica: «De ser así no cumplirías con la obligación impuesta por tu ley, si no te empeñaras en llegar a ese lugar y hacer de él tu morada en esta vida y en la muerte, aunque dijeras: "Ten piedad de Sión, pues es la casa de nuestra vida"».

Y, en efecto, esa es la acusación que Haleví se hacía a sí mismo en Córdoba y que cada vez lo angustiaba más. El final lógico de su retirada de las culturas musulmana y cristiana sería el viaje personal de regreso a Sión. El hecho de que Jerusalén se encontrara en aquellos momentos en manos de los cruzados y de que los judíos hubieran sido allí víctimas de una matanza, hacía que esta vocación fuera no menos, sino más apremiante. La intensificación de su fe llevaba a Haleví a escuchar su voz interior, que le decía que cuando hubiera suficientes judíos en el monte de los Olivos, situado frente al monte del Templo, la *shejiná* volvería al santuario en ruinas del que había huido; y cuando se manifestara, quizá incluso reaparecería el Mesías. En el *Kuzarí* su álter ego rabínico le había dicho al rey, como un aliciente para su conversión, que las buenas intenciones no valían de nada sin los consiguientes hechos. De ese modo, también él se colmaba a sí mismo de reproches, devorado por la sensación de estar solo vivo a medias en el destierro que describía como una especie de sueño. El Arca, había escrito en el *Kuzarí*, era un corazón, y ahora estaba claro que el suyo estaba al este de la península Ibérica, de Sefarad:

> Mi corazón está en Oriente
> y yo estoy en los confines de Occidente.
> ¿Cómo va a saberme a nada lo que como?
> ¿Cómo va a gustarme?
>
> Estoy encantado de dejar atrás
> todos los placeres de Sefarad,
> solo con tal de ver
> el polvo y las ruinas de tu Santuario.[48]

Aunque no tan encantado; todavía no. En vez de embarcar en un buque de vela y zarpar rumbo a Oriente, Yehudá Haleví se empeñó en un interminable aplazamiento que duró varios años, flagelándose unas veces por su falta de resolución y cobardía, o hundiéndose otras en el terror de lo que semejante viaje podía reservarle. Tales temores eran comprensibles. Aunque Tierra Santa no hubiera estado enzarzada en una guerra santa, los peligros de un viaje como aquel eran abrumadores para un hombre de más de cincuenta años. El navío de vela cuadrada que lo llevara de Sevilla a Egipto o a Palestina, un viaje de dos meses de duración, sería incómodo, asqueroso y desagradable. ¿Quién iba a respetar su barba blanca? No tendría más que una litera de madera para dormir, tan incómoda como un ataúd en vida. Recluido en un espacio tan reducido, no tendría dónde estirar las piernas y se vería obligado a permanecer en cuclillas en cubierta en medio del vaivén de las olas cuando no soportara más estar de pie. Las noches bullirían con el correteo de las ratas y resultarían repugnantes por el hedor de los vómitos provocados por el balanceo del barco durante la tempestad. La incomodidad daría paso al terror cuando la nave cabeceara de forma tan violenta que pareciera que iba a naufragar. Eso sucedería a todas horas. Y debido a los rescates que había tenido que reunir con destino a los cautivos judíos, Haleví sabía muy bien que el Mediterráneo oriental era el coto de caza preferido por los piratas.

En su afán por intentar exorcizar el miedo evocándolo, Haleví escribió uno de sus poemas más sentidos en el que se adelantaba a su marcha definitiva, reprendiéndose por su actitud equívoca cuando le quedaba tan poco tiempo de vida. «Intenta aplacar a tu Creador con las horas que van disminuyendo … sé como un león para agradarle … tu corazón no desfallecerá en el mar.» Palabras combativas, pero al imaginarse lejos de la costa, atrapado en medio del mal tiempo, el poeta es presa del pánico ante la indefensión que le rodea. «La cubierta y los camarotes crujen. / Hacinados en el interior del casco, / Los hombres se agarran a las maromas, / Doloridos, mientras que otros están enfermos … Los mástiles de cedro parecen de paja. / El hierro y la arena del lastre vuelan alrededor como si fueran heno. / Todos oran, cada uno a su manera, / Pero yo vuelvo mis ojos al Señor.» Casi perdido, reza y naturalmente sus oraciones son escuchadas. Las gigantescas olas se calman dócilmente; aparece la luna, maravillosamente comparada con una etíope envuelta en un velo dorado. Las estrellas relucen reflejándose en la superficie del mar y se convierten en una miríada de judíos, desterrados y fugitivos, que navegan meciéndose al compás de las aguas. Y de repente la imaginación del poeta contempla una epifanía marina. El mar y el firmamento se vuelven uno y lo mismo en medio de la oscuridad aterciopelada. «Los dos mares se juntan. / Entre ellos hay un tercero, mi corazón, / Latiendo con olas de alabanza.»[49]

Por fin, un día del verano de 1140, Yehudá Haleví hace el equipaje y se marcha. Con él viajan Isaac ibn Esdras, el marido de la única hija que le ha quedado, que deja tras de sí a su esposa y a su hijo, Yehudá, llamado como su abuelo, y un tal Salomón ibn Gabbai. El poeta se jacta del modo en que se deshace de su hogar, de su país, incluso de la esposa de tantos años, que no parece haber ejercido demasiada influencia sobre él. Solo la idea de que tal vez no vuelva a ver a su nieto atenaza de nuevo su corazón. Pero haciendo un guiño a Dios comenta: «Todo eso no son más que bagatelas al lado de tu amor … Pronto pisaré tus umbrales entonando cantos de acción de gracias ... Erigiré una lápida sepulcral en tu tierra, / Allí, como testimonio de mí mismo».⁵⁰ El viaje resultó tan terrible como el poeta se había imaginado, y dio lugar a otro poema marino azotado por los vientos en cuanto se encontró sano y salvo en Alejandría a primeros de septiembre.

Pero surge allí un nuevo obstáculo para el cumplimiento de sus votos: la fama. Unas cartas conservadas en la Genizá de El Cairo revelan que Haleví era casi objeto de culto entre la gente acaudalada, las personas piadosas y los que tenían ambiciones culturales tanto en Alejandría como en El Cairo. Algunos se intercambian cartas en las que expresa su alegría por la inminente llegada del escritor o preocupación por su retraso; somos testigos de una intensa rivalidad entre los admiradores del poeta por ver quién tendrá el honor de darle hospitalidad, y arranques de envidia terribles cuando se dice que el Gran Hombre ha aceptado la invitación de unos e, incomprensiblemente, no la de otros. Parece que todo ello cogió a Haleví por sorpresa y, para empezar, una vez que pisó otra vez tierra firme, le provocó nuevas sensaciones contradictorias. ¿No había llegado como peregrino, privado de todas sus posesiones y de vanidades mundanas, deseoso tan solo de llegar a Palestina cuanto antes y allí «besar el polvo, tan dulce a los labios como la miel», de sus sagradas ruinas? Pero, ¡ay amigo!, después de todo aquel traqueteo en el mar, un nuevo viaje, ya fuera por tierra siguiendo la ruta de las caravanas u otra vez por mar hasta Acre, resultaba de repente estremecedor para sus viejos huesos. Lo cierto era que Rosh Hashaná —la fiesta de Año Nuevo— estaba al caer, y luego venía el día de la Expiación, y luego la fiesta de los Tabernáculos —Sukkot—, y luego el Simjat Torá («Regocijándonos con la Torá»; ¿cómo no iba a regocijarse él?), una fiesta tras otra, y después la llegada del mal tiempo habría hecho de un segundo viaje por mar una perspectiva aterradora. Además, la gente de Alejandría era amabilísima, rivalizando unos con otros en mostrarse hospitalarios, especialmente Aharon al-Ammani, el gran pilar de la comunidad, que le había abierto las puertas; bueno, de hecho había insistido en que descansara algún tiempo en su mansión, tan hermosa, con su *bustan* de árboles de buena sombra y sus fuentes tan frescas...

Así que Yehudá se quedó más de dos meses, junto con su yerno y su amigo, agradecidísimo por la generosa provisión de comodidades que le dispensó al-Ammani, por la buena mesa, la tranquilidad del patio, perturbada únicamente por los admiradores que estaban dispuestos a echar las puertas abajo con tal de rozar con sus dedos el borde de su manto. El invierno se acercaba amenazando con volver impracticables las rutas marítimas, pero si quería irse tan pronto como decía, Haleví siempre podía desplazarse a Fustat, donde un grupo de admiradores, entre los que se encontraba su viejo amigo Halfon ibn Natanael, clamaban por tener el placer de su compañía, y desde allí buscarse un lugar en alguna caravana con destino a Tierra Santa. Algunos días antes de la Hanuká realizó el viaje remontando el Nilo y se alojó en casa del *nagid*, el jefe de la comunidad de El Cairo, Samuel ibn Hananiah, que intentó, sin demasiado celo que digamos, mantener a raya a las auténticas jaurías de anfitriones que lo perseguían. En un momento determinado del invierno, parece que Haleví intentó emprender el viaje por tierra, tan dificultoso a su manera como la travesía por mar, a lomos de un camello que se bamboleaba sin parar durante infinitas horas, por una ruta mucho más al sur que la que solía seguirse. No se sabe si debido a la incomodidad, la enfermedad o por la angustia, lo cierto es que abandonó la caravana y regresó a Fustat, en medio por primera vez de mucho chasquear la lengua, mucho sacudir la cabeza y mucho «Ya te lo decía yo» por parte de los que venían ya señalando que aquello era demasiado para un sesentón de barba blanca. Al fin y al cabo, ¿qué tenía de malo Egipto?

No mucho, reconocería el poeta-profeta de la redención y del regreso sionista, cuando de vez en cuando lograba escaparse y contemplar el gran río. ¿No tenía derecho a disfrutar de él? ¿Acaso no había prosperado allí José? ¿No entraba acaso Egipto en los planes del Señor? Y dejando por una vez de reñirse, a la orilla del río inundado repentinamente de verde, el viejo Yehudá, tan dado a brindar por los placeres de la vida, produjo un último estallido de celebración de la primavera:

> Se ha despojado el tiempo de su manto de temblores
> Y se ha puesto su vestido y sus joyas más finas.
> Ahora la tierra lleva túnicas de lino
> Ricamente labradas, entretejidas de oro…[51]

Pero no es solo la naturaleza lo que contempla el mozo viejo:

Las doncellas pasean a la orilla del río,
Sus manos penden debido al peso de los brazaletes de latón,
Su paso entorpecido por las tobilleras.

Y de nuevo es el mozo de Granada que no puede apartar los ojos de las muchachas hermosas:

El corazón olvida su edad, cae en la tentación
Y se ve pensando en el Edén de Egipto,
Sus jóvenes junto a los jardines del río,
A lo largo de sus orillas, entre sus campos,
En los que el trigo se ha vuelto de un dorado rojizo.

Escribe una vez más una casida de estilo arábigo, en la que está permitido —se espera incluso— empezar hablando del deseo mientras se acabe hablando de la piedad, algo que no suponía problema alguno para Haleví. La brisa vuelve a soplar del oeste, invitándole de nuevo a hacerse a la mar, esta vez desde Alejandría, para llegar a su destino final.

El poema, rebosante de dos tipos de anhelos, se volvió inmediatamente tan popular que Haleví no pudo por menos que escribir otro para su anfitrión en Alejandría, al-Ammani, todavía más sorprendentemente sensual, en el que aparecen esas muchachas con todas esas joyas en las muñecas y los tobillos, «cargadas de cascabeles de plata en forma de manzanas y granadas», con melenas tan «negras como el resplandor de los adioses», o tan rubias que «si mira uno al sol que despiden, se quema … garridas, gráciles o garbosas, me enamoraría de todas y caería ante sus peligrosos labios rojos».[52] En la segunda mitad del poema Haleví vuelve, como era de rigor, a la piedad, presentándose como un peregrino que entra descalzo en Sión, inundando el suelo del monte con sus lágrimas, pero el babeo del mozo viejo comiéndose con los ojos a las muchachas que tenemos en los primeros versos resultó lo bastante incómodo como para que un conocido suyo, el encargado de organizar la caravana fallida a Palestina por vía terrestre, se quejara de su frivolidad a al-Ammani, al que no parece que le preocupara lo más mínimo.

En cualquier caso, fue un estallido final de placer mundano. En Egipto la Pascua llegó y se fue, y Yehudá Haleví dirigió por fin la vista hacia el este en sus oraciones, en un gesto más que puramente formal.

El viaje en solitario que había dicho que iba a realizar estaba a punto de iniciarse, pues su yerno Isaac le dijo que se quedaba en El Cairo, y Salomón ibn Gabbai tampoco lo acompañaría. El 7 de mayo, solo, con la mente y el corazón inquietos, el poeta subió a un barco procedente de Kairuán, en Túnez, en dirección a Acre. Durante otra semana volvieron a soplar los vientos contrarios del este. Pero por fin cambiaron. Las velas se hincharon; el barco salió del puerto y no volvió a verse a Yehudá Haleví.

Durante siglos los judíos quisieron saber qué había sido de él.[53] Un viajero originario de la ciudad natal de Yehudá, Benjamín de Tudela, afirmaba haber visto su tumba cerca de Tiberíades, a orillas del mar de Galilea. Pero ningún testimonio posterior confirma la noticia, y teniendo en cuenta la fama de Haleví y la tenacidad de los peregrinos judíos, parece harto improbable que se les pasara por alto semejante lugar. En todo caso, el anhelo de los judíos por Jerusalén se proyectó sobre Yehudá Haleví, que lo expresó de forma más elocuente y desesperada que cualquier otro poeta hebreo anterior o posterior, en un relato que se correspondiera con la intensidad de ese sentimiento. En el siglo XVI, el judío italiano Godolías ibn Yahya afirmó en una colección de crónicas hebreas, publicada en Venecia en 1586, que Haleví había llegado efectivamente a las puertas de Jerusalén, donde había muerto pisoteado por los cascos del caballo de un jinete árabe.

¿Es siquiera concebible que llegara tan lejos?[54] Suponiendo que hubiera sobrevivido al viaje, relativamente corto, entre Alejandría y Acre, a finales de mayo o principios de junio de 1141, es posible que llegara a Jerusalén poco antes del día del ayuno del 9 de ab, que aquel año cayó el 18 de julio, cuando se relajaba la prohibición de entrar en la ciudad que afectaba a los judíos, para que pudieran llorar la destrucción del Templo de Salomón y del Segundo Templo. La vieja costumbre de caminar alrededor del perímetro de la ciudad y de rezar ante sus puertas no era bien vista por los cruzados, pero a pesar de todo es posible que Haleví subiera al monte de los Olivos y contemplara el monte del Templo, donde la Cúpula de la Roca había sido convertida en iglesia. Habría sido propio de él, después de haber llegado tan lejos, querer acercarse hasta la puerta, quizá incluso postrarse en el polvo que había repetido una y otra vez que olía a mirra y tenía un sabor tan dulce como la miel.

7

Las mujeres de Asquenaz

I. Víctimas sacrificiales

¡Qué nombres tan hermosos, qué finales más terribles! Doulcea, la dulce, *eshet chayil*, mujer preciosísima, más valiosa que los rubíes para su marido, el rabino pietista Eleazar bar Yehudá, llamado el Perfumista, descuartizada en las calles de Worms en 1196, intentando pedir ayuda mientras sus hijas Hannah y Bellette yacían moribundas dentro de casa; Licoricia, dura como una piedra, viuda por dos veces, cargada de dinero, que sobrevivió a tres condenas en la Torre de Londres, para morir asesinada en su casa de Winchester junto con su criada cristiana en 1277; Séfora de Worms, el pajarillo cazado en una trampa suicida en la primavera de 1096, mientras bandas de cruzados reclamaban la sangre de los asesinos de Cristo y ella imploraba a su marido que la matara para no ver cómo su hijo era apuñalado por su propio padre; Sarit de Colonia, la hermosa recién casada, rajada de arriba abajo, desde la ingle hasta la garganta, por su suegro, Judá el Levita, que convirtió sus esponsales en auténticas bodas de sangre; las mujeres del puente, dos de Colonia y dos de Tréveris, contemplando cómo sus hermanas eran arrastradas sin piedad a la pila bautismal, decididas a morir ahogadas desafiando el agua bendita arrojándose a las oscuras aguas del Mosa; la conversa innominada que se casó con Rabí David Todros de Narbona, perseguida por sus familiares indignados, y que encontró refugio en la oscuridad de la aldea de Monieux hasta que una banda de cruzados asesinó a Rabí David, se apoderó de sus hijos para convertirlos a la fuerza y dejó viuda a la prosélita, condenada a vivir en la miseria con un niño de pecho.[1]

Y luego está Poulceline, de la que todo el mundo oiría hablar, la rubia Poulceline, próxima —muy próxima, según Efraím de Bonn— a

Teobaldo, conde de Blois, senescal de Francia y cuñado del rey, aunque nada de esto le fue de ninguna utilidad cuando los judíos de Blois —y entre ellos la propia Poulceline— fueron quemados vivos en la hoguera en 1171. ¿Qué habían hecho esos nombres tan bellos? Como de costumbre, nada salvo haber nacido judías. Pero lo que se decía que habían hecho era matar niños, especialmente niños cristianos. Para que la acusación resultara creíble, no tenía por qué haber ningún cadáver. En Blois nadie encontró nunca restos mortales, ni se echó en falta a ningún niño, pero en el mes de mayo un criado que estaba dando de beber a su caballo en el Loira vio por casualidad que una cosa pequeña y pálida se le caía de las manos a una judía que estaba al otro lado del río. Lo que la judía llevaba en los brazos era en realidad un hatillo de pieles sin curtir, pero cuando el bulto cayó al agua, según le contó luego el criado a su amo, el caballo se espantó y no quiso beber, señal inequívoca de que habían echado algo malo al río. Una piel es una piel. El incidente se puso en conocimiento del conde Teobaldo, que lo consideró lo bastante grave como para que el hombre fuera sometido a la ordalía del agua y se pudiera comprobar si lo que decía era verdad o mentira. El hombre sobrevivió, y los aproximadamente treinta judíos de Blois fueron detenidos y encarcelados, atados con grilletes unos a otros y al suelo, como era habitual en aquellos tiempos. Solo Poulceline se libró de ser encarcelada, para enojo de la condesa Alix, que se había convertido en su enemiga. Pero era tal la influencia que se temía que pudiera ejercer la judía sobre el conde, que se prohibió a Poulceline hablar con él. Como tantas mujeres del mundo asquenazí del norte de Europa, Poulceline era rica, prestaba dinero a pobres y ricos, a judíos y cristianos, y como tal había resultado lo bastante útil al conde como para gozar de su estima y quizá de algo más. De vez en cuando se quejaba ante él de las injusticias de que eran objeto sus correligionarios. Quizá esto contribuyera a empeorar las cosas, pues ya fuera el dinero o el cuerpo de Poulceline lo que atrajera a Teobaldo, lo cierto es que la judía se convirtió en un personaje sumamente impopular en la ciudad. No tardó mucho en reunirse con el resto de los judíos en la cárcel y el 26 de mayo murió junto a ellos en una hoguera levantada en la plaza del mercado. Quizá la patraña del niño arrojado a las aguas del Loira fuera inventada para acabar con Poulceline.

Denunciada en ciertas cartas enviadas por los judíos de Orleans y Loches, la matanza ordenada por el tribunal fue lo bastante horripilante como para animar a una delegación de los judíos de París a quejarse ante el rey, Luis VII. Se recibió una carta de respuesta regia anunciando la buena nueva de que el monarca tenía «su corazón benévolamente inclinado hacia nosotros». Lo sorprendente es que Luis advertía de que, si Teobaldo había actuado injustamente, sería castigado. «Pues bien, judíos de mis tierras, no tenéis por qué alarmaros por lo que el perseguidor ha hecho en sus dominios. Algunos vertieron esas mismas acusaciones contra los judíos de Pontoise y Joinville, y cuando presentaron ante mí los cargos se demostró que eran falsos … Judíos de mis tierras, tened la seguridad de que no abrigo tales sospechas. Aunque se descubriera un cadáver en la ciudad o en el campo, yo no achacaría nada a los judíos.»[2]

La preocupación y la angustia llegaron demasiado tarde. La judería de Blois había sido eliminada en un solo día como consecuencia de una acusación carente por completo de fundamento, aunque, por algún milagro (obrado probablemente por el dinero), los libros y los rollos de la comunidad se salvaron. Había bastado apenas un caballo que supuestamente se había negado a beber el agua de un río para que una comunidad entera fuera condenada por asesina de niños cristianos. La paranoia popular sobre lo que los judíos les hacían a los niños, empezando por sus propios hijos, se remontaba a la Antigüedad. Josefo y Filón de Alejandría se habían visto obligados a tomarse las acusaciones de raptos de niños lo bastante en serio como para refutarlas, y en Antioquía Juan Crisóstomo había acusado una y otra vez a los judíos de practicar el sacrificio bestial, de inspiración diabólica, de sus propios hijos. Los textos eran distorsionados todo lo que hiciera falta para acomodarlos a la paranoia. La profunda repulsión bíblica por la reinstauración pagana de los sacrificios de niños a Moloc fomentada por el rey Manasés se convirtió en una confirmación histórica de dicha práctica. La determinación que muestra Abraham cuando se dispone a sacrificar a su propio hijo, Isaac, por orden de Dios, a pesar de la intervención en el último momento del ángel para impedírselo, sería objeto de comentarios siniestros. Y los cristianos de la Edad Media conocían 2 Macabeos y las *Historias* y las *Antigüedades* de Josefo, donde se contaba que en el momento culminante de la campaña de los seléucidas contra el judaísmo, una madre hebrea había demostrado que prefería el macabro sacrificio de sus siete hijos antes que permitirles cometer los sacrilegios propios de los paganos, especialmente comer carne de cerdo. Como era bien sabido, Antíoco había ofrecido al menor de sus hijos todo lo que podía darle —fortuna y rango social— si cedía a sus pretensiones, mientras su madre lo exhortaba a unirse a sus hermanos. La mujer le dice que cuando entre en el cielo busque a Abraham y le diga que, si él había levantado un altar, ella podía jactarse de tener siete. La historia termina con la muerte de la madre, que se arroja al vacío desde lo alto de las murallas.

A finales del siglo XII, los cristianos que estaban dispuestos a creer este tipo de cosas daban por supuesto que las madres y los padres judíos eran capaces de matar a sus hijos antes que permitir que vieran la luz de la verdad evangélica. En cualquier caso, el clima de horror se centró con mayor intensidad en las madres asesinas judías, que aparecen en el folclore cristiano como antagonistas diabólicas de la pureza y el amor maternal de la Virgen. Las dos habían asistido al sacrificio de sus hijos, pero mientras que los amorosos padres de la teología cristiana, Dios Padre y María, vaso de la divina gracia de la encarnación, habían hecho de su sacrificio un acto de misericordia por la salvación del género humano, la madre judía, tal vez por influencia diabólica, había matado pecaminosamente a sus hijos en una carnicería incomprensible.

La versión judía de estos mismos acontecimientos —tanto en tiempos de los macabeos como durante la Primera Cruzada— era precisamente la contraria. En el momento en que los cruzados cometían sus matanzas, los judíos debían de tener a su alcance la versión hebrea de Josefo, el *Josippon*, escrito en Italia en el siglo X. En sus páginas, la madre de los siete hijos (llamada Miriam bat Tanchum en el Midrás) aparecía no como una fanática despiadada, sino como una mujer capaz de despojar a los tiranos de su victoria y de reafirmar la religiosidad frente a la profanación. Del mismo modo, la aceptación de un martirio genuinamente judío, hasta el punto de que los padres asesinaran a sus hijos para evitar su muerte a manos de los gentiles, era presentada como una victoria sobre los ideales de martirio que en todas partes dominaban la cultura cristiana de esa misma época. Nunca sabremos si las tres crónicas hebreas que narran esos martirios (a menudo dando unos detalles espeluznantes verdaderamente insoportables) reflejan o no lo que sucedió en realidad en Renania en 1096, pues aparte de las escasas alusiones a los acontecimientos que aparecen en ciertos relatos cristianos, no existe ninguna fuente independiente que confirme la noticia. Pero, asímismo, tampoco puede decirse que en su esencia o incluso en sus detalles no sean historias verdaderas.[3] Lo que es indiscutible es que la autodestrucción de las familias judías para escapar a otros tipos de muerte —por el bautismo o el asesinato— es la forma que estas primeras historias judías escogieron para recordar el lugar que ocupaba su religión en el meollo de la catástrofe.

En cualquier caso, es indudable que en 1096, setenta y cinco años antes del incidente de Blois, les sucedió algo espantoso, casi inimaginable, a unas madres judías y a sus hijos, un acontecimiento que ensombrecería para siempre la memoria de los judíos. Poco después de que en noviembre de 1095 el papa Urbano II invitara en el Concilio de Clermont a una cruzada para liberar los Santos Lugares de las impuras manos de los sarracenos, a algunos predicadores populares de Francia y de Renania, como Pedro el Ermitaño, se les ocurrió que esa labor de limpieza no podía esperar a que las espadas cristianas llegaran a Palestina. ¿Acaso no había enemigos de Cristo viviendo entre ellos, en las ciudades y municipios de Renania, como Espira y Maguncia, Worms y Colonia? Si los que habían tomado la cruz estaban dispuestos a perder su sangre y su dinero en una causa santa, «¿por qué vamos a dejarlos vivir [a los judíos] y a tolerar que habiten entre nosotros? Utilicemos nuestras espadas primero contra ellos y luego sigamos nuestro camino».[4] La sangre del Salvador sería vengada a modo de bautismo cruento al inicio de la guerra sagrada, y podría darse un buen uso a los bienes mal ganados de los judíos. Era lo más apropiado. Que esos miserables judíos impenitentes, que chupaban la sangre de las personas, siguieran pagando por su crimen subvencionando a los ejércitos que iban a devolver Jerusalén a Cristo.

Fue algo terrible. Los judíos de Francia y de Renania, como los de todo el resto de la Europa cristiana, habían vivido protegidos por la dispensa de san Agustín, según el cual ya habían sido castigados por matar al Salvador con la destrucción del Templo, el destierro de Jerusalén y su dispersión por todo el mundo. Se decía de esta última que era una pena tan dura que suponía «una vida peor que la muerte». Y en esa miserable dispersión debían ser mantenidos como un pueblo que, en su totalidad, llevaba la marca de Caín, convertidos todos en testigos vivos del triunfo de la salvación cristiana. De ahí la necesidad, según esta tesis, de su pervivencia. Eliminarlos habría tenido la desafortunada consecuencia de imposibilitar la gran conversión que había sido puesta como requisito para la Segunda Venida de Cristo. A finales del siglo XI, el papa Alejandro II recordaba expresamente a su grey que matar judíos equivalía a un desafío blasfemo a la propia misericordia de Dios. De modo que, aunque debía recordárseles con frecuencia el carácter lamentable de su vida fuera de Cristo, y había que impedirles difamar y deshonrar las obras y el recuerdo del Salvador, era responsabilidad de la Iglesia y de los príncipes obedientes y piadosos proteger a los judíos, no perseguirlos ni mucho menos hacerles daño, para que finalmente pudieran ser conducidos a la luz de la verdad.

Por añadidura, económicamente resultaban útiles. Como los cristianos tenían prohibido por el derecho canónico prestar dinero con interés, los judíos se habían convertido en una fuente importantísima (aunque no la única) de los enormes capitales que se necesitaban para sostener y aumentar la gloria de la cristiandad. A pesar de la prohibición, había prestamistas cristianos —cahorsinos y lombardos—, pero sus tipos de interés eran más desorbitados que los de los judíos. Además, el hecho de que los hebreos dependieran absolutamente de la protección de sus señores, reyes y prelados, suponía que pudieran ser convenientemente objeto de la imposición repentina de impuestos arbitrarios, y que se decretaran confiscaciones y derechos de sucesión exagerados, o incluso la cancelación total de las deudas si estas resultaban demasiado onerosas. A medida que los príncipes medievales se volvían más ambiciosos y sus ambiciones resultaban más costosas, estampando el sello de su poder en abadías, catedrales, palacios y ejércitos, la necesidad de dinero en metálico fue aumentando. Por mucho que los judíos se quejaran de que estaban oprimidos y agobiados, parecía siempre que tenían a mano dinero suficiente para pagar a todos esos maestros de obras, capitanes y mayordomos, cuyas reclamaciones eran tan inoportunas.

De ahí que los judíos fueran tratados con relativa hospitalidad en las condiciones dictadas por una carta de privilegio concedida originalmente por Ludovico Pío, rey de los francos, para animarlos a establecerse en sus dominios. Se les permitía viajar libremente, construir sinagogas y quedar libres de determinados impuestos y gravámenes, y se les concedía el derecho de autogobierno en sus comunidades. Estaban excluidos de las profesiones liberales (excepto la medicina, pues los cristianos, como los musulmanes, tampoco podían prescindir de los médicos judíos) y de muchos oficios que requerían la pertenencia a un gremio. Pero aquella situación parecía suficientemente buena en un momento en que la vida en el sur latino de Europa, en el Oriente griego y en el mundo islámico, cada vez menos tolerante, iba volviéndose paulatinamente más difícil. Las comunidades judías echaron raíces. Llegaron rabinos y maestros, como el prodigioso Rabí Salomón ben Isaac, llamado Rachí, que revolucionó el comentario de la Biblia en su academia de la ciudad de Troyes.

Sin embargo, no tardó en comprobarse que la invitación a la cruzada de Urbano II había desatado unas pasiones que estaban fuera del control de obispos y reyes. El cronista en latín Alberto de Aquisgrán habla de los días de comienzos de 1096 en los que «la gente ardía en el fuego y de amor por Cristo ... pero entretanto dieron comienzo brutales tejemanejes que no conocían límites... hombres, presuntamente cristianos, no supieron guardar las distancias y mantenerse alejados de los deshonestos, pecadores y delincuentes, y pecaron de modo vergonzoso; hablaban de un ganso que llevaba en su interior el espíritu de Dios, y lo mismo decían de una cabra. Entonces el espíritu de la crueldad se apoderó de ellos».[5] Aparecieron ejércitos de campesinos capitaneados por predicadores que no dudaban en proferir violentas amenazas y por condes hasta entonces desconocidos, como Emicho de Flonheim, muy interesados en lanzarse al saqueo y la rapiña a medida que atravesaban el país. Los judíos eran su objetivo más claro. Y ya que estaban, ¿por qué no matarlos? Que aprovecharan o no la ocasión dependía fundamentalmente de lo dispuestos que estuvieran los poderes laicos y eclesiásticos a cortar en seco las actividades de aquellas bandas de sediciosos en defensa de «sus» judíos. Los barrios judíos y las sinagogas, situadas en su centro, solían levantarse cerca de una catedral y del palacio del obispo, precisamente en previsión de espantosas eventualidades de ese estilo. Pero la voluntad de impedir los disturbios variaba de una diócesis a otra. En Tréveris, el benévolo obispo Egilberto, convencido de que no podría convencer a los judíos de que se convirtieran y de paso se salvaran, no tardó en descubrir que su propia vida corría peligro por ser un repugnante amigo de los judíos, así que se batió rápidamente en retirada y permitió que ocurriera lo peor. En Espira, en cambio, el obispo Juan y el jefe de la comunidad judía, Ben Moisés, tomaron medidas preventivas y se llevaron a todos los judíos de la ciudad a un patio bien fortificado del palacio episcopal (y luego los condujeron, bajo una estrecha vigilancia, a otra fortaleza todavía más segura fuera de la ciudad).[6] Se mandó además cortar las manos a los que amenazaran a los judíos, algo que sin duda debió de servir como medida disuasoria.

En Worms las cosas no resultaron tan fáciles.[7] Antes incluso de que apareciera ante sus murallas el ejército exterminador de Emicho, con su ganso sagrado y todo, Worms se había visto sacudida por una oleada de odio a raíz de los rumores que habían circulado acerca de unos judíos que habían matado a un niño cociéndolo vivo, lo habían enterrado, habían removido bien los restos y habían echado el caldo resultante en las fuentes de la ciudad para envenenar a toda la población. A pesar de las implicaciones siniestras que comportaba semejante locura, no todos los judíos tuvieron la oportunidad de trasladarse al palacio del obispo, y no resulta difícil entender su renuencia. Confiaban en la formalidad de sus protectores y se negaron a creer que sus vecinos se convirtieran en un hatajo de asesinos. A pesar de las sospechas mutuas (y de los incontables improperios que lanzaban contra sus respectivas religiones), los judíos y los cristianos que se trataban a diario en una ciudad como Worms no vivían en un estado de odio permanente. Paseaban por las mismas calles, se vestían casi de la misma forma (pues todavía no se había impuesto la obligación de llevar marcas exteriores de diferenciación en el vestido), podían entenderse todos en la misma lengua y compartían los mismos hábitos. Que los campesinos y la chusma rabiaran y se subieran por las paredes; los burgueses y las burguesas de la ciudad de Worms no iban a comportarse como ellos. Pero los infelices no tardarían en desengañarse y comprobar cuán equivocados estaban al mostrarse optimistas. Algunos habitantes de la ciudad, aunque no todos, se unieron a la pandilla de fanáticos, y los judíos que se quedaron en ella fueron los primeros en ser degollados. Incluso los que aprovecharon la oportunidad de refugiarse tras los muros del palacio episcopal fueron sitiados en él cuando los burgueses, artesanos y labradores unieron sus fuerzas a la de los hombres de Emicho. El libro que conmemora el martirio de Worms afirma que perecieron ochocientas personas en dos grandes ataques que tuvieron lugar en mayo de 1096, pero la cifra final de víctimas puede que se acercara a las mil. Prácticamente toda la comunidad.

Fue en Maguncia, uno de los centros más antiguos y prósperos del judaísmo alemán, donde se produjeron los acontecimientos más espantosos. La amenaza de exterminio resultaba tanto más creíble por cuanto, cuando llegó a las puertas de la ciudad, la horda de los cruzados se había convertido en un verdadero ejército de unos doce mil hombres. Lleno de inquietud, el obispo Rutardo hizo lo que pudo, dando asilo y refugio a los aterrados judíos en el recinto sagrado de la catedral y del palacio arzobispal. Como en otras ciudades, el barrio judío abandonado fue saqueado e incendiado. Durante dos días, logró mantenerse a raya a la muchedumbre armada, pero al final se impuso la fuerza de los números. La chusma echó abajo las puertas de la catedral y los soldados de Cristo se colaron en los terrenos del palacio episcopal pidiendo a gritos sangre judía.

No cabía duda de lo que les aguardaba a los judíos. Había que hacerlos desaparecer, o bien obligándolos a convertirse al cristianismo a punta de espada (aunque abrazar la cruz no era ninguna garantía de inmunidad frente a los daños físicos), o bien matándolos empezando por los niños, pues no podía permitírseles crecer y que engendraran nuevas generaciones de enemigos de Cristo. Tres relatos en hebreo —uno compilado a partir de informes dispares redactados muy cerca de la fecha de los acontecimientos, el llamado «Anónimo de Maguncia»; otro, el más largo, obra de Salomón bar Sansón, del siglo XII, y un tercero, el de Rabí Eleazar bar Natán— nos ofrecen los increíbles detalles de lo que sucedió a continuación.[8] Enfrentados a tener que elegir entre la conversión y la muerte, muchos judíos, aunque definitivamente no todos, escogieron la segunda opción. El suicidio está expresamente prohibido por la Torá, pero las guerras macabeas, el suicidio colectivo de Masadá en el siglo I, narrado por Josefo, y los episodios de Rabí Akiva y Rabí Haniná, que han pasado a la memoria como martirios ejemplares, en tiempos de la persecución de Adriano, habían dado lugar a todo un corpus de literatura rabínica en el que se discutía si la muerte, y el suicidio en particular, era preferible a la comisión de una transgresión forzosa de la Ley. Algunas de esas opiniones insistían en que una transgresión forzosa en privado era aceptable, a menos que un judío fuera obligado a cometer incesto o perpetrar un asesinato. Pero si era obligado a cometer una iniquidad en público, la aceptación de la muerte era la opción más santa. Además, esos tipos de muerte eran calificados de victorias por el Señor, y de hecho eran triunfos ordenados por Dios sobre las fuerzas del mal y, por lo tanto, actos de glorificación: *kiddush hashem*, la Santificación del Nombre llevada al último extremo. El premio para los así sacrificados (el mismo que se prometía a los cruzados) era la admisión inmediata en el Paraíso. Parafraseando el discurso pronunciado ante los últimos defensores de Masadá por su líder, Eleazar bar Ya'ir, la crónica de Salomón bar Sansón cuenta que uno de los líderes de Maguncia dijo: «Seamos fuertes y soportemos el yugo de la santa religión ... pues solo en este mundo pueden matarnos nuestros enemigos ... pero en el Paraíso nuestras almas vivirán eternamente en el reflejo esplendoroso de la gloria divina ... Bienaventurados seamos por hacer su voluntad».[9]

Sin embargo, los hechos no resultan menos espantosos por ser actos de desesperación llevada hasta el extremo, y los relatos —especialmente el más macabro y minucioso de ellos, el de Salomón bar Sansón— describen un terrible entusiasmo febril a la hora de llevar a cabo la acción fatal. Las distinguidas hijas de la «señora Raquel» de Maguncia afilan los cuchillos con los que van a cortarse el cuello, para asegurarse de que la hoja no tenga ninguna mella ni hendidura, como si se prepararan para matar a una víctima sacrificial, que es exactamente en lo que ellas mismas están a punto de convertirse.

Las crónicas hebreas no cuentan con indiferencia lo sucedido, ni tampoco se ve en ellas la inquebrantable resolución, propia de una demente, que caracteriza a la madre de los siete hijos sacrificados en 2 Macabeos. «Las valerosas mujeres» arrojan piedras y cantos contra los asaltantes, que a su vez se los tiran a ellas, cortándose y magullándose el rostro. La señora Raquel, que parece actuar como una posesa, como si todos sus sentimientos maternales hubieran quedado en suspenso, se convierte de pronto en una madre desesperada cuando una compañera le presenta el cuchillo afilado. Llegados a ese punto el cronista dice: «Cuando vio el cuchillo, lanzó un gran grito de dolor, arañándose el rostro y llorando. "¿Dónde está tu amorosa clemencia, Señor?"».[10] En otra versión Raquel es presa hasta tal punto del dolor y el espanto que es la compañera la que tiene que matar a sus hijas. La madre entonces se endurece y asesina a Isaac, el menor de sus dos hijos varones. En ese momento sucede algo sumamente curioso en el relato, que además contrasta a ojos vistas con la literatura martirológica cristiana, en la que los bienaventurados aceptan su destino con la misma santa resignación que el sacrificio de Cristo. En una de las escenas más insoportables, el mayor de los hijos varones, Aarón, exclama aterrorizado: «¡Madre, madre, no me mates!», y se esconde debajo de un arcón. Pero la fanática determinación de la madre no va a dejarse ablandar, y así se lo dice al chico mientras lo saca de su escondite arrastrándolo de una pierna. Una vez consumado el crimen, Raquel se sienta, extiende las amplias mangas de su vestido y forma con ellas un recipiente que llena con la sangre de sus vástagos. Cuando los cruzados irrumpen en la habitación y le exigen que les enseñe qué «tesoros» lleva escondidos en las mangas, se los muestra y muere asesinada. La última escena de la catástrofe se desarrolla cuando llega el marido, presencia todo aquel horror y cae abatido por su propia espada sacándose las tripas (como los relatos insisten en contarnos), para finalmente morir sentado en medio de la calle, con las entrañas saliéndosele del cuerpo.

Al margen de que los macabros detalles de estos relatos sean ciertos o no (y a primera vista no hay motivo para desconfiar de que lo sean), el rasgo más sorprendente de los martirologios judíos es la narración creíble de un terror verdaderamente humano, la resistencia, la repulsión e incluso la atormentada indecisión que se aprecia en el fondo en muchos de ellos. Es lo que da a este terrible capítulo de la historia judía su marchamo de verdad, ya sea la verdad de la mente o la verdad del cuerpo físico. El caso de Isaac bar David, el *parnás* o rector de la sinagoga de Maguncia, dramatiza de un modo inolvidable esa trágica indecisión. Los cruzados ya han matado a su esposa, Skolaster (bonito nombre para una muchacha judía), hija de Rabí Samuel el Grande, y para salvar a sus hijas y a su anciana madre, que yace postrada en la cama desangrándose por las múltiples heridas sufridas, decide convertirse. Tres días después, dolorosamente arrepentido de la decisión tomada, se lleva a sus hijas a la sinagoga de la que hace las veces de guardián, las mata delante del Arca, y asperja las columnas del edificio con su sangre. Luego regresa a casa y, contra los deseos de su madre, la quema con ella dentro. Por último, vuelve a la sinagoga, le prende fuego y, mientras la chusma de los cruzados le incita a salir antes de que sea demasiado tarde, «va una y otra vez de una punta a otra del edificio elevando las manos al cielo, clamando a su padre de lo alto y rezando rodeado de llamas con voz potente y melodiosa», para morir en el incendio. Salomón bar Sansón, el narrador, no se alegra de esta victoria sobre la conversión. Antes bien, interrumpe el relato y afirma: «Por cosas como esta lloro. Tengo los ojos arrasados en lágrimas».

La misma manifestación de sentimientos encontrados, de angustias de duda y de terror, aparece en el relato de la hermosa Sarit, destinada a casarse con Abraham, hijo de Judá el Levita. Los judíos de Colonia habían sido trasladados a las aldeas vecinas, pero no lo bastante lejos para escapar de las bandas de asesinos. La futura esposa contemplaba horrorizada las matanzas por una ventana, deseando desesperadamente escapar. Pero la vio su suegro, que la arrastró a la sala. En una parodia macabra de los ritos nupciales, Judá (en vez del novio, que todavía vive) besa a Sarit en los labios y exclama: «Mirad, vosotros ... He aquí la *hupá* [el dosel nupcial] de mi hija. Todos lloraban, sollozando, suspirando, gimiendo y lamentándose».[11] Sarit es arrojada entonces al seno de Abraham, momento en el cual su suegro la corta en dos «partiéndola por la mitad», como dice eufemísticamente la crónica, de arriba abajo, y luego degüella a su propio hijo para llevar a cabo unas bodas literalmente de sangre.

Nunca sabremos cuántos otros judíos, la mayoría de ellos indudablemente devotos, que no tuvieron valor para cumplir la «Santificación del Nombre» ni en su carne ni en la de sus seres queridos, especialmente sus hijos, prefirieron la conversión forzosa. Algunos lo hicieron solo después de ser torturados y golpeados, y cuando estaban ya a las puertas de la muerte; otros volvieron a abrazar la fe de sus padres en cuanto pudieron, a veces incluso antes de que se fueran los cruzados, y pagaron por ello. Curiosamente, el emperador alemán Enrique IV publicó un edicto un año después, en 1097, en virtud del cual se permitía a los judíos que se habían convertido a la fuerza volver a abrazar su antigua religión. La medida estaba en flagrante contradicción con la prohibición de la Iglesia de permitir que los conversos bautizados abjuraran, pero entonces Enrique (que, como es bien sabido, tenía un grave conflicto con el papa Gregorio VII) se mostró tan indignado con los informes acerca de las matanzas cometidas que prometió infligir duros castigos a los perpetradores.

La enormidad del daño causado a los judíos en la primavera de 1096 obligó a calmar los ánimos en algunas cortes de la Europa cristiana. El hijo y sucesor de Enrique IV, Enrique V, mantuvo la benévola vigilancia de su padre e incluso suavizó algunas de las restricciones impuestas hasta entonces a los judíos para animarlos a establecerse de nuevo en las ciudades manchadas por los asesinatos en masa. En Francia, como hemos visto, parece que Luis VII fue un crítico mordaz de las manifestaciones más paranoides de judeofobia. Como consecuencia de todo ello, los judíos regresaron a Worms, a Colonia y a Ruán, y reanudaron sus vidas volcadas en el comercio y la oración, en el estudio de la Torá y el Talmud, y en la caridad. Durante algún tiempo, los especialistas en la historia de los judíos de la Edad Media (incluso los que han estudiado en concreto los trágicos relatos acerca de las Cruzadas) han intentado por todos los medios insistir en el carácter singular y excepcional de los horrores de 1096.[12] De hecho, los cruzados recorrieron la mayor parte de Europa sin tocar a los judíos; las Cruzadas posteriores no desencadenaron matanzas de la envergadura de aquella primera aniquilación. Incluso cuando los cruzados conquistaron Jerusalén en 1099 e incendiaron su sinagoga, no está del todo claro si los judíos fueron quemados dentro o no. Muchos fueron perdonados previo pago de un rescate, y muchos más fueron sometidos a cautiverio, de modo que al menos sobrevivieron. La vida para los judíos no era solo convulsión y expulsión.

Hasta cierto punto, claro. Como es habitual, la oscilación del péndulo de los estudios especializados quizá haya sido exagerada. Por cada príncipe cristiano que calmó sus ánimos hubo algún sucesor suyo que volvió a seguir la tendencia paranoide. Ante la noticia de que un cristiano había sido ejecutado por asesinar a un judío en la ciudad de Bray (o probablemente Brie), y de las inverosímiles celebraciones que habían tenido lugar relacionando al culpable con Amán, el malo del relato de los Purim, la reacción del hijo de Luis VII, Felipe Augusto, fue ordenar que se matara a toda la comunidad. De modo que la sensación crónica de inseguridad por parte de los judíos del mundo asquenazí no era fruto de su imaginación, entre otras cosas porque era imposible saber cuán decididos iban a mostrarse la Iglesia y el estado a poner freno a los peores impulsos de las multitudes judeófobas. Incluso cuando clérigos como Bernardo de Claraval o Pedro el Venerable, abad de Cluny, abandonaron su habitual mesura para prohibir y deplorar los violentos ataques perpetrados contra los judíos, se aseguraron al mismo tiempo de referirse a ellos como la más despreciable de las razas. Y en cuanto a los hebreos, aunque supieran que no todos los días iban a ser día de matanza, lo sucedido en 1096 y lo que, como en el caso de Bray, continuaría ocurriendo a menudo en aquel tiempo de exaltación cristiana, entraría a formar parte de la conciencia histórica de sí mismos y no saldría fácilmente de ella. Nuevas oraciones y poemas litúrgicos consagrarían el recuerdo de los mártires, especialmente el *Av Harachamim*, «Padre de Misericordias», que sigue cantándose en las grandes solemnidades. Los *memorbuchen*, los «libros conmemorativos», tiñeron las expectativas futuras con un recuerdo trágico. La visión de auténtica pesadilla de los judíos matándose unos a otros, presa de una frenética desesperación, para evitar, según creían, un destino peor a manos de sus perseguidores, no desaparecería con la sucesión de fiestas incluidas en el ciclo del calendario, los regateos del mercado o las alegrías de las circuncisiones y las bodas. Así que, en adelante, los que pudieran construirían de piedra sus casas y sinagogas. Eso ya lo dice todo.

Como subrayaba el historiador Salo Baron, la historia de los judíos no es desde luego toda ella «lacrimosa». Pero son las incontables pruebas evidentes, no una predisposición emocional ni un excesivo determinismo trágico (¡oh, esos judíos suspirando y gimiendo!), las que nos dicen que tampoco fue toda ella miel sobre hojuelas. A los judíos medievales continuaron sucediéndoles cosas terribles porque el elevado grado de escepticismo y la ligera dosis de paranoia no existían en ámbitos culturales separados; y, como en el caso del vengativo rey de Francia, el hecho de tener un alto rango no excluía la paranoia rencorosa. En otros casos, en otros tiempos, sencillamente no había nada que príncipes o prelados pudieran hacer aparte de dar un pequeño paso atrás y esperar hasta que la situación se calmara. Se sabe que Ricardo Corazón de León, el rey cruzado de Inglaterra, se irritó mucho por lo que les sucedió a los judíos de su reino el mismo día de su coronación, el 3 de septiembre de 1189, y durante los meses siguientes. Pero lo que tenía que ocurrir, ocurrió de todas maneras.

Y, en efecto, sucedió por el peor motivo que quepa imaginar. El historiador Guillermo de Newburgh describe un tropel de judíos bienintencionados, líderes de sus respectivas comunidades en ciudades de provincias como York, pero también de las de Londres, desplazándose a la capital para felicitar al nuevo rey y llevarle los consabidos regalos. Los judíos habían sido introducidos en Inglaterra, procedentes de Normandía, por Guillermo el Conquistador con la idea de que prestaran los habituales servicios de pagos en efectivo, y por lo tanto estaban estrechamente ligados a la fortuna de la monarquía normando-angevina. Aparte del hebreo, su lengua era el judeo-francés, y su *raison d'être* era proporcionar fondos y medios para atender el pago de soldados, caballos, iglesias y palacios.

Nada de esto se tuvo mucho en cuenta en la coronación de Ricardo, día que Guillermo de Newburgh indica con disimulada alegría que en el calendario antiguo era llamado «funesto» o «egipcio», y efectivamente así resultó ser para unos judíos que eligieron un momento inoportuno y cuyo afán de agradar era excesivo. Aunque se había pregonado una proclama real prohibiéndoles expresamente presentarse en la abadía de Westminster mientras era coronado un rey cruzado, luego se concentraron, según Guillermo, ante las puertas del palacio donde estaba celebrándose el banquete, con el rey luciendo su «gloriosa diadema». Tremendamente indignado por el engreimiento de los judíos, el oficioso portero los apartó con los rudos modales que suele gastar esa gente. Se produjo el consabido efecto dominó entre la enorme multitud congregada a la entrada del palacio, lo que, unido a los gritos del portero, desencadenó una serie de violentos ataques contra los judíos. Lo que empezó siendo una pelea a puñetazos acabó en un brutal ataque en toda regla, con bastones, piedras y huesos rotos. Al menos treinta judíos perdieron la vida en el tumulto, algunos a patadas y otros apaleados de mala manera. Uno de los que lograron sobrevivir fue Benedict, residente en York, aunque era el agente del mayor prestamista de Inglaterra, Aarón de Lincoln, acreedor de algunos de los principales cabecillas de los disturbios. Y con él iba Josce, el jefe de la comunidad hebrea de York. Los dos recibieron una brutal paliza, pero Josce logró escapar, mientras que Benedict fue arrastrado envuelto en sangre a una iglesia cercana y obligado a recibir el bautismo. Luego, durante el viaje de regreso a York, murió a consecuencia de las numerosas heridas recibidas.

«Mientras tanto, con inaudita celeridad —señala alegremente Guillermo—, inundó todo Londres el agradable rumor de que el rey había ordenado exterminar a todos los judíos.» Otro monje historiador, Ricardo de Devizes, se muestra igualmente complacido de que «el mismo día de la coronación, aproximadamente a la misma hora en que el Hijo fue sacrificado al Padre, empezaron en la ciudad de Londres a sacrificar a los judíos a su padre, el diablo».[13] Londres y Westminster estaban atestados de gente. En un santiamén se congregó una muchedumbre armada, «ansiosa de pillaje y sedienta de la sangre de un pueblo abominable para todos por decisión divina». Tras la violencia de la mañana, los judíos que habían sobrevivido habían logrado refugiarse en sus casas, prudentemente hechas de piedra, y se habían encerrado en ellas. Incapaz de derribarlas, la chusma prendió fuego a los tejados y luego asesinó a los que salían huyendo aterrorizados de las casas, o dejó que murieran quemados en su interior. «Las terribles llamaradas —dice Guillermo de Newburg—, devastadoras para los judíos acorralados, proporcionaron luz a los cristianos que se esforzaban furiosamente en llevar a cabo su tarea en plena noche.» Buena parte de la ciudad ardió junto con las casas de los judíos, pero la cantidad de riquezas que les fueron robadas permitió a sus asesinos sentirse «satisfechos de la matanza que habían cometido». La humareda llegó finalmente a las delicadas narices del monarca y de los nobles que lo acompañaban en el banquete. Uno de ellos, el justicia Ranulfo de Glainville, «hombre prudente y poderoso» a un tiempo, fue enviado, cuando ya era demasiado tarde, a detener a la multitud. Sus hombres y él tuvieron que hacer frente a amenazas lo bastante graves como para que cejaran en su intento, dice Ricardo de Devizes, comentando satisfecho en su prosa en latín que los exterminadores de los judíos tardaron tanto en acabar su obra que «el holocausto [la quema completa de la víctima del sacrificio] no terminó hasta casi pasados dos días».[14]

Sin embargo, el desastre del día de la coronación fue solo el preludio de un verdadero alud de desagracias y matanzas. Justo antes de que Ricardo se embarcara con destino a Normandía, donde debía encontrarse con el rey de Francia para sellar el pacto de la cruzada que iban a emprender, se vio en el cielo un portento en forma de aparición blanquecina semejante a la «bandera del Señor» con la imagen de Cristo crucificado. No tardó en desatarse la habitual locura de los cruzados y, como sucediera en Renania, los judíos fueron sus víctimas más inmediatas. Los pretextos fueron de lo más variado, pero el resultado sería siempre el mismo. En Lynn (actualmente King's Lynn), en el condado de Norfolk, corrió el rumor de que un judío converso había sido perseguido airadamente por sus correligionarios hasta una iglesia, y eso bastó para que diera comienzo la matanza. La familiaridad que la población local tenía con un apreciado médico judío que atendía por igual a judíos y gentiles no impidió que se convirtiera en una de las víctimas. En Stamford, durante la feria anual en la que tomaban la cruz los que decidían unirse a la guerra santa, un joven que había depositado su dinero en casa de un judío fue asesinado por unos atracadores, pero en la mente enfebrecida de los lugareños se convirtió rápidamente en una víctima del judío. Hubo otros ataques espantosos contra judíos en Dunstable, Colchester, Thetford e incluso en la aldea de Ospringe, en Kent.[15]

El horror más espantoso tuvo lugar en York el 17 de marzo de 1190 (*Shabbat Hagadol*, el sábado antes de Pascua), cuando, no contenta con la muerte de su bestia negra, Benedict, la chusma asaltó la casa de su familia, mató a su viuda y a sus hijos, y se apoderó de todo lo que encontró a mano. Aterrorizados, varios judíos, encabezados por Josce, el superviviente de las algaradas del día de la coronación, obtuvieron permiso del alcaide del castillo para refugiarse en él. Después de concederles la autorización, el alcaide cambió de idea al regresar al castillo y comprobar que era imposible pasar entre la airada multitud que lo asediaba, azuzada por un fraile de hábito blanco de la orden de los premonstratenses. Los judíos, dijo el alcaide en tono lastimero, se habían apoderado del castillo. Así pues, en vez de calmar a los violentos, no hizo más que espolearlos. A los judíos que se habían quedado fuera del castillo se les dio a escoger, como de costumbre, entre la conversión o la muerte, y muchos aceptaron abrazar la cruz para salvar sus vidas. Entre los que habían quedado atrapados en la torre se hallaba un famoso estudioso de la Biblia y del Talmud, Yom Tov de Joigny, que casi veinte años antes había escrito una elegía dedicada a los judíos asesinados en Blois. Para Yom Tov, no quedaba más que una posibilidad, seguir el ejemplo de lo que habían hecho un siglo antes algunos hebreos de Maguncia y de Worms, de modo que pronunció un discurso ante una audiencia aterrorizada, que refleja una vez más la versión ofrecida por Josefo de la invitación al suicidio de Eleazar bar Ya'ir en Masadá. «¡Oh Dios, que nos haces esto, no se lo tengas en cuenta! —dice Guillermo de Newburgh que exclamó Josce, respaldando las lúgubres palabras de Yom Tov— por habernos mandado ofrecer en sacrificio nuestras vidas.» Se produjo un nuevo suicidio colectivo. Yom Tov mató a toda su familia e invitó a los demás hombres a imitarlo, antes de quitarse la vida, mientras el fuego ardía a su alrededor.

Como en las ciudades de Renania, no todos quisieron participar de aquel destino apocalíptico. A la mañana siguiente, los supervivientes subieron a las almenas, llorando por los muertos y expresando su deseo de «unirse al cuerpo de Cristo». El principal deudor y el responsable de organizar la algarada, Richard Malebisse, los animó a bajar y a salir del castillo como verdaderos cristianos. En cuanto abandonaron su refugio, fueron asesinados en el acto. Luego volvió a actuar el fuego, reduciendo a cenizas no los cuerpos, sino las deudas. En el suelo de la catedral de York, se incineraron ritualmente todos los pagarés, escritos en planchas de madera y en papel, rematándose así el exterminio. Se dice que cuando las noticias llegaron a oídos del rey, montó en cólera, especialmente por la ofensa infligida a su dignidad real por el tumulto, y que ordenó al obispo de Ely que marchara sobre York con una fuerza armada para detener y castigar a los malhechores. Los cabecillas de la revuelta, incluido Malebisse, ya se habían refugiado en Escocia, y ni que decir tiene que en York nadie afirmó saber quién había sido el responsable de los crímenes, de modo que la indignación del rey tuvo que ser satisfecha con la imposición de fuertes multas.

La tragedia de York fue la más dramática de las que forman el ciclo de matanzas de judíos en Inglaterra, pero el asesinato de cincuenta y siete personas el Domingo de Ramos en la localidad de Bury St. Edmunds, en el condado de Suffolk, resultó incluso más siniestro, pues fue consecuencia de una vieja obsesión que perduraría a lo largo de mucho tiempo en la Inglaterra cristiana: la convicción de que los judíos tenían por costumbre raptar a niños cristianos cuando se celebraban la Cuaresma y la Pascua, y someterlos a la tortura de una falsa crucifixión, en una burla diabólica de la Pasión de Cristo.[16] En 1144 se encontró en los bosques de Mousehold Heath, a las afueras de Norwich, el cadáver de un chico de doce años, un tal William, aprendiz de pellejero (las pieles y los cueros desempeñan un papel recurrente en todas estas fantasías). Inmediatamente se sospechó que los autores del crimen habían sido los judíos, que habían llegado a la ciudad solo unos pocos años antes. Un converso llamado Theobald juró que William había sido atraído a la perdición por un judío y que su asesinato había sido planeado por un cónclave secreto de judíos de toda Inglaterra que tenían pensado reunirse para realizar a costa del infortunado chico una parodia de la crucifixión el segundo día de la Pascua hebrea. Se levantó un clamor inmenso; el cuerpo del muchacho fue llevado a la catedral de Norwich para recibir solemne sepultura junto al altar mayor. Pese al espanto causado por tanta superstición en el alguacil, que llevó a los judíos a la seguridad de su castillo y se resistió a cualquier intento de someterlos a juicio, la tumba siguió siendo objeto de veneración por los milagros que, según se decía, obraba.[17]

Podemos ver de dónde venía aquella fantasía de que las solemnidades de la Pascua judía eran una forma de anti-Pasión, una repetición de la crucifixión de Cristo. Los cristianos, especialmente aquellos que no estaban familiarizados con el calendario religioso judío, como era el caso de la Inglaterra recientemente colonizada, se habían equivocado de fiesta y habían confundido la Pascua con la fiesta de Purim que la precede. Efectivamente, Purim, que conmemora cómo los judíos de Persia se habían librado por poco de la aniquilación (gracias al favor del que gozaba Ester ante el rey Asuero/Artajerjes), a menudo comportaba la parodia del ahorcamiento de la efigie del villano, Amán, que había tramado el exterminio de los judíos, y el festejo carnavalesco del triunfo de Israel. Bien es verdad también que, al mismo tiempo que el fervor de la cruzada cuajaba en el norte de Europa, la retórica anticristiana de los judíos se volvía más vitriólica e imprudente. Cualquier converso maligno que quisiera convencer a sus nuevos correligionarios de que su antiguo pueblo no era más que un hatajo de malvados, no habría tenido ninguna dificultad en citar alguno de esos insultos y feroces maldiciones. Por esta misma época los cristianos llegaron a convencerse de que los judíos no se detendrían ante nada para impedir que cualquiera de ellos llegara a convertirse, o para intentar rejudaizarlo. En Lynn el rumor de que los judíos habían perseguido a un nuevo converso hasta la iglesia había desencadenado la matanza perpetrada en dicha localidad en 1190, y el conocimiento de lo que los judíos habían hecho a sus propios hijos en Renania en 1096 fue distorsionado hasta dar lugar a la fantasía de que los judíos estaban dispuestos a meter en el horno a sus propios hijos si sospechaban que habían comulgado con sus amigos cristianos.[18] Guillermo de Malmesbury incluía la siguiente anécdota en su colección de relatos de intercesiones de la Virgen, escritos a mediados del siglo XII. No pudiendo impedir que su marido ase a su hijo, una madre desesperada apela a los cristianos, que acuden precipitadamente a la escena del crimen para descubrir el milagro: el chico se encuentra sano y salvo en el horno, gracias a la intervención de María, que, en otra versión, se cuenta que hizo que el calor actuara como una especie de «brisa cargada de rocío».[19] En muchas versiones del cuento —que conoció una amplia circulación en Francia, España y Alemania, además de Inglaterra—, cuando el chico está en medio de las llamas recibe la visita de la Virgen y el Niño, epítome del amor familiar cristiano, a diferencia de la diabólica crueldad infanticida de los judíos. En una vidriera de la catedral de Lincoln, la Virgen se inclina tiernamente sobre el Niño del Horno. Como señala Miri Rubin, los hornos, llenos o no de bollos, son el lugar donde «se cocina» a los hijos y pueden ser la fuente que los alimenta o, como en este caso, escenario de un suplicio monstruoso. Naturalmente, tanto los judíos como los gentiles debían de conocer la historia de la milagrosa liberación de Sidraj, Misaj y Abed-Nego del horno encendido de Nabucodonosor, contada en el libro de Daniel. Una vez más, la versión judeófoba toma un relato bíblico en el que los judíos son los héroes sagrados y los transforma en asesinos casi paganos de los verdaderos creyentes. En este caso, la figura monstruosa del padre judío que inmola a su hijo cede, a través de la Virgen-Madre, ante la benevolencia del verdadero Padre del niño, el propio Dios.

Las fantasías de la anti-Pascua judía que vemos en relatos como el de Tomás de Monmouth trazan con cuidadoso detalle una imagen gráficamente precisa de esta nueva Pasión obrada en el cuerpo de unos niños: la flagelación, la coronación de espinas, las manos y los pies traspasados del niño, la herida de la lanza en el costado izquierdo y los latigazos (una copia fiel de las heridas infligidas a Jesús), y, por último, la parodia de crucifixión en un leño adaptado a las medidas de los dobles infantiles del Salvador. «Los judíos de Norwich se llevaron a un niño cristiano poco antes del día de la Pascua y lo atormentaron con todos los tormentos con los que fue atormentado nuestro Señor, y el Viernes Santo lo colgaron de un madero, por odio a nuestro Señor, y luego lo enterraron.» Como los niños no morían solo por ser clavados en la cruz, a menudo se decía que las heridas, especialmente la llaga del costado, producían copiosas efusiones de sangre que los judíos recogían en un vaso ritual. El detalle adicional de lo que luego pasaría a llamarse el «libelo de sangre —es decir, la acusación de que la sangre era recogida para amasar con ella la *matzá* que se come en la cena de la Pascua judía—, fue un añadido posterior, pero ya están ahí todos los elementos básicos del drama.

Tras el culto al joven William de Norwich hubo toda una proliferación de niños santos víctimas de los judíos. En 1168, una fiesta de circuncisión celebrada en una de las casas de la comunidad de Gloucester se convirtió en una historia de rapto protagonizada por un niño llamado Harold, que, según se dijo, había sido torturado y arrojado a las aguas del Severn. Ninguna abadía ni catedral que se preciara podía carecer de un niño mártir. El culto de Robert de Bury, que terminó con la matanza de 1190 y la expulsión de los judíos, había comenzado en 1181 y se debía en gran medida a la acción del abad de la ciudad, que se había dado cuenta del éxito del de William de Norwich y de su capacidad para atraer peregrinos.[20] Dos años después, en Bristol, surgió Adam, que, según se dijo, fue atraído con engaños a casa del judío Samuel (que, al parecer, había asesinado también a su esposa) y fue acuchillado en el retrete, pero no sin antes recibir la visita de Jesús, que lo acogió en sus brazos. El resultado de todo ello fue que la letrina de Samuel se convirtió en un lugar rodeado de un halo sagrado de misterio y milagro, empezando por su propietario, que en adelante no fue capaz de usarla sin que se le apareciera un ángel que le reprochaba sañudamente su acción o, lo que resultaba todavía más inquietante, sin que viera a la Virgen meciendo en sus brazos el cuerpo inmaculado del niño mártir. Winchester, que en 1190 perdonó inexplicablemente la vida a los que el cronista Ricardo de Devizes llama sus «gusanos» o «alimañas», se jactaba de tener ni más ni menos que tres acusaciones de asesinato de niños, presentadas en 1192, 1225 y 1232; y todavía hubo otra en Londres en 1244, en la que se decía que el cuerpo de un niño hallado en el patio de la iglesia de St. Benet llevaba una misteriosa inscripción en hebreo grabada en la piel, lo que demostraba que había sido raptado para que los malvados judíos hicieran con él sus siniestros rituales. El cadáver fue conducido a su iglesia por los canónigos de San Pablo y enterrado con toda solemnidad junto al altar mayor, donde, como de costumbre, se dijo que inmediatamente había empezado a obrar milagros y prodigios.

El caso más grave tuvo lugar once años después en Lincoln, donde se descubrió el cadáver de un niño de nueve años llamado Hugh en un pozo negro. El niño llevaba desaparecido tres semanas, pero debido al arraigado convencimiento de que cada año se celebraban conciliábulos de judíos, la boda de Belaset, hija de uno de los hebreos más ricos de la ciudad, a la que habían asistido invitados procedentes de todos los rincones de Inglaterra, adquirió de repente un trágico significado. Dio la casualidad de que el rey Enrique III estaba por allí, y exigió que se encontrara al culpable. No tardó en salir uno. Tras ser brutalmente torturado, un judío de Lincoln llamado Copin o Jopin «confesó», fue llevado a rastras por las calles empedradas de la ciudad y atado a la cola de un caballo, y lo que quedó de su cuerpo despedazado fue colgado de la horca. Aun así, se consideró que se trataba de un crimen colectivo. Prácticamente todos los judíos de Lincoln fueron detenidos y llevados a Londres para ser sometidos a juicio. Dieciocho de ellos insistieron en que querían ser juzgados por un tribunal mixto de judíos y cristianos, demanda que fue interpretada como una confesión de culpabilidad, así que en vez de concedérseles el juicio al que tenían derecho fueron ahorcados sumariamente. Los demás permanecieron en la cárcel algún tiempo y finalmente fueron liberados gracias a la intervención de Ricardo, duque de Cornualles, que, al igual que el rey, tenía muchos negocios con los judíos, aunque, a diferencia del monarca, aún conservaba cierto sentido rudimentario de la justicia (por no mencionar su interés primordial en conservar sus propias vacas lecheras judías). En Lincoln, el «Pequeño Hugh» fue enterrado en un magnífico sepulcro en la catedral, construida gracias al dinero judío prestado principalmente por el gran magnate Aarón de Lincoln. Canonizado como mártir, Hugh fue venerado durante siglos e inmortalizado en una vidriera y en los *Cuentos de Canterbury*, en los que Geoffrey Chaucer reciclaría todas las infamias y calumnias más repugnantes vertidas contra los judíos, en particular en el «Cuento de la priora».[21] Tuvieron que pasar setecientos años para que el mito fuera explícitamente repudiado por la Iglesia de Inglaterra y fuera colocado en el mismo emplazamiento de su tumba una declaración de condolencias, con el consabido saludo de fraternidad interconfesional, «Shalom!».

II. LOS NEGOCIOS

Por otra parte... esos nombres tan hermosos no fueron nunca solo víctimas, mártires enviados al sepulcro. Doulcea, la dulce y agradable, la esposa de Rabí Eleazar, el Perfumista, no estuvo indefensa cuando exhaló su último suspiro en las calles de Worms. Si debemos dar crédito al panegírico del Perfumista (en prosa y en versos acrósticos), Doulcea sucumbió luchando por salvar lo que quedaba de su familia. Sus hijas, Bellette y Hannah, ya habían muerto, pero su hijo y su marido seguían vivos, aunque malheridos. Doulcea se abrió paso a la fuerza ante la sorpresa de los asaltantes y salió corriendo a la calle a pedir ayuda, a sabiendas de que los malvados irían tras ella. Eso era lo que pretendía. Una vez fuera de la casa, cerró de un portazo (quiero pensar que volviéndose y dando una patada a la puerta) y Eleazar echó el cerrojo por dentro salvando su vida y la de su hijo. Apartados de ese modo de su botín, los asaltantes volcaron su rabia sobre Doulcea. En un momento dado, Eleazar sale de su dolor para escribir el panegírico de la difunta, su *eshet chayil*, «mujer preciosísima».

A Eleazar no se le ocurre elogio mayor que decir que su esposa nunca lo hizo enfadar. Pero el retrato que nos ofrece no es el de un mero felpudo de su piadosa grandeza. Todo lo contrario; Doulcea hizo todo lo que cabía esperar de una consorte religiosa y fiel cumplidora de sus obligaciones —dar de comer a los numerosos discípulos de su marido, fabricar las velas utilizadas el sabbat—, y mucho más. Probablemente fuera el tipo de mujer versátil tan admirada por Rachí de Troyes, de la que dice que es capaz al mismo tiempo de «enseñar a las esposas ideales una canción por un módico precio, vigilar cómo se cuecen las verduras, hilar el lino y calentar los capullos de los gusanos de seda en su regazo».[22] Ni siquiera Doulcea habría sido capaz de tanto, al menos no de todo a la vez, pero Eleazar recuerda que no solo iba a la sinagoga todos los días, mañana y tarde (mucho más de lo que se requería y cabía esperar de una mujer), sino que además dirigía a las mujeres de la congregación en los rezos y en el canto. Como no demasiadas muchachas judías aprendían el hebreo (Doulcea, perteneciente a una famosa familia culta, era una excepción), con toda probabilidad asistía a los cultos en judeo-alemán, o bien en un edificio aparte, o bien en la zona separada por una celosía que estaba reservada para su sexo. El encomio en verso de Eleazar la describe expresamente «cantando himnos y oraciones y recitando peticiones», y además «enseñando a las mujeres de todas las demás ciudades a entonar cánticos».[23] La participación activa de la mujer en los cultos religiosos en el mundo asquenazí no fue rara hasta que la oleada de objeciones que empezaron a levantarse en el siglo xiv hizo que resultara cada vez más difícil. La lápida funeraria de otra mujer de Worms activa en el siglo xiii, Urania, nos dice que, como hija de un cantor y chantre a la vez, siguió la vocación de su padre, Abraham, convirtiéndose en la directora de los rezos. Por eso Rabí Eleazar y otros rabinos no veían ningún motivo para que no pudieran rezar, leer la Torá y recitar bendiciones, como hacían los hombres. El *Sefer Hasidim*, el libro que recogía las doctrinas y preceptos en los que se basaba la vida de Eleazar y su familia, ordenaba expresamente a los padres enseñar los mandamientos a sus esposas e hijas.[24] Aunque la Torá no les ordenaba explícitamente hacerlo, existen algunos testimonios de que las mujeres de esta época llevaban incluso el manto rematado por flecos, el *tzitzit*, y oraban llevando *tefillin* («filacterias») en la cabeza y en los brazos, motivo suficiente para que semejante costumbre escandalizara posteriormente a las autoridades. Para mayor complacencia de su padre, la menor de sus hijas, Hannah, sabía recitar algunas oraciones en hebreo, como el *shemá*, y las entonaba con la misma voz potente y melodiosa con la que Doulcea dirigía los cantos de las mujeres. Hasta que fueron marginadas por personajes más represivos, como Rabí Meir de Rothenburg o Sansón ben Tzadok, ya en el siglo xiii, las mujeres ocupaban a menudo un lugar central en los ritos. Por mucho que los rabinos fruncieran el ceño y a pesar de lo erróneo de la idea preconcebida que se tiene hoy día de que las mujeres, y sobre todo las madres, se hallaban invariablemente excluidas de la circuncisión de sus hijos varones, se conservan multitud de testimonios que demuestran que esto no fue así en Asquenaz hasta, como muy pronto, finales del siglo xiii.[25] Las mujeres eran las protagonistas de una pequeña ceremonia doméstica celebrada el día de la circuncisión por la mañana, ocho días después del parto, en la que la madre bebía vino para indicar que estaba curada (y probablemente la incisión que estaba a punto de realizarse en conmemoración de la alianza). Al fin y al cabo, había sido la esposa de Moisés, Séfora, la primera que había practicado una circuncisión, la de su propio hijo. A finales de la época medieval, la campaña en pro de convertir la *brit milá* en una ceremonia solo entre hombres redujo el papel de la mujer a llevar por la calle al niño envuelto en bonitos faldones hasta la sinagoga, donde tenía lugar la circuncisión. A la puerta de la sinagoga, la criatura era entregada al *sandek*, que lo sostenía en su regazo mientras se llevaba a cabo la operación. Pero Sansón ben Tzadok y Rabí Jacob Moellin ponen de manifiesto que se oponían a una costumbre ampliamente aceptada que otorgaba a la madre un papel de protagonista en las ceremonias tanto dentro como fuera de la sinagoga. Como cabría esperar, la madre llevaba a su hijo por la calle (pese al consejo de Rabí Yekutiel bar Moisés, según el cual «más vale caminar detrás de un león que de una mujer») y probablemente actuara como *sandek*, sosteniéndolo en su regazo, sentada entre los hombres, mientras se practicaba la circuncisión. Era esta mezcla, por lo demás natural, lo que irritaba a rabinos como el Tashbetz (Rabí Simeón ben Zamaj Durán), no fuera que al ir por la calle rodeada de hombres y estar sentada entre ellos mientras el *mohel* se inclinaba sobre su pecho para cortar el prepucio, cruzaran por su mente pensamientos licenciosos de algún tipo. Y, peor aún, la madre *sandek* iría «hermosamente vestida», induciendo aún más a la tentación. Regodeándose en sus suspicacias, el Tashbetz llega a decir que, aunque el *mohel* lo fueran el padre y el marido, no todos tenían por qué saberlo. Si un hombre piadoso veía a una mujer con su hijo en el regazo, debía abandonar inmediatamente la sinagoga.[26]

Puede que Doulcea no ejerciera de *sandek*, pero todo lo que podía hacer, lo hacía: encuadernar libros piadosos; coser y bordar ni más ni menos que cuarenta paños para los rollos de la Ley, además de los cartapacios en los que se guardaban, y bañar los cuerpos de las difuntas y ponerles el sudario. Aunque pensemos que la España musulmana y otros lugares del mundo islámico resultaban más cómodos para los judíos, las mujeres eran más visibles en la sociedad cristiana asquenazí. No llevaban velo, viajaban con toda libertad, todavía no estaban confinadas en ningún tipo de gueto y podían poner pleitos en los tribunales de justicia (y teniendo en cuenta el número de disputas familiares, especialmente sobre si podían reclamar o no su dote a la muerte de su marido, menos mal que así era). Podían tener propiedades y bienes muebles, y aunque por lo general estaba legal y técnicamente prohibido, entre las más acomodadas muchas tenían criadas gentiles y ponían a sus hijos en manos de amas de cría cristianas, incluso durante todo el día; su versión de una guardería infantil de lo más útil. Algunas eran comadronas y curanderas, llamadas *nashim jajamim* o «mujeres sabias». Otras hacían de casamenteras, oficio para el que había una enorme demanda en una cultura en la que la mujer vivía a menudo más que el hombre y en la que había un número sorprendentemente alto de divorcios. Como hombres y mujeres se prometían siendo todavía niños, los rabinos, especialmente los *hasidim* pietistas, insistían en que, por mucho que los hijos tuvieran que respetar la decisión de sus padres en esos asuntos, tampoco podían ser obligados a contraer matrimonios incompatibles ni a continuar la unión si resultaba desagradable para cualquiera de las partes.

La generación de Doulcea y las siguientes fueron las primeras en beneficiarse de las nuevas normas establecidas por Rabí Gershom ben Judá de Maguncia en su libro *La luz del destierro* (en el que se vertían opiniones compartidas por muchos de sus contemporáneos), la más radical de las cuales era prohibir la poligamia, todavía vigente en el mundo sefardí-musulmán. Asimismo, los preceptos fijados en la Misná y el Talmud acerca de la unión física y espiritual del marido y la mujer eran tomados muy en serio. Se prohibía a los maridos pegar o maltratar a sus mujeres u obligarlas a cualquier tipo de sometimiento sexual que no las complaciera. Comportarse de otro modo, decían los rabinos, sería tratar a la esposa como a una prostituta. Del mismo modo que se recomendaba a las mujeres complacer a sus maridos, también lo contrario era una obligación sagrada. No se vetaba ninguna práctica o postura sexual dentro del matrimonio excepto derramar el semen fuera del cuerpo de la mujer, y a los maridos se les exigía hacer lo que fuera necesario para dar placer a sus esposas, sobre todo por cuanto su único camino hacia la *shejiná*, el esplendor divino, era a través del placer de ella. Por consiguiente, el marido tenía la obligación de compartir el lecho que la mujer preparara para los dos, fuera cual fuese, aunque, como decía cierto tratado, ello supusiera abandonar una cama de oro adornada con sábanas de lino bordadas por otra dispuesta entre las piedras y solo cubierta de paja. El deber y la felicidad del marido consistían en yacer al lado de la esposa. La frecuencia y el momento de la unión sexual eran igualmente especificados; lo mejor era practicarla dos veces a la semana, especialmente el viernes por la noche. (Para los judíos que vivían en el mundo musulmán, se concedía una dispensa especial a aquellos cuyo trabajo los obligara a viajar en camello, pues los habría alejado demasiado del lecho conyugal, aunque cabía esperar que los arrieros que guiaban reatas de mulas regresaran a casa más a menudo.) Y si por lo que fuera un marido y una esposa no se gustaban físicamente, ello era motivo suficiente de divorcio, suponiendo siempre que ella diera su consentimiento. A diferencia de las convenciones vigentes en el mundo musulmán, ninguna mujer podía ser repudiada contra su voluntad, pero si un marido resultaba tan repulsivo (por el motivo que fuera) que la mujer rechazaba su compañía, podía estar obligado a concederle el divorcio.[27] Así pues, aunque las normas, por lo demás muy estrictas, acerca de la purificación en el baño ritual, la *mikvá*, durante la menstruación y después del parto, eran numerosísimas, las esposas judías tenían buenos motivos para contar con las atenciones de sus maridos.

Había otro aspecto que hacía de Doulcea un pilar de su comunidad: la administración de su dinero. Era la única a quien sus vecinos y correligionarios confiaban sus fortunas, y ella las administraba lo mejor que podía, prestando parte del capital, casi con toda seguridad únicamente dentro de la comunidad judía local. No obstante, a su manera, la mujer del Perfumista era también la amable banquera de los pietistas, los *hasidim* a la cabeza de los cuales estaba Eleazar. Sin duda alguna fue eso lo que la llevó al desastre, pues aunque sus atracadores llevaban cruces (estamos hablando de la Tercera Cruzada), era dinero lo que buscaban cuando irrumpieron en casa del Perfumista en noviembre de 1196.

Doulcea no era la única. Había una cantidad sorprendente de mujeres judías que se habían convertido en banqueras de los personajes más encumbrados y poderosos de la sociedad cristiana: obispos, abades, condes, reinas y reyes. (Poulceline de Blois fue una de las que lo pagó caro.) En Inglaterra conocemos toda una cohorte de matriarcas, casadas y viudas, que dirigían importantes negocios basados en el préstamo de dinero: Chera de Winchester y su nuera, Belia; la gran rival de Chera, Licoricia; Belaset de Oxford y muchas más. Sus nombres y sus transacciones se han conservado porque entre las víctimas de los disturbios del día de la coronación de 1189-1190 estuvieron las fichas de los que debían dinero a los judíos. Como la Corona consideraba a «sus» judíos un activo personal y estaba acostumbrada a pedirles dinero prestado cuando la necesidad obligaba a ello, eran los intereses de Ricardo los que habían sido menoscabados, no solo los de los judíos. Por consiguiente, había una Hacienda de los Judíos encargada de registrar todas sus transacciones, junto con el dinero adeudado, los préstamos propiamente dichos, las «tallas» o tributos y las multas pendientes de cobro. Como esas multas afectaban incluso a asuntos mundanos tales como los permisos para cambiar de estado civil, los Pipe Rolls de la Corona* nos proporcionan la historia social de las aproximadamente cinco mil personas que componían la comunidad judía de Inglaterra hasta la expulsión de 1290.

No todos los judíos eran prestamistas ni todos los prestamistas eran judíos. Aunque el derecho canónico prohibía los préstamos con interés, había cristianos, en especial los lombardos, que ofrecían servicios similares y que, evidentemente, se mostraban indiferentes a la amenaza que semejante actividad pudiera suponer para sus almas mortales, pues no solo aplicaban tipos de interés desorbitados, sino que insistían en cobrar intereses durante toda la vida del préstamo contraído originalmente, pese a que ya se hubieran efectuado las primeras devoluciones. Como población sometida, por su parte, los judíos tenían estrictamente regulados los intereses que podían cobrar y las condiciones de los préstamos. Sus vínculos internacionales a lo largo de toda Europa les daban acceso a cuantiosos capitales, y las garantías que aceptaban por sus préstamos —tierras, haciendas, fincas abaciales, inmuebles urbanos, etc.— se convertían a su vez en bienes negociables. Cuando un prestamista judío moría, un tercio (como mínimo) de sus bienes revertía a la Corona, de modo que las duras condiciones que pudieran poner los judíos en sus negocios se convertían en una fuente de beneficio inmediato para el fisco, siempre muy voraz. Los judíos no tenían más remedio que hacer el trabajo sucio y atraerse el odio de la gente, mientras que la Corona se llevaba el beneficio. Aparte de esas estipulaciones, se podían plantear sin previo aviso exigencias durísimas a aquella población indefensa, y si esta no las cumplía, podía incautársele lo que hiciera falta por decisión real. Cuando los judíos tenían que hacer frente a una exacción inesperada o a un préstamo forzoso, se veían obligados a reclamar la devolución de sus propios préstamos para evitar su encarcelamiento inmediato; la opción que se les planteaba era o provocar el odio de la gente o aguantar cualquier sufrimiento. La mayor parte de los años, el dinero en efectivo robado a los judíos por medio de este tipo de estratagemas equivalía a la séptima parte de todos los ingresos de la Corona.

---

* Nombre que recibían entre los siglos XII y XIX los registros anuales de la administración del reino, guardados en el archivo del tesoro. *(N. de los T.)*

El mayor filón fue hallado en 1186, a la muerte del supermagnate Aarón de Lincoln. Aarón había amasado una fortuna enorme a partir de las nuevas y costosas necesidades de la Iglesia y del estado. Había financiado a Becket y a Enrique II; había prestado dinero al obispo de Lincoln (con la garantía de las colectas de la diócesis) para que el prelado pudiera construirse un palacio magnífico, y hasta había hecho posible la edificación de la propia catedral de la ciudad, del mismo modo que, no muy lejos de allí, su dinero había permitido también construir la catedral de Peterborough. Cuando falleció, Aarón era, en valores realizables, el hombre más rico de Inglaterra, lo que hacía que su patrimonio resultara irresistible para Enrique II, siempre agobiado por las necesidades de dinero. La totalidad de sus bienes, incluido el enorme registro de deudas pendientes de cobro fueron confiscados por la Corona. El oro y la plata fueron enviados inmediatamente a Francia, donde Enrique estaba en guerra con Felipe Augusto (aunque, en un acto providencial de justicia, se perdieron cuando el barco que los transportaba a Dieppe se hundió). El resto de sus bienes eran un enorme montón de préstamos efectuados a unos 450 deudores, desde el rey de Escocia hasta el arzobispo de Canterbury. El patrimonio era de una magnitud tan asombrosa y compleja que hubo que crear un departamento de estado especial, el *Saccarium Aaronis* o Hacienda de Aarón. Se tardó cinco años en aclarar todos los detalles de la Hacienda de Aarón antes de que fuera posible explotar aquella auténtica mina de oro.[28]

Aarón no era un caso típico, ni mucho menos. Antes de que la presencia de los judíos se viera restringida a unas cuantas ciudades en concreto, estuvieron repartidos por todo el reino, y muchos fueron prestamistas de unos clientes infinitamente menos opulentos que los de Aarón: caballeros e hidalgos locales, pequeños conventos, abadías e iglesias, y burgueses de los distintos centros mercantiles. Muchos tenían negocios complementarios —orfebrería y platería, compraventa de piedras preciosas y joyería—, pero también había vendedores de vino (otro ramo que sacaba provecho de los contactos familiares con Francia), mercaderes de lana, sal y especias, e individuos que ejercían las profesiones habituales de médicos y boticarios. Se sabe asimismo que había cocineros y proveedores de comida kosher que suministraban sus productos a clientes no judíos, y había incluso ocupaciones más sorprendentes. El II Concilio de Letrán de 1139 había intentado, haciendo gala de un optimismo excesivo, prohibir el uso de la ballesta entre los cristianos. Pero ningún señor de la guerra que se preciara iba a prescindir de ella, así que se adiestró a un cuerpo especial de ballesteros judíos al servicio de la Corona, que se hicieron famosos en todo el reino por su especialización en el manejo de esta arma. Durante el reinado de Enrique III, tenemos registrado por lo menos un caso de reclamación del pago de la manutención de un ballestero en concreto, llamado Semán o Simón, que tal vez fuera converso, pero del suministro de cuya ropa y armamento se encargaba David de Oxford. Y cuesta trabajo decidir a quiénes les habría resultado más ofensivo un pintor de imágenes sagradas judío, especializado en figuras de la Virgen, si a los rabinos, que habrían considerado semejante oficio una transgresión del Segundo Mandamiento, o a los cristianos, que estaban acostumbrados a los rumores acerca de judíos que profanaban regularmente las imágenes de Nuestra Señora. ¿Lo arreglaría todo nuestro pintor diciéndose que no podía haber ningún pecado en pintar las figuras idólatras de otra religión?[29]

Pero eran los grandes prestamistas, especializados en proporcionar dinero a clientes poderosos y en asumir el correspondiente riesgo, los auténticos potentados de la judería de Inglaterra: Aarón de Lincoln; Benedict Crespin de Londres, cuyo hermoso cuarto para el baño ritual o *mikvá*, de arenisca verde, fue excavado en 2002 y puede admirarse en el Museo Judío de la capital; Moisés de Bristol y David de Oxford. Todos ellos se construyeron casas de piedra (pensando en la ostentación y en la defensa) que, como muchos barrios judíos y sus correspondientes pequeñas sinagogas, estaban situadas bastante cerca de las fortalezas y cárceles de la ciudad por si de pronto necesitaban refugiarse en ellas y escapar así de los ataques de la multitud, como a menudo sucedía. Muchos tenían diversas propiedades en varias ciudades distintas, incluido Londres, y algunos, como otro Benedict, el hijo de Licoricia, compraron fincas rústicas, en este caso quince hectáreas en Northamptonshire, que contenían terrenos explotados por arrendatarios, parques y bosques de caza, y gran cantidad de ganado, incluidos, por escandaloso que pueda parecer, piaras de «cerdos jóvenes». Y, evidentemente, algunos de esos magnates judíos eran muy aficionados a los buenos caballos.

Uno de esos amantes de los palafrenes era David de Oxford. Como el resto de los judíos de la ciudad, había logrado sobrevivir a la rapiña constante impuesta por Ricardo (para su participación en las Cruzadas

y para su posterior regreso previo pago de un rescate) y por su insaciable hermano Juan Sin Tierra, que en 1217 impuso el pago de un tributo exorbitante y luego simplemente dejó que los barones de su Carta
Magna arrebataran absolutamente todo lo que quisieran a los judíos a
los que pudiera acusarse de atraso en los pagos. David salió de la ruina
y el desastre, y volvió a amasar una fortuna prestando dinero a clientes
de gustos caros, desde Northamptonshire y Warwickshire hasta Berk-
shire y Buckinghamshire. En concreto, suyos fueron los fondos que permitieron levantar el priorato de Oseney y el castillo de Oxford, una
fortaleza que los judíos tenían mucho interés en ver acabada, aunque de
vez en cuando les tocara convertirse en sus moradores involuntarios.
Cierto documento alude a la amortización de una deuda y la consiguiente liberación de la «mano dura» de David, pero este tenía buenos
motivos para apretar las tuercas a la hora de negociar los préstamos, pues
nunca podía estar seguro de si volvería a ver su dinero. El rey Ricardo
había tomado por costumbre sobornar a los nobles para que lo acom-
pañaran a la cruzada modificando a capricho las deudas contraídas con
individuos como David, unas veces reduciendo o eliminando por completo los intereses; y otras condonando simplemente las deudas. La táctica surtió demasiado efecto como para ser abandonada sin más tras el
fracaso de la cruzada, pues, al igual que su hermano, Juan Sin Tierra se
vio envuelto en constantes guerras y su joven heredero, Enrique III,
estuvo bajo la tutela de unos nobles que obtuvieron dispensas similares
por los múltiples servicios militares prestados a la Corona. David tuvo
que soportar treinta anulaciones de préstamos de ese estilo en menos de
quince años. La garantía frente a la eventualidad de tener que apechugar
en solitario con semejantes desastres era asociare con otros hombres
adinerados en los que pudiera confiar y, de ese modo, repartir un poco
tanto las ganancias como las pérdidas.[30]

Con mano dura o sin ella, lo cierto es que David prosperó. Se
construyó una hermosa casa de piedra en la judería de Oxford, al sur de
Carfax, en la calle llamada para siempre por profesores y alumnos St.
Aldate's, y otra un poco más allá, a la vuelta de la esquina, en St. Edward's
Lane. Evidentemente, la fortuna de David era lo bastante grande como
para que se angustiara por la falta de herederos, pues su matrimonio con
Muriel no había dado fruto. Y así, más o menos en torno a 1242, salió
al encuentro de su destino Licoricia de Winchester.

Licoricia era una viuda que tenía tres hijos de su primer marido, Abraham de Kent, implicado, pero no condenado por ello en uno de tantos juicios por el asesinato de un niño siete años antes. Al igual que otras muchas mujeres casadas y viudas (como, por ejemplo, Belia, la astuta nuera de la adinerada viuda Chera de Winchester, todavía más famosa y formidable), había actuado como socia en los negocios de su marido mientras este vivió, firmando por él contratos y recibos de extinción de la deuda en hebreo (de ahí que fueran mujeres de letras, no solo de números). Licoricia había crecido en la Winchester dominada por Chera y su clan, e indudablemente aprendió mucho de su ejemplo, pues en poco tiempo se convirtió en una poderosa empresaria por cuenta propia, y quizá es así como deberíamos llamarla. Cuando conoció a David ya era rica, pero no es muy probable que, dada la colosal fortuna que él poseía, incrementarla aún más con su matrimonio fuera una de las causas de lo que pasaría después. Lo más probable es que se enamorara de ella. Las viudas viajeras debían de resultar irresistibles. Emprendían viajes de negocios a lo grande; a menudo tenían vestuarios espectaculares (conocemos un vestido de Licoricia de «seda malva» y otro «rojo sangre con ribete de piel de conejo»).

Si el papa Inocencio III se hubiera salido con la suya, los judíos habrían tenido que llevar una tacha sartorial en su ropa; un distintivo con la forma de las Tablas de la Ley de «cuatro dedos por dos». En el IV Concilio de Letrán, celebrado en 1215, el Papa había exigido que llevaran esa marca, precisamente porque resultaba imposible, solo por la vestimenta y por la lengua, decir quién era cada uno, con lo cual se corría el riesgo, a juicio del pontífice, de que se formaran matrimonios mixtos. La decisión del Papa quizá estuviera motivada por casos como el del famoso lío de un diácono de Oxford, por lo demás innominado, que, según el cronista Mateo de París, se encaprichó apasionadamente de una judía y tan «ardientemente deseaba sus abrazos ... que accedió a su exigencia de que se convirtiera y le mostrara la seriedad de sus intenciones practicándose la circuncisión. Una vez que hubo hecho todo lo que ella le pedía, consiguió su amor ilícito. Pero no pudo ocultarlo mucho tiempo y el caso fue puesto en conocimiento del [arzobispo] Esteban de Canterbury».[31] En 1222, el arzobispo Langton convocó un concilio en Oxford que degradó al diácono impenitente, que, según dicen, repudió lo que él llamaba «la nueva ley» y, además, hizo unos cuantos comentarios muy oportunos acerca de la Virgen María. Como es natural, así era imposible que apaciguara al obispo y mucho menos al alguacil Fawkes de Bréauté, famoso por su fiereza, que enviaron al diácono directamente a la hoguera. De la judía no se supo nada más, excepto que se libró del escándalo y de las llamas, evidentemente sin lucir la *tabula* cosida en el vestido.

A pesar del caso del diácono apóstata de Oxford, parece que el requisito de la marca distintiva de las tablas de la ley no llegó a entrar en vigor en casi todo el reinado de Enrique III, de modo que no es probable que molestara mucho a Licoricia y a sus hermanas viajeras del negocio del préstamo. Estaban todas ellas perfectamente acostumbradas a tratar con el mundo cristiano, tenían una mentalidad independiente y sabían leer, escribir y gastar bromas, así como mantener sus buenas discusiones con los barones y los obispos más duros de pelar y de carácter más rudo, a algunos de los cuales desde luego les temblaban las piernas cuando tenían que entrevistarse con mujeres del temple de Belaset o Licoricia. Como ellas también se veían obligadas a trabajar en sociedad con otros judíos originarios de todos los rincones del país, es evidente que sus intereses iban mucho más allá de las preocupaciones domésticas y religiosas de una Doulcea de Worms, pongamos por caso, aunque eso no significa necesariamente que su mundanidad corriera a expensas de su fe. Parece que Licoricia era una seguidora a ultranza de la comida kosher, pero pocas cosas más podían parar a estas mujeres. Viajaban acompañadas de escoltas armadas, montadas a mujeriegas o en una forma elemental de carromato, apeándose en ruta para pasar la noche en alguna comunidad judía antes de proseguir la marcha, a menudo hacia destinos que habrían intimidado a otros menos decididos. Licoricia se reunía habitualmente con sus clientes de mayor rango y más poderosos en el Gran Salón del castillo de Winchester, al que iba a menudo Enrique III.

Fuera lo que fuese lo que atrajo a David —y quizá solo fuera la probada fecundidad de Licoricia—, bastó para llevarlo a actuar con una sorprendente rudeza y a anunciar su divorcio de Muriel, más o menos de forma unilateral, y quizá sin decírselo personalmente. Sin embargo, desde las reformas introducidas por Gershom ben Yehudá de Maguncia y otros rabinos de la época, no solo estaba estrictamente prohibida la poligamia, sino que además era ilegal divorciarse de una mujer sin el consentimiento explícito de esta, excepto en la escandalosa circunstancia de que hubiera cometido adulterio. No era desde luego este el caso de Muriel, que no tenía ninguna intención de hacer las cosas discretamente. En aquel mundo hasta las Muriel conocían sus derechos, y no les asustaba hacerlos valer. Otras judías de esta misma época aparecen en los litigios y las disputas familiares por el destino de su dote cuando se quedaban viudas, pues eran plenamente conscientes de lo que decía la ley. Una tal Milla, por ejemplo, rechazó las pretensiones predatorias de cierto Samuel, que quería apoderarse de su dote afirmando que estaban casados «en virtud del comercio y el trato que tienen entre ellos», en alusión al comercio carnal. Milla lo rechazó con un bufido, recurrió a los tribunales y ganó el pleito. Otra mujer de mentalidad independiente, Gentilla, no haría honor a su nombre y se mostraría dispuesta a pagar una bonita suma de dinero a los funcionarios del rey para no tener que casarse con el partido que le habían asignado. Evidentemente, Muriel estaba cortada por el mismo patrón, aunque no pudiera compararse con su rival de Winchester (pocas habrían estado a su altura). La familia de Muriel, oriunda de Lincoln, se movilizó, y su hermano Peytevin, que era también un hombre acaudalado que había construido su propia sinagoga y desde luego era ducho en el derecho tanto de los judíos como de los gentiles, tomó cartas en el asunto. Consultó primero a un grupo de rabinos franceses prudentemente fuera del alcance de cualquier cuerda que pudiera tocar David, y ante los que a menudo se inclinaban sus colegas ingleses por considerarlos discípulos del gran Rachí de Troyes. Los franceses se pronunciaron a favor de Muriel y, convencidos de que todo marchaba viento en popa, Muriel y Peytevin organizaron un *beth din* —esto es, un tribunal rabínico— en Oxford, que se sumó al veredicto de los franceses y anuló el divorcio.

David y Licoricia lamentaron haberse tomado a la ligera a Muriel, pero entonces pasaron a la ofensiva, aunque ello supusiera apelar no ya a una autoridad judía, sino a una cristiana, ni más ni menos que al arzobispo de York. Entre los que tenían mucho que agradecer a David estaba el propio rey, al cual en un momento de apuro el prestamista había ofrecido un incentivo de cien libras. Después de eso, por lo que a Enrique concernía, nada de lo que hiciera David podía estar mal. El arzobispo, por su parte, no estaba dispuesto a tolerar la superioridad de ningún otro tribunal religioso, y tras convocar a los partidarios de Muriel, revocó la sentencia del *beth din* de Oxford y decretó que el divorcio era válido. Más significativo es el testimonio que se conserva en los Close Rolls,* una carta dirigida por el monarca a los «maestros» que habían dictado sentencia prohibiéndoles «forzar» a David a «quedarse con esa esposa [Muriel] o con cualquier otra». Actuar de otro modo, advertía la carta, supondría «incurrir en graves penas».[32]

Así pues, ya no había ninguna instancia a la que pudieran apelar Muriel y su hermano. De momento, y en cumplimiento de la *halajá* de las leyes religiosas, se le asignó una compensación en forma de la casa más pequeña, la de la esquina de St. Edward's Lane y Jury Lane. Y quizá recibiera también una triste satisfacción al ver que Licoricia y David no disfrutaban de su matrimonio más que dos años, pues David falleció en 1244; tiempo suficiente, en cualquier caso, para que Licoricia trajera al mundo al heredero que tan desesperadamente había deseado, y al que pusieron el nombre de su abuelo paterno, Aser o Asher, aunque durante toda su vida sería llamado (en consonancia con la golosina del nombre de su madre) Sweetman o Sweteman.**

Pese a todo, lejos de poder disfrutar de la fortuna de su difunto esposo, Licoricia fue encerrada con su pequeño Sweetman en la Torre de Londres, mientras que el patrimonio de David fue sometido a un minucioso escrutinio y expropiado por la Corona. Normalmente, el rey tenía derecho a un tercio de los patrimonios de este tipo, pero, cuando se trataba de una herencia tan grande, todo el mundo pensaba en el engorroso ejemplo de Aarón de Lincoln. A buen recaudo en la Torre de Londres (aunque sin duda alguna pagando lo necesario para poder moverse libremente por ella, disponer de comida kosher llevada adrede, etc.), Licoricia permaneció como rehén para satisfacción de la Corona, mientras el rey Enrique examinaba detenidamente la magnífica biblioteca de David, aparentemente para asegurarse de que no contenía ningún elemento ofensivo para el cristianismo o para el judaísmo, aunque en realidad para llevarse algunos ejemplares valiosos, como, por ejemplo, un salterio. Más satisfactoria todavía para el rey fue la expropiación de

---

* Los Close Rolls son los archivos de las órdenes reservadas emitidas por la Cancillería en nombre del rey. *(N. de los T.)*

** El apodo de Aser, Sweetman, significa «Hombre dulce», en consonancia con el nombre de su madre, que significa «Regaliz». *(N. de los T.)*

la hermosa casa de David en lo alto de St. Aldate's y su transformación en la regia *domus conversorum*, una casa destinada a alojar a los conversos, que, tras recibir la gracia de Cristo, pudieron proveerse en la cocina de David y comer en su vajilla, utilizar sus enseres y ponerse su ropa y la de Licoricia. La liquidación de los bienes, para satisfacción de los agentes de la Corona, duró muchos meses, pero al final el rey tomó posesión de la inmensa suma de 5.000 marcos, equivalentes a más de 3.000 libras de la época. Como se necesitaban 100 libras para construir y equipar un barco entero, se trataba de una cantidad enorme de dinero y fue destinada al proyecto favorito de Enrique III, la reconstrucción de la abadía de Westminster, y en particular a crear la capilla de Eduardo el Confesor, que todavía se conserva. Buena parte de la abadía en la que son coronados los reyes procede de los bienes de Licoricia la Judía y su marido, David de Oxford, detalle que las guías, quién sabe por qué, misteriosamente omiten. Si quieren ustedes comprobar qué fue de la fortuna de una familia judía, echen un vistazo al espectacular pavimento de estilo cosmatesco sufragado (como tantas otras cosas en esa parte de la abadía) por David y Licoricia. La capilla no era solo una parte más de la abadía; se convirtió en su núcleo sagrado, en mausoleo de los reyes y las reinas de la dinastía Plantagenet, incluido el hijo de Enrique III, Eduardo I, que un siglo más tarde, después de muchos sufrimientos y angustias, se desharía sin contemplaciones de todos los judíos de su reino.

III. Destrucción

Una mañana de la primavera de 1277, el cuerpo de Licoricia fue hallado en el suelo de su casa de Winchester junto con el de su doncella Alice; ambas habían muerto apuñaladas. Se suponía que los judíos no tenían doncellas cristianas, pero aunque entonces había muchas cosas que se suponía que los judíos no hacían, Licoricia las hacía todas o casi todas. Tras enterrar a David en el cementerio judío de Oxford, donde hoy día los propios judíos pisotean las margaritas, pues forma parte del Jardín Botánico de la universidad, Licoricia regresó con Sweetman a su viejo coto de caza de Winchester, donde de nuevo desempeñaría su papel de reina del dinero, en ocasiones incluso sobreactuando. Cuando uno de sus numerosos deudores, Thomas Charlecote, fue encontrado flotando boca abajo en una charca de su hacienda de Warwickshire, Licoricia se apresuró a incautarse de la finca. El préstamo de Charlecote había sido concedido con la garantía de la finca, pero el protocolo exigía que la acreedora esperara a que el hijo y heredero del difunto, Thomas, recibiera la parte acordada. Licoricia no estaba acostumbrada a que la hicieran esperar, ni tampoco era especialmente dada a perdonar. Parece que había conseguido echar a Muriel de su casa de Oxford, y ahora tomó posesión de las tierras de Charlecote y se apresuró a liquidar completamente los activos. Todo fue puesto a la venta: ganado, cotos de caza, y tierras en arriendo.

De modo que, como Poulceline de Blois, Licoricia habría tenido muchos enemigos, aunque parece que desde comienzos de la década de 1270 ya se había retirado de los negocios. ¿Fueron esos enemigos los que la mataron? La investigación atribuyó el crimen a un guarnicionero llamado Ralph, en cuyo caso el asesinato habría sido fruto de atraco impremeditado, como los que sin duda sufrían los judíos. Pero puede que Ralph fuera el chivo expiatorio de alguien más importante deseoso de librarse de su deuda quitando de en medio a su acreedora. Los nuevos tiempos y el recrudecimiento del odio que llevaron consigo mataron a Licoricia y después a muchos más judíos. Y es que su suerte había estado estrechamente ligada a Enrique III, quien, pese a su oportunismo y su falta de escrúpulos a la hora de reducir de forma aleatoria los bienes de los hebreos mediante confiscaciones y la imposición sin previo aviso de impuestos y tributos, cumplió al menos en gran medida su objetivo de protegerlos. Pero, precisamente, ese favor real fue una de las primeras quejas presentadas ante el rey durante las guerras de los barones capitaneados por Simón de Montfort, que profesaba tanto odio a los judíos como dinero les debía. Aunque Simón acabó siendo derrotado, el sucesor de Enrique, su hijo Eduardo I, que subió al trono en 1272, compartía muchos de sus prejuicios, reforzados por el tiempo que había pasado en las Cruzadas.

El pacto que llevaba ya doscientos años en vigor —en virtud del cual los judíos prestaban servicio como prestamistas a cambio de protección y de la libertad de viajar por todo el reino— fue hecho pedazos. El primer indicio de lo que se avecinaba fue la repentina aplicación de la orden de llevar un distintivo visible, la *tabula*. Los hebreos eran ahora una población marcada. Luego se limitó el número de ciudades en las que podían residir, y comunidades enteras tuvieron que cambiar de residencia. La situación empeoró cuando Eduardo regresó de las Cruzadas. El estatuto de los judíos de 1275 prohibió el préstamo de dinero, su actividad fundamental, en la que, con independencia de los odios que suscitara y de los peligros que entrañara, basaban su existencia unas comunidades que, de no ser por ella, habrían quedado en la indigencia. Se pusieron oficialmente en circulación toda una sarta de mentiras y fantasías acerca de los judíos, según las cuales se dedicaban a estudiar y practicar nuevas artes y oficios sin que realmente cumplieran los requisitos para hacerlo, especialmente porque los gremios seguían siendo cotos vedados. Por un pequeño milagro, un hijo de Licoricia fruto de su primer matrimonio, Benedict, había estado lo bastante cerca del alcalde de Winchester, Simon Draper, como para ser admitido en el gremio de su ciudad, un progreso tan sorprendente que levantó casi de inmediato una oleada de habladurías y calumnias contra el alcalde, que se vio obligado a dar marcha atrás y a reducir su estatus al de una especie de miembro honorario.

Asimismo, un año después del asesinato de su madre, Benedict, que ya no era miembro de su gremio, murió ahorcado en Londres. En 1278-1279 se había lanzado una campaña de terror y violencia aplastante en la que los judíos de Inglaterra fueron acusados en masa de «recortar las monedas» (esto es, de raspar las piezas de oro y plata para fundir el metal obtenido en forma de lingotes, adulterando así el valor del dinero en curso). Se trataba indudablemente de un delito, y puede que junto con los muchos cristianos culpables del mismo, hubiera algunos judíos que pusieran en circulación moneda «aligerada» e hicieran recortes.[33] Pero la consecuencia fue el encarcelamiento de casi todos los judíos del país. Los detenidos fueron trasladados a Londres y hacinados de tal modo en las cárceles que fue preciso crear otras nuevas, entre ellas la casa de fieras de Enrique III en la Torre, vacía desde la rápida muerte de los elefantes reales al poco tiempo de su llegada. El tamaño de los calabozos tenía fama de ser enorme, pues se conserva la solicitud de una judía, triste y anciana, en la que pide ser encarcelada en la casa de fieras.

Quizá se salvara en aquel alojamiento tan singular, pero el caso es que la ciudad se llenó de horcas, en las que fueron colgados 269 judíos. Así era Londres en los primeros años del reinado de Eduardo I, cadáveres de judíos y más cadáveres de judíos —entre ellos el de Benedict, el hijo de Licoricia— colgando en plena calle; un crimen horrendo e imperdonable del que nadie se acuerda, que nadie ha lamentado y que nadie ha reconocido en toda la historia de Inglaterra.

Los ajusticiamientos en masa acabaron con la comunidad. Sus jefes, hombres y mujeres, sus protectores, sus adalides y defensores, habían sido destruidos de un solo golpe (por una vez la expresión no es una mera frase hecha). Los que quedaron eran pobres, estaban deshechos y aterrorizados. En realidad, no había ninguna esperanza práctica de que llevaran a cabo la transformación social supuestamente deseada por el rey. Y el aparente afán de Eduardo por conseguir su reforma social había privado a los judíos de cualquier otra utilidad. Cuando expulsó a los judíos de Gascuña, Eduardo ya había descubierto que, en cuanto la ocasión lo propiciara, aparecerían los flamencos y los genoveses con todo lo necesario. Lo único que quedaba por hacer con los judíos era una simple labor de eliminación de los residuos. De modo que cuando en julio de 1290 —para mayor deleite de su madre, Leonor de Provenza, que había sido una cliente habitual de los prestamistas hebreos y por lo tanto era judeófoba, y de su mujer, Leonor de Castilla, que abrigaba una malevolencia aún más exagerada— llegó la orden de expulsión firmada por Eduardo, el verdadero tiro de gracia, no pudo suponer sorpresa alguna. Además, había una razón pragmática para capitalizar su eliminación. Cuando Eduardo regresó de sus campañas en Francia en 1289, las arcas de la Corona estaban tan vacías que solo la imposición de un tributo absolutamente punitivo sobre todos los súbditos de Inglaterra, incluidas la nobleza y la Iglesia, habría podido llenarlas. El edulcorante de una píldora tan amarga que, sin él, habría resultado inaceptable, fue la expulsión de los judíos, o más concretamente la mera cancelación de todas las deudas contraídas con ellos. Ni que decir tiene que fue una solución muy popular. El 3 de noviembre se decretó que «por sus crímenes y por el honor de Jesús Crucificado, el rey ha expulsado a los judíos por ser hombres pérfidos».[34]

El edicto serviría de modelo para la expulsión de los judíos de España dos siglos después, medida todavía más traumática debido al número mucho mayor de personas implicadas. A los judíos de Inglaterra les dieron dos meses para marcharse, y solo tuvieron derecho a reclamar el principal de los préstamos pendientes de cobro, pero no los intereses; además, únicamente se les permitió llevar consigo las posesiones con las que pudieran cargar. En esas condiciones tan brutales, cuando las juderías de Inglaterra fueron desocupadas, las casas fueron adquiridas a precios rebajados por compradores sin escrúpulos. Colas de carretas y de individuos con los pies doloridos se encaminaron penosamente a los puertos del país, desde Dover hasta Southampton, y algunos salieron incluso de los muelles del Támesis. Se contaba la historia de un capitán de barco que recomendó a sus pasajeros ejercitar las piernas en las marismas de Queensborough, expuestas a la pleamar, y luego, después de embolsarse el importe de los billetes, se hizo a la mar sin ellos cuando subió la marea, dejando que se ahogaran. Lo que despertó especialmente la cólera de los agentes de la Corona fue la sospecha de que el tesoro quizá no llegara a percibir ni un céntimo del botín. En 1291 estalló en Norfolk una agria disputa en torno al hermano del alguacil, que había confiscado las propiedades de los judíos y les había quitado todos los bienes que llevaban encima cuando estaban a bordo de un barco que zarpó de Burnham, con la intención de quedarse con las ganancias, y sobre si se habían pagado los impuestos correspondientes a esos bienes. Totalmente al margen de la disputa estaba el hecho de que todos los judíos que iban en el barco habían sido asesinados, además de robados, pues, al fin y al cabo, como dijo el alguacil, «eran malhechores dedicados a alterar la paz del reino».[35] Una de las imágenes más imperecederas de aquel año de aflicciones es la de un grupo de cristianos ingleses con las mazas en alto sobre los judíos, echándolos alegremente del reino.

Fue más o menos en esta misma época cuando se popularizó en la mente de los cristianos la leyenda del «judío errante». No se trata de la visión generalizada de unos exiliados dispersos por el mundo, sino del relato concreto de un judío, en algunas versiones (como la recogida por Mateo de París, el cronista que se regodea contando las desgracias de los judíos) el zapatero Cartáfilo, que dio un empujón a Jesús cuando iba camino del Calvario acusándolo de que no se daba suficiente prisa. Jesús contestó que él acabaría descansando, pero que el hombre que lo hostigaba de aquel modo nunca encontraría reposo. Y de esa forma el judío fue condenado a caminar perpetuamente sobre la faz de la Tierra como Caín, dando eterno testimonio de su pecado y del pecado de su pueblo, sin alcanzar el descanso de la muerte hasta que se produjera la Segunda Venida de Cristo. Al contemplar a aquellos caminantes exhaustos subir a los barcos, la Inglaterra cristiana quizá sintiera la satisfacción de haber cumplido, a su manera, otra de las profecías del Salvador.

8

Juicios

I. Elegir la vida

¿No era ya bastante difícil ser judío sin que otros judíos hicieran de ello una tarea prácticamente imposible? Esa es la idea que cruzó por la mente de Moisés Maimónides cuando leyó la respuesta dada por un rabino a un individuo pobre que le había preguntado si, forzado a punta de espada a elegir entre la muerte y la conversión, podía ser perdonado por escoger la segunda opción. Solo un poco, ¿sabe usted?, de boquilla, repitiendo las palabras, solo las suficientes para salvar la vida, pero, por supuesto, permaneciendo siempre interiormente fiel a la Torá. Si lo mataban, sus pobres hijos serían hechos cautivos, convertidos en musulmanes, se los llevarían y se perderían para siempre para el judaísmo.

La respuesta recibida era inflexible. En tales circunstancias, ¡ojalá no se te presenten nunca, Dios lo quiera!, pero en tales circunstancias el judío justo debe elegir la muerte antes que el incumplimiento de la Ley. Santificar el Nombre de Dios como habían hecho los bienaventurados mártires en la época de los macabeos, Rabí Akiva en tiempos de la persecución de Adriano (¡que sus huesos se disolvieran en el polvo!) o los múltiples santos y santas que habían sido víctimas de las matanzas cuando los cruzados llegaron al Rin. Muere por tu propia mano, ofrece tu yugular al cuchillo y entra en el Paraíso, donde volverás a recuperar la integridad y tu sangre será restañada con bálsamos celestiales. Pensar en otra cosa sería vana ilusión. Pronuncia la *shahada*, la profesión de fe de los musulmanes, y Dios apartará de ti su rostro, arrojándote para siempre a las tinieblas impenetrables.

«¡No, no y no, elige la vida!», pensaba Maimónides. No era que no respetara el sacrificio de los mártires; lo que consideraba extraño y una verdadera falta de respeto al mandato de salvar la vida, claramente expresado en la Torá, era la simplicidad de los ideales absolutos presente en todas las religiones. Lo que más lo conmovía, como ponía de manifiesto al comienzo de su gran reelaboración de la Misná, el *Misné Torá*, era el pasaje de Levítico 18, 5 que exigía a los judíos (o a los israelitas, como Maimónides prefería llamarlos) vivir por los mandamientos, no morir por ellos.[1] El don de la Ley llevaba intrínsecamente aparejado el libre albedrío, la posibilidad de elegir. Para los que insistían en que había circunstancias en las que no era posible ninguna elección, invocaba Deuteronomio 30, 15, la piedra angular del arco de su filosofía, que había sido construida para sostener la fe y la razón. «Mira, hoy pongo ante ti la vida y el bien, la muerte y el mal.»[2] Había otra manera de «santificar el Nombre», y era vivir una vida honrada en consonancia con el preciosísimo don de la Ley. «Si un hombre ha tenido una conducta escrupulosa, ha sido amable en su conversación, agradable con el resto de las criaturas, afable al recibirlas, no ha replicado ni siquiera cuando lo han ofendido, ha sido cortés con todos, incluso con los que lo tratan con desdén, ha ejercido su oficio con integridad … dedicado a la Torá, envuelto en el taled [el mantón usado para la oración], coronado por los *tefillin* [las filacterias], evitando los extremos y las exageraciones, entonces ese hombre ha santificado a Dios».[3]

Además, ¿qué sabían aquellos talmudistas de gabinete de las angustias que se veía en la necesidad de soportar el hombre que tenía la osadía de preguntar si podía cometer una transgresión para salvar la vida? Maimónides y su padre, Rabí Maimón ben Yosef, el Sefardí, las conocían. La opresión los había seguido por doquier como un perro sabueso. Había llegado a la hermosa Córdoba, donde Moisés había nacido en torno al año 1035 y donde su familia llevaba viviendo varias generaciones. El árabe le resultaba tan natural como el hebreo. Los monarcas bereberes, los almorávides, habían empezado siendo unos defensores del Profeta a punta de espada. Pero las aguas habían vuelto a su cauce en al-Andalus, la furia se había templado, todos se habían reconciliado con todos y, una vez más, se había permitido a los infieles recitar sus oraciones, leer la Torá y atender a los príncipes cuando caían enfermos, pues ¿cuál era la vez que no se mandaba llamar a un médico judío? Como antes en tantas ocasiones, la furia de la doctrina había cedido ante el tráfico mundano. Pero ese acomodo con la vida fue precisamente lo que exacerbó los ánimos de la siguiente oleada de bereberes, los almohades, y los llevó a abandonar las estribaciones del Atlas, espoleados por su líder, Abd al-Mumin, que se abrió paso a golpe de espada entre los partidarios de la negociación en nombre de una forma más pura de seguir las enseñanzas del Profeta. En cualquier caso, ¿qué había en las montañas de Marruecos que alimentara tanta beligerancia, una certidumbre tan implacable? Y es que a aquellos seguidores de Abd al-Mumin no se los podía sobornar ni era posible discutir con ellos. Lo único que sabían hacer era poner los ojos en blanco, prosternarse y lanzar alaridos de celo. En su opinión, habían sido llamados a limpiar una *umma* profana, pues solo los limpios y los fuertes podrían resistir el avance de los francos cristianos, tanto en España como en Palestina.

Los almorávides cedieron ante la furia todavía más enloquecida de los almohades, y los tiempos de acomodo mundano en al-Andalus pasaron a mejor vida. Los almohades ordenaron el cierre de muchas sinagogas y la demolición de otras. Que Dios ayudara a cualquier judío al que sorprendieran rezando sus oraciones en público, aunque fuera furtivamente a la sombra de alguna pared en la aldea más remota a la hora del crepúsculo. En adelante no cabría la posibilidad de que musulmanes e infieles ocuparan escandalosamente una misma casa (ni siquiera como amos y criados), o de que se atrevieran a mantener unas relaciones sexuales impuras, pues había que acostumbrar a los *kafr* a que semejante confusión resultara imposible para ellos. Se obligaría a los judíos a llevar una larga túnica negra, sin forma, hasta los pies, para que arrastraran su ropa por la mugre de la humillación. Se les cobraría la *jaliya* de tal forma que les recordara su estado de sometimiento, dándoles bofetadas, haciéndoles gestos de burla y colmándolos de insultos mientras apoquinaban su oro, para recordarles que no eran más que unos monos, unos burros, unos cerdos y unos perros. ¡Ah, y sus mujeres, sus esposas y sus madres eran todas unas putas, por supuesto!

Las aceitunas de Andalucía eran ahora más amargas. Rabí Maimón ben Yosef y su familia se dispusieron a abandonar Sefarad y todo lo que habían conocido. Las carretas cruzaron pesadamente los arcos del viejo puente romano sobre el Guadalquivir y pusieron rumbo a una nueva vida deprimente. Todo era desconocido excepto que allí donde desembarcaran habría judíos ayunando el día de la Expiación, festejando el día de la Entrega de la Ley, salmodiando la Torá, atándose todas las mañanas a los brazos los *tefillin*. Misteriosamente, sin embargo, Rabí Maimón se llevó a su familia al sur, al otro lado del estrecho, a Marruecos, y no se estableció, como habría cabido suponer, lo más lejos posible de los almohades, sino en la altiva fortaleza de su doctrina, en Fez. Era como si, a la manera rabínica, se hubiera imaginado que, preparándose para lo peor, todo lo que no fuera una experiencia desastrosa habría sido aparentemente una bendición desproporcionada. Y aunque Fez era una célebre capital de la ley y la doctrina islámicas, era mucho más que eso; era una ciudad enorme, en el interior de cuyas murallas habitaban quizá doscientas mil almas, un gran centro de negocios del que irradiaban múltiples rutas comerciales, como los ejes de una rueda, hacia las caravanas del desierto, hacia la costa y hacia la montaña. Y donde había comercio había judíos, multitud de ellos, haciendo oídos sordos al estruendo del nuevo agravamiento de la situación, realizando las tareas de su calendario eterno, inclinando la cabeza ante el Talmud. A las antiguas sinagogas se entraba por puertas bajas, remachadas con clavos. Las velas irradiaban su luz difusa por ventanas arqueadas que daban a callejones en los que los cascos de las mulas pisaban el estiércol del día anterior, todavía sin recoger. En el gran zoco, los transeúntes estornudaban y escupían el polvo amarillo y rojo que desprendían los montones de especias expuestas, mientras que de las entradas de las tiendas salían unos maleantes que los abordaban tirándolos de las mangas. Podría haber sido peor.

Y también podría haber sido mejor. Así pues, cuando Moisés, que ya era un sabio comentarista de la Torá y el Talmud, tuvo conocimiento del *responsum* que habían dado al judío angustiado que se había visto atrapado entre la muerte o la conversión, se irritó mucho. Por aquel entonces, reflexionaría mucho más tarde, era muy propenso a perder los estribos. Lo cierto es que en realidad nunca llegó a suavizar su carácter. La intensidad y la urgencia iban al compás de los latidos de su corazón. ¿Cómo no iba a irritarse ante una dureza tan inhumana, ante esa falta tan gratuita de la más mínima sombra de duda? ¿Era acaso eso mejor que la actitud de los perseguidores con los que estaban obligados a convivir día a día? Su padre ya había escrito un pequeño tratado de carácter consolatorio en el que insistía en que, al hacer frente al desastre y la persecución, más valía aferrarse a la Torá de la mejor forma que se le ocurriera a cada uno antes que soltarse de lo que él llamaba poéticamente la «cuerda suspendida de los cielos» y precipitarse al pozo de la autodestrucción.[4] La oración en secreto recomendaría a los puros de corazón ante Dios. Maimónides escribió la *Carta sobre la conversión forzosa* (*Iggeret hashemad*) pensando en los numerosos judíos que, bajo coacción, ya se habían convertido al islam e intentaban al mismo tiempo mantener en secreto su judaísmo. El precepto contenido en la respuesta del rabino había tenido una circulación muy amplia, así que Moisés pensó que, siendo joven como era, a él le tocaba ofrecer una vía más suave, de modo que los *anusim*, los forzados, supieran que había una senda que permitía volver a la profesión sin tapujos del judaísmo cuando lo permitieran las circunstancias. La *Carta* fue escrita en judeo-arábigo pero fue traducida al hebreo, y sus palabras de consuelo habrían podido asimismo interesar a los asquenazíes del norte de Europa que hubieran tenido que enfrentarse a las mismas alternativas brutales por obra de los cruzados cristianos. A menos que la transgresión exigida fuera el asesinato, la idolatría o el comercio sexual forzado, decía el joven Maimónides, la obligación suprema era la salvación de la propia vida. ¿De qué otra forma podían salvarse los judíos para Dios, cuyo deseo era que vivieran la Torá? Quitarse la vida en vez de cometer una infracción por la fuerza hacía de uno el autor de un asesinato, lo convertía en alguien que profanaba el Nombre de Dios en lugar de santificarlo. Una manifestación externa no tenía ninguna importancia, pues no era el continente de una fe verdadera. Dios podía ver el espíritu íntimo de las convicciones. De ahí que fuera permisible adoptar las formas de la religión de los gentiles manteniéndose al mismo tiempo fiel a la Torá donde y como fuera posible, sin temor a estar cometiendo un acto de idolatría.[5] Lo más llamativo era que el joven maestro garantizaba al pobre individuo angustiado que quien guardaba en secreto la verdadera fe podía estar tan seguro de la salvación en el más allá como cualquier otro judío.

¿Estaba acaso Maimónides dirigiéndose a sí mismo y tratando de autoconvencerse? Sus biógrafos han sugerido que en realidad quizá siguiera su propio consejo y que, durante algún tiempo, cediera a una conversión temporal al islam.[6] Durante dos años, a partir de 1163, el segundo califa almohade, Abu Ya'qub Yusuf, había apretado cada vez más las tuercas a los infieles, y puede que aquello resultara excesivo incluso para la familia de Rabí Maimón. Pero había una forma de escapar a la muerte y a la conversión (a saber, la huida), y Maimónides insistió en esa idea ante sus corresponsales y luego otra vez ante el «maestro de las ciencias y el saber» que le escribió desde Yemen cuando en 1172 se encontraba en una situación de apuro similar a la que él había conocido. No había que pensar en las ataduras del hogar o de la familia, decía, ofreciendo un pobre consuelo; más valía marcharse a donde fuera posible seguir la Torá en libertad, y lo mejor era ir a la Tierra de Israel, al país de los padres.

Hay cierta falta de sinceridad o cierto olvido intencionado en esta recomendación. Maimónides ya había estado allí junto con su padre y su hermano David en 1165, pero al final no se había quedado. Y eso pese a la solemne recomendación que hace en su obra *Misné Torá* cuando dice que más vale vivir en Palestina rodeado de paganos que en una ciudad fuera de Israel rodeado de muchos judíos, y que residir allí era de por sí una forma de expiar los pecados y de hacer borrón y cuenta nueva (idea que, por lo demás, también tenían los cruzados). La lucha permanente en la que estaban enzarzados cristianos y musulmanes era una buena oportunidad para los judíos solo en la medida en que en ese momento en concreto ambos contendientes se odiaban uno a otro más de lo que cada bando odiaba a los judíos. Ni unos ni otros excluían por completo a los judíos de la totalidad de Palestina, aunque desde luego no resultara fácil vivir allí. Unos cuantos, concentrados mayoritariamente en Galilea, se dedicaban a visitar las tumbas de sus padres ganándose la vida como vendedores ambulantes, y a rezar y estudiar el Talmud. El reino establecido por los cruzados había restablecido la vieja prohibición que los obligaba a permanecer lejos de Jerusalén, excepto por cuestiones de negocios y los días de oración y ayuno, ocasión en que los cristianos, llenos de satisfacción, los veían escenificando su duelo junto a las ruinas del Muro Occidental del recinto del Templo. Ese era el motivo de que dejaran andar por allí a los judíos, se decían una y otra vez, dando perpetuo testimonio de su ceguera y de su error.

Por la época en que Maimónides y su familia emprendieron el viaje a Tierra Santa, ya existían en la Diáspora toda una serie de esperanzas construidas en torno a la peregrinación (al igual que ahora), empezando por los poemas de la añoranza, caracterizados por su intensidad extática, y las grandes tormentas espirituales evocadas en los versos de Yehudá Haleví, conocidos en todo el mundo sefardí. Maimónides tuvo también su propia experiencia de lo que es una tempestad al cabo más o menos de una semana de viaje, y describió su horror ante la eventualidad de que el barco acabara hecho pedazos por alguna ola gigantesca, su temblor mientras recitaba sus oraciones y su alivio al ver que a Dios le había parecido conveniente hacer que el temporal amainara. Él, por su parte, prometió ayunar y ofrecer oraciones de acción de gracias en el aniversario de su liberación. (Maimónides tenía la costumbre, como probablemente la tuvieran también muchos judíos de la época, de inventarse un calendario personal de devociones y festividades relacionado con los grandes acontecimientos de sus vidas.)

El viaje emprendido desde alguno de los puertos del norte de África, probablemente Ceuta, no fue, según los parámetros de la época, particularmente largo —quizá poco más de un mes—, pero tampoco fue un crucero por el Mediterráneo y, como sabe cualquiera que se haya encontrado con mal tiempo, la estancia en el barco tiene una extraña forma de prolongarse y convertirse en una especie de fastidio interminable. Moisés, su padre y su hermano iban hacinados en la bodega junto con otras cuatrocientas personas, más los respectivos animales y diversos bártulos, como las pesadas sillas de montar que iban a necesitar en cuanto pusieran pie a tierra, y que desde luego no les habría gustado tener que comprar a los auténticos piratas que vendían artículos de cuero en el zoco de Acre. Por motivos evidentes, los judíos debían de llevar consigo la mayor parte de su comida (el agua habrían tenido que comprársela a la tripulación), lo que significaba que bajo cubierta debía de haber una enorme cantidad de gente guisando y vomitando sin parar. Y más vale que no nos detengamos a detallar otras inconveniencias corporales. Pero el verdadero problema de semejantes viajes no era tanto la incomodidad física cuanto el hecho de que aquellos peregrinos cayeran en la trampa de unas expectativas irreales acerca de lo que iban a encontrar cuando llegaran. Nadie se imaginaba que fuera a ser la antesala del Paraíso, pero, como decía Maimónides, caminar aunque solo fueran cuatro codos sobre su suelo garantizaba al peregrino la vida en el más allá. Yehudá Haleví había desaparecido antes de llegar a transmitir ni la más leve sombra de desencanto; lo único que quedaba eran sus extáticos himnos de añoranza y de alegría. Puede que Maimónides besara, como recomendaba hacer a los demás, las piedras y el suelo del umbral de aquella tierra. Pero también los besó al despedirse al cabo de poco más de un año.

Quizá el dominio de los cruzados resultara más oneroso e inquietante de lo que él se había figurado. Palestina llevaba unos setenta años siendo cristiana y seguiría siéndolo hasta la conquista de Saladino en 1187, aunque resulta muy significativo que la vuelta al islam y la posibilidad de que los judíos obtuvieran permiso para vivir una vez más en Jerusalén no bastaron para convencer a Maimónides de regresar a Tierra Santa. Comparada con el país en el que acabó estableciéndose, Egipto, es muy probable que Palestina le pareciera una especie de lugar culturalmente atrasado. Acre, adonde llegó en mayo de 1165, sería su primera experiencia de una ciudad cristiana, aunque de un tipo muy peculiar: un puerto poderosamente fortificado; unas calles mucho más anchas y grandiosas que cualquiera de las de Fez o incluso que las de Córdoba; grandes edificios para uso y disfrute de la orden de los caballeros del Temple y para la de los Hospitalarios, y, naturalmente, iglesias por doquier. En medio de todo ello, una comunidad judía de apenas unos pocos centenares de personas (en una ciudad de cuarenta mil habitantes), dirigida por tres rabinos, uno de los cuales, Tzadok, era el amo de la *yeshivá*. Es muy probable que Rabí Maimón y sus hijos fueran bien recibidos. Es posible incluso que los judíos de la localidad conocieran los primeros trabajos de Moisés sobre lógica y la famosa carta acerca de la conversión forzosa. Pero la familia habría tenido que seguir una ruta de la piedad ya muy manida, recorrer toda Galilea hasta llegar a Tiberíades, Séforis y Safed, donde se congregaban los místicos de tendencias cabalísticas. Por lo demás, estaba ya bien asentado un turismo sepulcral, que debía de empezar a las afueras de Séforis, en el lugar donde, según se decía, había sido enterrado el primer autor de la Misná, Yehudá Hanasí, «santo y príncipe», como lo llamaba Maimónides. Había que espantar, como si fueran enjambres de moscas, a los «guías» que atosigaban al viajero con un extraño brillo en los ojos y la promesa de acompañarlo a todas partes por un precio de saldo. Otras paradas obligatorias, como lo son hoy día, eran la tumba de Raquel, la del profeta Jonás, hijo de Amitai, la que había en el valle del Cedrón, y en la que se decía que descansaba el hijo rebelde de David, Absalón, y la «Cueva de los Patriarcas» en Hebrón.

El destino final, por descontado, era Jerusalén, el único sentido de todo aquello, pero, por el motivo que fuera, Maimónides tardó seis meses en llegar a la ciudad santa. Quizá la perspectiva de confrontar la realidad con la poesía sagrada, algo inevitable para un intelecto tan agudo como el suyo, fuera uno de los motivos de ese aplazamiento. Pues no iba a ser una excepción a la regla que dice que la Jerusalén de la imaginación afligida precede y condiciona cualquier experiencia real. Es indudable que Maimónides siguió su propio consejo, según el cual los judíos, al contemplar sus ruinas, debían pronunciar unos versículos del libro de Isaías acerca del estado ruinoso del Templo. Quizá recordara las palabras de Haleví cuando afirmó que los judíos habían sido castigados por sus pecados con la transformación de la ciudad de David y Salomón en «nido de lechuzas y madriguera de chacales». Su primera visión de Jerusalén, como la de todos los que llegaban a ella, sería desde el monte de los Olivos, desde donde debió de contemplar la zona de lo que fuera el Haram al-Sharif y el otrora Templo, convertido ahora en un cúmulo de iglesias. Maimónides era muy dado a reflexionar sobre si los judíos debían o no entrar en el recinto del Templo, aunque fuera en aquel estado de ruina y degradación, a pesar de su impureza, pero parece que en cualquier caso entró, quizá rasgándose las vestiduras, como quien está de luto, según él mismo recomendaba, y no solo arrancándose un trocito o descosiéndoselas un poco simbólicamente, sino haciéndolas jirones y reduciéndolas a harapos, capa tras capa, «hasta que el corazón quede al desnudo». Maimónides añade que había que asegurarse de que lo que quedara del vestido solo pudiera ser arreglado con una costura somera, de modo que se deshiciera al menor tirón.

Resultaba difícil, quizá imposible, vivir contemplando tanta destrucción y tanta ruina. Así era como vivían unos cuantos judíos que se habían instalado fuera de las murallas, pero que no eran más que un hatajo de alborotadores, mendigos, pedigüeños, gentes que arrastraban al viajero hasta las rocas y las tumbas, explotadores de la Torá dispuestos a embaucar a los más crédulos. Más valía guardar la sagrada visión en la mente. Además, quizá hubiera otra cosa que lo incitara a volver a irse de allí. Su padre había muerto y había sido enterrado en la tierra de Israel, como indudablemente era su deseo. Pero podía rezarse por él en cualquier sitio donde se encontraran sus hijos. ¿Por qué tendrían que quedarse para siempre al pie de su tumba? De modo que Moisés se marchó al cabo de un año de su llegada, trasladándose al sur, al lugar que llama su «hogar» en una carta a un corresponsal de Yemen, a la tierra que a los judíos les recomendaron eternamente abandonar, pero a la cual siempre acabaron volviendo: a Egipto. ¿A qué otro sitio iba a ir? Fez se había vuelto insoportable bajo los almohades o bajo cualquier variante de la brutalidad bereber que los sucediera. Al-Andalus se había perdido para siempre. Desde la conquista de los almohades, la emigración judía desde las grandes ciudades del Magreb —Kairuán, Marrakech y Fez— hacia el este, a Fustat, había ido creciendo progresivamente. Egipto seguía estando en manos de los califas chiíes de la dinastía fatimí, aunque no sería así por mucho tiempo. Sin embargo, Fustat no era solo un centro pujante del comercio y la cultura, sino también un lugar en el que la piedad y la filosofía eran inseparables, y tal vez fuera ese uno de los alicientes de Maimónides.

Como les ocurriera a tantos judíos antes que a él, sería su fama de erudito y de médico competente lo que abriría a Maimónides las puertas de la corte de los califas. Al parecer, se convirtió en un santiamén en el médico de Shawar, el visir del califa, y del poderoso ministro al-Qadí al-Fadil, que veía en el joven hebreo un sabio y un filósofo como él. Resultaba muy conveniente para sus proyectos que Maimónides escribiera en una elegante prosa rimada. Y también que fuera un médico con una gran variedad de destrezas, una de las cuales, como en el caso de Hasdai ibn Shaprut, era su conocimiento de los antídotos contra los venenos, talento siempre muy necesario en el peligroso mundo de las potencias musulmanas enfrentadas. Maimónides seguiría escribiendo tratados sobre casi todos los males que aquejaban a las personas, desde la impotencia (su receta secreta para asegurar y mantener una erección vigorosa consistía en restregar el miembro afectado con hormigas machacadas con azafrán suspendidas en una emulsión de aceites diversos) hasta las hemorroides y el asma.

No cabe duda de que el doctor Maimónides era tan bueno que, probablemente para ganarse el favor del rey cruzado Amalarico I, aliado suyo, el visir Shawar le propuso ir a tratar al monarca cristiano de Jerusalén, que por entonces se hallaba acampado en Ascalón. Pero Maimónides se había vuelto ya lo bastante indispensable como para poder declinar la oferta sin padecer ninguna consecuencia negativa. Al fin y al cabo, escribió otro amigo y admirador suyo, el poeta Ibn Sana al-Mulk, «si la luna le pidiera tratamiento ... recibiría uno inmejorable ... y el día de luna llena le daría una cura contra las manchas en la piel».[7]

Y tampoco les vino mal a sus perspectivas profesionales el derrocamiento de los fatimíes por la siguiente dinastía —la de los ayubíes, de origen kurdo—, entre otras cosas porque los guerreros invasores eran suníes y resulta que al-Qadí al-Fadil, el protector y amigo de Maimónides, también lo era, aunque hubiera prestado sus servicios a los fatimíes, seguidores del chiismo. Cuando el ministro cambió de la noche a la mañana su lealtad, su protegido más brillante y destacado lo siguió. Maimónides se estableció en el distrito de Mamsusa, cerca de la antigua fortaleza romana, y a los treinta y tantos años —edad curiosamente avanzada para un judío— contrajo matrimonio con la hija de una vieja familia de Fustat. Era feligrés de la sinagoga «iraquí», no de la «palestina», cada una de las cuales, ni que decir tiene, celebraba sus cultos con cantos y estilos diferentes, aunque no por ello estaban enemistadas; aún así, lo cierto es que Maimónides prefería al parecer ir a rezar a centros de estudio más pequeños. En cualquier caso, acabó convirtiéndose en un personaje con tanta autoridad dentro de la comunidad que era consultado como *rav* y solicitado para que diera dictámenes jurídicos en las cuestiones planteadas ante los tribunales religiosos; además, algo bastante más curioso, llegó a ser durante un breve período *ra'is yahudiya* o jefe de toda la comunidad judía de Egipto, encargado de mediar entre esta y el gobierno, entre otras cosas en materia de impuestos. Puede que Maimónides se sintiera halagado por tanta confianza, pero sabía también que se trataba de un cargo muy ingrato que le aseguraba atraerse el odio de unos y otros, y del cual logró librarse en 1172, apenas un año más tarde. Por mucho que pudiera atenderlas todas, eran demasiadas tareas, y el hecho de ser médico, juez religioso y autoridad política a la vez —además de trabajar por la noche en su gran estudio sobre la Misná y en muchos otros temas— consumía su tiempo y, como bien sabía por su condición de médico, también su salud. En cualquier caso, su nombramiento como *ra'is* demuestra que suscitaba admiración y confianza entre sus colegas musulmanes, y él, a su vez, se basó mucho en las traducciones y ediciones árabes de la filosofía griega, sobre todo de Aristóteles.

Sin embargo, con demasiada frecuencia sucedía algo que obligaba a Maimónides a desechar la ilusión de estar viviendo en una especie de comunidad cultural no forzada con los musulmanes. En 1172 recibió una carta de Yemen —país que en otro tiempo había sido un reino judío— en la que se le informaba de la espantosa campaña de coacción lanzada contra los hebreos por un rebelde mesiánico, cuyo régimen hacía que los almohades, en comparación con él, parecieran blandos. Ante aquella noticia funesta, citaba el libro de Samuel: «"A cuantos la oigan les retiñirán ambos oídos." En efecto, nuestros corazones se han debilitado, nuestras mentes están confusas, y las potencias de nuestros cuerpos se hallan consumidas a causa de las funestas desgracias que nos han traído las persecuciones desde uno y otro extremo del mundo, por el este y por el oeste».[8] En Yemen, los judíos fueron sometidos en masa a la conversión forzosa, y el castigo por cualquier demostración de heterodoxia —y no digamos ya por no rezar a las horas previstas, por beber a destiempo o por cometer alguna iniquidad semejante— era la pena de muerte, ejecutada por los rebeldes mahdistas con un entusiasmo brutal. La carta era a todas luces tan desesperada y pintaba una imagen de tal desolación que Maimónides lo dejó todo para responder con una *Epístola*, cuya finalidad era en primera instancia consolar y apoyar a los judíos yemeníes que en aquellos momentos se hallaban acorralados, aunque llegó a circular mucho más allá del limitado ámbito de esa comunidad y se convirtió en una especie de desafiante reafirmación de la superioridad del judaísmo sobre las pretensiones de los monoteísmos rivales, el de «Jesús el Nazareno» y el del «Ismaelita» (Mahoma). Dentro de este largo ensayo podemos apreciar un conmovedor pero profundo análisis del carácter perpetuo de la judeofobia, basada, a juicio de Maimónides, en la inseguridad que sentían las otras religiones cuando se enfrentaban a la incontrovertible y sencilla majestad de la fe judaica y de la Ley de Moisés. Esa era la cura de la desgracia que ofrecía el médico; por una vez encontramos una explicación del sufrimiento que no se basa simplemente en el castigo por los pecados cometidos, sino en la perversa torpeza de los monoteísmos de nuevo cuño, con su extraña exigencia, casi pagana, de venerar a una entidad distinta del propio Dios, o de atender unas profecías espurias. En un momento determinado, el favorito de la élite ayubí (a la que en 1172 daba clases de ciencia y de filosofía en un árabe perfecto), ensalzado por su esmerada cortesía y su tono calculadamente decoroso, se salta los consejos que había dado a los demás exhortándolos a actuar con moderación en todo y se vuelve fieramente inmoderado, lanzando un grito de dolor y de furia contra la cultura de la mayoría. «Irritaos solo por una causa grave que provoca justa indignación», escribía Maimónides en *Misné Torá*. Lo que estaba ocurriendo en Yemen parecía una causa de ese estilo, y al recordar la persecución de los almohades en el oeste y la opresión que se vivía en el este, a Maimónides ello lo inducía a pensar que algo así podía suceder en cualquier rincón del mundo musulmán; que la cortesía e incluso la confianza dispensadas a los que eran como él no eran más que una concesión otorgada con la condición de un sometimiento institucionalizado, migajas culturales arrojadas por el puño del amo. «Recordad», les dice a todos los lectores del mundo musulmán que sabía que iban a leer alguna copia de su *Epístola,*

> que, debido al gran número de nuestros pecados, Dios nos ha arrojado en medio de esta gente, los árabes, que nos han perseguido con el mayor rigor y han aprobado leyes humillantes y funestas contra nosotros … nunca ha habido una nación que nos agobie, nos degrade, nos envilezca y nos odie tanto como ellos … Hemos soportado sus humillaciones y falsedades, y hasta unos disparates que van más allá de lo que pueden soportar los seres humanos … Nos hemos ejercitado todos, jóvenes y viejos, para aguantar estas humillaciones como ordenaba Isaías: «He dado mis espaldas a los que me herían, y mis mejillas a los que me arrancaban la barba», y ni siquiera así me libro de sus constantes brusquedades. Nosotros deseamos estar en paz con ellos, pero ellos prefieren los altercados y la guerra.[9]

Un año después, en 1173, Maimónides se vio abrumado por una calamidad de la que no podría culpar a los árabes: el fallecimiento de su hermano David cuando surcaba el océano Índico en un viaje de negocios. Once años menor que Moisés, David había sido el ojo derecho del gran hombre, «hijo, hermano y discípulo», como él mismo le decía ocho años más tarde, todavía atenazado por un dolor inconsolable, a un corresponsal de Acre. Pese a ser él también un estudioso del Talmud tan capacitado como precoz, había sido David, dedicado al comercio de piedras preciosas, y en particular al de perlas, el que había dirigido el negocio que había permitido a Moisés llevar a cabo el resto de su trabajo, entre otras cosas sus grandes estudios sobre la Misná. Esta circunstancia había tenido una especial importancia, por cuanto Maimónides se negaba a aceptar cualquier retribución por su trabajo para la comunidad como juez religioso y como erudito, y de hecho colmaba de improperios a los que, tras afirmar que eran grandes sabios, añadían:

«Y ahora dame algo con lo que sostenerme». Maimónides creía que los sabios de la Antigüedad judía habían tenido todos un oficio con el que se ganaban la vida —como aguadores o leñadores—, y que se las habían arreglado para estudiar por la noche; por eso se enorgullecía de que su trabajo como médico durante el día siguiera esa tradición de nobleza del esfuerzo. De modo que el negocio de David era necesario para llevar el pan a la mesa de las dos familias, sobre todo teniendo en cuenta que Moisés insistía mucho en la obligación de hacer tres comidas completas los sábados, con todo el lujo y el esplendor que pudiera permitirse la familia.

Era de suponer, por tanto, que de vez en cuando David tuviera que emprender largos viajes a Oriente para comprar mercancías preciosas que pudieran ser vendidas en el mercado egipcio o reexportadas. Al mismo tiempo, Moisés sufría la ansiedad que acarreaban unas empresas tan peligrosas. Durante la parte del viaje correspondiente a la travesía del desierto, había bandas de asesinos desalmados que acechaban el lento discurrir de las caravanas de camellos. En el mar, los piratas abordaban los barcos, se llevaban la mercancía y capturaban a los viajeros para cobrar rescate por su liberación (en las mismas aguas en las que siguen prosperando en la actualidad). Los propios barcos, como todos sabían, eran propensos a hacer agua y a irse a pique en cuanto estallaba una tempestad. No cabe duda de que el propio David compartía muchas de esas angustias, pero eran legión los mercaderes judíos de larga distancia que viajaban constantemente, así que no había más remedio que poner al mal tiempo buena cara y arrostrar el peligro.

El primer tramo del viaje era el trayecto apacible por el Nilo desde Fustat hasta Cus, para luego continuar río arriba hasta Luxor. A partir de ahí la ruta seguía por tierra, un dificultoso viaje de tres semanas en camello a través del desierto, en el que las distancias entre los oasis eran cada vez mayores y los viajeros intentaban protegerse de aquel sol mortífero como mejor podían. Por fin se llegaba al puerto de Aydhab, en el mar Rojo, desde donde David mandó una carta a su hermano (que milagrosamente se ha conservado hasta hoy día) en la que describe su agotamiento, su desasosiego al ver que la principal sección de la caravana entraba con retraso en el puerto después de sufrir el violento ataque de unos bandoleros, su decepción al no encontrar más que un poco de índigo que llevarse de vuelta a Egipto, y su consiguiente decisión de embarcarse y bajar por el mar Rojo para cruzar el Índico, donde había una próspera comunidad de judíos en la costa de Malabar, entre los cuales confiaba en poder encontrar mercancías que valieran la pena y un buen cargamento con el que volver a casa. Conociendo tan bien como conocía a su hermano y los grandes altibajos de su temperamento (pese a ser el más famoso defensor de la ecuanimidad y la moderación), David hizo cuanto estuvo en su mano por calmar la inquietud de Moisés, aunque no pudo evitar describir las privaciones que había tenido que soportar. «El que me salvó del desierto me salvará del mar.» Pero al final de la carta se desliza una escalofriante nota de fatalismo, como si el hermano menor tuviera el presentimiento de que no iba a volver al lado del primogénito. «Wa-ma fat fat», concluía, citando un antiguo proverbio árabe: «Lo hecho, hecho está».

No se sabe con exactitud cuándo ni en qué punto del viaje se perdió David; solo, según la desgarradora carta de Maimónides, que se ahogó. Con él, añadía, se había esfumado la fortuna familiar necesaria para comprar gemas. El principal encargado de sostener a toda la familia en sentido lato había desaparecido, y el propio Moisés tendría que atender las necesidades de su mujer y de sus hijos. Pero la pérdida de la persona a la que más quería en el mundo le produjo una especie de parálisis traumática que lo dejó «postrado y en la cama» durante más de un año con una inflamación aguda, fiebre y confusión mental. Era una enfermedad que el mayor médico de Egipto era incapaz de tratar. Cada vez que se encontraba con una carta o con un documento mercantil de puño y letra de David, volvía a quedar destrozado.

Cuando lenta y dolorosamente logró salir de las tinieblas, Maimónides había cambiado de forma irreversible a causa de aquellos dos desastres, el colectivo, que había sido infligido a su pueblo en Yemen, y el personal, en forma de la terrible pérdida de su hermano. Aunque todavía no había cumplido los cuarenta, sentía una prisa irrefrenable por abordar la cuestión de la supervivencia y el aguante; por tratar, por mucho que doliera, lo que era la vida de los judíos, sin dejarse engañar por la autocomplacencia ni la protección superficial de la rutina ritual. Esencialmente, su postura era la siguiente: la supervivencia en medio de la adversidad exigía reflexión, y no solo fidelidad a los hábitos o a una tradición no sometida a crítica. El mayor don que había concedido Dios al hombre, y en particular a su pueblo, era la inteligencia. Eso era lo que distinguía al ser humano de los animales, y estaba para ser utilizada. «Es por ella por lo que estamos constituidos como sustancias.» En *Guía de perplejos* respaldaba la opinión de Alejandro de Afrodisias, el comentarista de Aristóteles, según el cual el afán de disputa tenía tres causas principales: la primera, el deseo de dominar; la segunda, la pura dificultad y sutileza del asunto objeto de debate, y la tercera, la ignorancia de los contendientes y su incapacidad para llegar a una conclusión incontestable. A esta lista Maimónides añadía el peso muerto que suponía el hábito, que asociaba a una vehemente crítica de «los malos predicadores y comentaristas que creen que el conocimiento de las palabras y de la interpretación de las palabras constituye una ciencia, y en opinión de los cuales la verbosidad ... es la perfección».[10]

Maimónides no rechazaba la vía del Talmud, su ilimitado apetito de disputa prolija, de contradicción múltiple, de divagaciones y digresiones bruscas e interminables, su gusto por lo incidental, su regodeo peleón en el detalle, su forma de avanzar sin rumbo fijo, sus inacabables e irresolubles indagaciones sobre lo que determinado sabio debía de querer decir en su comentario a algún pasaje oscuro de la Biblia, para enredarse en cualquier otra contrainterpretación igualmente viable. Pero toda verbosidad, concluía Maimónides, era un lujo, un juego abstruso para iniciados, una búsqueda inacabable de un «¡ajá!» definitivo, llevada a cabo además, en una lengua —el arameo— que ya no era auténticamente «israelita», que cada vez menos judíos podían entender y que tenía todavía menos importancia en su vida cotidiana. Y, sobre todo, iba dirigida al interior de la vida judía, mientras que Maimónides había estado siempre mirando tanto hacia fuera como hacia dentro, tratando con los que detentaban el poder, de hecho poniéndose a su servicio como mejor podía sin comprometer en ningún momento la firmeza de su judaísmo. De esa posición encarada al exterior extraía la sensación de urgencia defensiva y el sustento intelectual necesario para hacer frente a la crisis de su pueblo, una crisis que parecía durar tanto como su existencia posbíblica. Creía que la estrechez en la que las dos potencias monoteístas habían confinado a los judíos iba volviéndose cada vez más angustiosa, pese al cortesano buen humor del gobierno de Saladino y sus cultivados hombres de letras. Dado lo oscuro que se volvía el horizonte, no bastaba simplemente con que los judíos se retiraran más todavía a sus perplejidades esotéricas. Iban a tener que defenderse en el juicio con algún medio más poderoso que volverse de espaldas y mesarse la barba, y en concreto debían hacerlo utilizando la inteligencia que Dios les había dado. Imaginar que la Torá, la Biblia y la Misná podían resentirse del ejercicio de la filosofía y no fortalecerse gracias a ella, era malvenderlas; un insulto, de hecho, al don divino de la inteligencia. En realidad, como había dicho y repetiría más adelante, había categorías de leyes que desafiaban el análisis racional y que debían ser aceptadas sin más; pero, en su mayor parte, Dios había dado las leyes a Moisés y a través de Moisés, de modo que lo que exigía su observancia era su racionalidad ética y social, no solo la obediencia ciega.

En aquel momento formativo no solo de su propia carrera, sino de la larga historia de su pueblo, Maimónides se situó en el punto culminante de la experiencia judía, contemplándola, como quien dice, desde lo alto del propio monte Sinaí. Todo ello suponía por su parte una fuerte dosis de conciencia de la importancia de lo que estaba haciendo, como si se revistiera el manto de la vocación. «Yo, Moisés, hijo de Maimón el Sefardí» era a un tiempo Moisés el Legislador y Maimónides, el filósofo de nombre griego. Era Moisés el Israelita ocupándose del bienestar de los judíos, y Maimónides el afamado hombre de ciencia invocando unos principios que eran universales, que debían ser entendidos y, por lo tanto, aceptados por el resto del mundo. Era judío y al mismo tiempo la personificación de la humanidad en general, y la historia de todo ello corría a través de su elocuente facundia. La fe resistiría apoyada en los pilares de la razón, y el templo de la sabiduría así construido aguantaría por siempre hasta que fuera levantado uno nuevo en Jerusalén por el Mesías libertador.

Su reto, pues, el reto que lo ocuparía durante el resto de su vida (moriría en 1204, antes de cumplir los setenta), era en primer lugar clarificar y fortalecer la esencia de la vida judía encarnada en la Torá, para que pudiera ser interiorizada en la conducta cotidiana; en segundo lugar, construir un corpus argumentativo que pudiera servirles de coraza a los judíos ante el inminente ataque, casi con toda seguridad violento, lanzado contra sus creencias, quizá incluso contra su propia existencia. Había empezado ya la primera parte de la obra, *Comentario sobre la Misná*, estando todavía en Fez. El fundamento, la piedra angular de todo había sido tan profusamente cubierta por la proliferación orgánica de la interpretación talmúdica que había quedado oculta. Volviendo al hebreo de la Antigüedad tardía en el que había sido escrita (no el hebreo de la Biblia ni el de la liturgia poética e hiperbólica de la sinagoga), Maimónides quería crear —o recrear— una lengua pura, clásica, un vaso resistente pero translúcido para la comunicación de verdades fundamentales. Hacer algo así significaba eliminar el gigantesco cúmulo de opiniones y contraopiniones rabínicas, abandonar la larga estela de conversaciones y reemplazarla por el meollo de la cuestión, una economía que practicó en la versión ampliada, la expresión suprema de sus intenciones, el *Misné Torá*, una obra que era a la vez un alegato filosófico y, en el espíritu de la Misná original, una guía práctica de la vida judía.

Maimónides habría debido saber que la introducción filosófica, el *Sefer Hamadá* (*Libro del conocimiento*), sería objeto de mucha controversia por el hecho de sustituir la recitación de las generaciones y generaciones de sabios, aunque en el fondo era una exposición impecable de los orígenes de la ley judía en la teofanía mosaica del Sinaí. En una obra posterior, *Guía de perplejos*, escrita en árabe y dirigida, decía Maimónides un poco a la manera platónica, al público ya sofisticado (toda investigación con un final abierto está plagada de peligros para el ignorante), abordaba el tema del acto mismo de la Creación divina frente a los que, como Aristóteles, creían en la eternidad sin causa del universo. (Maimónides propinaba de paso un golpe a todos aquellos que se acobardaban ante la autoridad del gran filósofo griego y que consideraban una deshonra discrepar de él.) Para Maimónides, la existencia del mundo sin el presupuesto de una causa primera y de un primer motor era insostenible desde el punto de vista lógico, con independencia de cómo naciera el mundo material. La descripción bíblica debía entenderse a menudo alegóricamente, y a menudo en otros lugares (ante todo en el relato del Éxodo) también históricamente. Pero en la introducción al *Misné Torá* y en la *Guía de perplejos*, Maimónides se convierte en el primer gran maestro de la hermenéutica judía, convencido como estaba de que el estudio de la naturaleza del entendimiento y el conocimiento no está reñido con la fe, sino que, por el contrario, es su condición indispensable.

El *Misné Torá* simplifica y aclara las categorías de mandamientos y la práctica del original, y aunque pretende que respeta las bendiciones, el calendario de fiestas, las horas de oración, las normas de pureza, los motivos de agravio, etc., Maimónides añade casi en todo momento ejemplos de por qué tales preceptos deben contar con el apoyo de la razón. Y hay pasajes —la larga y paradójicamente apasionada defensa de la moderación y la *aurea mediocritas*— que no existen en absoluto en la Misná original. Pero Maimónides se consideraba a sí mismo depositario de la sabiduría de los antepasados y el encargado de recuperarla y devolvérsela al mundo de su época. La polémica contra la falta de moderación tenía por objetivo el ascetismo, muy de moda por aquel entonces como consecuencia del sufismo que había prosperado bajo los fatimíes, y que amenazaba con convertirse en una influencia también para el judaísmo. Maimónides pensaba que había algo de autocomplacencia en la fanática espiritualidad de las prácticas ascéticas exageradas, que odiaba casi tanto como el implacable apego a la literalidad de los caraítas o el tradicionalismo por defecto de los ultratalmudistas. Dios y su legislación mosaica tenían que ver con este mundo y con cómo vivir en él, y todo en su exhaustivo contenido era reducible a la inteligencia. Así hablaba el doctor Maimónides, para quien la buena salud de la mente era un elemento intrínseco del corpus de creencias y de prácticas.

El *Misné Torá* está, por tanto, plagado de consejos médicos en torno a la conducta. No invites a una persona a cenar sabiendo que va a rechazar tu invitación; evita algo tan repugnante como la adulación; cuando discrepes de alguien, no lo hagas nunca de forma que lo expongas a la vergüenza o la humillación públicas; come y bebe bien (especialmente el sábado), pero no te des atracones sin sentido, y recuerda la admonición de Malaquías contra la gula: «He aquí ... os echaré al rostro la inmundicia». Muy bien. Reside solo en ciudades o pueblos en los que sepas que dispondrás de las siguientes cosas: un médico, un cirujano, unos baños, un retrete, fuentes de agua corriente, una escuela, un maestro, un escriba, un tesorero honesto encargado de administrar las limosnas y un tribunal de justicia. La oración es importantísima, y por lo tanto no debe llevarse a cabo de manera ociosa o por simple hábito; no, por ejemplo, cuando se está borracho, o cuando se está uno riendo todavía de un chiste, o cuando las palabras que salen de la boca están reñidas con las ideas que le cruzan a uno por la mente. Escríbete tu propio rollo de la Torá, para que sea tan tuyo como los *tefillin* que llevas en la frente y en el brazo, y si no puedes, contrata a un escriba para que lo haga por ti. Honra el sabbat con una comida que se salga de la monotonía semanal, dos hogazas de pan tres veces al día y vino bueno en

415

abundancia, pero, por supuesto, ajústate cuanto puedas a tus medios. Maridos, participad en la preparación del sabbat; id a la compra, limpiad, sed buenos ayudantes. No os quepa duda, el sabbat fue instituido para recordaros que el séptimo día Dios descansó de la Creación; pero, como era habitual en él, Maimónides pasaba de la noción filosóficamente inquietante de la simple creación en siete días al éxodo histórico, sosteniendo que el sabbat fue instituido también para recordar a los judíos que habían sido esclavos, incapaces de determinar cuánto tiempo iban a tener que trabajar ni cuándo iban a poder tomarse un respiro de sus fatigas. En ese mismo espíritu correspondía también a los patronos pagar a sus obreros puntualmente, sin retenerles nunca el salario. En los negocios, se recomendaba siempre el máximo nivel de ética. Maimónides no habría aprobado nunca las ventas especulativas dentro de una empresa, pues detestaba cualquier intento de ocultar los defectos de todo aquello que pretendiera vendérsele a un posible comprador. Adquirir algo y no pagarlo en el acto, decía, era como profanar el nombre de Dios, pero detestaba también el despilfarro de dinero e insistía en que, entre las muchas obras de caridad recomendadas, ninguna era más sagrada ni agradaba más a Dios que ejercer la generosidad con los pobres. No por nada, señalaba, los que lo rechazan son llamados «Belial», el nombre con que en hebreo se designa a un tipo de demonio particularmente horrible. Pero —y aquí tenemos al Maimónides conductista social, haciendo gala de su perspicacia— no des esa limosna con altanería, ni con un gesto brusco o abatido, sino con una agradable sonrisa. Encontrar un empleo para el pobre era el cumplimiento de una gran *mitzvá* o mandamiento. Y quizá el mejor ejemplo de la sabiduría ética de la Torá era la obligación de evitar cualquier tipo de esplendor en el enterramiento de los muertos, por muy ricos que fueran el difunto y su familia. Dios deseaba, y de hecho mandaba, que se utilizaran solo los sudarios más sencillos, de modo que los pobres, ya bastante apesadumbrados dadas las circunstancias, no tuvieran que sentirse todavía más humillados. En realidad, los ricos deberían sentirse honrados de ser enterrados de la misma forma que los pobres.

Escoge la vida. Por sagrado que sea el sabbat, viólalo para salvar una vida y no esperes, como proponen algunos, a que pase para empezar a cuidar de un enfermo. Hazlo inmediatamente, sin vacilaciones ni reservas. Escoge la vida. No condenes nunca a muerte a un hombre basándote solo en su propio testimonio, sino solo en la fuerza de al menos dos testigos.

Maimónides constituye una excepción y, al mismo tiempo, es un ejemplo típico de la forma de pensar y escribir de los judíos, porque todos los días se debatía entre las exigencias de lo físico y de lo político. Al estar cerca de los que ostentaban el poder en el gobierno de Saladino e incluso del propio monarca, al que atendía, concebía la política a un nivel tanto práctico como filosófico. (Advertía que los reyes no debían caer en los vicios de la ebriedad y de la concupiscencia, so pena de perder no solo su autoridad a ojos de sus súbditos, sino también el manejo de los asuntos públicos.) Asimismo, pensaba que las leyes de Moisés constituían a su modo un verdadero sistema de gobierno para los israelitas, probadamente propensos a las disensiones. Pero no deseaba que la enorme glosa que suponía su *Misné Torá* fuera lo que él llamaba un *nomos*, semejante a un vademécum griego sobre la gobernanza civil; es decir, un compendio cargado de utilidad ética. Al final, Maimónides pretendía cobrar una pieza mayor, de hecho la más grande; lo que perseguía era la perfección.

Este programa gradual lo expuso en *Guía de perplejos*, obra que, pese a ser asombrosa por su intensidad intelectual, produce tantas perplejidades como pretende resolver. Aun así, son tales la agudeza y en ocasiones la belleza del pensamiento de Maimónides y de la prosa en la que está escrito, que los lectores no pueden evitar dejarse arrastrar por ella con el mayor agrado. Esos lectores eran cada vez con más frecuencia judíos, sobre todo desde el momento en que Maimónides consintió en que la obra fuera traducida al hebreo por un joven amigo suyo, Samuel ibn Tibón. Hay tres clases de perfección personal que se entienden muy bien, dice. La primera, y naturalmente la más inútil, la más vulgar y engañosa, es la perfección en la propiedad, los bienes, etc., pues no es más que la cáscara de la vida. La segunda, la perfección física del cuerpo, debería tener por objeto la salud y el vigor de la constitución del cuerpo, y es necesaria por cuanto (como el autor había tenido ocasión de observar a menudo, entre otras cosas cuando había sido su propio paciente) es imposible dirigir la mente a las cosas más sublimes cuando se sufren los achaques de la enfermedad. Pero esta también supone una ligera ofuscación en la búsqueda de la perfección, pues, inevitablemente, todos los cuerpos flaquean cuando el tiempo y Dios lo

deciden. La tercera búsqueda, como se indica en la lectura de la Torá
—sobre la que su obra llama la atención—, era más significativa por
cuanto conducía a la Buena Vida, vivida por el individuo y por la comunidad. Pero ni siquiera ese era el verdadero objetivo. Por justos y
apropiados —de hecho, no había otros en el mundo que los iguala-
ran— que fueran los mandamientos y las prohibiciones de la Torá, la
superficialidad de sus prescripciones ocultaba otros significados más
profundos, cuya finalidad era conducir al que los guardaba a la perfección definitiva y única, la cercanía a la naturaleza de Dios. Si semejante
idea suena sospechosamente metafísica viniendo como viene de un viejo
aristotélico (que discrepaba a veces del maestro griego), es porque efectivamente lo era. Maimónides intenta por todos los medios subrayar que
la esencia de Dios permanecerá siempre oculta al intelecto, del mismo
modo que a su tocayo ancestral le había sido negado siempre el conocimiento de la esencia de Dios, que no había estado dispuesto nunca a
mostrarle su rostro y solo le había dejado atisbar un poco de su espalda.
Moisés Maimónides y los israelitas que estudiaban la Torá no se acerca-
rían más que a los atributos de Dios, divinizados por el ejercicio de lo
que él llama las «virtudes racionales». Pero para Maimónides eso era ya
una revelación sobrenatural que llevaría al hombre a una especie de
proximidad bendita. Pese a ser un escritor asombrosamente elegante y
enérgico, Maimónides no era un poeta ni estaba en absoluto al mismo
nivel que los grandes patriarcas de la poesía hebrea, Samuel ibn Nagrella, Salomón ibn Gabirol, Moisés ibn Esdras o Yehudá Haleví. Pero el
acorde poético respondía en él con absoluta consonancia con el Cantar
de los Cantares, en el que el anhelo de Israel por la unión con Dios
adopta la forma de un poema gráficamente erótico. Eso era, pensaba y
aconsejaba a quienes buscaran su cercanía, amar a Dios hasta el extremo,
físicamente, lo mismo que un amante se recrea obsesivamente todos los
minutos del día y de la noche en los rasgos del ser amado, siempre con
algún detalle subido de tono. Así pues, el pensamiento, incluso el de
tipo tan riguroso que Maimónides consideraba un acto de gratitud a
Dios por haber dotado al ser humano de la capacidad de reflexión, tenía
sus límites. A sabiendas de que nunca podrían ser superados, su consejo
era intentar acercarse a ellos lo más posible, captar aunque solo fuera un
rayo de la divinidad celestial del tipo que hizo resplandecer el rostro de
Moisés con el esplendor de la *shejiná*. Hay todo un libro del *Misné Torá*,

el que trata de la oración diaria y de la devoción, que se titula de hecho *Sefer Ahavá* o *Libro del amor*.

La intensidad con la que Maimónides sentía todo esto estaba, sin embargo, en proporción inversa a su capacidad de alcanzar el objetivo. No se debía a su falta de deseo, sino a la falta de tiempo. El día solo tenía un número determinado de horas, y todas parecían ocupadas por las necesidades de las personas que lo requerían. Y lo requerían sin cesar. Así, mientras que en un momento dado se permite una pequeña efusión de jactancia acerca de la fama de la que goza en su ciudad y lejos de ella como gran maestro de la medicina —ocupación que, además, consideraba un arte humano que ejercía gratuitamente tanto con los pobres como con los poderosos—, podemos comprobar también, en una larga carta a Samuel ibn Tibón conservada en la Geniza de El Cairo, que era un consumado plañidero, un maestro del *kvetch*:

> Yo resido en Fustat, mientras que el rey [Saladino] vive en El Cairo, y entre una y otra localidad hay cuatro mil codos, dos límites sabáticos que las separan [algo menos de dos kilómetros]. Ocupo un puesto muy exigente. Todos los días debo ir a visitar al rey a primera hora. Cuando se encuentra débil, o cuando alguno de sus hijos o alguna de sus concubinas enferma, no puedo salir de El Cairo y tengo que pasar casi todo el día en palacio. Además, me veo obligado a atender a los oficiales del rey también a diario. Irremediablemente, todos los días alguno de ellos cae enfermo y tengo que ocuparme de su tratamiento.
>
> Así que, en resumen, subo a El Cairo todas las mañanas y, si no surge ningún contratiempo, regreso a Fustat hacia el medio día … En cuanto llego, muerto de hambre, me encuentro todas las habitaciones de mi casa atestadas de gentiles, poderosos y humildes, jueces y magistrados, una multitud abigarrada que quiere saber cuándo voy a aparecer exactamente. Bajo de mi montura, me lavo las manos y voy y logro convencerles de que esperen un poco mientras tomo una frugal colación … Entonces voy a curarlos y les receto cualquier cosa que necesiten. A veces los tengo yendo y viniendo a todas horas, hasta dos horas antes del atardecer … En ocasiones el cansancio es tal que tengo que hablar con ellos tumbado … Cuando cae la noche, estoy tan agotado que no soy capaz de pronunciar palabra.
>
> El resultado de todo ello es que ningún israelita puede hablar conmigo como no sea el sábado, cuando vienen todos después del rezo de la

mañana y prescribo a la comunidad lo que se debe hacer durante la semana siguiente. Estudian alguna cosa fácil hasta el mediodía y entonces se van, pero siempre hay alguno que vuelve y se pone otra vez a estudiar hasta el oficio vespertino.

Así que este es el horario que tengo todos los días, y te he contado solo una parte de lo que en realidad podrías ver con la ayuda de Dios, sea siempre alabado.[11]

No exageraba. Entre las tareas no citadas en la carta estaba la obligación diaria de dictar sentencia sobre cuestiones de todo tipo, quejas y pleitos que le presentaran en el *majlis* o «consejo». Algunas de esas sentencias, conservadas en la Geniza, son todo lo breves que pueden ser, a veces apenas una sola palabra, pero con la correspondiente firma adjunta. Además, parece que la delegación de funciones no era posible. Cualquiera que deje de dictar sentencia sobre tales asuntos, había escrito en un tono un tanto altisonante, hace que la presencia divina se aparte de la sala. Y, naturalmente, luego estaba la labor de edición de sus propios comentarios sobre la Misná y la Torá, que suponían un trabajo constante, así como los numerosos volúmenes de consejos médicos acerca de las diversas dolencias, incluida la impotencia del sobrino de Saladino (si no hay hormigas en azafrán, pruébese con pimienta negra, miel y vino, que permitirán bombear el flujo sanguíneo). Maimónides consideraba que el vino era la mejor medicina para casi todo, y ese era un ejemplo más de la estupidez del islam al prohibir su consumo.

El precio de toda aquella omnisciencia mosaica fue una especie de agotamiento del monte Nebo, que fue debilitándolo progresivamente a medida que pasaban los años. A pesar de las constantes demandas de su tiempo y de su presencia que recibía, habitualmente se negaba a ver a muchos de los que solo pretendían pasar un rato a su lado y quizá exponerle alguna de sus perplejidades. Su dieta —en la que los huevos y el pollo ocupaban un lugar destacado, este último guisado en aceite con un poco de canela, a la egipcia— fue reduciéndose. Padecía insomnio y de poco valía el vino contra el suplicio de las múltiples molestias y dolores que padecía. Mientras estuvo escribiendo las *Causas de los síntomas*, en torno a 1200, sufrió numerosos achaques y se multiplicaron sin que aparentemente pudiera controlarlos, de modo que dictaba sus prescripciones desde la cama, incapaz de atender en persona al sultán. El propio

Egipto, que sufrió varias epidemias e incluso fue víctima de la hambruna a finales de siglo, parecía ir decayendo al mismo tiempo que lo hacía
el vigor de su persona. A veces se ponía frenético al ver cómo perdía el
tiempo que tanto necesitaba para estudiar, pensar y escribir, y se reprochaba a sí mismo empestillarse y entretenerse en trivialidades. Sus dos
hijos, Abraham y David, podían liberarle de parte de la tensión; David
era el encargado de ganar dinero y Abraham llegó a ser un estudioso y
comentarista de valía, y a la muerte de su padre se convirtió en *rav* de la
comunidad y en fiel custodio de sus doctrinas (aunque no faltara quien
lo pusiera en entredicho). Era inevitable que algunas de las reformas
maimonídeas introducidas por Abraham, como la adopción de las prácticas de culto de los musulmanes (que originalmente habían sido en su
totalidad judías) —la acción de postrarse del todo en el suelo y de levantar las manos—, encontraran resistencia y confirmaran la hostilidad
de los que se habían mostrado suspicaces ante la actitud de apertura de
Maimónides ante otras culturas.

A pesar de la optimista afirmación expuesta en *Guía de perplejos*
según la cual las supuestas contradicciones y las incoherencias aparentemente insolubles de la Torá y el Talmud se rendían ante el razonamiento, Maimónides quedaría cada vez más a menudo empantanado
debido al carácter provisional de su metodología. Los problemas más
espinosos se resistían a encontrar solución, y en cualquier caso seguiría
sin resolverse la tensión entre el maestro de lógica y el creyente. A menudo comprobaba que sus discípulos iban por delante de él, sobre todo
cuando se enteró de que afirmaban que no creía en el regreso del alma
al cuerpo el día de la resurrección. No pensaba nada de eso, ni mucho
menos, aclararía más tarde. Su nombre empezaba a ser tomado en vano.
Pero, por otra parte, no habría debido sorprenderle que en ocasiones lo
malinterpretaran, pues había permitido la aparición de una nueva forma de ser judío, una forma que había sido anticipada ya por Filón de
Alejandría y por Saadia de Babilonia, pero que hasta Maimónides no
había sido expresada nunca de una manera tan completa y vigorosa.
Esa nueva forma suponía que no solo era posible seguir siendo devoto
y permanecer racionalmente alerta, sino que era imposible ser verdaderamente devoto si no se cuestionaban las cosas y se ponía a trabajar
la inteligencia en todo momento. A partir de ese optimismo raciona-
lista cobraría fuerza un judaísmo rejuvenecido. No resultaba fácil pre-

decir si la consecuencia sería, como esperaba Maimónides, un rejuvenecimiento capaz de resistir los ataques lanzados contra las mentes y los cuerpos de los judíos, que aparentemente constituían el destino de su pueblo, envidiado y despreciado a un tiempo, mientras no se produjera la ansiada aparición del Mesías. Aun así, advertía, el verdadero Mesías de la Casa de David no era más que un hombre, no un semidiós y mucho menos un Dios completo, y cuando hubiera reconstruido y purificado Jerusalén, el resto del mundo volvería a seguir su rumbo normal. El león y el lobo no pacerían con el cordero. Pero ¿se lograría quizá que al menos desistieran de sus sangrientos e incesantes actos de depredación?

II. Humo

Se tarda bastante en reducir a cenizas el pergamino, la vitela y la tinta. A diferencia del papel, que absorbe el fuego, las pieles de animal se resisten a su destrucción, ardiendo sin llama mientras se arrugan y se retuercen, rindiéndose únicamente a la incineración tras liberar las últimas gotas de aceite vestigial retenido en su dermis. De modo que hasta que pasaron dos días, el ejecutor público no pudo informar a sus superiores de París de que habían sido quemados satisfactoriamente todos los talmudes condenados por blasfemia un año antes por un jurado de la Universidad de París. Durante todo un día y una noche de junio de 1242, veinticuatro carretas cargadas de libros fueron dando tumbos sobre el empedrado de las calles en dirección a la place de Grève y a su cita con el verdugo; más de diez mil manuscritos arrojados de cualquier manera, cuyas encuadernaciones más preciadas estaban hechas con papel vitela uterino de becerros nonatos, del que se usaba solo la parte interna, todavía del color lechoso de los sudarios. Los libros más voluminosos tenían tal cantidad de folios que al caer la noche adquirieron un brillo ambarino, condensando el aire de París con un singular hedor a sudor animal. Se congregó una multitud de espectadores que gritaban y jaleaban cada vez que los libros grandes eran echados al fuego y empezaban a chisporrotear en las hogueras. De vez en cuando subía del Sena una ligera brisa, y las llamas que se llevaban las letras hebreas, rematadas por luminosos rizos de fuego, ejecutaban una danza aérea sobre la muchedumbre antes de caer convertidas en pavesas sobre las cabezas de los frailes que salmodiaban rezos.

En medio de aquella chusma vociferante se hallaba un plañidero, deseoso de dar rienda suelta a su dolor, entre otras cosas porque formaba parte de una tradición que trataba a los libros sagrados casi con tanto respeto como a los cuerpos humanos. Los libros viejos o estropeados eran guardados en una *genizá*, donde se dejaba que se descompusieran en paz poco a poco, y algunos eran incluso enterrados en el curso de una ceremonial formal. El judaísmo no rasgaba, rompía ni quemaba la palabra de Dios. Prender fuego a un libro era como quemar un cuerpo vivo en la hoguera. Tal vez ideas como esas pasaran por la afligida mente del joven y piadoso estudiante Meir ben Baruc de Rothenburg, que se había trasladado a París para a estudiar el Talmud y ahora tenía que ver cómo era consumido por las llamas.[12] El papa Gregorio IX había ordenado su confiscación, y el rey Luis IX, caracterizado por su celo cristiano, había ordenado su quema. Meir había ido a Francia porque era allí donde los eruditos discípulos de la escuela de Rachí en Troyes —los «tosafistas» más respetados por sus interpretaciones y sentencias sobre la ley oral— se habían congregado para perpetuar la labor exhaustiva de su maestro. Pero al tener que hacer frente a nuevos retos, los tosafistas se convertirían también en autores de los poemas litúrgicos, los *piyyutim*, que desde el siglo VII habían venido cantándose o recitándose en los servicios de las sinagogas. Muchos de ellos eran lamentos, y, en cuanto pudiera, Meir ben Baruc añadiría otro a la letanía, un poema inspirado en otro compuesto algunos siglos antes por Yehudá Haleví, que juega con el terrible arco que unía los fuegos del monte Sinaí con las inmolaciones de París:

> ¿Cómo es posible que vosotros, que fuisteis dados al fuego divino que todo lo devora,
> Fuerais consumidos por el fuego mortal, mientras que esos extraños, vuestros enemigos, ni siquiera se chamuscaban con las brasas ardientes?
> Moisés hizo añicos las tablas, otro repitió su locura
> Quemando la ley en el fuego ... ¿Es este el fin de la doble pena?
> En la plaza pública, como botín conquistado a una ciudad apóstata, ardieron los despojos del Dios de lo alto.[13]

Peor aún. Un motivo más para retorcerse de angustia las manos era el hecho de que los judíos habían sido los instigadores, voluntaria o involuntariamente, de aquella destrucción. Su perseguidor más inmediato era un judío apóstata, Nicolás Donin, que había presentado treinta y cinco cargos por injurias blasfemas contra el Talmud y lo había denunciado ante el rey y ante el Papa. En un momento determinado puede que Donin fuera caraíta, la secta que rechazaba la autoridad de toda «ley oral» y que se atenía solo a los preceptos de la Torá escrita. La convicción que tenían los caraítas (concentrados casi en su totalidad en el mundo musulmán) de que el Talmud era en realidad un obstáculo fraudulento para la observancia del verdadero judaísmo de la Torá, y de que la pretensión de que Moisés había recibido en el Sinaí una ley oral, además de la escrita, era falsa, encontró un público receptivo entre los teólogos cristianos que pretendían separar las prácticas judías de la época (malas y fruto del adoctrinamiento rabínico) de las Sagradas Escrituras compartidas por las dos religiones (buenas y que contenían la profecía de Jesús). Pero ningún caraíta había llegado a proponer la quema de aquella obra ofensiva, y mucho menos —como hacía el papa Gregorio IX en su carta a Luis IX— a afirmar que «ningún castigo sería suficientemente grande ni bastante digno del delito» cometido por los que perpetuaban aquel fraude.[14]

Sin embargo, la idea de que las autoridades cristianas no ya retiraran de la circulación las obras judías ofensivas, sino que las destruyeran físicamente, provino del ámbito rabínico, no del antirrabínico, sobre todo del sur de Francia, y su objetivo no fue por supuesto el Talmud, sino las obras radicalmente subversivas de Maimónides. Por lo que concernía a Rabí Salomón bar Abraham de Montpellier y sus discípulos, el tal Moisés, nacido antes de ayer, tenía la cara dura de imaginarse que era el heredero del modelo original cuando todo lo que escribía, y especialmente la forma en que lo escribía, conculcaba la epifanía del Sinaí. Al pretender despojar a la Misná del gran manto ricamente tejido de los comentarios y suplementos talmúdicos que la revestía, y querer exponerla en su desnuda sencillez, como si eso fuera la totalidad de la ley oral, ¿no había hecho que a ojos de los gentiles pareciera que el Talmud estaba de más? Por si fuera poco, al introducir en los textos sagrados el razonamiento ajeno de los griegos, ¿no había acaso comprometido su pureza y los había convertido en pasto de los sofistas enemigos? A su juicio, era como si hubiera arrastrado el Talmud a un templo pagano, convirtiéndolo en el juguete filosófico de los que no le deseaban ningún bien. Había conseguido que cualquier alumno sabiondo de la *yeshivá* con una lengua un tanto suelta pudiera citar fragmentos todavía a medio digerir de Rabí Aristóteles como si fueran dignos de Rabí Gamaliel o de Rachí (¡Dios los tuviera en su seno!). Los judíos de buena fe discutían entre ellos a su manera, respetando la sabiduría acumulada de los sabios, pero Maimónides había expuesto el Talmud a la censura malévola de los extraños. Se había figurado que daba un tónico a la ley oral, pero, válgame Dios, ¿quién le había pedido que fuera a atender las dolencias del Talmud, vamos a ver?

Los defensores de Maimónides culparon a aquellos críticos melindrosos, semejantes a burros con anteojeras, de las voraces llamas de París. Hilel de Verona (pese a escribir sesenta años después de que ocurrieran los hechos) afirmaba que no pasaron ni cuarenta días entre la quema de los libros de Maimónides y el infierno del Talmud.[15] Los había escandalizado tanto el anatema perpetuo, válido para todos los judíos de cualquier rincón del mundo, lanzado contra las obras de su maestro (especialmente contra el *Libro del conocimiento* y la *Guía de perplejos*, que en la traducción al hebreo de Ibn Tibón había tenido una amplia circulación en Francia), que promulgaron un contraanatema, un *jerem*, contra Salomón bar Abraham y todos los que pensaban y hablaban como él. Las cosas llegaron a tal punto que los opositores a Maimónides, que intentaban activamente reclutar a gente que los apoyara en el norte de Francia, dijeron que en Orleans habían sufrido incluso agresiones corporales.

Fue en ese momento, en plena escalada y enconamiento de la guerra cultural, cuando los opositores a Maimónides dieron el paso extremo de pedir a los frailes encargados de perseguir la herejía en el sur de Francia, donde los cátaros tenían más fuerza, que extendieran su inquisición a Maimónides. En la polémica versión de esta solicitud que ofrecen los hermanos Ibn Hisdai, apasionados defensores de Maimónides, los judíos perseguidores de la herejía preguntaron a los frailes por qué se molestaban en lanzar cruzadas en los confines del mundo para perseguir herejes cuando los judíos tenían sus propios filósofos peligrosos, que conducían a la gente a la perdición. Y como Aristóteles era considerado una influencia peligrosa también para los cristianos, es muy probable que los frailes se mostraran receptivos a su petición. El propio hecho de que los judíos estuvieran divididos les habría dado, además, la oportunidad de convertir a uno u otro de los bandos enfrentados. Independientemente de que los libros de Maimónides fueran o no quemados, no cabe duda de que lo que tenían en mente los rabinos indignados era su destrucción.

Este infeliz resultado le habría causado a Maimónides el dolor más profundo (mezclado con un poderoso estallido de cólera), como en efecto se lo causó a su hijo, Abraham, encargado de custodiar y perpetuar el legado de su padre. En vez de permitir que la filosofía armara al judaísmo contra los ataques de los cristianos, aquellos tradicionalistas obtusos y doctrinarios la condenaron como si fuera en contra de la ley de Dios. Al encabezar la oleada de hostilidad contra las enseñanzas de Aristóteles, invitaron a los cristianos a entrar en una disputa interna entre judíos y pusieron en sus manos un bastón con el que apalear al judaísmo rabínico en su totalidad. Este torpe oportunismo, como lo consideraban los partidarios de Maimónides, tendría unas consecuencias que todos los judíos habrían de lamentar, sobre todo porque las nuevas órdenes de predicadores, los dominicos y los franciscanos, fueron aprendiendo rápidamente el hebreo, lo que les permitiría estudiar a fondo y con celo persecutorio los textos de la ley oral. Y, lo que era peor, obtendrían ayuda especializada y erudita de toda una legión de conversos que se habían educado en el judaísmo tradicional, entre ellos Nicolás Donin y un converso aragonés llamado en otro tiempo Saúl y que adoptó luego el nombre de Pablo Christiani, Pablo el Cristiano. Aquellos individuos serían los zelotes de la guerra contra el Talmud, y en el siglo XIII pensaron que tenían la autoridad de la Iglesia de su parte. En 1215, en el IV Concilio de Letrán, el papa Inocencio III, el combativo adalid de un dominio indiviso de los cristianos cruzados, no solo impuso a los judíos la obligación de llevar un distintivo en su vestimenta, para que el precio por su «obstinación» resultara lo más elevado posible, sino que además concedió su bendición a una campaña de proselitismo agresivo que acelerara el advenimiento de los Últimos Días y la ansiada Segunda Venida de Cristo.

Este nuevo escrutinio hostil de los textos hebreos desde dentro desembocó en un ominoso cambio de actitud respecto al lugar que ocupaban los judíos en la sociedad cristiana. Durante siglos, el enfoque propuesto por san Agustín —que los judíos debían ser protegidos en la observancia de su ley y de sus tradiciones, como testigos vivos de las consecuencias de su error— había marcado las líneas maestras seguidas por la Iglesia. Se había adoptado por norma el criterio de que el Nuevo Testamento no habría podido existir sin el Antiguo, y de que la Biblia hebrea estaba llena de profecías cuyo cumplimiento eran la vida y muerte de Cristo. De ahí que papas y obispos intentaran repetidamente proteger e incluso sostener a los judíos hasta el momento de su conversión, y habían manifestado públicamente su execración de los extraviados que actuaban con violencia contra ellos o que los acosaban.

Aunque papas, reyes y obispos permanecían de boquilla fieles a este principio de protección, a lo largo del siglo XIII la antigua tolerancia dio marcha atrás y casi desapareció. Una vez que los cristianos, guiados por los apóstatas, se dieron cuenta de hasta qué punto el judaísmo rabínico se basaba en la autoridad del Talmud, empezaron a sostener que los judíos se habían inhabilitado ellos solos y habían dejado de merecer protección alguna al abandonar el judaísmo de la Biblia y adoptar en su lugar una religión completamente nueva, el judaísmo del Talmud. Ya en el siglo XII, Pedro el Venerable, el poderoso abad de Cluny, de la orden del Císter, estigmatizó el Talmud como el verdadero enemigo judío, amenazando con «hacer salir a rastras de su madriguera a la monstruosa fiera y mostrarla en el teatro del mundo para que todos la vean».[16] Cada vez más a menudo, las tropas de choque teológicas del cristianismo militante disociaron el Talmud de la Torá, presentando el primero como una conculcación de la segunda. Aunque los judíos argumentaran que la finalidad del Talmud era iluminar el contenido de la Biblia, para sus nuevos lectores era evidente que, en realidad, lo que hacía era oscurecerlo. Si bien no cabía duda de que en efecto Dios había revelado la ley escrita a Moisés en el Sinaí, tampoco cabía la menor duda de que la pretensión rabínica de que el patriarca también había recibido una «ley oral» análogamente divina, que algunas generaciones posteriores se habían empeñado en fijar por escrito en beneficio de las generaciones futuras, era un fraude y una patraña para legitimar la usurpación de los que se llamaban a sí mismos «sabios». A diferencia de la Torá, el Talmud era simple y llanamente obra de unos hombres que fraudulentamente se disfrazaban de interlocutores de Dios. Y no solo eso, pues los forjadores de semejante obra habían tenido la osadía de hacer su Talmud... ¡mucho más largo que la propia Biblia! Soslayando la inconveniencia de las profecías bíblicas que anunciaban la venida de Cristo, los talmudistas tenían además el atrevimiento de situar a sus sabios por encima de la autoridad de profetas bíblicos como Isaías, Ezequiel y Daniel.

Su presunción herética había cortado la cadena que unía a cristianos y judíos en su respeto por la Biblia hebrea, las Leyes de Moisés, la Casa de David y las visiones de los profetas. El motivo de la impenetrabilidad de los judíos estaba por fin claro como el agua cristalina. Su esclavización a la usurpación que suponía el Talmud explicaba por qué seguían ciegos al mensaje, por lo demás evidente, de que la vida de Cristo era la consumación de todo cuanto había sido profetizado a los israelitas. Los judíos habían sido mantenidos lejos de la verdad evangélica por las falsedades, injurias y circunloquios del Talmud. De hecho, como explicaba el papa Inocencio IV, el sucesor de Gregorio IX, se intentaba persuadir activamente a los niños judíos de que no estudiaran la Biblia y se les entregaba en cambio a la casuística y los enredos de la maraña del Talmud. Los rabinos afirmaban que la judía era la más antigua de las religiones monoteístas y que el cristianismo era una novedad espuria, pero en realidad la advenediza era la suya. ¿No correspondía, por tanto, a los cristianos acabar con la autoridad fraudulenta del Talmud en beneficio de los propios judíos?

De ahí las hogueras de París, que no fueron sino la ejecución de la sentencia dictada al término de un proceso judicial a gran escala, impulsado por Luis IX y convocado bajo los auspicios de la Universidad de París, presidido por su cancelario, Odón de Châteauroux, cumpliendo la orden del papa Gregorio IX de requisar y confiscar todos los ejemplares de aquella obra ofensiva, el Talmud. Según Luis IX, un rabino innominado fue invitado a Cluny a participar en un debate con un converso y, aunque un anciano caballero cristiano no pudo reprimirse y le propinó un golpe con su muleta por atreverse a negar la divinidad de Cristo, aquella fue la primera vez que un representante de la judería francesa fue convocado formalmente a responder de las acusaciones presentadas contra el Talmud por el apóstata Donin. Las ofensas más graves eran las groseras blasfemias propaladas contra Cristo, la Virgen y la Santa Madre Iglesia. Y esas blasfemias y ofensas ponían en entredicho si efectivamente podía tolerarse la presencia de unos enemigos inveterados del Evangelio como aquellos en medio de la Congregación de los

Fieles. Se subrayaba que el papa Inocencio III había reafirmado la protección del judaísmo a condición de que no dañara al cristianismo. Pues bien, parecía que la observancia del judaísmo talmúdico exigía realmente que los judíos ofendieran y dañaran al cristianismo y, según afirmaría Donin en un momento dado, los exhortaba activamente a matar a los cristianos. Según esta interpretación, existía una clara relación entre los insultos talmúdicos contra la Virgen y el Salvador, y las noticias cada vez más frecuentes acerca de judíos que habían profanado imágenes sagradas y especialmente la hostia consagrada de la Eucaristía, las obleas en las que la presencia de Cristo se encarnaba físicamente en la comunión. Ahora que los cristianos, debidamente informados, sabían lo que estaba en juego —una guerra que parecía implacable—, ¿no cabía decir que los judíos dirigidos por los rabinos constituían no solo una anomalía, sino incluso una verdadera amenaza, y que, como tales, se habían vuelto indignos de la protección que se les concedía? Los judíos, afirmaban algunos, constituían un peligro más inmediato que los sarracenos, pues cometían sus abominaciones en el propio corazón de la cristiandad.

Fue así como en 1240 en París y en 1263 en Barcelona, el Talmud tuvo que sentarse en el banquillo en una farsa judicial montada contra el judaísmo con el objeto de obtener la admisión de su culpabilidad. A diferencia del de París, donde la existencia del Talmud corrió verdadero peligro, el juicio de Barcelona no supuso necesariamente confiscaciones ni menos aún quemas de libros. Pero en cualquier caso fue un torneo de religiones, escenificado con la ferviente esperanza de que el campeón de los judíos, Rabí Moisés ben Nahmán (llamado Nahmánides), quedara tan desconcertado que su destrucción moral desencadenara una conversión en masa. Contemplando el espectáculo estarían príncipes de la Iglesia, destacados teólogos de las órdenes dominica y franciscana (entre ellos los que conocían el hebreo) y miembros de la familia real. La madre de Luis IX, Blanca de Castilla, que no le iba a la zaga a su hijo en su odio a los judíos, estuvo presente en las sesiones del juicio de París, y el de Barcelona lo presidió el rey Jaime I de Aragón en persona. Ni que decir tiene, las versiones judía y cristiana, en hebreo y latín respectivamente, del desarrollo del certamen discrepan todo lo que cabe imaginar. El relato cristiano incluye la «confesión» de los crímenes y pecados del Talmud por parte de dos de los tres rabinos de París, mientras que la versión en hebreo presenta a un Rabí Yehiel ben Yosef indómito e ingenioso peleando valientemente para no dejarse arrinconar. La versión cristiana de la disputa de Barcelona muestra al zelote Pablo Christiani derrotando contundentemente a Nahmánides, mientras que en el relato que ofrece el rabino en su *Vikuá* (que significa «debate» o «disputación») refuta de forma concluyente todo lo que se les imputa a él y al Talmud.[17]

Sin embargo, las narraciones coinciden en algunos detalles. En las dos disputas, la de París y la de Barcelona, los rabinos rechazaron la idea de que el Talmud era una especie de innovación reciente (aunque exagerando un poco su antigüedad). Si ese mismo Talmud había sido conocido y considerado intachable por el cristianismo durante muchos siglos y por muchos papas y obispos a los que no cabía poner pero alguno, decían, ¿por qué ahora suponía aparentemente una amenaza tan grande? A sabiendas de que la mayor parte de los testimonios incriminatorios serían extraídos de los pasajes más extravagantes de la obra, los rabinos hicieron cuanto pudieron por desmentir cualquier idea que pudieran tener los cristianos de que las secciones agádicas de las que entresacaban los pasajes injuriosos eran de obligado cumplimiento para todos los lectores judíos. Había dos tipos de escritos talmúdicos, se encargaron de explicar paciente pero atinadamente tanto Yehiel como Nahmánides: la *halajá*, que era efectivamente ley de obligado cumplimiento, y el juego de comentarios y opiniones de la *agadá*, que los judíos podían tomar o dejar, como les pareciera conveniente. Invariablemente, los elementos escogidos que contenían insultos contra Jesús o la Virgen pertenecían a esta segunda categoría. Mirad, debió de decir Nahmánides, ni siquiera yo creo muchas de esas cosas, y no me hace ninguna falta creerlas; no es más que carnaza para la controversia. Otra táctica adoptada por Yehiel ben Yosef en París fue admitir que algunos de los pasajes ofensivos seleccionados por Donin aparecían efectivamente en la *agadá*, pero que el acusador no había entendido en absoluto a quién iban dirigidos. El «Jesús» que se decía que estaba envuelto en excrementos hirviendo en el infierno no era Jesús de Nazaret, o acaso había sido identificado con él porque en aquellos tiempos de predicación había habido muchos Jesuses (como en efecto había ocurrido). Cuando Donin se rió de la falta de sinceridad de la respuesta, Yehiel preguntó con la mayor frescura si al fin y al cabo no había en Francia más Luises que el rey. Siguiendo la línea de la confusión de identidades, preguntó con una inocencia pasmosa si era remotamente concebible que «Miriam la peluquera», que era también objeto de insultos, sugiriéndose incluso que era una prostituta, pudiera ser la madre de Jesús, pues a ningún judío se le habría ocurrido nunca decir que María se había establecido en el ramo de la cosmética. Y en los «gentiles» sobre los que se lanzaba un verdadero aluvión de maldiciones e imprecaciones tampoco debía verse a los cristianos, sino más bien a los «paganos», sobre los cuales se pedía al Todopoderoso que «descargara su cólera» el día de la Expiación.

El enfrentamiento retórico contra un rival imaginario que caracteriza a los relatos judíos y cristianos de aquellos momentos tan trascendentales transmite una sensación equívoca de simetría entre los contendientes. Pero, por descontado, los dos bandos no eran ni remotamente iguales. Los rabinos luchaban por la supervivencia de la religión de su pueblo, y lo hacían ante la presencia intimidatoria de teólogos, predicadores, aristócratas e incluso el mismo rey en Barcelona, ante una multitud expectante ansiosa por ver la humillación y el envilecimiento de aquellos judíos malvados, ciegos y orgullosamente obstinados, y, para mayor deleite, a manos de alguien que había pertenecido a su misma ignorante confesión. Con todo, mientras que los tres rabinos de París pudieron apoyarse unos en otros, en Barcelona Nahmánides se quedó solo, absolutamente impotente, pero heroicamente firme a pesar de la terrible situación en la que se encontró, comportándose como el más valiente entre los valientes.

Como Maimónides, Nahmánides era médico y rabino, y en Cataluña y el sur de Francia era conocido más como pacificador que como combatiente. En 1232 había intentado, no sin cierto éxito, reconciliar a los defensores y a los detractores de Maimónides y salvar un cisma que sabía muy bien que solo podía acabar perjudicando a los judíos en todas partes. Creía que los partidarios de Maimónides se habían equivocado al excomulgar a Rabí Salomón bar Abraham y a sus presuntos quemadores de libros, pero consideraba que los enemigos del filósofo y médico estaban todavía más equivocados al caricaturizar a Maimónides y presentarlo como alguien que se tomaba descaradamente la ley a broma y que fomentaba incluso la apostasía, cuando en muchos sentidos era más estricto que el propio Talmud. La *Guía de perplejos*, en opinión de

Nahmánides, no pretendía ser un medio de atraer a la gente al racionalismo pagano, sino que, por el contrario, intentaba traer de nuevo al redil a los que ya se habían dejado convencer intelectualmente por la filosofía clásica y necesitaban conjugar sus métodos con la esencia de la religión judaica. Su perplejidad había sido causada por haber ejercitado la razón que Dios les había dado, y ahora se veían atrapados en una falsa dicotomía entre fe e inteligencia. Todo lo que había hecho Maimónides era mostrarles cómo podían conciliarse ambas cosas en el seno del judaísmo.

Aunque sus esfuerzos conciliatorios fueron vanos, Nahmánides siguió siendo muy querido en las juderías de Aragón y Cataluña, en los callejones de altos muros de Zaragoza y Huesca y de su Gerona natal, tan cerca del palacio episcopal y de la catedral por si en un momento dado había que buscar refugio, y también en las angostas callejuelas de pueblos atestados situados en lo alto de un cerro, como Albarracín, Fraga y Montalbán. Nahmánides no era considerado un conocedor del mundo tan grande como Maimónides, pero cuando hizo falta demostró que sabía comportarse como todo un hombre en medio de la amedrentadora hueste de caballeros y frailes que lo escuchaban sentados en sus bancos. Asumiendo el papel de protagonista de su propio drama y haciendo gala de la misma elocuencia y seguridad en sí mismo que caracterizaba a Maimónides en sus momentos más persuasivos, Nahmánides sabía que la simpatía del rey era fundamental si quería tener una mínima oportunidad de salir adelante. E indudablemente pensaba también que los ojos y los oídos de todos los judíos de España, tanto de la zona musulmana como de la cristiana, estaban pendientes de él. Era importantísimo, por tanto, atraerse a Jaime y no malquistarse con él, y se dispuso a hacerlo con un toque de encantadora ligereza, actuando descaradamente para la galería regia. Fue una comedia judía, mortalmente seria en su intención, pero jocosa en la forma, la más importante que había habido nunca, representada en el teatro más hostil que cabía imaginar, en Barcelona a lo largo de cuatro calurosos días de finales de julio de 1240.

Se concedió a Nahmánides licencia para hablar con toda la libertad que quisiera, siempre y cuando no blasfemara contra el cristianismo. Pero estuvo peligrosamente a punto de hacerlo en un momento inocente de parodia satírica cuando intentó parafrasear el relato del Nuevo

Testamento. «Resulta un poco extraño —comentó irónicamente— que el Creador del cielo y de la tierra recurriera al vientre de una judía para ser gestado en él durante nueve meses, que fuera parido como un niño, que creciera, fuera traicionado y entregado a sus enemigos y ejecutado, que resucitara y que luego volviera … La cabeza de un judío, y a decir verdad, la de cualquiera, simplemente no puede aceptar semejantes pretensiones.» Nahmánides acabaría pagando por su desfachatez, pero, como ocurre con todos los grandes actores, no habría quien lo parara. Con el mayor descaro, Nahmánides se volvió directamente al rey, que, al fin y al cabo, le había garantizado la libertad de palabra, y le dijo: «Toda tu vida has escuchado a curas que te han llenado la cabeza … de esas doctrinas, de modo que ya son como tu segunda naturaleza y las aceptas sin más a fuerza de costumbre. Pero si las oyeras por primera vez ya de adulto no es posible que creyeras en ellas».[18]

Cuando Pablo Christiani destacó el pasaje de Isaías 53 que profetiza al «siervo doliente» de Dios, al «varón de dolores» al que el Señor «hirió» y cubrió de «llagas» y «aflicciones» por los pecados de los hombres, Nahmánides mostró irónicamente su extrañeza de que alguien pensara que esas palabras hacían referencia a Jesús, cuando todos sabían que el personaje herido era naturalmente el propio Israel; bien sabía Dios que había sufrido, pero algo muy distinto era imaginar la figura de un salvador enviado a absolver a la humanidad de un pecado colectivo. Y ya que estábamos, ¿le permitían recordar, dicho fuera con todo respeto, que el judaísmo no creía en el pecado colectivo, y mucho menos en un pecado heredado de Adán, «como tampoco hemos heredado el pecado del faraón»? Así pues, no había ningún estado de caída universal del que fuera preciso que ese mesías salvara a la humanidad. El Mesías judío —que, por cierto, no era un elemento «fundamental en nuestra religión»— sería enviado con un programa mucho más modesto, aunque por cierto de mucha trascendencia para los judíos. Todo lo que redimiría sería Jerusalén, permitiendo de paso la reconstrucción del Templo. A ese mesías ni por asomo se le ocurriría nunca afirmar que tenía una vertiente divina, pues semejante pretensión violaría lo que era un principio constitutivo del judaísmo, repetido tres veces al día en el rezo del *shemá*, a saber, la unidad indivisible y la singularidad de Dios. A continuación, en un gesto de encantadora desfachatez retórica, Nahmánides se volvió otra vez directamente a Jaime para explicarle que el Mesías judío sería un rey, pero de un tipo estrictamente mortal, terrenal, nacido como los otros reyes de la unión de un hombre y una mujer normales, y además ligado al seno materno por una placenta, algo que no habría ocurrido con un mesías engendrado por una especie de espíritu. El Mesías sería, por tanto, un monarca igual que él. «Vos sois rey y él es rey», lo que en ese momento en concreto significaba que, el rey Jaime era para él mucho más importante que el Mesías rey.[19] La historia no registra la amplitud de la sonrisa de Jaime.

Pero como parecía que para los cristianos, continuó diciendo Nahmánides, reconocer a Jesús como el Cristo mesiánico era fundamental, si es que de hecho no lo era todo, ¿se le permitía también recordar que el reinado de paz universal que, según se decía, se había inaugurado con su sacrificio, no parecía haberse materializado según los planes previstos, ni en su momento, ni inmediatamente después ni a lo largo de los doce siglos de era cristiana que habían transcurrido? De hecho, había sucedido todo lo contrario. «Desde los tiempos de Jesús hasta la actualidad, el mundo entero ha estado lleno de violencia y de pillaje.» La guerra continuaba de modo incesante, dijo, y en uno de sus agudos excursos añadió que se preguntaba qué tendrían que hacer en realidad todos los caballeros allí congregados si les quitaran la guerra. Pablo Christiani, irritado ante tanta condescendencia y tanta burla rabínica (Nahmánides seguía refiriéndose a él con sarcasmo como «nuestro astuto judío»), replicó que era típico de los judíos medirlo todo en términos superficiales, toscamente físicos o «carnales», como decían los cristianos; pero Cristo había descendido a los infiernos y el averno había sido humillado; los justos de entre los muertos habían sido salvados, se habían levantado de nuevo y el triunfo de la Iglesia demostraba que efectivamente Cristo no había venido en vano. «¿De verdad?», respondió Nahmánides. Por lo que él podía ver, el cristianismo no se había asentado de forma indiscutible, «de mar a mar», como profetizaba el pasaje citado por Pablo. ¿No se limitaba acaso el dominio de la Iglesia de Roma a lo que había sido el antiguo Imperio romano? ¿O ni siquiera? Así que veredicto no concluyente. ¡Como mucho!

Juego, set y partido para el rabino, al menos si debemos creer la versión que el propio Nahmánides ofrece en su *Vikuá*. El resultado sería distinto en cada uno de los juicios. En Francia, el Talmud acabó siendo confiscado, eliminado y quemado. En 1247, sin embargo, el nuevo Papa,

Inocencio IV, que en un principio se erigió en un perseguidor del Talmud tan vehemente como Gregorio IX, dio ligeramente marcha atrás. Informado de que sin el Talmud los judíos no eran capaces de entender la Biblia como era debido, y creyendo que esa comprensión era una condición indispensable para su conversión, el pontífice ordenó que se devolviera el Talmud a los judíos, aunque censurado para omitir los pasajes considerados blasfemos o insultantes para la cristiandad. La farsa de Barcelona fue concebida en todo momento como una corrida de toros sin sangre, en la que el vencedor ganaba solo crédito moral y los laureles de la persuasión. Pero los dominicos, que habían sido sus directores de escena, se aseguraron de que no acabara con la propia disputa. Nahmánides cuenta que, al enterarse de que el rey en persona iba a predicar el sábado en la sinagoga, decidió aplazar su regreso a Gerona para poder refutar el sermón real una vez pronunciado. Poniendo su persona en grave peligro, eso fue precisamente lo que hizo.

No obstante, las palabras del monarca iban a ser solo un ejercicio de precalentamiento para Raimundo de Peñafort, el autor del gran código de derecho canónico elaborado bajo los auspicios de Gregorio IX y maestro general de la orden dominicana de predicadores. Promotor exaltado de la conversión de judíos y musulmanes, había sido Peñafort el que había animado al rey a permitir a Nahmánides hablar libremente, pero luego se había arrepentido al ver la maña con la que había aprovechado tanta liberalidad. El sermón del sábado en la sinagoga de Barcelona y ante su congregación cautiva sería una revancha en la que él mismo hablaría con más pericia que Pablo Christiani. Cuando el rabino lo desafió a explicar la *contradictio in terminis* que suponía la Trinidad, que comportaba un Dios que era a la vez Uno y Trino, Peñafort cometió el error táctico de compararla con el vino, que posee sabor, olor y color y, pese a todo, no deja de ser más que vino. Nahmánides replicó que, por el contrario, esos rasgos eran tres propiedades totalmente distintas, unidas «de manera accidental», y que cada una podía ser eliminada bajo determinadas condiciones alterando fundamentalmente la naturaleza del líquido. Era evidente que uno de los dos había sacado más provecho de la idea del vino (y posiblemente también de su degustación). Pablo Christiani —enojado y viendo tal vez la ocasión de conseguir la vindicación de su propia persona ante el rey— se levantó con gesto petulante y afirmó que, a pesar de todo, la Trinidad era una verdad tan misteriosa que ni los príncipes ni los ángeles podían entenderla del todo. «Me levanté —dice Nahmánides con cierta dosis de autocomplacencia— y dije: "Bueno, es evidente que una persona no puede creer en aquello que no conoce, y por consiguiente los ángeles no deben de creer en la Trinidad". Y los compañeros de fray Pablo [esto es, Pablo Christiani] lo obligaron a guardar silencio.»[20]

Ni el espectáculo de París ni el de Barcelona tuvieron los resultados que sus promotores esperaban. No se produjo ninguna conversión en masa. De hecho, el experimento demostró que los judíos eran capaces de batallar en la cancha de sus adversarios y que a la hora de defenderse no estaban desamparados. Y menos mal que así era, pues desde mediados del siglo XIII, y por orden del Papa, los judíos fueron obligados, a la fuerza si era necesario, a escuchar los sermones cristianos en la sinagoga, delante del Arca que contenía los rollos de la Torá, y no siempre contarían con unos paladines tan elocuentes e irrefutables como Nahmánides. Los frailes escogían no solo el sábado, cuando sabían que los judíos se congregaban en mayor número, sino también los días más santos del año —Expiación, Pascua y Tabernáculos— para irrumpir en las sinagogas siempre que les parecía oportuno y someter a los judíos a violentas soflamas acerca de la iniquidad de su ceguera. La profanación de un espacio que para ellos era inviolable debió de resultar muy traumática. La profunda sensación de violación al tener que soportar aquel virulento chaparrón de insultos y, según su opinión, de falsedades, resultaba deprimente, además de terrorífica. Pero se suponía que la tempestad que descargaban los frailes escamparía con la promesa de salvación para los que al fin vieran la luz del Evangelio. Se necesitaban incentivos además de intimidación, pues las conversiones eran importantísimas para aquellos frailes que actuaban en el acelerado marco cronológico de la inminente llegada de los Últimos Días. (También los judíos creían que su año 5000 traería a su Mesías.) Para aquellos zelotes cristianos, con Jerusalén todavía en manos de los sarracenos y pocas posibilidades inmediatas de reconquistarla, era en la sinagoga donde sus cruzadas podían cosechar victorias. Y no se engañaban. No cabe duda de que, a medida que sus incesantes campañas se intensificaban, los porcentajes de conversiones aumentaban, especialmente en España.

A Nahmánides y a los autores de los relatos hebreos de la disputa de París no hacía falta que les contaran nada de lo que eran las amenazas. Cuantos más frailes se instruían en la lectura del hebreo y se familiarizaban con el Talmud, y cuantos más conversos había que los ayudaban a seleccionar los textos útiles para sus polémicas, mayor era el peligro. Así pues, los relatos de David contra Goliat como el de la *Vikuá*, en los que un solo judío se enfrenta a los gigantes de la Iglesia armado únicamente con la honda de su inteligencia y su sutileza, tenían por objeto levantar los ánimos del público lector hebreo. Los peores dardos que los cristianos pudieran lanzar contra ellos, incluidos sus propios apóstatas, serían desbaratados con la ayuda de Dios. El objetivo de toda la ironía de los excursos de Nahmánides y sus vívidas descripciones de la escena era el entretenimiento y la reivindicación, empezando por el pequeño colofón en el que Jaime I y él se despiden con una nota de respeto mutuo. Al día siguiente de los sermones en la sinagoga, el monarca, que ya había expresado su admiración por la capacidad argumentativa de Nahmánides, volvió a recibirlo, le regaló 300 maravedíes y lo invitó a regresar a Gerona para vivir «su vida en paz. Y me despedí de él con gran amor».

Todo esto parece demasiado bonito para ser verdad, y efectivamente así es. Cualquier improbable muestra de afecto que pudiera haber entre el rabino y el rey no sobrevivió desde luego a la antipatía de los dominicos. En vez de permitirle retirarse a Gerona y vivir tranquilamente, los dominicos vertieron gravísimas acusaciones contra el rabino por su relato del desarrollo de los debates, especialmente quizá contra los pasajes en los que se burla del nacimiento de Jesús del seno de una virgen. El rey consiguió que fuera juzgado por un tribunal independiente, ante el cual Nahmánides subrayó que no había añadido nada a lo que se había dicho de modo completamente inofensivo a lo largo de la disputa. A pesar de todo, la *Vikuá* fue quemada en la hoguera y su autor, condenado a dos años de destierro para satisfacer a los dominicos, especialmente a Raimundo de Peñafort, que a todas luces era el que, como perdedor, estaba más dolido. No pasó mucho tiempo antes de que la sentencia fuera modificada y se le condenara al destierro perpetuo. Nahmánides cruzó la frontera y se refugió en la Provenza, pero luego, cumplidos ya los setenta años, realizó el dificultoso viaje a Palestina, donde conoció a los dos judíos que, según dice, eran los únicos hombres de su religión que vivían en Jerusalén. Se trasladó luego a Acre, donde se puso al frente de un círculo de discípulos; murió en 1270 y fue enterrado, como Maimónides, en un lugar desconocido, que ha sido objeto de constantes conjeturas. En el barrio judío hay una modesta sinagoga, aunque auténticamente medieval, que lleva su nombre o, mejor dicho, el apodo que se le dio póstumamente, Rambán, el acrónimo de su título y de su nombre en hebreo (de manera un tanto equívoca, el de Maimónides es muy parecido, Rambam). Todos los días puede verse el típico ajetreo de judíos ortodoxos de la *shul* de Rambán, corriendo de un lado a otro y mandando callar, lanzando exclamaciones y moviendo el cuerpo hacia delante y hacia atrás, quizá como le habría gustado a Nahmánides, o quizá más bien no, pues Rambán era famoso por su esmerado dominio de sí mismo.

III. Representación de los judíos

El torneo de inteligencias fue el escenario en el que se desarrolló la batalla de las religiones en presencia de príncipes, prelados y predicadores. Vino impulsado por la firme creencia de los teólogos cristianos de que debían ganar la guerra contra la «terquedad» y la «ceguera» de los judíos a través de la persuasión, no de la fuerza, y por medio de los libros que más apreciaban los propios hebreos. Sin duda verían entonces que la fidelidad a la Biblia requería el abandono del Talmud, no un obstinado apego a él.

Pero mucho de lo que sucedió entre judíos y cristianos a finales de la Edad Media no tuvo un nivel tan sublime. El drama entre los adversarios se desarrolló la mayor parte de las veces en la arena de los sentidos. Su teatro natural fue el cuerpo, no la mente, y el medio empleado fueron las imágenes, no las palabras. Su fuerza fue visceral, no filosófica, y el escrutinio erudito de los textos dio paso a un teatro de la crueldad, el sufrimiento y el horror. Una parte de los tormentos puestos de relieve, aquellos que, según se decía, infligían habitualmente los judíos a los cristianos en la repetición ritual de lo que le habían hecho a Cristo, era imaginaria. La otra parte, la de los tormentos infligidos por los cristianos a los judíos, fue muy real, y a menudo comportó asesinatos en masa.

La sangre aparece por doquier, en las fantasías y en la realidad. Cada Viernes Santo, según creían muchos en el mundo cristiano, los judíos sufrían pérdidas de sangre por el ano como expiación inevitable por la sangre derramada en la crucifixión. ¿Acaso no había dicho Mateo de Jesús y los judíos, cuando Pilato se lava las manos, aquello de «Caiga su sangre sobre nosotros y sobre nuestros hijos»?[21] El primer judío que había sufrido algo parecido a una hemorragia penitencial había sido Judas Iscariote, cuyos intestinos reventaron y salieron expulsados de la cavidad abdominal cuando, lleno de remordimientos por su traición, se ahorcó colgándose de una higuera (cabe señalar que los higos eran, entre otras cosas, un símbolo de las fístulas anales). Como el alma de Judas no podía ascender a los cielos, la vía por la que salió de su cuerpo fue a través del orificio anal. Las tripas de Judas se convirtieron en un tema popular en los dramas de la Pasión, especialmente en la Inglaterra tardomedieval, donde ya no había judíos y donde los salchicheros de York proporcionaban una larga cadena de morcillas que salían del cuerpo del falso discípulo cuando explotaba en el momento crucial del Paso de los Salchicheros.[22]

Se desarrolló una tradición medieval —visible, por ejemplo, en los escritos de Tomás de Cantimpré— que atribuía a los judíos una especial propensión al sangrado de las hemorroides, según la cual, cuando el calendario ritual se aproximaba a la Semana Santa, reventaban y sangraban abundantemente. (El hecho de que el doctor Maimónides fuera famoso por haber escrito todo un tratado sobre las hemorroides no habría hecho más que confirmar tales sospechas.) Algunos siglos después, esta fantasía daría lugar al tópico todavía más extraño de que los judíos tenían menstruaciones con regularidad. Pero en la Baja Edad Media el flujo sanguinolento que, según se decía, los aquejaba bastó para enriquecer la imagen grotesca de la morbosidad de los judíos. Al menos un relato del cronista del siglo XIII Cesáreo de Heisterbach presenta a un clérigo cristiano que se enamora lascivamente de una joven judía (como solía ocurrir en la imaginación medieval); la historia gira en torno al hecho de que la única ocasión que se les presenta para consumar su amor es durante la semana inmediatamente anterior al Viernes Santo, cuando, según dice la joven, su padre iba a estar demasiado ocupado restregándose y limpiándose bien el culo para preocuparse de lo que ella hiciera. El vulgarismo latino *verpus*, utilizado, por ejemplo, por el poeta satírico Juvenal, para designar el pene circuncidado, pasó a aplicarse al dedo medio colocado detrás con el fin de taponar el flujo anal, y posteriormente como sinónimo de «judío». El dedo medio levantado a modo de insulto, todavía muy utilizado en Estados Unidos y en la Europa latina, quizá surgiera de esta fantasía repulsiva.

En el ámbito todavía más delirante de la imaginación tardomedieval, los judíos no eran más que seres antinaturales, vampíricos, condenados a no librarse nunca de la maldición de la sangre. Los relatos asociados a esa hemorragia anal dieron lugar a toda una mitología de heridas abiertas que no podían ser restañadas de ninguna manera, consecuencia de la maldición de los judíos derramadores de sangre. Naturalmente, lo que se pretendía era subrayar el contraste entre la sangre del Cordero, que lavaba los pecados de la humanidad, y la efusión impura del flujo anal judío que testimoniaba la condenación eterna de esa raza a la impureza. La circuncisión, perfecta para Cristo (y obsesivamente meditada y visualizada), estaba de más debido al sacrificio cruento de la cruz, pero como los judíos perpetuaban con obstinación su práctica, cabía pensar que padecían un déficit de sangre. Por supuesto, eso explicaba su palidez a todas luces anémica y su olor nauseabundo. Aunque el libelo de sangre no acabaría de entrar plenamente en el repertorio de la demonología judeófoba hasta varios siglos más tarde, a finales de la época medieval muchos creían que los judíos estaban obligados a recurrir a aditamentos ocasionales, a ser posible procedentes del cadáver de algún niño cristiano recién sacrificado.

Por fortuna, los crímenes de los judíos podían ser frustrados mediante efusiones de sangre con las que no habían contado. Durante el siglo XIII, los tormentos físicos soportados por el Cristo doliente se convirtieron en una fascinación compulsiva para los seguidores del Evangelio. Imitar la vida de Cristo, como exhortaban a hacer los frailes, significaba experimentar su suplicio con un nivel de detalle literalmente atroz: la flagelación, la corona de espinas, la llaga del costado causada por la lanza de Longino. Los instrumentos de la Pasión —el azote, las tenazas, los clavos, la escalera, el martillo— se convirtieron en extensiones de la propia cruz, y cada uno de ellos tenía su propio poder penitencial y salvífico. Las representaciones de la Pasión se volverían más visceralmente gráficas, y de paso la imagen de los judíos que habían infligido esos tormentos al cuerpo del Salvador se volvió análogamente más brutal. Los oscuros relatos que presentaban a los judíos como gente dada a una crueldad gratuita desarrollaron su propio culto. Un ejemplo muy popular era el del judío que, según se decía, había acercado a Jesús, cuando ya estaba en la cruz, una esponja empapada en vinagre o «vino agrio» para enjugarle la frente y el cuerpo flagelado; el levita que había abofeteado a Jesús en la sinagoga era otro.[23] Judíos escupiendo y abucheando a Jesús, burlándose de él y tratándolo a empellones, empezaron a poblar las imágenes piadosas de los cristianos, algunas con castigos ejemplares como el del judío que se atrevió a tocar el cuerpo de la Virgen durante su funeral y cuyas manos y brazos quedaron pegados milagrosamente al féretro como castigo, de modo que hubo que amputárselos, o bien no logró soltarse hasta que se convirtió.[24]

Según esas obsesiones judeófobas, la sed de sangre de los perpetradores de la crucifixión nunca podía ser aplacada. Al llegar la Semana Santa, se rumoreaba popularmente, no podían por menos que reproducir la Pasión en la persona material de Cristo encarnado en la hostia consagrada. A partir del siglo XIII, se apoderó de la imaginación popular cristiana toda una locura paneuropea, según la cual los judíos se confabulaban para conseguir como fuera una hostia y después profanarla clavándole un cuchillo o mediante otras formas de mutilación, tras lo cual la enterraban, la hervían o la reducían a polvo en un mortero, o bien la destruían mediante una combinación de los tres métodos.[25] La pretensión de los frailes al exigir a los cristianos que se apartaran físicamente de los judíos, y sobre todo que no trabajaran en sus casas, ni como criados ni como amas de cría, se vio intensificada por la sospecha paranoica de que los que se encontraban en la órbita doméstica de los judíos corrían el riesgo de ser convencidos o chantajeados para que les proporcionaran una hostia con la que llevar a cabo sus actos sacrílegos. La acusación de usura se unió luego a la de blasfemia cuando empezó a decirse que los judíos inducían a las mujeres cristianas a contraer deudas para luego ofrecerles la condonación del préstamo a cambio de una hostia robada.

El resto de la fantasía —plasmada en retablos como el de Paolo Uccello en Urbino o el de Jaume Serra en el monasterio aragonés de Sigena, y en innumerables vidrieras— conoció también un amplísimo desarrollo. Los judíos apuñalaban la hostia y, para su consternación, esta sangraba lanzando grandes gotas reprobatorias. A menudo salía de la oblea acuchillada un niño totalmente ileso que, para desconcierto de los judíos, era ni más ni menos que el mismísimo Niño Jesús. En otras versiones, los judíos escondían la hostia mutilada bajo tierra o en cualquier otro sitio, pero irremediablemente al final era descubierta gracias a apariciones milagrosas similares.

Todo esto quizá no fuera más que una manifestación más de la demonización iniciada como muy tarde mil años antes con los sermones de Juan Crisóstomo. Pero en los siglos XIII y XIV esa demonización tendría unas consecuencias funestas. Las patrañas acerca de la profanación de la hostia, especialmente en épocas turbulentas, bastaron para desencadenar oleadas de matanzas terribles. El predicador dominico más influyente de Florencia a comienzos del siglo XIV, el pisano Giordano da Rivalto, censuró a los judíos por machacar la hostia en un mortero, y cuando a consecuencia de sus sermones fueron asesinados varios miles de hebreos, se alegró de que «hayan matado a todos los judíos, de modo que ahora es imposible encontrar ni uno solo en toda la provincia. ¡Menos mal que los matamos!». En 1298 un ejército popular capitaneado por el caballero llamado el «rey» Rintfleisch asoló 146 comunidades de Franconia, en el sur de Alemania, matando a toda la población judía de la zona como consecuencia de los rumores de ese tipo. En Gamburg, en la Baja Franconia, murieron en la hoguera 130 judíos; en Nuremberg perecieron 728, a pesar de buscar la protección del castillo de la ciudad, incluidos rabinos eruditos como Yehiel ben Menahem Hakohen, y en Würzburg perdieron la vida otros 840. Era una cultura en la que los judíos eran representados en las esculturas de las catedrales tan absolutamente deshumanizados y demonizados que no es de extrañar que en Renania se desencadenara cuarenta años más tarde una segunda oleada de matanzas, los llamados «tumultos de los Armleder», en los que el protagonismo en la carnicería lo tuvieron, como su nombre indica, los trabajadores del cuero. Más ominoso para los judíos sería el hecho de que no hubo casi ningún sector de la población alemana —campesinos, burgueses y caballeros— que no participara en esos ejércitos judeófobos de asesinos en masa.

Incluso en una época en que las matanzas estaban a la orden del día, era perfectamente posible cortar la garganta a unas criaturas asidas a las faldas de sus madres, o torturar, mutilar y asesinar a una población cultural entera solo porque esas personas indefensas eran convertidas en agentes de la depravación satánica, en causantes de epidemias y en infanticidas habituales. Así es como pasó a ver a los judíos la cultura popular cristiana, incluso (o especialmente) cuando los judíos habían desaparecido de su vista. Fue en esta época cuando la caricaturización de los judíos empezó a aparecer en la pintura y la escultura sacras: los verdugos de Cristo y los raptores de niños, de nariz ganchuda, pelo negro y labios hinchados. La fealdad de su fisonomía era la señal inequívoca de su monstruosidad moral. En la imaginación cristiana los judíos se convirtieron en una especie de animales, marcados por unos hábitos bestiales; de ahí la aparición en las decoraciones escultóricas de muchas catedrales e iglesias alemanas, por ejemplo en Wittenberg, Ratisbona, Bamberg, Magdeburgo, Colmar, Estrasburgo y muchas otras localidades, de la *Judensau* —la cerda judía—, la imagen de los judíos mamando de las tetas de una cerda y abriendo la boca para tragarse sus excrementos.

Pero en ese momento sucedió algo verdaderamente curioso: se produjo un acto de resistencia espontánea a la denigración plástica, un florecimiento espectacular de las imágenes en el corazón mismo del judaísmo. Fue como si el desafío verbal de Nahmánides se hubiera trasladado al ojo de la inteligencia y de ahí al pulso del copista y a la mano artística del ilustrador. Fue la primera vez desde los mosaicos de la Antigüedad tardía que la práctica religiosa de los judíos y los textos que la concretaban se propusieron no solo instruir al lector, sino también recrear su vista. La proliferación de imágenes creadas por los ilustradores de los manuscritos hebreos no se detuvo en las capitulares profusamente decoradas con que comenzaban los distintos capítulos de la Biblia. Abarcaría un inmenso bestiario de criaturas, animales y aves de todas clases: cuervos y palomas, águilas y patos, camellos y avestruces, gatos y ratones, leones y elefantes, serpientes y tortugas, y muchos más.[26] Y no se trataba de una especie de casa de fieras enciclopédica sin ton ni son. Si los alemanes, al saber que los judíos tenían algo que ver con los cerdos, habían hecho de ellos sus compañeros carnales, los copistas judíos le darían la vuelta a semejante bestialización. Inspirándose en la riqueza de la imaginería animal de la Biblia y de la poesía judeoespañola, identificando al ciervo con Israel, los hebreos se convertirían en el gamo y la corza acosados por los ladridos perrunos de la persecución cristiana; o en la liebre de pies ligeros que regatea a los zorros.[27] En función del contexto, unos mismos animales podían aparecer en sitios distintos. Las águilas, de las que se sabía que habían sido los primeros animales en matar cuando salieron del arca de Noé, podían ser depredadoras rapaces o guardianas protectoras del pueblo acorralado de Israel. Los leones podían aparecer como bestias salvajes domadas por Dios y convertidas en gatitos mansos, o, convertidos en emblema de Judá, el hijo de Jacob, podían erigirse en defensores rampantes de Israel. En esta contraiconografía aparecerían también criaturas híbridas y animales fantásticos, liberados del uso que les daban los cristianos. El unicornio, a menudo representado en el regazo de la Virgen María, reaparece como el *re-em* de un solo cuerno que encontramos en el Antiguo Testamento. En los manuscritos hebreos vemos también dragones por doquier, casi siempre con cuerpo escamoso de serpiente y alas de murciélago o de pájaro, lanzando violentas llamaradas.

Y hay asimismo algunos seres imaginarios adaptados en las ilustraciones para representar a los propios judíos; el caso más espectacular es el de los grifos que pueblan la *Hagadá de cabezas de pájaro*, un antiguo manuscrito ilustrado elaborado a finales del siglo XIII en la Alemania asquenazí, posiblemente en Maguncia. La naturaleza aviaria de estas figuras se limita a su cabeza, todas ellas provistas de pico. Por lo demás, van vestidas de judíos, luciendo claramente el *Judenhut*, el gorro en forma de embudo invertido que llevaban los asquenazíes alemanes, y representan el relato de la Pascua judía.[28] Sus adversarios egipcios, en cambio, no tienen ninguna característica animal y, lo que es peor, tienen la cara completamente en blanco, sin ningún rasgo fisonómico. El mundo germánico (a diferencia de España e Italia en particular) a menudo interpretaba de modo totalmente estricto el Segundo Mandamiento, como si contuviera una prohibición no solo de las «imágenes talladas» (la escultura idólatra), sino de toda «imagen de lo que hay en lo alto de los cielos [y] de lo que hay abajo sobre la tierra». Meir de Rothenburg, autor de las elegías por la quema del Talmud en París y pietista en la línea de Eleazar de Worms, hizo pública su desaprobación de todas las imágenes que aparecían en los libros sagrados calificándolas de distracción profana de la oración piadosa.

Con todo, sufrió una derrota aplastante en la batalla de las imágenes, especialmente en las *Hagadot* de Pascua, ya que esos libros estaban hechos para ser utilizados no ya en la sinagoga, sino en las casas judías; eran una propiedad común de toda la familia extensa, y de los amigos y vecinos. A veces, los que contaban con una mayor riqueza de ilustraciones eran encargados incluso por un patrono acaudalado para uso de la comunidad. Y en Aragón y Cataluña, pero sobre todo en Francia y en

Italia (aunque también en algunas partes de Alemania), a medida que la costumbre fue popularizándose cada vez más a finales del siglo XIII y a lo largo del XIV, patronos y copistas hicieron caso omiso de las prohibiciones de representar a los personajes bíblicos con rostro humano y, lo que es más significativo, participaron personalmente en el acto de conmemoración de la Pascua. La moda de las ilustraciones iría más allá de las *Hagadot* y llegaría a los *mahzorim*, las colecciones de ritos y oraciones de las festividades y los días de ayuno del año judío, a los *siddurim* o libros de oraciones usados los días de diario y los sábados, a la Torá o Pentateuco, dividido en las *perashot* o porciones (con las capitulares provistas de ornamentaciones espectaculares) que se leían todas las semanas en el oficio del sabbat, y por último a las biblias hebreas e incluso a las obras de filosofía, entre las cuales la veneración de que era objeto el *Misné Torá* de Maimónides se plasmaría en ilustraciones tan exquisitas como suntuosas.[29]

Pero fueron las *Hagadot* de Pascua el vehículo a través del cual recuperaron los judíos su concepto de quiénes eran y se liberaron de la deshumanización polémica de los cristianos. Así pues, no es ninguna coincidencia que fuera exactamente por la misma época en que eran más presionados por las campañas en pro de su conversión, por las matanzas urbanas y la paranoia febril, cuando los judíos respondieron blandiendo sus propias imágenes. Fue uno de esos momentos, que a los judíos les cuesta a veces trabajo imaginar, en los que solo las palabras no parecen bastar. De manera más evidente, más dramática y más valerosa, respondían a la acusación de sangre implícita en la Pascua cristiana, a su cruento martirologio y su macabra demonología. Una extraordinaria Hagadá española de comienzos del siglo XIV pone drásticamente de manifiesto el contrapunto colocando a los participantes en un Séder de Pascua según las convenciones de la Última Cena cristiana. Tal vez fuera la respuesta espontánea de un iluminador cristiano que recibió el encargo de un copista y patrono judío, o quizá fuera en realidad el golpe totalmente intencionado de un contraataque icónico consciente.

En imágenes brillantes, resplandecientes, a menudo hermosísimas, la imaginería piadosa de la vida y la Pasión de Cristo fue respondida con la vida de Moisés. Hubo ocasiones en que el relato en imágenes se remontó más allá, incluso hasta la Creación (la *Hagadá de Sarajevo*, por ejemplo, representa el esplendor de la Creación divina por medio del haz de rayos de sol que se cierne sobre las profundidades); o hasta el sacrificio de Isaac, el hijo de Abraham, que al final se salva por muy poco; o hasta Jacob luchando con el ángel (representado en toda su integridad); o hasta José en Egipto, que supone la prefiguración del ciclo de Moisés. El mensaje de la salvación a través del sacrificio que resonaba entre los judíos en las sinagogas, donde eran vulnerables a los sermones forzosos de los cristianos, era contrarrestado mediante la teofanía del Sinaí, la entrega de la Ley y la creación de los judíos. Los millares de persecuciones sufridas desde tiempo inmemorial eran gráficamente contestadas con la estimulante crónica de la humillación del faraón por medio de las plagas (los ilustradores, especialmente en la *Hagadá «dorada»* aragonesa, debieron de regocijarse representando ranas, langostas, fieras salvajes y, de un modo que recuerda deliciosamente a los dibujos de los tebeos, hasta piojos).

Asimismo, la idea propia de las noches del Séder de que la épica de la liberación fundacional constituía una reivindicación perpetua frente al ejército del opresor ahogado en el mar Rojo, venía subrayada por la representación del faraón y sus soldados vestidos con el atuendo habitual de la Europa medieval de la época. El faraón lucía la corona de los reyes de Francia o de los emperadores alemanes, y sus soldados llevaban cota de malla y cascos cuando se hundían bajo las olas. Más elocuente todavía es el hecho de que en muchas *Hagadot* del siglo XIV, judíos y gentiles no pueden diferenciarse por el cuerpo, la cabeza o la cara; los judíos españoles llevan a veces la túnica con capucha o cogulla, pero a veces no. Las imágenes de Miriam y las mujeres israelitas alegrándose de la destrucción del ejército egipcio muestran a las judías como hermosas muchachas de miembros longilíneos que cantan y bailan (incluso vemos a una tocando la pandereta). Análogamente, Aarón y Josué aparecen como figuras heroicas, liberados de cualquier rasgo caricaturesco o grotesco. Incluso los esclavos judíos que trabajan penosamente para el faraón en Egipto tienen las mismas facciones que todos los demás. En ocasiones, sin embargo, tienen las caras inequívocamente bastas del campesino judío, el *shtarke*.

En realidad, muchos de estos tipos fueron tomados en préstamo de la iconografía cristiana, pero justamente eso era lo que se pretendía. Hostigados y acorralados como estaban, los judíos habían superado los límites de la intimidación para tomar todo lo que quisieran de la cultura contraria y para emplear a sus mejores artistas cuando los suyos todavía no estaban lo bastante capacitados o eran demasiado escasos, y utilizar su trabajo en un acto de rehabilitación visual.

Y, por si fuera poco, se representaron a sí mismos. No como pájaros ni como animales (aunque las liebres y los ciervos fueron siempre cazados en Israel), sino como hombres, mujeres y niños, padres y madres, y toda la familia reunida en torno a la mesa del Séder, o a veces (aunque con menos frecuencia) en la sinagoga, libres de la intimidación de los frailes. Más de una de esas imágenes del interior de la sinagoga muestra curiosamente a hombres y mujeres juntos, al mismo nivel, aunque las mujeres, eso sí, detrás de los hombres, lo que nos sitúa de nuevo ante una refutación más de las ideas preconcebidas acerca de las convenciones del culto en la época medieval. Las escenas del Séder constituyen la reprobación más elocuente que quepa imaginar a las espantosas versiones de sus cenas de Pascua como conspiraciones con matanza de niños incluida. Si se quiere ver lo contrario del estereotipo de los judíos apuñalando la hostia consagrada, no hace falta más que contemplar la conmovedora escena del Séder en la que los comensales se pasan el plato de las *matzot* (el pan sin levadura, las no hostias) junto con el *maror*, las hierbas amargas (a menudo representadas por medio de una alcachofa), alrededor de la mesa, tocando la cabeza de cada uno de los presentes (rito sefardí que parece haber desaparecido) como si quisieran guardar su significado en sus cajas de recuerdos.

En los dibujos de otra Hagadá del siglo XV, obra del mejor iluminador, Joel ben Simón, llamado Feibush Ashkenazi, dos mujeres vestidas exactamente igual que se hubiera vestido una gentil de la época, sostienen entre las dos una cesta de *matzot* según el gesto preceptivo, al mismo tiempo que los judíos dicen «ho lachmah di'anya», «mirad, este es el pan de la aflicción que comieron nuestros padres cuando salieron de Egipto».

Muchas escenas de los preparativos para la noche de la Pascua y de la cena misma, incluida una realmente fascinante en la que un judío rico y majestuosamente sentado en un trono entrega las *matzot* y el *haroset* (la pasta a base de frutas, nueces y vino que simboliza el adobe usado para construir los edificios egipcios, el dulce que equilibra lo amargo) a los linajes menos afortunados de niños con sus madres, cumpliendo así con la obligación de la caridad, son un desmentido de la acusación de insensible inhumanidad que, según los cristianos, mostraban con sus hijos. Son imágenes en las que vemos por doquier niños y cariño familiar.

Algunos de los momentos más estimulantes de autoliberación de las atrocidades de los estereotipos cristianos y de los rigores de las obligaciones rabínicas son los más sencillos, como cuando, con el pretexto de insertar una ilustración en una oración o en un ritual festivo, aparece simplemente un judío haciendo algo totalmente indiferente o incluso contrario a cualquier tipo de mandamiento solemne. Hasta Moisés tiene sus días de vacaciones. Lo que significa que en esos tiempos de constante hostigamiento, cuando los judíos encargaban imágenes o las pintaban ellos mismos con el fin de agrupar sus fuerzas, eran capaces de adoptar una actitud cómica. La bendición del vino, por ejemplo, en un *mahzor* o libro de oraciones alemán, es representada con una singularísima irreverencia, como un hombre echado hacia atrás, sujetándose a la mesa para no caerse, mientras apura hasta la última gota una jarra de vino. O, mejor aún, relegada a un margen de una ilustración acerca de los preparativos para la cena de Pascua, tenemos la hermosa imagen de un joven judío vestido elegantemente que dobla los dedos en el gesto inequívoco de examinarse las uñas. Como es natural, si los obligaran a ello, el iluminador y el copista defenderían la inclusión de este personaje en un libro sagrado diciendo que buscaba el más mínimo rastro de levadura que pudiera habérsele quedado pegada a la uña. Pero si alguien se creyera algo así, estaría dispuesto a creer también en la existencia de los unicornios kosher.

Nada de todo esto quiere decir que el judaísmo, la religión de la palabra, se hubiera convertido de pronto en una cultura icónica. Nada más lejos de la realidad. Es indudable que los judíos eran conscientes del atractivo piadoso que ejercían las imágenes cristianas, que, al fin y al cabo, no solo estaban colocadas encima de los altares, sino que además eran llevadas en procesión por las calles de toda la cristiandad, y desde luego consideraban la veneración que recibían una prueba más, por si era necesaria, de la idolatría que suponía su religión. Para los judíos las imágenes eran elementos ancilares de las palabras, y por lo tanto se hallaban significativamente confinadas a los libros, aunque cuando sus páginas se cubrían de oro y radiantes tonalidades de azul y escarlata, carmesí y verde, dejaban de ser meros «libros» de instrucción doctrinal o de interpretación talmúdica. Sin pretender en absoluto poner en tela de juicio la superioridad de la palabra sagrada, los judíos decidieron complacerse con las imágenes. Y no sería la última vez.

Pero algo así era posible únicamente mientras las palabras y las imágenes fueran vistas como elementos complementarios; o, mejor dicho, mientras se pensara que las palabras y las letras que las forman tenían una misteriosa fuerza visionaria, emparentada (sin pecar de blasfemia) con la tradición místico-cabalística, expresada en el *Sefer Yetzirot*, el *Libro de la Creación*, que sostenía que Dios había creado el universo y el mundo a través de las letras. Las letras eran formas primigenias. Por lo tanto, no debería sorprendernos descubrir que, aparte de todos los elementos tomados en préstamo del arte gótico (y por supuesto de la arquitectura gótica), la única modalidad de pintura singularmente específica del judaísmo sean las figuras hechas a base de letras y palabras. Se dice que la «microcaligrafía» —la maravillosa escritura de letras en miniatura, a veces tan pequeñas que resultan difíciles de percibir a simple vista (al menos con la vista de un hombre de mediana edad como este autor) y que parecen superar cualquier acto imaginable de control motor— se remonta al siglo IX.[30] Una explicación práctica diría que, para una cultura obligada constantemente a cargar los bártulos en una carreta y a salir corriendo para salvar la vida, era lógico comprimir todavía más lo que, por otro lado, ya podía transportarse en los libros de la Torá, y hacer que, pongamos por caso, todo el libro de Ester cupiera en un solo folio o, ya puestos, en un plato o en una hoja de papel. Bien es verdad también que los textos enriquecidos de la Torá y de la Biblia requerían una guía de pronunciación —la *masorá*—, que tenía que ser insertada de alguna forma en el margen de la página, y algunos de los ejemplos más antiguos de microcaligrafía son precisamente eso. Pero cuando en el siglo XIV el hebreo se dedicó a pintar leones y dragones, grifos, águilas y perros y hasta reyes, es evidente que había algo más. Enroscados en esas formas retorcidas, helicoidales, entrometidas, en esas cintas de palabras-imágenes, se encuentran los materiales celulares de la tradición judía, metamorfoseándose eternamente, adaptándose, autorrenovándose, para, una vez sueltos por el mundo, librarse para siempre de caer en manos de los que pretendían su extinción.

9

Destierro del destierro

Cuando el absceso que tenía en el brazo izquierdo dejó de supurar y empezó a formar costra, el rey Carlos el Sabio de Francia supo que su fin estaba cerca. Muchos años antes, el docto médico hecho venir desde Praga para drenar la misteriosa fístula del monarca había sentenciado que, si la herida se secaba, tendría dos semanas para arreglar sus asuntos antes de morir. Y así fue. Para su tranquilidad, la llaga purulenta, sometida periódicamente a curas, había venido segregando líquido durante muchos años bajo el guardabrazo de su armadura, mientras el monarca batallaba denodadamente para recuperar los territorios de Francia conquistados por los reyes ingleses de la dinastía Plantagenet. Pero justo cuando parecía que había cumplido la misión de su vida, las sombras fueron congregándose a su alrededor, convocadas con toda probabilidad por el periódico aderezo de arsénico con el que se condimentaba la comida real. No por serlo dejan los sabios de tener enemigos.

Antes de sucumbir el 30 de septiembre de 1380, dejando el trono a su hijo, de solo once años, Carlos el Loco, que perdería todo lo que su padre había ganado, el rey había hecho, en efecto, algo muy sabio. Hacia 1375 había ordenado a su legado ante la corte de Pedro el Ceremonioso, rey de Aragón, que comprara a los judíos de Palma de Mallorca (que se habían vuelto famosos por este tipo de obras) un *mappa mundi*, o «lienzo del mundo». Tenemos documentada la existencia de esta gran obra, conocida para la posteridad como *Atlas catalán*, junto con otros 917 volúmenes, en la biblioteca real en noviembre de 1380, de modo que es posible que el monarca, ya a las puertas de la muerte, no contemplara nunca los seis pliegos de vitela en los que aparecía cartografiado todo el mundo conocido, desde las islas del extremo occidental, las Canarias, así llamadas por los *canes* o perros salvajes cuyos ladridos se oían a través de sus montañas volcánicas, hasta las islas del extremo oriental, el archipiélago de siete mil islas del mar situado frente a las costas de Catay, que afirmaba haber contado Messer Polo, o las aguas de Taprobana, donde los nativos comían pescado crudo y bebían agua de mar. En cambio, los grandes pliegos de vitela pintada —atestados de textos en catalán, cubiertos con la maraña de las líneas de los vientos, resplandecientes de oro y plata, de bermellón y verde, provistos con las personificaciones del zodíaco, y llenos de cosas fabulosas y de detalles cartográficos— serían muy usados por la habitual banda de veleidosos tíos tutores que asistirían al rey niño, Carlos VI, o quizá por el propio joven monarca.[1]

Los atlas mallorquines estaban hechos para ser desplegados sobre la mesa del camarote de los capitanes de navío, con el fin de reseñar, a partir de informes de primera mano, detalles exactos sobre aguas seguras e inseguras, arrecifes y bancos de arena peligrosos, puertos amistosos y estrechos traicioneros.[2] Aunque el gran *Atlas catalán* (que todavía puede admirarse en la Biblioteca Nacional de París) había sido confeccionado y pintado a la medida como regalo real, era un objeto práctico además de espectacular, y el rey niño, sus tíos tutores y el bibliotecario real habrían podido recorrer la Tierra entera paseando por él. Un año más tarde, en 1381, el infante don Juan de Aragón encargó al «*jueu* ["judío"], maestro de mapamundis y brújulas», otro mapa igual expresamente para Carlos VI, como regalo que sirviera para sellar la alianza que esperaba establecer entre Aragón y Francia.

El judío en cuestión era Cresques Abraham, que, junto con su hijo Jafudá, había pasado varios años elaborando un atlas más espectacular y mejor informado que cualquiera de los anteriores. Técnicamente Cresques no era tanto cartógrafo como iluminador, y era llamado «brujulero» (*buxoler* en catalán), es decir, fabricante de brújulas y pintor de las cajas en las que las agujas magnéticas montadas sobre corcho oscilaban y se movían para marcar las direcciones.[3] La línea divisoria que separaba los oficios era más difusa de lo que algunos estudiosos modernos han querido ver, y el encargo del infante no deja lugar a dudas de que Cresques y su hijo (a los que Pedro IV había distinguido con el honor de llamarlos «familiares del rey») eran considerados los verdaderos maestros y autores de toda la obra.

Cuando marcaban un rumbo, dibujaban y pintaban, Cresques y Jafudá se elevaban a la altura de los ángeles. Sabían captar toda la extensión del orbe —los 180.000 estadios, esto es, unos 38.000 kilómetros, de la circunferencia de la Tierra, según el cómputo de Ptolomeo— en sus ojos bien abiertos y en sus dedos ágiles: el mar rizado traducido en azul, las costas recortadas, las tierras inhóspitas desnudas o erizadas de vegetación, las colinas redondeadas e incluso los pantanos de Irlanda, con sus matas de hierba sobresaliendo de la ciénaga. De ese modo reconstruían la obra del Todopoderoso sin aprovecharse —Dios no lo quiera— de su infinita inteligencia.

¿Quién mejor para rodear la Tierra que los judíos, obligados a errar eternamente por ella, y a los que era posible encontrar en todos los rincones, excepto aquellos de los que habían sido expulsados despiadadamente? Había judíos en Catay, protegidos por el kan; judíos en la tórrida Nubia; judíos en el reino indio de Deli, cuyo rey se jactaba de poseer setecientos elefantes; judíos en la costa de Malabar, y judíos en el Magreb, donde Cresques situó una estrella de David de seis puntas en las cercanías de Fez, algo que no se había visto nunca hasta entonces en un mapa del mundo. Jesucristo —que en los mapas de Ebsdorf y de Hereford, anteriores en un siglo, seguía apareciendo en Pantocrátor en lo alto de la Tierra— había desaparecido por completo del *Atlas catalán*. Esta omisión es tan sorprendente que la figura sentada en un trono que aparece en el Extremo Oriente imaginario, en las cercanías de Gog y Magog, se ha dicho unas veces que es Cristo en el Paraíso y otras —de modo menos verosímil— que es el Anticristo; pero la corona y la barba indican que es más probable que se trate de David, lo que haría que las ramas que sujeta en las manos correspondieran al árbol de su linaje —y el del Salvador— y constituyeran una diplomática conflación judeocristiana. En el emplazamiento del monte Sinaí se incluye una inscripción que hace piadosamente referencia a santa Catalina, pero también a su identificación con el lugar donde «Moisés recibió la Ley». Más elocuente incluso resulta el hecho de que el brazo noroccidental del mar Rojo aparezca cortado por un estrecho espacio en blanco, identificado en el texto adjunto con el camino por el que pasaron los «Hijos de Israel» (expresión no muy utilizada precisamente por los gentiles).

Cresques y Jafudá se encargaron también de satisfacer las ansias de grandeza de los personajes a los que iba dirigido el atlas. Aparte de los diminutos detalles topográficos y náuticos necesariamente comprimidos de las costas de Europa y del Mediterráneo, el mapa está lleno de imágenes de reyes y reinas colocados en sus respectivos reinos. El más sorprendente es el africano «Mussa Melli», rey de «Gynia» (Guinea), en realidad Mansa Musa, que dominó a comienzos del siglo xiv el reino de Malí, correspondiente al territorio de África occidental que se extiende desde Senegal hasta Nigeria, y que controlaba un tráfico de oro tan prodigioso que tentó a los monarcas navegantes de la península Ibérica a remontar sus costas con el fin de explorar sus riquezas. Vestido con una amplia túnica de muselina verde, con barba y descalzo, «Mussa Melli» aparece sentado en su trono con corona de oro, sujetando en la mano un disco del precioso metal como si acariciara el sol con los dedos. Un poco más al noroeste, un noble tuareg de rostro pálido azota a su camello ante un oasis de tiendas negras. La antigua, perpetua confrontación ecuatorial al sur del Sáhara entre animistas y musulmanes, entre los pálidos y los negros, entre los que capturaban esclavos y los que traficaban con ellos, era ya conocida incluso entonces, especialmente entre los judíos de lengua árabe de Mallorca, muchos de los cuales habían llegado a la isla procedentes del Magreb y del Atlas.

Y como el mapamundi pretendía ser historia reciente además de geografía, Cresques y Jafudá pintaron también el barco de Jaume Ferrer, que en 1346 había bajado por la costa de África en un *uixer*, un tipo de galera de un solo mástil y aparejo de cruz utilizada habitualmente para transportar caballos, rumbo a la desembocadura del fabuloso «río de Oro», cuyo descubrimiento habría llevado a los europeos hasta el corazón mismo del reino del oro.[4] En el mapa de Cresques, la vela de la galera de Jaume Ferrer se hincha con un viento a favor del sudoeste que habría llevado al capitán de vuelta a su tierra cargado con las riquezas y el conocimiento de ríos verdaderos, como el Senegal o el Gambia. Se decía que el rey de Aragón, que acababa de conquistar Mallorca, tenía la intención de llevar una cruzada a las Canarias, desde donde quizá habría podido lanzar la habitual misión de predicación y obtención de ganancias en el continente, dominado por los musulmanes. Pero no volvería a oírse hablar de Jaume Ferrer. En el redondeado castillo de popa de su pequeña embarcación ondea el pendón aragonés, una bravata dirigida a los franceses, pues aquella era la época en que la Corona de Aragón se había hecho a la mar con la intención de crear un estado transmediterráneo que se extendía desde Valencia y Cataluña hasta las Baleares, Córcega, Cerdeña y Sicilia, un miniimperio tan vasto que se decía que hasta los peces lucían en la cola las cuatro barras.

Nada es inmutable en la superficie del mundo de Cresques y Jafudá. Incluso hay que volver de un lado y de otro el mapa para leer los textos adjuntos a los dibujos. La Tierra está viva y animada. Los hombres están en constante movimiento, cruzan fronteras, aunque sea al ritmo lento del caminar del camello o al de las viradas de una coca que surca el golfo Pérsico. Camino de Janbalic, la capital del Catay de Kublai Kan —de casi cuarenta kilómetros de diámetro y protegida por poderosas murallas—, la caravana de Marco Polo atraviesa la meseta del Cáucaso hacia las profundidades de «Assia», bordeada de montañas, siguiendo más o menos la Ruta de la Seda. Delante van reatas de camellos, seguidos de una guardia de soldados a pie, y detrás los viajeros propiamente dichos, con el propio Marco Polo a la cabeza, al que podemos reconocer por la barba, hablando y sonriendo sin parar a un tártaro que no parece impresionado. Uno de los integrantes de la comitiva va durmiendo medio hundido en la silla, exponiéndose así, advertía Cresques, a la visita de los malos espíritus de la noche.

Los personajes van en una dirección y en otra, por el sudeste hacia la «Burgaria» y la «Oumania» del Bajo Danubio, por el norte hacia Polonia, Rusia y la salvaje y rocosa «Arcania» (las Orcadas), lugares envueltos en tinieblas la mitad del año y con luz durante toda la noche la otra mitad. La mano del iluminador se mueve con los viajeros remontando el Nilo (que aparece naciendo en el oeste de Sudán, como se supuso durante siglos) hacia la Etiopía nubia, donde cristianos y «sarracenos» (nombre que da el mapa a los musulmanes) libran una guerra interminable; luego navega por el golfo Pérsico, donde los hombres se zambullen desnudos a buscar perlas, hacia el este, al país en el que se cosechan los diamantes esparciendo trozos de carne cruda por los montes y esperando que unas aves rapaces que llevan el pico lleno de carne y piedras preciosas escupan estas últimas al meterse el cebo en el buche.

Leyendas y realidades, informes meticulosos y fantasías compulsivas, nuevos descubrimientos y tradiciones antiguas, todo se mezcla en el denso tráfico de esos hombres en movimiento. En este sentido, el *Atlas catalán* es la proyección geográfica de la *agadá* talmúdica: un coloquio de cotilleos, conocimientos, sabiduría transmitida tradicionalmente y locuras imaginarias sin que se imponga ningún veredicto, solo que aquí las voces que constantemente se interrumpen unas a otras son sustituidas por los cambios de dirección de los vientos y las nerviosas oscilaciones de la brújula.

De esa brújula que, por primera vez en la historia, es plasmada en un mapamundi: la rosa de los vientos, pintada en los fascinantes confines del océano occidental, treinta y dos direcciones del viento que se proyectan a partir de los ocho más importantes, sin atracción magnética alguna que todo lo controle, salvo la de la curiosidad y la avidez, las dos fuerzas destinadas a modificar el mundo. Jerusalén sigue situada en el centro de la Tierra, y el santuario del Santo Sepulcro es prudentemente delineado por los dibujantes judíos para sus clientes cristianos como si en aquellos momentos no estuviera irremisiblemente bajo la custodia de los «sarracenos», aunque aquí aparece reproducido a la misma escala que cualquier otra iglesia. La reconquista de Jerusalén y de Tierra Santa, objetivo de la misión de los caballeros cruzados, no había desaparecido de la imaginación de los cristianos, especialmente en España, donde del islam ya no quedaba nada más que el enclave de Granada. Pero allí donde en otros mapas el Levante estaba marcado por una cruz, en el *Atlas catalán* el punto correspondiente al este desarrolla un dibujo estilizado en el que algunos han querido ver, quizá forzando un poco la imaginación, algo parecido a una menorá.

La visión es multidireccional y va girando en todos los sentidos según las ráfagas de la oportunidad. Independientemente de que la familia de Cresques hubiera viajado realmente o solo lo hubiera hecho con los ojos de la mente y la imaginación gráfica con que leían el relato ya bastante fantástico de Marco Polo, el atlas supone la libertad del confinamiento, exactamente por la misma época en que la mayoría de los judíos de Palma se veían obligados a residir encerrados en el barrio que se les había asignado, el Call, que no es una abreviación de la palabra «calle», sino una corrupción del término hebreo que designa a la comunidad, *kahal*. Y, lo que es más importante, el atlas constituye un documento de la curiosidad etnográfica de sus autores, no limitada a los judíos (como ponen de manifiesto la carrera y la historia de Marco Polo), sino sorprendentemente liberada de esa carga por las obsesiones de los cruzados con la unidad de la cristiandad y la misión global de conversión que había de traer la Segunda Venida de Cristo. Los judíos estaban aquí, allí y en todas partes, y aunque muchos de ellos habían llegado a Mallorca en el siglo XIII junto con los conquistadores cristianos de la isla, para sus señores su valor residía en buena medida precisamente en el papel de intermediarios que podían desempeñar con el enemigo musulmán. Sabían hablar y leer en árabe, habían introducido en el mundo cristiano unos conocimientos de astronomía, medicina y filosofía de base árabe, lo que es más importante, podían comerciar con los estados y en los puertos del Magreb y Egipto. Los judíos no estaban autorizados a poseer barcos, pero los reyes independientes de Mallorca y luego los monarcas aragoneses ordenaron a los propietarios cristianos de las naves acoger cargamentos procedentes de países musulmanes consignados por judíos. Eran el único sector de la población de Mallorca que podía viajar libremente, aunque no siempre con seguridad, cruzando las fronteras impuestas en el Mediterráneo por la lengua, la religión y las costumbres. Los litorales más densamente provistos de puertos e informaciones náuticas llevan la impronta de sus andanzas por el disputado Egeo o, de forma más audaz, por las islas del Atlántico. Al oeste de la larga curva descrita por las costas de Guinea hay archipiélagos que envían atractivas señales (aunque no estén localizados con demasiada exactitud), como Madeira y las Canarias, y otras islas a las que se dan nombres que sin duda quedarían fijados no solo en el mapa, sino también en la imaginación de la gente: Caprara, la isla de las cabras; Brasil, la isla de las brasas, o Corvo, la isla de los cuervos.

La propia Mallorca puede que no fuera la tierra de los ríos de leche y miel, pero durante buena parte del siglo XIV fue la tierra del destierro para la mayoría de las mil y pico familias que se establecieron en la isla procedentes del norte de África y de otras regiones de la península Ibérica a raíz de la reconquista cristiana del siglo XIII; y no solo en Palma, sino también en Inca y en Sineu, en el centro de la isla, en Alcudia, en el nordeste, y en Sóller, en el noroeste.[5] En todos estos lugares, igual que en tantos otros de la Europa cristiana, los judíos a menudo vivían cerca de las ciudadelas y las iglesias, algunas del tamaño de catedrales, que dominaban la topografía empinada de las poblaciones mallorquinas. Y eso decía mucho de la compatibilidad que había entre esas instituciones y las posibilidades de la vida judía. Las autoridades eclesiásticas y las de la Corona (Mallorca fue durante algún tiempo una monarquía independiente, pero a partir de 1343 se convirtió en una provincia de la

Corona de Aragón) prometían mantener sanos y salvos a los judíos al tiempo que intentaban convencerlos de la ceguera de su religión, y mientras se producía su conversión estaban dispuestas a sacar provecho del flujo regular de rentas que les proporcionaban. En el estado de guerra perpetua existente en el Mediterráneo, con frecuencia iban a necesitar repentinas inyecciones de numerario, y los judíos estaban allí para proporcionárselo. También con frecuencia (especialmente en el caso de los reyes de Mallorca), se producirían desafortunados episodios de disturbios y confiscaciones de bienes e incluso de sinagogas. Pero las cosas volvían enseguida a la situación de reciprocidad social convenida.

Con el gobierno de Pedro IV de Aragón, los judíos de Mallorca tendrían buenos motivos para sentirse resguardados de las tormentas de odio y fanatismo que descargaban sobre sus cabezas en otros lugares. La Corona prohibió expresamente que los frailes predicadores invadieran las sinagogas y obligaran a los judíos a escuchar los sermones de sus misioneros. Las humillantes distinciones en el atuendo que se habían instaurado fueron en buena parte pasadas por alto. Los judíos no podían ser detenidos los sábados ni los días de fiesta, y cuando prestaban testimonio en los tribunales de justicia cristianos tenían derecho a jurar por los Diez Mandamientos. En la mayoría de los casos eran gobernados por sus propias instituciones autónomas y eran juzgados por sus propios tribunales. En Mallorca nadie los acusó de provocar la peste negra. En cambio, en Estrasburgo fueron asesinados novecientos en un arrebato de paranoia, y en Toledo se produjeron sangrientos disturbios en 1349.[6] En Mallorca, nadie habló de que se dedicaran a envenenar pozos o a soltar leprosos para acabar con los cristianos. Antes bien, a judíos favorecidos como Cresques Abraham, que disfrutaban del elevado rango de «familiares del rey», se les concedió el derecho a sacar agua del mejor pozo de Palma e incluso a desviar parte de ella para canalizarla hacia unos baños rituales judíos.

La cultura judía floreció con tanto vigor y perfección como lo hiciera bajo los califatos de Córdoba y de Granada. Las disputas entre defensores y detractores de Maimónides continuaron, invocando estos últimos el misticismo cabalístico como revelación alternativa frente a la maquinaria analítica de la lógica griega. Rabinos de una y otra tendencias llegaron a Mallorca no porque no tuvieran más remedio, sino porque quisieron. Y entre ellos, como había sucedido en El Cairo y en

Córdoba, hubo refinados cultivadores de las ciencias —especialmente de las matemáticas y la astronomía—, a las que habían tenido acceso a través de fuentes árabes. Rabinos astrónomos como León Mosconi, Efraím Gerondí e Isaac Nifoci, relojero y fabricante de astrolabios (además de cuadrantes y sextantes) de la corte, gozaron de un estatus especial (que les permitía, entre otros privilegios, llevar espada o puñal, lo que no era poco en el siglo XIV), al igual que la habitual cohorte de doctores, pues allá a donde iban los médicos judíos seguía pensándose que iban acompañados de conocimientos y poderes curativos especiales. En efecto, la población cristiana en medio de la cual vivían, no solo en Mallorca sino en toda la cristiandad, podría dividirse entre los que acogían de buen grado el tratamiento que pudieran dispensar a su cuerpo los judíos y los que lo veían con repugnancia y horror, convencidos como estaban de que su contacto era el de los asesinos y de que sus pociones eran secreciones de Satanás.

Un indicio del florecimiento o, cuando menos, la estabilidad de una comunidad de judíos es la diversidad de las formas en que sus miembros se ganan la vida y de los lugares en los que lo hacen. Cuando la situación se estabilizó, los judíos se establecieron por decisión propia en el sudeste de Palma, en una zona que bajaba desde una pequeña plaza hacia las tres grandes puertas del Temple, Santa Fe y Calatrava. La presencia de estas tres puertas es indicativa de la facilidad con la que los judíos podían ir y venir por la ciudad. El Call todavía no era un gueto. En la calle Calatrava de Palma —y en otras ciudades en las que se establecieron, como Inca y Sóller— había plateros y orfebres, como habría cabido esperar, pero también cultivadores y vendedores de azafrán y vinateros (el vino kosher, lo mismo que la carne kosher, tenía una floreciente clientela entre los gentiles). Había tintoreros y tejedores de seda y lino, fabricantes de jabón y, debido a la estrecha relación que mantenía la ciudad con Barcelona, donde el negocio estaba en buena parte en manos de los judíos, existía también una industria especializada del papel, la encuadernación y la venta de libros (otro de los oficios de Nifoci), desde libros de cuentas hasta obras en hebreo y árabe y sus correspondientes traducciones, incluidos los manuscritos ilustrados, cada vez más apreciados. En Mallorca no se vivía una vida perfecta, pero ¿dónde podía encontrarse semejante existencia? Se vivía una vida posible, una vida en la que el ciclo de la vida judía —los Séder de Pascua, las bodas y los funerales, los días de mercado y los ayunos solemnes— podía desarrollarse casi siempre sin miedo. Aunque hubiera —como siempre había— estallidos de odio, amenazas y actos de violencia en localidades como Inca, donde se produjeron disturbios sangrientos en 1373, los judíos que vivían bajo la autoridad de Pedro IV podían contar con protección frente a la furia de sus agresores y cabía esperar que estos recibieran su merecido castigo (como casi siempre sucedió).

Sin embargo, diez años después de que el gran atlas de Cresques y Jafudá llegara a manos del rey de Francia, la sociedad judía de Mallorca, en cuyo seno viera la luz, yacía hecha pedazos. En 1435 había desaparecido por completo, sobreviviendo solo en la clandestinidad de los conversos forzosos, los chuetas, que encendían en secreto sus velas los viernes por la noche y seguían manteniendo el recuerdo de sus comidas tradicionales en la adafina, el cocido de judías aderezadas con azafrán que se cocinaba la víspera del sabbat; una sociedad cuyos descendientes solo ahora empiezan a descubrir sus orígenes judíos. ¿Qué había pasado?

El progresivo desastre que se abatió sobre los judíos de Mallorca, como de hecho sobre todas las comunidades importantes de Sefarad en el verano de 1391, empezó con una sola voz. Los historiadores a menudo son reacios a reducir la explicación de las causas de un suceso al magnetismo de un solo individuo. Y bien es verdad que lo que sucedió en España formó parte de un movimiento paneuropeo de insurrección del campo y la ciudad contra las autoridades establecidas de la Iglesia y el estado monárquico, quizá una respuesta tardía a su incapacidad de proteger a sus súbditos de la muerte, que se llevó por delante a una de cada tres personas durante las sucesivas visitas de la peste bubónica. Pero las de esos individuos fueron voces que se atrevieron a decir o a gritar cosas sorprendentes y violentas, que los poderosos desoyeron como si fueran aullidos de animales, hasta que esos mismos aullidos derrumbaron sus murallas y sus tronos, y convirtieron el resentimiento en estragos y el griterío en asesinatos en masa.

En España esa voz fue la de Ferrán Martínez, arcediano de Écija, localidad situada a unos ochenta kilómetros de Sevilla. Lo que le faltaba de refinamiento lógico y de erudición, el arcediano lo suplía de sobra con la brutal claridad de su violencia retórica. Fueron precisamente esa energía desprovista de sofisticación y su escandaloso empeño en desafiar a la autoridad real en nombre de un Poder Superior lo que le reportó a Martínez su popularidad entre la gente sencilla de las ciudades y del campo.[7] Y es que en un mundo que era presa del pánico, un tercio de cuya población había desaparecido a causa de la peste, y que creía que esta era un castigo del cielo o fruto de una alianza demoníaca entre judíos, herejes y leprosos, esa gente no tenía tiempo para atender a la filosofía agustiniana tradicional que pretendía preservar a los judíos como testigos de la Pasión salvífica de Jesucristo, ni paciencia para continuar sometiéndose a los lentos efectos de la persuasión. Fracasada la de Tierra Santa, el miedo y la ira exigían una nueva cruzada, más próxima e inmediata, y si no iba dirigida contra los sarracenos (en su mayoría ya derrotados en la península Ibérica), ¿por qué no contra esos judíos del demonio?

Así pues, lo que Martínez se dedicó a predicar a partir de 1378, principalmente en las ciudades del sur de Castilla, era de una sencillez brutal: había que atacar a los judíos, donde y cuando se pudiera. Como según las propias ordenanzas de la Iglesia estaba prohibido construir sinagogas —«la casa de Satán» en la que «Cristo y los cristianos son maldecidos tres veces al día»—, la solución era muy sencilla: derribarlas y sanseacabó. En cuanto a los que frecuentaban aquellas pocilgas diabólicas, bastaba con plantearles una elección bien simple: o la conversión inmediata o la muerte.

Le salieron al paso las autoridades de la Corona, indignadas por el atrevimiento del arcediano, que negaba el derecho de autogobierno y de justicia comunitaria de los judíos bajo la protección del rey, e incluso más escandalizadas todavía por su pretensión de ponerlos bajo su jurisdicción. En varias ocasiones, a lo largo de dos reinados y una regencia, se ordenó a Martínez retractarse de sus afirmaciones y cesar en sus prédicas contra los judíos. Cualquier sinagoga que sufriera daños o fuera destruida a consecuencia de sus instigaciones sería reconstruida a sus expensas, amenaza por lo demás en buena parte vana. Muchos prelados de la Iglesia, empezando por el arzobispo de Sevilla, Pedro Gómez Barroso, que consideraba a Martínez un hereje y un rebelde, se mostraron igualmente horrorizados; pero otros sintieron también temor de la capacidad que tenían los frailes de exacerbar los ánimos del populacho. El destino de los judíos se convirtió así en una prueba de fuerza entre las formas populares de piedad cristiana y las oficiales, y entre la voluntad de la Corona de obligar a rendir cuentas a los cabecillas de las multitudes violentas y su temor a atizar la furia del populacho contra las minorías dirigentes. Como en Londres existía una comunidad de mercaderes catalanes, era bien sabido cuán cerca había estado Ricardo II de perecer a manos de Wat Tyler y del cura John Ball. En España había individuos marginales similares: soldados y marineros, a los que se les debía la paga y que buscaban pelea; aprendices cargados de testosterona con muchas cuentas que saldar y dispuestos a ondear banderas con cruces; frailes de ojos espiritados que se imaginaban que iban a acelerar la Segunda Venida de Jesucristo mediante la conversión o la aniquilación de los judíos; burgueses y campesinos que creían que los judíos eran todos unos usureros abusivos, que chupaban la sangre de la pobre gente. El problema al que se enfrentaban las autoridades urbanas era con cuánta fuerza debían resistirse a la agitación popular y con cuánta dureza debían castigar a los que infringieran la ley. Cuando se aplicaron castigos ejemplares, el resultado no fue muy alentador para las fuerzas del orden y la moderación. El alguacil mayor de Sevilla, Álvar Pérez de Guzmán, que mandó azotar públicamente a dos cabecillas de los sediciosos azuzados por Ferrán Martínez, cayó en poder de los rebeldes y a punto estuvo de perder la vida a manos de la multitud airada. Cuando en 1390 murió el rey Juan I de resultas de una caída del caballo y el trono de Castilla pasó a su hijo Enrique III —que ni siquiera había llegado todavía a la adolescencia—, se produjo un peligroso vacío de poder. Presionado por los líderes de la aljama, la comunidad judía del reino, que habían acudido incluso a la Santa Sede para obtener una condena pontificia de Ferrán Martínez, el Consejo de Regencia realizó las declaraciones de rigor y el arcediano, como de costumbre, hizo caso omiso de ellas. Martínez estaba dejando de ser una molestia para convertirse en un revolucionario, y cada vez que un desafío suyo quedaba impune, su figura se reforzaba ante el pueblo, convencido de que él —y no el rey ni los obispos— era el que representaba la verdadera voluntad de Cristo. A comienzos de 1391 el arcediano era ya imparable, y por su cuenta y riesgo ordenó a los párrocos de su diócesis destruir de inmediato todas las sinagogas.

La membrana que contenía todas estas fuerzas centrífugas de desórdenes y violencias se rompió fácilmente. En marzo de 1391, los ataques contra los judíos de Sevilla fueron reprimidos y castigados. Pero durante la primera semana de junio, la matanza perpetrada en la judería de Sevilla (en el actual barrio de Santa Cruz) comenzó cuando una multitud de jóvenes, azuzados por Martínez y sus frailes, echaron abajo las puertas de la judería y convirtieron los disturbios en una guerra santa, en la que solo un bando iba armado. En pocos días fueron asesinadas miles de personas (algunas fuentes hablan de cuatro mil, pero semejante cifra es casi con toda seguridad demasiado elevada), y sus cadáveres quedaron amontonados en las calles. La mayoría de las sinagogas sevillanas que Martínez había dicho que estaban condenadas a la destrucción eran pequeñas, y fueron arrasadas y quemadas sin que se tuviera en cuenta si en el interior había gente o no. Dos de las tres más grandes —incluida la que hoy en día es la iglesia de San Bartolomé— fueron inmediatamente consagradas a Cristo. Dando gritos y alaridos, mujeres y niños fueron arrastrados por los cabellos hasta la pila bautismal, y los que siguieron resistiéndose fueron degollados en el acto. Multitudes aterrorizadas de inocentes accedieron a la conversión, incluso la suplicaron, y sus hermosos viejos nombres fueron sustituidos por los de sus padrinos.

En otros lugares cayeron en la red de san Pedro peces verdaderamente gordos. El venerable rabino y famoso arrendatario de la recaudación de impuestos burgalés Salomón Haleví se hizo cristiano devoto, adoptando el nombre de Pablo de Santa María; más tarde afirmaría que las enseñanzas de santo Tomás de Aquino, y no los argumentos de la espada y las turbas, lo habían persuadido filosóficamente a dar el paso de la conversión, lo cual le bastó para que se le concediera la sede episcopal de su propia ciudad y también para ser ascendido a canciller mayor del reino de Castilla. El mejor discípulo de su *yeshivá*, Josué Halorquí, al que la apostasía de su maestro le cayó en un primer momento como un rayo, acabó superando su repugnancia y convirtiéndose en Jerónimo de Santa Fe, ferviente seguidor del Evangelio, sacerdote y médico del Papa. La apostasía no fue más que el comienzo del daño que infligieron aquellos individuos al pueblo de la que había sido su antigua fe. Se convirtieron, además, en dos de los proselitistas más despiadados. Halorquí/Santa Fe defendió las tesis cristianas frente a los rabinos, antiguos correligionarios suyos, en la Disputa de Tortosa de 1413-1414 (utilizando en algún momento sus conocimientos de la cábala para demostrar que el nombre de Jesús era inmanente a las letras del misterio judaico), y afirmó, sin aportar demasiadas pruebas, que llegó a convertir a dos. Haleví/Santa María convenció a sus dos hermanos de que se bautizaran con él, y bautizó también a su hija y a sus cuatro hijos, aunque lo cierto es que no tenían otra opción. Su esposa, Juana, de veintiséis años, no se dejó convencer y lo abandonó para permanecer fiel al judaísmo. Murió en 1410 siendo judía, lo que no impidió que su marido-obispo la enterrara en la catedral, donde siguen reposando sus restos.

Durante los meses siguientes, la carnicería se llevó por delante casi todos los grandes centros de la vida judía del vasto reino de Castilla, muchos de ellos antiguos focos de erudición y de cultura, como Córdoba, Lucena o Toledo. Las señales que indicaban el comienzo de la algarada contra los judíos eran sonoramente dramáticas, a menudo un repique de campanas o, como en Tortosa, los redobles de un tambor, peticiones de agua bendita y gritos de muerte a los judíos.[8] En julio, el terror pasó de Castilla a Valencia, que formaba parte de la Corona de Aragón, donde murieron 250 personas, y luego a Cataluña, a la Gerona de Nahmánides y finalmente, a comienzos de agosto, a Barcelona, donde de un modo u otro —mediante conversiones masivas o asesinatos en masa— se eliminó a toda la antigua comunidad judía. Rabí Hasdai ben Abraham Crescas, talmudista contrario a Maimónides al que el rey Juan I había tratado como si fuera el rabino jefe de Valencia, aunque oficialmente no lo fuera, y cuya compañía había frecuentado, estuvo en Barcelona durante los peores momentos de la carnicería y dejó un vívido relato del asesinato de la población indefensa, «la mesa de nuestra calamidad, dispuesta con hierbas venenosas y ajenjo ... Utilizando arcos y catapultas, las turbas atacaron a los judíos reunidos en la ciudadela, derribando sobre ellos la torre. Muchos santificaron el Nombre de Dios, entre ellos mi [único] hijo, inocente cordero nupcial; algunos se mataron ellos mismos, otros saltaron desde la torre ... se les rompieron los huesos a medio camino, antes de llegar al suelo ... muchos salieron y santificaron el Nombre [se suicidaron] en plena calle, y todos los demás se convirtieron, excepto unos pocos que lograron encontrar refugio ... y por nuestros pecados no queda hoy día en Barcelona ni uno al que pueda llamarse israelita».[9] Según Crescas, ocurrió lo mismo en todo el Reino de Valencia y en Cataluña. Lo que todavía existe es Montjuic, un hermoso parque para los turistas que otrora fuera el cementerio de los judíos (y de ahí su nombre). Las lápidas funerarias están diseminadas por toda Barcelona, pues fueron sacadas de su sitio para la construcción de distintos edificios de la elegante ciudad.

A ningún judío de Mallorca se le ocurrió pensar que el mar fuera a impedir que el horror que había asolado Castilla y Aragón llegara a la isla. Cuando se tuvieron noticias de las matanzas y las conversiones masivas de Valencia, los líderes de la aljama acudieron al gobernador real y solicitaron su protección, como habían hecho los demás judíos de España ante sus respectivas autoridades. Como ellas, el gobernador hizo lo que pudo; reunió a todos los judíos dentro del Call de Palma, cerró sus puertas y prohibió a los gentiles entrar en lo que se convirtió en el recinto judío. Por toda la isla, los judíos atemorizados de las localidades más apartadas partieron hacia las ciudades en mulas, asnos y carretas, intentando huir lo más deprisa que sus lentas monturas les permitían, y muchos llegaron hasta la propia Palma, cuya ciudadela constituía, según creían, su única esperanza de supervivencia.[10] El gran centro de la intelectualidad itinerante judía, la comunidad de fabricantes de astrolabios y atlas, de medidores de estrellas y brujuleros, se convirtió en el campamento de las víctimas aterrorizadas de aquel confinamiento, mitad asilo, mitad cárcel. Cresques Abraham había muerto en 1387, el mismo año que su patrono, Pedro el Ceremonioso, pero su hijo Jafudá seguía trabajando en el oficio junto con Nifoci y el resto de los geógrafos.[11] Allí estaban cuando se cerraron las puertas frente a un ejército surgido repentinamente de siete mil «provinciales» airados que blandían banderas con cruces. El gobernador de la isla intentó contemporizar y calmar a la muchedumbre, a la que se había unido la banda del malhechor Antonio Sitjar, pero su autoridad no causó demasiada impresión a aquella caterva tan numerosa, y bastante suerte tuvo, como les ocurriera a otros en otros lugares, de salvar la vida. Las tres puertas del Call se convirtieron en un estorbo que daba demasiado quehacer a sus guardianes, y tarde o temprano una de ellas acabaría por ser echada abajo y la matanza daría comienzo en serio. En tres días quedaron por lo menos trescientos cadáveres de judíos tendidos en las calles, delante de sus casas o dentro de ellas; muchos pertenecían a mujeres y niños. A continuación se produjeron las profanaciones habituales (sinagogas destruidas o consagradas como iglesias, los rollos de la Torá malévolamente ultrajados y destruidos) y, por supuesto, la muchedumbre consiguió el santo grial que perseguía con tantos esfuerzos por su parte, la eliminación de los contratos de préstamos y los pagarés.

Jafudá Cresques e Isaac Nifoci, que habían logrado refugiarse en la ciudadela, estuvieron entre el centenar de judíos aproximadamente (la comunidad estaba formada por algo más de dos mil personas) que optaron por el bautismo en vez de la muerte; el cartógrafo tomó el nombre de su padrino y pasó a llamarse Jaume Ribes. Y a Jaume, el que antes fuera Jafudá, el bautismo le hizo realidad sus promesas de recompensa en este mundo y en el otro. Junto con su antiguo aprendiz, Samuel Corcos (ahora llamado Meciá de Viladesters), pudo continuar con su oficio de fabricante y pintor de mapas, y en 1399 se le encargó un nuevo mapamundi de tamaño regio. En un momento determinado abandonó Mallorca y se trasladó a la corte real, primero a Barcelona y luego a Zaragoza. Los «cristianos nuevos» ocupaban, de hecho, una posición excelente para satisfacer la demanda de biblias hebreas ilustradas, salterios y breviarios por parte de los cristianos viejos, y efectivamente los decoraban con todo el primor con el que habían realizado los mapas ilustrados. En este negocio prosperaron también escribas, encuadernadores y libreros, y los conversos de Mallorca se sintieron tan seguros de su nueva identidad que encargaron al principal arquitecto de la isla, Guillermo Sagrera, la construcción de su propia iglesia, Nuestra Señora de Gracia. En la iglesia de Santo Domingo otro grupo afirmaría sin el menor empacho, aunque de forma harto paradójica, pertenecer a la «natione israelitica». La confianza parecía mutua. Cuando los espasmos de violencia se calmaron, las autoridades reales actuaron con mano dura contra los que habían sido los cabecillas de los alborotos, tanto en Mallorca como en otros puntos de la Corona de Aragón. Se dice que la reina Violante estaba especialmente indignada por el desafío a la autoridad real que había significado todo aquello. El bandido Sitjar y el cabecilla de los tumultos, Luis de Bellvivre, fueron apresados y ahorcados. Se presentaron solicitudes de devolución de los bienes saqueados y se promulgaron incluso algunos edictos que permitían volver a su antigua religión a los que habían tenido que convertirse a la fuerza.

No obstante, a pesar de los cartógrafos y libreros que prosperaron y se acomodaron a su nueva fe, hubo muchos que nunca se recuperaron de la destrucción de sus comunidades. Los judíos de Inca, Sóller, Sineu y Alcudia no regresaron jamás a sus ciudades, en lo alto de las colinas o a la orilla del mar. Pese a los intentos de las autoridades por impedir que abandonaran la isla, privándola del activo que suponían sus comunidades judías, la inmensa mayoría de ellos habían vuelto a cambiar su opinión acerca de cuál de los dos monoteísmos planteaba menos riesgos de persecución. Cruzaron el Mediterráneo y se establecieron en el norte de África musulmán, creando comunidades específicas en Argel y Fez, la ciudad en la que Cresques Abraham había pintado la estrella de seis puntas de David.

Aunque la Corona y los alcaldes de las distintas localidades sintieran la marcha de los judíos (y así lo manifestaran), fueron muchos los integrantes de aquella Iglesia radicalizada que pensaron que ya estaba bien que se fueran de una vez. Esa era una buena forma de librarse de aquellos judíos obstinados. Otra era matarlos. Pero la tercera vía, la conversión, precisamente el objetivo que muchos habían defendido y anhelado (empezando por el teólogo mallorquín Raimundo Lulio),[12] ¿había funcionado de verdad? ¿Cuánto de cristianos tenían en realidad los cristianos nuevos? ¿No era un indicio bien elocuente el hecho de que se congregaran en sus propias iglesias, presumiendo incluso de llamarse a sí mismos «israelitas»? Estas suspicacias no tardaron en multiplicarse por toda España una vez que se secó la sangre y se asentó el polvo tras el dramático sobresalto de 1391. Quizá los conversos hubieran aceptado el bautismo únicamente para escapar a la muerte, y dentro de sus corazones, de sus mentes y de sus hogares siguieran leales a la ceguera de sus viejas creencias y a sus costumbres. Y, peor aún, ¿no podrían acaso esos criptojudíos corromper a los conversos sinceros e inducirlos a volver a su antigua religión como «perro que vuelve a su vómito» (según la inveterada expresión de la paranoia cristiana)?

Fueron esos temores y esas sospechas los que en 1414-1415 llevaron a Mallorca al más famoso de los cristianos militantes, Vicente Ferrer. Sucedió al año siguiente de otra disputa o farsa judicial contra el judaísmo, celebrada en Tortosa, ante un público de casi mil personas, entre cortesanos, obispos y cardenales, sentados, según la versión de Salomón ben Verga en su obra *Shebet Yehudá*, en setenta tronos, y presidida por el papa cismático Benedicto XIII.[13] Para el Papa, aquella era una oportunidad de reafirmar sus credenciales como auténtica personificación de la fe militante, e inauguró las sesiones afirmando lo siguiente: «Sabed que ni yo estoy en este sitio, ni os he congregado en él, para disputar sobre si es la verdadera nuestra religión o la vuestra; porque yo estoy firmemente cierto de que mi religión es la única verdadera. Fue la vuestra en otras edades la verdadera ley; pero ahora está del todo anulada». Jerónimo de Santa Fe empezó enérgicamente citando a Isaías para advertir a los rabinos de que, si se negaban a «razonar», «seréis devorados por la espada». Pero su línea de argumentación era bien conocida para cualquiera que hubiera estudiado la disputa de Barcelona, a saber, que el Talmud, obra de los hombres, había usurpado fraudulentamente la autoridad divina de las Sagradas Escrituras para disimular el hecho de que la Biblia había profetizado con absoluta precisión la venida del Mesías Jesucristo, etcétera.

La celebración de juicios disputa con el fin de persuadir a la parte contraria era ya una táctica pasada de moda. Los métodos de Vicente Ferrer, aunque pretendían también ser una campaña de persuasión y no de fuerza, eran mucho más intimidatorios y físicamente histriónicos. Más elocuente y carismático que Ferrán Martínez, Ferrer se presentaba vestido con una tosca túnica, como fulminador divino que llevaba sobre su espalda flagelada el peso de tanta procrastinación pecaminosa. Lo acompañaban pequeños ejércitos de disciplinantes, que desfilaban en procesiones penitenciales, portando antorchas y golpeándose con azotes de cuero hasta que la sangre empapaba sus hábitos, y echando abajo las puertas de las sinagogas. Delante de ellos iba Vicente, portando una cruz en una mano y un rollo de la Torá en la otra. Los judíos eran obligados a permanecer de pie delante de su Arca mientras recibían una buena ración de invectivas y cánticos. La asistencia a estos sermones era obligatoria para todos los judíos de ambos sexos mayores de doce años. A menudo, la simple noticia de la proximidad de unos frailes flagelantes bastaba para que los judíos abandonaran las ciudades y se marcharan a las montañas y a los bosques.

Pero eso no era nada comparado con el vuelco de la vida de los judíos que pretendía Vicente Ferrer. Los estragos de 1391 habían dividido Sefarad en tres partes, cada una de ellas interada tal vez por unos cien mil individuos: la primera correspondía a los muertos; la segunda, a los conversos y la tercera, a los que de cualquier forma habían decidido seguir siendo judíos, independientemente de la presión a la que fueran sometidos. Teniendo en cuenta estas cifras, Vicente pretendía que los judíos fueran separados del resto y no mantuvieran contacto alguno ni con los cristianos nuevos, no fuera que volvieran a incurrir en el error y «judaizaran», ni con la sociedad cristiana en su conjunto. Se decidió imponer una segregación absoluta, que en el caso de Mallorca fue hecha efectiva por medio de un decreto promulgado en 1413. Era la estrategia de la conversión por depauperación, diseñada expresamente para hacer la vida cotidiana de los judíos tan insoportable que abrazaran con alivio la cruz, y en innumerables casos la táctica funcionó. Aunque las ocupaciones con las que habían venido ganándose la vida no estaban prohibidas en su mayoría (especialmente las de quienes se dedicaban a vender mercancías a los cristianos, como carne, vino y otros productos alimentarios, así como artículos de cuero, piedras preciosas y tejidos), había que impedir que los judíos residieran en barrios cristianos. En adelante no se permitiría a los judíos prestar dinero ni poseer bienes raíces, ejercer de abogados o de cobradores de impuestos ni, por supuesto, desempeñar cargo público alguno, pues cualquiera de esas ocupaciones podía poner a un cristiano bajo la autoridad de un judío. Tampoco, para consternación de muchos de sus pacientes habituales, se permitiría a los judíos practicar ninguna forma de medicina, ni siquiera como barberos o cirujanos, ni vender o administrar ningún tipo de pócima, tónico o jarabe. La separación debía ser totalmente hermética. Ninguna mujer cristiana, desde las más puras hasta las prostitutas de la peor especie, tenía permiso para entrar en la judería, ni de día ni de noche, ni podía tampoco mantener una conversación con un judío, por ostensiblemente inocente que fuera. Por supuesto, la vieja costumbre de que los niños judíos tuvieran amas de cría cristianas se había acabado. Y, de hecho, gracias a esta larga lista de prohibiciones podemos comprobar con toda exactitud cuál era la vida cotidiana y familiar de la que habían gozado hasta entonces los judíos no solo en Mallorca, sino en toda la Corona de Aragón y en Castilla. Cristianos y judíos ya no podrían comer ni beber juntos en ninguna ocasión. Los judíos no estaban autorizados a visitar a los cristianos cuando estuvieran enfermos, ni en adelante podrían hacerles ningún tipo de regalo, ni pasteles, ni pan, ni platos salados, ni frutas ni vino.

Por descontado, luego estaban las humillaciones adicionales. Nadie podría tratar a un judío de «don» o de «doña». Los judíos no podrían lucir ropas encarnadas ni de colores brillantes, ni de tejidos finos como la seda, y mucho menos adornarse con velos ni joyas de oro y plata.

Solo se les permitía vestir ropa de fustán que uno fuera arrastrando por el suelo, especialmente las mujeres. Todos los judíos debían llevar una marca de identificación en forma de rueda, y los hombres, además, tenían prohibido recortarse la barba. Era preciso reconocer con claridad quién era judío y quién no lo era. Y, por si fuera poco, se les prohibía leer cualquier libro del Talmud que contuviera textos que pudieran ser considerados ofensivos para el cristianismo.

Aunque la gran segregación propugnada por Vicente Ferrer fue convertida en ley en 1412 en Valladolid, se comprobó que era imposible hacer cumplir la mayor parte de sus restricciones más draconianas, y en todo caso muchas de ellas fueron derogadas algunos años más tarde, cuando las autoridades laicas lograron reafirmar su poder sobre el universo enloquecido por el que abogaban los frailes y los individuos de la calaña de Ferrán Martínez o Vicente Ferrer. Pero resultó que serían los gobernadores reales, los cortesanos y los propios monarcas los que se engañaran. Las grandes medidas de segregación propugnadas por Vicente Ferrer en Mallorca, en toda la Corona de Aragón y hasta en Castilla reaparecerían con más saña en la década de 1480, cuando se dio a los judíos exactamente ocho días para abandonar sus casas y fijar su residencia en las zonas designadas a tal efecto, por lo general en sectores de las ciudades moral y materialmente contaminados, donde los carniceros arrojaban sus desperdicios, las curtidurías despedían un olor nauseabundo y las prostitutas pululaban por los callejones. La historia frunce el ceño ante los anacronismos, pero, aparte de los hornos crematorios y los pelotones de fusilamiento, ¿qué elemento del repertorio nazi falta de toda esta lista?

El golpe de gracia lo asestó en 1435 un caso de libelo de sangre, que sacó de la desmoralización a la comunidad acorralada del Call para sumirla en el pánico.[14] La única novedad fue que se dijo que la víctima de la parodia de crucifixión de los judíos (que, como de costumbre, no se encontró nunca) había sido un musulmán. Se constituyeron tribunales de justicia, la muchedumbre de la ciudad y del campo prorrumpió en gritos y alaridos, un rabino fue torturado y se condenó a cuatro de los individuos que confesaron el crimen a ser colgados (de los pies, para que la agonía fuera más lenta) y quemados en la hoguera. Aterrorizados ante la perspectiva de que se repitieran los sucesos de 1391, casi todos los habitantes del Call que quedaban se refugiaron en las cuevas de la sierra de Tramontana, donde fueron apresados por los bandoleros y llevados de nuevo a Palma. Unos días después, se les presentó la exigencia colectiva de aceptar el bautismo. Dadas las circunstancias, las condenas a muerte fueron suspendidas, y los judíos desfilaron en procesión a la catedral para asistir a un tedeum. Al día siguiente tuvo lugar la inmolación de los libros y objetos sagrados; los rollos de la Ley fueron devorados por el fuego. La única sinagoga que quedaba en la isla fue cerrada, no sin que antes una enorme y hermosísima lámpara de trescientas bujías —que una vieja tradición mallorquina dice que había pertenecido al mismísimo Templo— fuera descolgada y trasladada a la catedral, donde todavía puede admirarse.

Pero eso no es todo lo que quedó. En el ADN de los veinte mil chuetas se encuentran los cromosomas Y que los identifican como descendientes de los conversos del siglo xv. La historia de los judíos pervive en sus cuerpos y, cada vez más, en la cultura que reivindican.

II. Toledo

¿La «Jerusalén de España»? Bueno, eso mismo han dicho de muchos lugares a lo largo de los siglos los que creían y esperaban que pudiera existir un hogar en el destierro: Córdoba, Granada, incluso Sevilla. Pero ¿acaso no era una señal de que así era el propio nombre de Toledo, casi homónimo de «toledot», la palabra que en hebreo significa «generaciones»?[15] Yehudá Haleví y Moisés ben Esdras habían vivido y escrito su poesía en esa ciudad (aunque tampoco fueran muy felices en ella). Pero, como habría insistido un toledano, no hay más que mirar la ciudad plantada sobre sus colinas, como la corona en la cabeza del rey David.

Va uno buscando ese Toledo y la oficina de turismo, situada junto a la grandiosa e impasible catedral, se empeña en dirigirlo a las dos sinagogas restauradas de la ciudad y al Museo Sefardí. Así que va uno abriéndose camino por las calles flanqueadas por las tiendas de mazapanes, ante los escaparates que invitan al turista a comprar alguna refulgente hoja de acero toledano, un puñal, un machete, cualquier cosa puntiaguda que luego confiscarán en el aeropuerto, ante el café de la Judería, que ofrece bocadillos de jamón ibérico y queso, productos doblemente no kosher, y finalmente llegará a los empinados callejones de la judería medieval. Y ahí están. Separadas por unas pocas decenas de metros, recuperadas ambas de la incuria y de las múltiples funciones que les dio la ciudad una vez que se quedó sin judíos: iglesia, hospital y asilo para los caballeros de la orden de Calatrava, cuartel del ejército y clínica para el tratamiento de la rabia.

Todavía siguen siendo conocidas, de forma totalmente incongruente pero inevitable, por sus nombres cristianos; de ahí el oxímoron que supone denominar a uno de los dos edificios sinagoga de Santa María la Blanca y al otro, todavía más grandioso, sinagoga del Tránsito, en alusión a la Dormición de la Virgen. Cada una a su manera, las dos proclaman la posibilidad —contra toda lógica de carácter teológico y político— de la armonía de los monoteísmos. Santa María la Blanca —otrora llamada Beit haKnesset Jadashá, o sinagoga Nueva— fue construida durante la primera década del siglo XIII, probablemente por Yosef ben Meir Susán, perteneciente a una de las grandes dinastías de judíos toledanos que prestaban servicio a los reyes de Castilla.[16] Es la más evidentemente parecida a una mezquita de todas las sinagogas imaginables, con su interior dominado por las arcadas paralelas de arcos de herradura, sus columnas rematadas por capiteles decorados con piñas y hojas trenzadas, y la sobriedad del estilo supuestamente fomentado por los almohades (los mismos que, dicho sea de paso, mandaron destruir todas las sinagogas durante la época de su supremacía). Este bosque de arcos lo iluminan pequeñas ventanas circulares y lámparas colgantes de estilo morisco. Aunque parezca muy diferente de cualquier otra sinagoga de la época en que fue construida, casi con toda seguridad no lo era. Al menos otra sinagoga de Segovia, arrasada por un incendio en 1900, fue construida en un estilo casi idéntico, con las mismas filas de arcos de herradura, y las formas judeo-islámicas híbridas quizá fueran en realidad el modelo preferido de una cultura judía de la España cristiana que seguía empapada en la lengua, la ciencia y la cultura arábigas. A finales del siglo XIII y comienzos del XIV, copistas toledanos como Israel ben Israel, perteneciente a una dinastía de varias generaciones de escribas y copistas, creaban «páginas tapiz» adornadas con hojas de palma que van extendiéndose y entrelazándose a lo largo del pliego, para utilizarlas a modo de tapa anterior y posterior de sus biblias; estas páginas que servían como protección del libro, pero que tenían también fines meramente ornamentales, representan una transcripción literaria de la arquitectura.[17]

La sinagoga del Tránsito constituye un testimonio todavía más sorprendente de la pervivencia de esa armonización cultural, pues las inscripciones que aparecen en su profusa decoración de yesería incluyen no solo pasajes de los Salmos en la hermosa escritura sefardí de formas cuadrangulares, sino también citas del Corán en árabe, empezando por las invocaciones de «paz, felicidad y prosperidad». Puede que en la creación de esta magnífica sala de oración, cuyas paredes alcanzan los nueve metros y medio de altura, trabajaran artistas y artesanos mudéjares musulmanes, pero es inconcebible que pudieran incluir de matute versículos del libro sagrado del islam. Más bien sería que se lo encargó específicamente el mecenas de la obra, el tesorero del rey Pedro el Cruel de Castilla, Samuel Haleví Abulafía, entre otras cosas porque su propio nombre y sus actos son elogiados en las paredes. En Córdoba existe una versión en miniatura de la gran sinagoga de Toledo, también llena de lacerías de estuco mudéjar, con su multiplicidad de formas de estrella, hojas de acanto y ramas entrelazadas. Y también hay citas de los Salmos y de los profetas. Sin embargo, la sinagoga de Córdoba fue construida a principios de siglo, cuando era mayor la sensibilidad a las estridentes quejas que planteaban los frailes por el hecho de que los judíos siguieran levantando sinagogas en flagrante violación de la prohibición papal de que lo hicieran.

Si haces algo, asegúrate de que se entere todo el mundo. Y eso valía tanto para Samuel Haleví Abulafía como vale hoy día para los filántropos que quieren dejar constancia de sus acciones en las placas conmemorativas de agradecimiento. A Abulafía le gustaba jactarse de su gusto exquisito: la belleza del edificio, sus elaboradas lámparas y la hermosura del *bima* o estrado de las lecturas. Aunque estos últimos elementos han desaparecido hoy día, la majestuosidad de la sala, alta y espaciosa —la más grandiosa que cabría imaginar—, ha sido perfectamente restaurada, con su galería de las mujeres en la parte superior, adornada también con decoraciones e inscripciones mudéjares. Para ir a una sinagoga de este tipo había que arreglarse. Como ha señalado con su habitual perspicacia la historiadora de la arquitectura Jerrilynn Dodds, estaba peligrosamente cerca de constituir una capilla palaciega, un escenario espectacular en consonancia con las aspiraciones cortesanas de Abulafía.[18] Así que tal vez no sea de extrañar que las obras terminaran poco antes de su caída en desgracia; quizá fuera incluso el motivo de esa caída. Pedro, enzarzado a la sazón en una guerra civil con su hermanastro Enrique (que acabaría matándolo), se sentía a disgusto con el sambenito que le habían colgado de «rey de los judíos» y se hallaba comprometido por las acusaciones que se le hacían de que algunos financieros de su corte, como Abulafia, se permitían llevar a cabo ostentaciones ofensivas de su esplendor mientras el pueblo lloraba su miseria. Como consecuencia de la construcción de su deslumbrante sinagoga, Abulafia era el sacrificio más evidente que debía hacer, y efectivamente el judío no tardó en ser detenido y ejecutado. Una de las inscripciones de la pared de la sinagoga elogiaba al rey llamándolo «gran águila de alas inmensas», y fue puesta allí por un judío que nunca se imaginó que pudiera llegar a convertirse en su presa.

Las sinagogas de Toledo siguieron en pie, pero la declaración implícita de afinidad entre el judaísmo y el islam que encarnaban fue convirtiéndose poco a poco en un estorbo, a medida que la Reconquista cristiana se esforzaba en completar sus campañas contra el último baluarte musulmán, el reino de Granada. En efecto, cualquiera que hubiera visto la Alhambra no habría tenido la menor dificultad en reconocer en las yeserías que decoran la sinagoga del Tránsito un eco de ese estilo palaciego. Los escritores y predicadores cristianos, cada vez más hostiles, empezaron a invocar la antigua tradición según la cual habían sido los judíos los que habían traicionado a la ciudad visigoda y la habían entregado a los ejércitos árabes en el siglo VIII. De hecho, dada la brutalidad de la persecución a la que los habían sometido los visigodos cristianos, los judíos habrían estado locos si no hubieran buscado activamente ponerse en manos de unos dominadores distintos.

Pero del mismo modo que los judíos eran intermediarios comerciales y cartográficos muy útiles para los soberanos de la Mallorca aragonesa, también su familiaridad con el árabe era necesaria para los castellanos como vía de acceso a las matemáticas y a la astronomía (y en menor medida a la filosofía) del mundo musulmán. El interés era tanto estratégico como intelectual. A mediados del siglo XIII, durante el reinado relativamente benévolo de Alfonso X, llamado el Sabio, la Toledo judía se convirtió en el gran centro de traducción de las obras árabes y hebreas —ciencias, filosofía y poesía— al latín, pero, más significativamente, también a la lengua que se impondría como «española», el castellano. Alfonso, que escribió también cantigas y poesía, ansiaba dominar todo tipo de saber y, como tantos otros antes y después de él, conocía la leyenda que afirmaba que los judíos tenían acceso a los conocimientos esotéricos de la astrología, la alquimia y la astronomía. Uno de los traductores judíos que contribuyó a la creación del *Libro del saber de astronomía*, Yehudá ben Moisés, fue invitado también a traducir libros hebreos de magia, en particular el arte de conjurar las cualidades de las piedras, destinados expresamente al rey. En el siglo XIII, la comunidad sefardí empezaba a escribir, además de hablar, menos en árabe que en el judeo-castellano llamado «ladino». Es posible que no fuera la primera vez que se echara la semilla de una cultura común a través de las canciones. Cantares en ladino en alabanza del Cid y romances caballerescos sobre reyes, princesas y caballeros franceses, provenzales, catalanes y castellanos —muchos con un ritmo que procede directamente del mundo musical arábigo—, constituyen el testimonio de una sensibilidad compartida, al igual que la arquitectura híbrida. No deja de llamar la atención, sin embargo, que algunos de los romances más antiguos de la literatura española fueron creados en el crisol de la cultura judía que los españoles no tardarían en mostrarse claramente decididos a aniquilar.

El período de armonía cultural no sobreviviría mucho tiempo a Alfonso X, que murió en 1284, y solo lo haría en las páginas tapiz que ilustraban las biblias hebreas. Por debajo del refinamiento de los gustos aristocráticos, los prejuicios más burdos (y los inicios de una campaña impulsada por los frailes en pro de la uniformidad cristiana) empezaban a dificultar la supervivencia del pluralismo y acabarían por hacerlo imposible. En 1349, el rumor de que los judíos habían traído la peste para exterminar a los cristianos desembocó en la perpetración de sangrientos ataques en Toledo. Otro estallido de violencia en 1367 supuso la quema de casi mil casas de la judería. Apoyándose en la capacidad de aguante que por entonces constituía ya una segunda naturaleza de los judíos, la comunidad aprendió a reconstruir, reparar y restaurar. Entre las sucesivas pesadillas que repentinamente los asaltaban, los judíos continuaron desarrollando sus negocios, sus estudios y su trabajo, echaron raíces e incluso prosperaron. Llegaron emigrantes procedentes de otras ciudades, que ejercieron suficiente presión sobre el espacio urbano como para crear una segunda zona de asentamiento para los recién llegados, la alcaná. Poco antes del terror de 1391, las dos comunidades de Toledo se jactaban de tener nueve pujantes sinagogas y cinco casas de estudio de la Biblia y el Talmud.

Precisamente porque todo eso sucedía justo delante de la catedral de Toledo, los judíos se convirtieron en el objetivo primordial de los frailes. El día de ayuno del 17 de tamuz, que conmemoraba, como todos sabían, la destrucción de la primera edición de los Diez Mandamientos por el propio Moisés, la Toledo judía fue escenario de los mismos alborotos multitudinarios que acabaron con la comunidad de Sevilla y que continuarían en Palma o Barcelona y en otras muchas localidades de España donde los judíos llevaban una vida perfectamente arraigada. La profanación de las sinagogas y de los libros sagrados, el saqueo de los enseres rituales de plata, como las coronas de los rollos de la Torá y los remates de las guarniciones decoradas con granadas, los *rimmonim*, así como el incendio de casas y los asesinatos indiscriminados, son conocidos por una desconsolada elegía escrita por Jacob ibn Albneh al estilo de las *maratiyé*, las lamentaciones en hebreo que constituían una especialidad toledana. La lista de los lugares destruidos y de los hombres asesinados es tan exhaustiva como deprimente: el *jazán* o cantor Saúl; el rabino Isaac ben Judá; Isaac ben Susán, cuyo cuerpo fue cosido a puñaladas, y, lo peor de todo, Abraham ben Ofrit, identificado como *bachur*, lo que significa que debía de tener una edad comprendida entre los doce y los dieciséis años, que fue lapidado despiadadamente por motivos desconocidos; su carne fue desgarrada, su cadáver, arrastrado por el empedrado de las calles y luego, medio quemado antes de ser arrojado al río, donde sus «ancianos» padres tuvieron que recuperar su cadáver. Los *Sifrei Torá*, los rollos de la Ley, fueron sacados de la sinagoga Nueva y su bosque de arcadas, y perversamente profanados antes de que colocaran un crucifijo en medio de sus dos arcas. (En algunas sinagogas sefardíes, cuando se construía un arca nueva, la vieja seguía en su sitio.) Una vez sofocada la anarquía y restablecido el orden por las autoridades reales, los daños fueron reparados en parte. Pero en 1411 llegó Vicente Ferrer con su ejército de violentos disciplinantes, y la sinagoga Nueva de Yosef ben Meir Susán fue convertida definitivamente en la iglesia de Santa María la Blanca. Parece que los verdaderos soldados de Cristo habían logrado el triunfo que venían persiguiendo: dos tercios de los judíos habían sido hechos desaparecer por obra del acero toledano o de las aguas del bautismo; solo el obstinado tercio restante continuaba aferrado a su perversa ceguera.

Pero no pasaría mucho tiempo antes de que la victoria suscitara sospechas. Los conversos de Toledo se arrojaban a los pies del Salvador, abrazaban todos los ritos y manifestaciones de penitencia, comulgaban y se santiguaban como el que más; de hecho, se adaptaban tan bien a su nueva religión que a algunos les parecía... bueno, pues un poco extraño, ¿no? Ayer con barba y hoy con tonsura. Cómo se pavoneaban de su conversión, pensaban los cristianos viejos, y salían de su judería para instalarse en el barrio elegante de La Magdalena, cerca del Alcázar, con sus fachadas de piedra y sus jardines cercados. Ahora estaban salvados, todo estaba al alcance de los conversos; podían casarse con miembros de la nobleza (siempre atenta a su dinero), seguir con sus antiguas ocupaciones y hacer todo lo que les resultara de provecho o favoreciera su estatus social y su fortuna poniéndose al servicio de la Corona. El hecho de que se exigiera a los cristianos viejos acogerlos sin reservas dentro de la sociedad de los redimidos no venía más que a exacerbar el agravio que suponía aquella situación imprevista.

Era demasiado buena para ser verdad, ¿no? A pesar de todo ese nuevo fervor, ¿acaso no habían abrazado la cruz precisamente para convertirse en una aristocracia advenediza, para mandar sobre la autóctona y para oprimir al pueblo con impuestos y tributos cada vez más onerosos? De modo que los cristianos viejos, que es como decir los de verdad, empezaron a vigilar y a buscar indicios de que, por detrás de sus fervientes profesiones de fe, los conversos seguían siendo en secreto judíos impenitentes. En este punto, los propios historiadores judíos se dividen por motivos que tienen menos que ver con los testimonios disponibles que con la opinión que cada uno tiene de este momento postraumático, marcado por la emotividad y la tragedia. El gran experto en la historia de Sefarad y en la expulsión de los judíos, el israelí Yitzhak Baer, deseaba tanto llegar a la conclusión de que los conversos y los judíos eran un solo pueblo en todos los aspectos más profundos, que más o menos reprodujo la creencia de los inquisidores de que su cristianismo no era más que una farsa para salir del paso. Sin embargo, por desconcertante y casi inexplicable que resulte —especialmente para los judíos piadosos— comprobar que unos rabinos sabios y hasta ese momento absolutamente devotos se convirtieron de repente en fieles seguidores del Evangelio cristiano, eso fue justamente lo que les pasó a muchos. Pablo de Santa María y Jerónimo de Santa Fe no fueron, ¡ay!, simples oportunistas. Nunca llegaremos a saber cuántos conversos creían verdaderamente en su nueva religión. Por fuerza son más ricas y numerosas las fuentes que aluden a los que efectivamente añoraban el judaísmo perdido, y ello debido a las pruebas descubiertas por los inquisidores en las décadas de 1480 y 1490, y a las explicaciones dadas *a posteriori* por los que abandonaron España y fueron a países en los que podían volver a abrazar el judaísmo.

Por otra parte, dejando a un lado las beaterías ilusas acerca de la solidaridad judía y los excesos inquisitoriales, no faltan ni mucho menos indicios de que muchos conversos, tanto en Toledo como en otros lugares, encontraron efectivamente maneras de permanecer como mínimo en contacto con sus correligionarios de la judería. Hasta ella no había mucha distancia desde La Magdalena, un paseíto apenas, a pie o a caballo, e indudablemente había muchas cosas que atraían a los conversos hasta su viejo barrio, los aromas de la cocina tal vez, la música, la pura fuerza de la costumbre o los chismorreos en ladino que llegaban hasta la calle por cualquier ventana abierta. Algunos de sus enemigos sabían que sus hábitos alimentarios podían revelar una recaída. La pituitaria del cronista y clérigo Andrés Bernáldez, no muy amigo de los judíos que digamos, estaba siempre alerta por si captaba algún tufillo a «cebollas e ajos refritos en aceite en lugar de tocino». Cualquier cosa frita en aceite olía mal, pensaba, lo mismo que los judíos, cuya dieta se basaba en él. Se podía identificar al converso que había comido con ellos solo por el hedor a aceite y ajos que despedía. Y luego estaba la adafina, llamada también *hamim*, el guiso cocinado en una cazuela con tapa a base de alubias, garbanzos, verduras y carne, que Bernáldez consideraba también repugnante y al que no podía resistirse nadie que lo hubiera comido, caliente o frío, el sábado. Los judíos lo llevaban el viernes por la tarde a la panadería, para que se cociera a fuego lento al horno durante toda la noche sin tener que violar el sabbat, y cualquier converso al que le gustara la adafina se guardaría mucho de mandar a buscarla a la panadería a un criado cristiano.[19] Cuando la Inquisición emprendió de lleno sus labores de espionaje y delación, cualquier informe (suministrado habitualmente de nuevo por algún criado) que mencionara a un ama de casa conversa que quitaba la grasa y los tendones de la carne (que en realidad no es un requisito de las normas de la dieta *kashrut*), o, lo que era todavía más revelador, que purgaba la carne de su sangre metiéndola en agua de sal, constituía una prueba evidente de que había incurrido de nuevo en el judaísmo.

Las formas que tenemos documentadas de cómo los conversos mantenían el contacto con sus antiguos correligionarios van más allá de la cocina y afectan a acciones más importantes: dar dinero a las sinagogas de la judería para su mantenimiento y para las funciones rutinarias del *kahal*, para el cuidado de los cementerios e incluso para el mantenimiento de las escuelas de hebreo. Y los contactos iban en doble dirección. A cambio de sus donativos, los conversos recibían informaciones importantísimas acerca de las fechas de las festividades (como, por ejemplo, el Purim, rebautizado como «Santa Ester») y los ayunos. Antes de que en la década de 1480 la Inquisición empezara a ejercer su feroz control, con la espantosa maraña de delatores y la presión de la intimidación y la tortura sobre criados y miembros de la familia, seguía siendo posible adoptar ciertas costumbres en la intimidad del hogar sin levantar necesariamente las sospechas de la gente. El viernes por la noche podían encenderse velas. Al fin y al cabo, ¿quién no encendía velas en el siglo xv? ¿La comida no pasaba de los labios en los días de ayuno? ¿Quién iba a saber algo que no ocurría, especialmente si los criados eran también conversos? ¿Que el amo o el ama se ponían un atavío elegante, aunque sobrio, los días de fiesta? Lo mismo podía ser para ir a misa. Bastante más temerario era introducir de contrabando libros religiosos en una casa conversa, particularmente el libro de oraciones diarias, el *siddur*, o una Hagadá de Pascua, y antes de los años de la Inquisición existen testimonios de que se llevaron a cabo peligrosos intentos de enseñar a los niños, y de hecho a muchos adultos, a memorizar algunas oraciones fundamentales de afirmación de la fe como el *shemá*.

Con el paso del tiempo, esas sospechas se convertirían en confesiones extraídas mediante el terror y la tortura, con tormentos como la toca, el potro o la cuerda, y en el envío de decenas de millares de conversos a los autos de fe, que culminaban con la quema en la hoguera de los «no reconciliados» con la cruz. No obstante, durante las décadas anteriores a la introducción oficial de la Inquisición típicamente española en 1480, no fueron tanto las sospechas de reincidencia o de engaño de los conversos como sus actos de ostentación social y política los que alimentaron las llamas del odio entre cristianos nuevos y cristianos viejos. La impotencia (literal en el caso de Enrique IV) de los reyes castellanos a la hora de garantizar la sucesión al trono exacerbó las sospechas de que se habían vuelto monigotes en manos de favoritos como

Álvaro de Luna, que mantuvo su cargo como condestable de Castilla únicamente gracias a la ayuda directa de judíos y conversos. La proximidad a Luna del jefe de la comunidad judía de Castilla, Abraham Benveniste, su papel como recaudador de impuestos y tesorero extraoficial, y la percepción de que los conversos se habían convertido en una nueva élite cortesana y burocrática, supusieron una afrenta para la nobleza cristiana vieja.

Cuando Álvaro de Luna visitó Toledo para imponer un tributo especial a la ciudad, repicaron las campanas de la que había sido la sinagoga Nueva y ahora era la torre de Santa María la Blanca. Era una llamada a las armas contra Luna, Benveniste y sus aliados conversos de la ciudad. La protesta comenzó de manera espontánea, y el gobernador del Alcázar, Pedro Sarmiento, se puso al frente de una sublevación que no tardó en contar con el apoyo de los ciudadanos de Toledo y de los campesinos de los alrededores.[20] Se lanzó un ataque directo contra las casas de los conversos más conocidos, como los Cota, familia de mercaderes y notarios. Cientos de hogares fueron destruidos, y la judería fue asaltada. Se oyeron insultos contra el propio rey, poniendo de hecho a la ciudad en estado de rebeldía. En julio, con la ciudad todavía en poder de los rebeldes, Sarmiento se arrogó la autoridad de promulgar un «Estatuto de exclusión», que prohibía a los conversos ocupar cargos públicos con el pretexto de que tenían (y siempre tendrían) sangre impura de judíos. «Fallamos: ... que todos los dichos conversos descendientes del perverso linaje de los judíos, en cualquier guisa que sea, así por virtud del derecho canónico y civil que contra ellos determina sobre las cosas de suso declaradas, ... sean habidos e tenidos como el derecho los ha e tiene por infames, inhábiles, incapaces e indignos para haber todo oficio e beneficio público y privado en la dicha cibdad de Toledo».[21]

Como la declaración de limpieza de sangre de Sarmiento violaba la doctrina de la Iglesia, según la cual los bautizados deben ser tratados en pie de igualdad, el papa Nicolás V no tardó en vetar el Estatuto de exclusión, pero el daño ya estaba hecho y se había sentado el principio de que la distinción racial era imborrable y, como se demostraría, indeleble. En 1467 hubo otro intento de lanzar un ataque contra las personas y los bienes de las familias conversas de Toledo, pero estas habían aprendido bien la lección de la anterior sublevación y se habían provisto de un formidable arsenal de contundentes espadas toledanas, ballestas y cuerdas anudadas, y habían nombrado al capitán Fernando de Torres oficial al mando de su cuerpo de defensa.[22] Este nuevo nivel de preparación y los largos años de amargo amoldamiento al insulto de «marranos» (el término despectivo fue acuñado en esta época) quizá dieran lugar a una reacción excesiva cuando una cuadrilla de hombres armados allanó la propia catedral de Toledo, desencadenando primero una pelea en el propio recinto sagrado, en el transcurso de la cual perdieron la vida cuatro clérigos, y luego una auténtica guerra civil.

El grito de los asaltantes armados —«¡Esto no es una iglesia!»— no estaba calculado para que los conversos se ganaran el apoyo de la población de Toledo, y mucho menos el de los curas. Lo que significaba, naturalmente, era que la catedral había sido colonizada, institucional y materialmente, por la política de sus adversarios. A lo que sonaba, por el contrario, era a un repudio del recinto sagrado, que con su espléndida sillería de madera tallada constituye uno de los centros de piedad más intensamente sentidos de toda la cristiandad. Por si hacían falta más pruebas de la sospechosa lealtad de los conversos a la fe cristiana, aquel grito de guerra tan mal calculado se encargó de suministrarlas.

Aquello fue bastante más que un absurdo altercado local. Tuvo lugar en la ciudad en la que estaban enterrados los reyes de Castilla, y lo que se jugaba en esa guerra civil entre los aliados de la élite de los conversos y sus enemigos era la identidad histórica de Castilla y lo que estaba a punto de considerarse España. El rey impotente, Enrique IV, fue incapaz de aportar el concepto de misión cristiana, que por lo demás, al haber subido al trono un año después de la caída de Constantinopla en manos de los turcos otomanos, no habría podido ser más oportuno. La purificación de España era la condición indispensable para que sus distintos reinos emprendieran la última cruzada y tomaran la verdadera cruz. Si se quería levantar el estandarte de Cristo del polvo de Constantinopla, debía ser para que ondeara sobre una España limpia de musulmanes, judíos y los casi judíos disfrazados de conversos. De ese modo, la cuestión de los judíos pasó a ocupar el centro de esta lucha por la autodefinición del país en el momento de su gestación como reino cristiano por excelencia, convirtiéndose así en el siguiente instrumento para el advenimiento de los Últimos Días.

La unidad en la pureza era el mensaje del más influyente de los que hicieron oír su voz en aquel momento histórico tan cargado de significado, Alonso de Espina.[23] Franciscano, rector de la Universidad de Salamanca, predicador de formidable elocuencia y uno de los confesores del rey, Espina pensaba que la *misera Hispania*, como él la llamaba, no estaba a la altura de la misión a la que había sido llamada: librar la batalla que diera paso a los Últimos Días y a la Segunda Venida de Jesucristo. En su camino había muchos demonios, y, como era de todos bien sabido, los judíos eran los compañeros del diablo. Eran ellos los que habían corrompido a Álvaro de Luna y los que habían provocado su caída. Espina se había encargado de asistir al abatido don Álvaro en sus últimas horas, sin duda recordándole las transgresiones que lo habían conducido al desastre. De hecho, no dejaría nunca solo al ministro caído, acompañándolo en sus últimos pasos hasta el cepo del verdugo.

En su tratado *Fortalitium fidei*, escrito en 1461 (y posteriormente publicado muchas veces en toda Europa), Alonso de Espina compiló una antología exhaustiva de todas las demonologías de los judíos: envenenadores de pozos, profanadores de hostias y secuestradores y asesinos de niños. De hecho, había visto frustrado su intento de acabar con los judíos de Valladolid acusados, como era habitual, de matar niños. La pertenencia de Alonso de Espina a los franciscanos era significativa, pues esta orden se había vuelto, curiosamente, más combativa y agresiva que la de los dominicos, y Espina divulgó su mensaje mediante campañas de predicación por toda Castilla, sobre todo en el norte, donde sus feligreses se mostraron especialmente atentos. Su argumento no podía ser más sencillo: la nueva cruzada, lanzada por el papa Calixto III, nunca podría llevarse a cabo sin una limpieza a fondo del reino; de los musulmanes de Granada, por supuesto, pero también de los judíos, que debían ser expulsados por completo de España. Si seguían en ella, no cabía abrigar la menor esperanza de contar con auténticos conversos, pues estos serían siempre presa de los «judaizantes», que estaban en todas partes. Además, reclamaba a Enrique IV que instaurara una Inquisición expresamente destinada a eliminar de entre los conversos a los falsos cristianos para dejar solo a los verdaderos. Al principio el rey aceptó la idea y, tras alguna renuencia inicial, el papa Pío II la autorizó en 1461 (aunque con ciertas reservas respecto a la pretensión de que Roma cediera grandes prerrogativas), pero para entonces el rey había cambiado de parecer.

Parecía que ya habían empezado a doblar las campanas por los judíos de España. Sin embargo, como sucedería en Alemania quinientos años después, una población judía establecida en el país desde época remotísima, acostumbrada a ciertos rigores y a mucho griterío hostil, se tapó los oídos ante el clamor. Y a pesar de casos como el de Toledo, había muchos lugares de España —en Aragón, además de Castilla—, especialmente los alejados de las principales concentraciones de judíos, donde la gente difícilmente habría creído que la horrenda solución propuesta por Alonso de Espina, la expulsión, pudiera estar a la vuelta de la esquina. Uno de esos lugares de inocencia histórica era la ciudad gallega de La Coruña, en el extremo noroccidental de la Península.

III. Quién por el fuego, quién por el agua...*

Resulta imposible hoy día imaginar cómo debió de sentirse en 1476 el joven Isaac de Braga cuando contempló por primera vez el resultado del encargo que había hecho. Pueden ustedes ir a la Biblioteca Bodleiana de la Universidad de Oxford y detenerse ante las brillantes páginas de la que fue su Biblia —y, si tienen suerte, podrán incluso hojearla—, pero nunca llegarán ustedes ni de lejos a sentir la euforia que debió de embargar a Isaac al verla por primera vez. La Coruña era una ciudad de provincias, un puerto de mar, sí, pero no podía compararse por sus dimensiones con Cádiz o con Lisboa. Y, sin embargo, hasta aquel lugar apartado de las rutas habituales llegó en un momento del siglo xv una maravilla de época anterior, la llamada *Biblia de Cervera*, escrita en torno a 1300 por el copista Samuel ben Abraham ibn Natán (cuya tibia rota es recordada en las páginas del libro), espectacularmente ilustrada por el iluminador francés Yosef Hazarfati, y provista de una exquisita microcaligrafía, obra de un tal Abraham ibn Gaón. Seguramente fuera la contemplación de la *Biblia de Cervera* lo que provocó el encargo del «admirable joven», como lo llama el copista, o de su padre, «el difunto y amado Salomón de Braga, que su alma descanse en el Jardín del Edén».[24]

---

* Se trata de unos versos del *piyyut* (poema litúrgico) «Unetaneh Toqef», recitado durante el oficio de Rosh Hashaná (Año Nuevo) y de Yom Kippur (día de la Expiación). El tema de la oración es escatológico y trata del juicio final que aguarda a la humanidad. Según la leyenda, fue compuesto por un rabino de Maguncia, que fue martirizado por no querer convertirse al cristianismo. (*N. de los T.*)

El libro paradisíaco que era la *Biblia de Cervera* había viajado mucho, y permanecido durante algún tiempo en Córdoba a finales del siglo xiv, antes de acabar en La Coruña, donde evidentemente la familia Braga, empezando por el padre, Salomón, ambicionaba a todas luces llamar suyo algo que se le pareciera. Tanto que el copista del nuevo libro, Moisés ibn Zabara, no dudó en incluir en él el tratado de gramática de hebreo bíblico titulado *Sefer Mijol*, del erudito David Kimchi, que también contenía la *Biblia de Cervera*. Esta obra era tan poco atractiva y árida que Yosef Hazarfati abandonó toda pretensión de relacionar sus ilustraciones con las normas de sintaxis y otros temas por el estilo, y decidió llenar sus páginas con la representación más imaginativa de pájaros y animales de todo tipo, diversión imitada por Yosef ibn Hayyim, el iluminador del libro adquirido por los Braga. Si el diseño de la Biblia de los Braga tiene en muchos aspectos un carácter deliciosamente arcaico, es entre otras cosas porque presumiblemente su dueño y el escriba deseaban subrayar la vitalidad de la tradición. Aunque sería maravilloso imaginar que la Biblia de los Braga fue elaborada sin el presentimiento de la calamidad que se avecinaba, no es del todo imposible que las incertidumbres de la época, a medio camino entre la esperanza y la alarma, hicieran que los Braga, su copista y su iluminador quisieran reafirmar el carácter imperecedero de la hermosura judaica.

En cualquier caso, Yosef ibn Hayyim no se sintió limitado por ninguna sospecha perceptible de mal augurio, ni de hecho por los cánones convencionales del decoro más respetuoso. Su obra destaca por la intensidad de sus colores radiantes, el oro y la plata, el lapislázuli y el carmesí, y por la exuberancia de su animación narrativa. Jonás cae en el vientre del Gran Pez (que tal es la traducción literal del término hebreo); un David barbudo aparece esplendorosamente sentado en su trono; los dragones hacen lo peor que pueden hacer, y falanges de gatos combaten con sus enemigos, los ratones.[25] El nombre del iluminador, reseñado en el colofón, al final de la obra, está formado por un deslumbrante círculo de formas acrobáticas, algunas tomadas de los naipes o de la decoración escultórica más picaresca de las catedrales. Pero a diferencia de los pecadores que aparecen en esos pórticos penitenciales, los hombres y mujeres desnudos de Yosef ibn Hayyim sonríen traviesamente mientras brincan y se doblan a lo largo de la página. Todos los que intervinieron en la elaboración de esta Biblia debían de ser personas alegres y de mente abierta.

Esa mentalidad abierta se extendía a las tradiciones religiosas en las que la Biblia de los Braga basaba su brillante imaginería. Ahí tenemos la menorá en todo su áureo esplendor, como si estuviera en el pavimento de mosaico de la sinagoga de Séforis mil años antes, aunque en la Biblia aparece un león (que sirve a la vez como muestra de confianza en los reyes de Castilla y como recuerdo de Judá) acostado a sus pies, no en actitud rampante junto al Arca. Pero a veces el espacio del Templo es evocado de forma más en consonancia con la decoración del Corán, y hay pasajes en los que los dos rollos de la Torá que contienen los pasajes del texto se hallan de hecho enmarcados por los arcos de herradura propios de la arquitectura islámica, evocando una síntesis tan perfecta como cabría imaginar. Asimismo, las páginas tapiz de dibujos abstractos densamente trabados pertenecen enteramente a lo que constituía ya una tradición judeo-arábiga. La imaginería gótica también está muy presente en el bestiario, en la representación de cuadrúpedos, aves y vegetación que en los primeros días de la iluminación había constituido una especialidad de los artistas cristianos, pero que en el siglo XV era dominada ya por sus colegas judíos.

Y menos mal que así era, porque muy pronto esa colaboración entre artistas cristianos y copistas judíos sería en España cosa del pasado. En 1483 Fernando de Aragón e Isabel de Castilla, unidos como reyes de España desde 1474, siguieron adelante con el gran programa de erradicación de la vida judía en España promovido por el dominico Vicente Ferrer y el franciscano Alonso de Espina como condición indispensable para el triunfo del cristianismo. Convencidos de que los cristianos nuevos tendrían siempre la tentación de revertir al judaísmo mientras tuvieran judíos cerca, y de que la Iglesia estaba amenazada de muerte debido a la presencia en ella de esos cristianos de fe fluctuante, dictaron la expulsión de todos los judíos de Andalucía, considerada la región más infectada por la peste de la judaización. De la noche a la mañana fueron echados de las ciudades en las que llevaban mil años establecidos, Córdoba y Sevilla, y se encontraron empobrecidos y sin hogar. Además, aquellos eran los lugares donde la convivencia, la coexistencia cultural entre el islam y el judaísmo, entre la filosofía, la ciencia y la literatura de árabes y judíos, había dado unos frutos más abundantes.

Pero entonces los cristianos no perseguían a los judíos por mantenerse aparte, por su supuesto distanciamiento voluntario. Los perseguían por su peligrosa tendencia a la apertura, por su nomadismo cultural, por su proximidad no deseada. Los judíos no estuvieron separados del resto de la sociedad hasta que los cristianos impusieron la separación.

Y eso era lo que tocaba hacer. Fuera de Andalucía, las draconianas normativas anticipadas por las disposiciones de Vicente Ferrer de 1412-1413 y por los Estatutos de exclusión de Toledo afectaron a todas las ciudades con juderías, incluida indudablemente La Coruña. Los judíos tuvieron que quitarse de en medio prácticamente de la noche a la mañana —se les concedió un período de gracia de ocho días— y desaparecer de los barrios en los que llevaban instalados tantos años, algunos de ellos provistos de puertas y adarves que les resultaban útiles en las épocas de disturbios. Las autoridades les asignaron nuevos lugares de residencia, situados deliberadamente a buena distancia de sus talleres y tiendas. Y como el plan consistía en arruinarlos para que no tuvieran más remedio que convertirse, fueron obligados a vender sus propiedades —entre las que, naturalmente, se incluían los edificios colectivos— por un precio miserable, generalmente el 10 por ciento de su valor real. De ese modo fueron estafados por partida doble, primero en la venta y luego en el precio inflado que se vieron obligados a pagar por sus nuevos lugares de residencia. Y así, los que habían pergeñado el plan consiguieron de un golpe dos objetivos, arruinar a la mayor cantidad posible de judíos para que no tuvieran más remedio que convertirse y, además, establecer un cordón sanitario en torno a los demás, para que quedaran herméticamente aislados tanto de los cristianos viejos como de los nuevos. Y, por descontado, todo ello suponía una degradación inhumana.

Probablemente no fuera eso lo que esperaban de los nuevos reyes Isaac de Braga y los judíos de Toledo y de Córdoba, de Zaragoza y de Gerona. Había sido durante los reinados de los monarcas débiles cuando los cristianos nuevos que había en la corte, en las finanzas y en la burocracia habían sido más vulnerables a las disensiones que habían hundido el estado. Con la unión de las coronas de Aragón y Castilla y la aparente buena acogida dispensada por Isabel y Fernando a conversos como Luis de Santángel y a los habituales médicos y financieros judíos como el «rab de la corte» (o rabino mayor de Castilla) Abraham Seneor, a los que confiaron la recaudación de impuestos, las expectativas eran más bien optimistas. La expulsión era el sueño de los fanáticos.

¿Cómo podía sobrevivir el reino sin el dinero judío cuando se disponía a lanzar su nueva cruzada contra el último baluarte del reino de Granada, obstinadamente inexpugnable? Así pues, aunque la opinión del confesor de la reina, fray Tomás de Torquemada, era bien conocida y estaba pavorosamente en consonancia con la solución a la cuestión judía propuesta por Alonso de Espina, en la década de 1470 no se produjo ninguna situación de pánico ni precipitación alguna por salir del reino.

Cuando en 1478 el Papa concedió a los reyes de España autorización para nombrar inquisidores, la medida no habría tenido por qué provocar ninguna alarma entre los judíos no convertidos, pues su jurisdicción afectaba solo a los cristianos sospechosos —sobre todo a los conversos—, no a los judíos propiamente dichos. En efecto, cuando la Inquisición empezó a desarrollar su labor en Sevilla dos años después, se produjo inmediatamente una huida en masa de conversos hacia ciudades y aldeas lejanas que se encontraran fuera de su alcance. Pero al principio puede que los propios judíos estuvieran divididos. A pesar de que muchos judíos habían seguido manteniendo estrechos lazos con los familiares, amigos y antiguos vecinos que habían abandonado su religión, había otros tantos, si no más, que no perdonaban a los apóstatas por su actitud, hasta el punto de que, en los procesos de la Inquisición, se mostraron dispuestos a hacer lo que esta les mandara y a facilitar información. No es muy probable que nadie, empezando por Fernando e Isabel, pudiera prever la monstruosa maquinaria de destrucción, capaz de autorreproducirse, en la que iba a convertirse la Inquisición cuando pidieron al papa Sixto IV autorización para instaurarla.

La Inquisición tenía su propia jurisdicción, era un estado dentro del estado, responsable únicamente ante el Papa, la Corona y su propia colección de imponentes normas burocráticas.[26] Además de los inquisidores y los integrantes de los tribunales investigadores, había un ejército enorme de «familiares» responsables de llevar a cabo el trabajo burocrático que lubrificaba la maquinaria del terror. Eran tantas las normas cuidadosamente meditadas que rodeaban la aplicación de la tortura, por ejemplo, que los que la supervisaban constituyen la primera burocracia del dolor organizada sistemáticamente de la historia. La Inquisición contaba incluso con sus propios ejércitos en miniatura de protección e intimidación. El inquisidor general, fray Tomás de Torquemada, no se desplazaba nunca a ninguna parte sin su propio séquito de hombres a caballo, sobre todo a partir del asesinato de un inquisidor en la catedral de Zaragoza a manos de un grupo de conversos desesperados. Como es bien sabido, se le concedieron poderes prácticamente ilimitados para obtener confesiones «completas» de los sospechosos de reincidencia o, peor aún, de ser judaizantes activos, impenitentes. De ese modo efectuó su entrada en la historia el estado entrometido: criados, familiares y vecinos atemorizados y engatusados para convertirse en delatores y espías. Incluso en los monasterios y los conventos, los frailes y las monjas delataban a sus hermanos y hermanas sospechosos de bajar la vista cuando se elevaba la hostia en la consagración, de equivocarse al recitar el padrenuestro o el avemaría, o de decir quién sabe qué en la soledad de sus celdas. Yirimiyahu Yovel tiene razón al ver en todo esto el germen de una moderna institución malévola y no una reliquia medieval.[27] Se trataba en efecto de algo totalmente nuevo en su inhumanidad.

Además, la Inquisición inventó, en un grado nunca visto desde los tiempos de los romanos, el espectáculo del castigo público como entretenimiento de masas. Los días en que se celebraban autos de fe fueron declarados festivos, para que pudiera asistir el mayor número de personas posible a la procesión de los condenados, que iban descalzos, con el gorro cónico y el escapulario sin forma llamado «sambenito», el atuendo de los impenitentes que no se reconciliaban con la Iglesia, decorado con lenguas de fuego ardiente, pues, como los inquisidores se encargaban de recordarles con aire santurrón a los desgraciados, más valía ser consumido por las llamas de este mundo que ser condenado a arder eternamente en el infierno. Los grandes personajes del país, a menudo incluso el rey y la reina, asistían a aquellas elaboradas ceremonias, mordisqueando las golosinas propias de las fiestas o llevándose a la nariz bolas de ámbar siempre que el olor resultaba demasiado desagradable. Cuando se instauró la costumbre de desenterrar los huesos de los herejes, a menudo a centenares, y de quemarlos junto con los cuerpos vivos de los condenados, las ciudades de la inmolación se cubrían de un aire espeso de olor nauseabundo.

A veces, cuando a las víctimas de la Inquisición se las califica genéricamente de «herejes», se olvida que aquellos procedimientos espantosos —desde los interrogatorios y la tortura hasta las matanzas en masa, cuando las víctimas eran, por emplear un eufemismo espeluznante, «relajadas» al brazo secular del estado para su castigo— iban dirigidos fundamentalmente contra los que en un momento dado habían sido judíos y se sospechaba que seguían siéndolo. En los autos de fe españoles no se llevó a la hoguera a *lollards* ni cátaros. Lo fundamental es que emotiva y catastróficamente la Inquisición formó parte integrante del drama de la historia de los judíos en España. Y aparte de la faceta espectacular de la tragedia, destinada a explotar y fomentar la crueldad y la traición, dio lugar también a actos asombrosos de valor y de autosacrificio desinteresado. Y es que, además de delatores, hubo también conversos, como fray Diego de Marchena, que, sin dejar de ser cristianos, se arriesgaron a ayudar a los que se habían «reconciliado» demasiado tarde (arruinando para siempre sus vidas y las de sus familias), impidiendo que aquellos hombres y mujeres marcados cayeran en la trampa de los inquisidores, atrevimiento por el que, irremediablemente, acabarían pagando en la hoguera.

La purga se desarrolló como una auténtica cadena de montaje, impulsada por una energía formidable, empezando naturalmente por el propio Torquemada. Habida cuenta de los medios relativamente primitivos que tenían a su alcance, el número de los que cayeron víctimas de la incesante oleada de terror, torturas, mentiras y asesinatos legales enorgullecería a cualquier autócrata de la degradación y la muerte del mismísimo siglo XX; al término del primer año de existencia, solo en Sevilla ascendía a setecientas personas, a razón de un auto de fe al mes, y esto antes de que la maquinaria de la muerte se trasladara al norte, hasta Ciudad Real y Toledo, donde se alcanzarían cifras récord de cuerpos vivos consumidos por el fuego, cuarenta en un solo día en 1488, junto con los huesos de cientos de cadáveres desenterrados (además de las efigies de los que habían logrado escapar).

Pese a todo, seguía siendo concebible que los propios judíos fueran testigos de todo aquello y que aun así algunos pensaran que no iba con ellos, que, una vez recluidos en sus zonas de segregación urbana, con una puerta por la que podían entrar y salir, aislados a todas luces de los «judaizantes» que habían formado parte de su comunidad, los dejarían en paz. Semejantes ilusiones habrían llegado a hacérselas personalidades encumbradísimas que seguían trabajando denodadamente para alcanzar la victoria sobre los musulmanes de Granada y que, como Abraham Seneor, eran recibidos con cortesía y a veces incluso con engañosa cordialidad por los reyes. Seneor incluso debió de sentirse suficientemente seguro de sí mismo como para abordar al rey y pedirle que impidiera la predicación de los sermones más violentos en contra de los judíos y que revocara la prohibición de elaborar *matzot* para las cenas de Pascua. Personalmente mantenía incluso buenas relaciones con Torquemada, y a petición suya concedió algunos beneficios fiscales a su pueblo natal. Como abogado, además de rabino y financiero, parecía tan indispensable para los reyes que no podía creer que se embarcaran en una empresa tan autodestructiva como la expulsión de los judíos. Tales son las ilusiones de la familiaridad.

En 1485, se unió a Seneor otra personalidad eminente, Rabí Isaac Abravanel, que había gozado de un estatus y un cargo similares ante el rey de Portugal hasta que se vio envuelto en una conjura aristocrática que pretendía reemplazarlo. Abravanel no tuvo más remedio que escapar para salvar la piel y, tras cruzar la frontera, solicitó audiencia a los reyes, que se la concedieron enseguida.[28] Parece que salió de la reunión con la garantía de que la ayuda activa en la financiación de la guerra sería recompensada con la renuncia a cualquier medida drástica, como la extensión a todo el reino del decreto de expulsión de Andalucía. Y puede que por aquel entonces ni Isabel ni Fernando hubieran tomado ninguna decisión definitiva.

Pero el confesor de la reina sí. Para Torquemada, un punto de la doctrina de Alonso de Espina —la purificación total de los conversos y su unificación irreversible con el cuerpo de la Iglesia— carecía de sentido sin el segundo: la erradicación total de los judíos. De un modo muy retorcido, era una especie de cumplido al revés a la tenacidad y la capacidad de persuasión del judaísmo; a su capacidad de sobrevivir a todo lo que estados y poderes de todo tipo, multitudes y predicadores, pudieran arrojar contra él; a los desplazamientos forzosos; a la quema de libros y a la quema de cuerpos en la hoguera. Uno podía quemar todo esto y aun así no conseguir su extinción; sus palabras salían volando libremente de los cuerpos y de los pergaminos, y flotaban en el aire como partículas de un miasma fatal.[29]

Incluso Torquemada, impaciente como estaba por dar ese segundo paso, comprendía que tendría que esperar a la caída de Granada. Aunque la monarquía española estaba descubriendo fuentes alternativas de financiación de sus guerras —en los genoveses particularmente—, el ejército era tan grande y resultaba tan ruinosamente costoso que prescindir de la conveniencia de arrendar la recaudación de los impuestos a los judíos, que proporcionaban el dinero por adelantado, parecía una imprudencia. Sin embargo, en el invierno de 1491 el ejército sitiador (que por entonces incluía algunos soldados ingleses al mando del conde de Rivers, cuñado de Enrique VII, y tropas francesas en una especie de campamento cruzado pancristiano) había aumentado hasta los doce mil efectivos y era lo suficientemente superior como para que el rey Boabdil tuviera que reconocer, con profunda mortificación, lo inevitable de la capitulación y del fin del islam en España. Dentro de Granada, por supuesto, había miles de judíos y de conversos que habían llegado huyendo de la Inquisición y que habían vuelto a adoptar la religión de sus antepasados en la seguridad de su refugio musulmán. Boabdil negoció la salvaguardia de sus súbditos musulmanes, pero ni que decir tiene que no estipuló las mismas condiciones para los judíos, que en aquellos momentos estaban terriblemente asustados.

Hubo otros incentivos para la expulsión menos edificantes que la conclusión de la misión de cruzada que suponía crear una España uniformemente pura y cristiana. La nobleza con la que los reyes habían batallado tantos años estaría encantada con la perspectiva de la anulación de las deudas contraídas con los rapaces judíos, como había ocurrido en la Inglaterra de los Plantagenet, el modelo en el que se inspiró la expulsión de los Reyes Católicos. Y estos habían calculado —y no se equivocaban— que el valor de todos los bienes que pudieran embargar, confiscar y realizar, especialmente los inmuebles, superaría con creces lo que cabía suponer que pudieran perder al no percibir las rentas fiscales suministradas por los judíos. Con todo, tal vez hubiera almas tímidas o viles que sintieran cierta angustia por la repentina desaparición de tantos médicos y tenderos, fuente siempre segura de préstamos. ¡Menudas preocupaciones más infames! ¿Había que recordarles que la simple existencia de los judíos entre ellos constituía no solo una ignominia, sino una amenaza de muerte?

Así, de la forma más natural, se inventó un caso de hurto y asesinato de un niño, sin que la ausencia del cadáver supusiera, como de costumbre, ningún obstáculo para la confirmación del crimen.[30] La Inquisición descubrió que un converso llamado Benito García, cardador ambulante, natural de la localidad de La Guardia, cerca de Toledo, que justamente regresaba de una peregrinación, llevaba en sus alforjas una hostia mordisqueada, señal inequívoca de que era cómplice de un complot para llevar a cabo una profanación. Lo único que quedaba era arrancarle una confesión completa, y no solo a él, sino también a un puñado de conversos y judíos, en total diez personas, mediante los procedimientos intensivos habitualmente infalibles. Uno de los judíos, llamado Yosef Franco, fue encarcelado en una celda justo encima de la de García, y se practicó un orificio en el techo para poder escuchar sus conversaciones. Un fraile disfrazado de rabino se presentó a visitar a Franco y le arrancó una «confesión» no ya del crimen, sino de que había sido acusado de él. Se inventó una sórdida historia según la cual el niño había sido secuestrado en una calle de Toledo, había sido torturado en una parodia de la crucifixión y después había sido llevado a una cueva en el monte, donde le habían arrancado el corazón para utilizarlo en sus ritos de magia negra. La patraña tenía todos los elementos necesarios para desatar el furor del pueblo, y también para hacer de conversos y judíos indistintamente cómplices de una misma conspiración con fines maléficos. La criatura, que seguía sin aparecer, fue canonizada inmediatamente con el nombre de Santo Niño de La Guardia (que sigue siendo venerado en la localidad). El clamor fue tan general y la indignación tan viva que los reyes se congratularon de que la orden de expulsión lograra canalizarlos de modo ordenado y fructífero, sin necesidad de dejar que estallara una algarada más destructiva.

De ese modo, el 31 de marzo de 1492, en el palacio concebido por primera vez e incluso comenzado por Yehosef ben Nagrella más de cuatrocientos años antes, y donde Isabel y Fernando establecieron su corte durante varios meses para hacer publicidad de su triunfo sobre Boabdil, se tomó la medida que había que tomar. La larga orden de expulsión explicaba que, como había sido imposible conseguir que los judíos cejaran en su afán de subvertir la fe de los cristianos nuevos, que, pese a los esfuerzos denodados de la Inquisición, continuaban recayendo en el judaísmo, ni la unidad ni la pureza de la Iglesia podían seguir tolerando su presencia. Además, persistían en difamar y ofender los dogmas de la religión cristiana y, como demostraba la recentísima atrocidad perpetrada en el cuerpo indefenso del Niño de La Guardia, eran capaces de cosas mucho peores. En el plazo de tres meses, el día 1 de julio, todos los judíos tenían que haber salido de aquellos reinos, y la

Corona ordenaba cumplidamente a sus súbditos leales no molestar ni obstaculizar de ningún modo su marcha. Los desterrados no podían llevarse ni oro, ni plata, ni «moneda amonedada» (y no existía ningún otro tipo de dinero) ni ninguna otra cosa de valor, como gemas u objetos preciosos, incluidos los enseres de su religión. Así pues, los remates en forma de coronas, escudos y granadas (*rimmonim*) de los rollos de la Ley y los punteros *yad* —y, por supuesto, las sinagogas a las cuales pertenecían— serían confiscados formando un solo lote para ser fundidos. Tampoco se autorizaba a los judíos a llevarse caballos ni mulas, para no privar al país de nobles brutos ni animales de carga. Bastarían los asnos para tirar de sus carretas o cargar con los ancianos y los enfermos. Podían llevarse también los libros hebreos, buena forma por lo demás de quitar de en medio obras infames y blasfemas como el Talmud y otras muchas. Los que quedaran serían reducidos a cenizas junto con los rollos de la Ley.

Por alguna razón misteriosa la publicación del edicto se retrasó un mes, y ese respiro fue aprovechado por Seneor (cuya lealtad a Isabel durante los primeros años de su reinado le hacía siempre merecedor de una audiencia, además de proporcionarle un cúmulo de altos cargos) y por Abravanel para intentar disuadir en particular a Fernando del rumbo que había tomado. Cuando los argumentos de la compasión y el interés nacional se revelaron inútiles, Abravanel intentó jugar la carta del dinero, y puso sobre la mesa una suma enorme, 30.000 ducados. La leyenda popular cuenta que el rey vaciló, pero en ese punto terció Torquemada blandiendo un crucifijo y reprochó a Fernando que estuviera a punto de repetir la traición de Judas al vender a Cristo por treinta monedas de plata. Otra leyenda dice que Isabel, con un fanatismo implacable, provocó la cólera de su marido recordándole que sus vacilaciones se debían al hecho de que por sus venas corría sangre judía (en efecto, Fernando pertenecía por parte de madre a un linaje de conversos).

En realidad, Fernando estaba tan decidido a llevar adelante la expulsión como Isabel y el propio inquisidor general. A primeros de abril, como rezaba la orden, la población de las grandes ciudades y pueblos de España fue congregada por los pregoneros y heraldos reales al son de clarines y trompetas para escuchar el decreto. Ningún historiador, y desde luego tampoco el autor de este libro, puede reproducir, forzado

por las sutilezas de la prosa, el horror, el desconcierto, el miedo y la pa-
tética angustia que sintieron los judíos al oír la implacable pena de
muerte que se imponía a unas comunidades cada una de las cuales les
había parecido a sus miembros una auténtica «Jerusalén en España»,
donde había florecido su lengua, transformada en ladino; donde habían
estudiado y escrito sus obras los rabinos; donde habían sido compuestos,
cantados y salmodiados cantos litúrgicos y canciones de amor; donde se
había amasado el pan y se habían elaborado confites; donde se había
bailado alegremente en las festividades de Purim o de Simjat Torá; donde se había brindado con vino en las circuncisiones y los novios se habían colocado bajo la *hupá* para firmar el contrato nupcial arameo, provisto de una rica ornamentación floral, la *ketubá*; donde los médicos
habían proporcionado pócimas y consuelo a los enfermos de todas las
religiones, y donde los copistas e iluminadores habían creado objetos
que atestiguaban la infinita fuerza creativa de la humanidad. En Soria,
en Segovia, en Burgos, en Toledo, en Salamanca, en Zaragoza, en la
querida Gerona, en Tudela, la cuna de Haleví…, todas las juderías se
habían quedado vacías y los judíos que se habían construido un hogar
en el destierro eran ahora desterrados del destierro. Y en sus terribles
lamentaciones señalaron que la fecha fijada inexorablemente para su
marcha definitiva (pues el rey había ampliado generosamente el plazo
hasta finales de julio) era el 7 de ab, dos días antes del gran ayuno que
conmemora la destrucción del Primer y el Segundo Templos. Ahora el
Templo de su cultura iba a ser demolido ante sus propios ojos, tan
inexorablemente como si hubieran vuelto los romanos para derribar sus
piedras.

Se apoderaron de la gente el pánico y una desesperación escalofriante. Empezaron los intentos frenéticos por vender todo lo que no
podía ser confiscado: casas, tiendas, bodegas, huertas, viñas y olivares. El
ejemplo de la expulsión de Andalucía debería haber servido de aviso a
los sefardíes y haberles hecho pensar que solo podían esperar oportunismo y explotación despiadada. Podían darse con un canto en los
dientes si conseguían el 10 por ciento del valor de sus bienes, y luego
estaba la cuestión de encontrar algún medio de llevarse consigo lo obtenido cruzando las fronteras de Navarra y Portugal o zarpando rumbo
a cualquier sitio donde quisieran acogerlos. Naturalmente, el edicto tenía validez para todas las comunidades de las posesiones españolas fuera

de la Península, Sicilia y Cerdeña, que ahora quedaban excluidas como lugares de refugio. Enfrentados a la pobreza absoluta y a tener que vivir en la calle, al menos cuarenta mil personas tomaron la decisión de convertirse y unirse a los cien mil correligionarios que se habían hecho cristianos a raíz de los disturbios y las matanzas de 1391. Entre ellos, y no era la primera vez que así ocurría, por supuesto, estarían los judíos más encumbrados de la corte. En julio de 1492, el propio rabino mayor, Abraham Seneor, fue bautizado junto con su hijo Melamed (¡el Maestro!) Meir en el monasterio de Guadalupe en presencia del rey y la reina, que hicieron de padrinos del octogenario, convertido ahora en Ferrán Pérez Coronel.

Abravanel tomó un rumbo distinto y, según Elías Capsali —rabino mayor de La Canea, en Creta, que habló directamente con muchos expulsados—, escribió una carta de reproche a Isabel e incluso la reprendió, «defendiendo su postura como un león», por la engañosa presunción de que un acto de despiadada brutalidad como aquel fuera a poner fin al judaísmo. A la indignada respuesta de la reina, que dijo que no era ella sino Dios quien lo había ordenado, Abravanel contestó preguntándole si había tenido en cuenta cuántos imperios, y podía remontarse a la más remota Antigüedad, se habían imaginado que decretando el destierro y la dispersión de los judíos iban a poner fin a su historia y a quebrantar la alianza del pueblo con su Dios. ¿No sabía acaso que esos imperios habían desaparecido, mientras que el judaísmo perduraba y sobreviviría para ver la redención traída por el Mesías? ¿Y que los sufrimientos fortalecían la determinación de resistencia de los judíos? ¿Que tenían las palabras de su Ley atadas para siempre alrededor de sus cabezas y de sus corazones?

A medida que avanzaba el verano y se acercaba el plazo final concedido para su salida, los sefardíes fueron dirigiéndose como mejor pudieron a los distintos puertos del país y a los puestos fronterizos.[31] El edicto especificaba que la pena por ser descubiertos sin haberse convertido en las tierras de los reyes después del 31 de julio era la muerte, así que el éxodo se produjo con cierta precipitación. Debido a los numerosos peligros que acechaban en el camino hacia Cádiz o hacia la frontera de Navarra, en el nordeste, o la de Portugal, en el oeste, muchos emprendieron el viaje en convoyes integrados por vecinos, familiares y conocidos de la sinagoga. En carretas desvencijadas cargaron unas cuantas sillas, un baúl con ropa, algunas ollas y cacharros de cocina —sobre todo si pensaban dirigirse al mar— y sacos atestados de sus preciosos libros sagrados, así como a los abuelos y a los niños pequeños. Los burros avanzaban a paso de tortuga, pero en cualquier caso la inmensa mayoría de los judíos españoles abandonaron el país a pie. Esta circunstancia hacía que fueran presa fácil de los bandoleros y de la hostilidad de cualquiera que se encontrara en una buena posición para aprovecharse de ellos y lucrarse a su costa, por ejemplo, los guardias fronterizos (de uno y otro lado), a los que había que sobornar aunque no hubiera nada con lo que pagarlos aparte de las pocas posesiones que habían podido llevarse consigo. A menudo, cuando llegaban a los puertos, había que entablar arduas negociaciones con los capitanes de los barcos, desprovistos por completo de escrúpulos, y mientras aguardaban a encontrar acomodo en los barcos, los judíos acampaban y dormían en el campo, donde al caer la noche se convertían en objetivo de las bandas de atracadores de la zona.

Hasta que se cansaban del espectáculo, las gentes salían de sus casas y de sus campos y se ponían en fila a lo largo del camino o del sendero para contemplar las largas columnas de judíos desfilando, como mejor podían, bajo el sol abrasador del verano español, camino de la costa o de la frontera con Portugal. Y a diferencia de los gritos de execración y muerte que los había hecho proferir la ira en los días de los tumultos, los judíos caminaban ahora sumisos, en un silencio asombroso. Incluso un judeófobo tan feroz como el historiador Andrés Bernáldez, un cura de Los Palacios, se sintió inesperadamente conmovido, entre otras cosas por la dignidad y la fuerza que muchos demostraron durante aquella dura prueba.

> Iban por los caminos y campos por donde iban con muchos trabajos y fortunas, unos cayendo, otros levantando, otros muriendo, otros naciendo, otros enfermando, que no había cristiano que no hobiese dolor de ellos, y siempre por do iban los convidaban al baptismo, y algunos con la cuita se convertían y quedaban, pero muy pocos, y los Rabíes los iban esforzando, y facían cantar a las mujeres y mancebos, y tañer panderos y adufos para alegrar la gente, y así salieron fuera de Castilla y llegaron a los puertos, donde embarcaron los unos, y los otros a Portugal.[32]

Así pues, los sefardíes dejaron España con su hermosa música llenándoles los oídos. Pero, concretamente, ¿por qué los rabinos invitaban a cantar a las mujeres? Pues, por supuesto, porque aquello era un éxodo, un éxodo que debía de haber ordenado Dios como una nueva marcha, igual que había hecho cuando los había librado de la esclavitud de Egipto. Y a lo largo del camino, como sabría perfectamente cada hombre, cada mujer y cada niño que se hubiera sentado a la mesa durante un Séder o que hubiera visto alguna Hagadá profusamente ilustrada, fue Miriam, la hermana de Moisés, la que cantó y bailó cuando los israelitas cruzaron sanos y salvos el mar Rojo y las aguas se cerraron sobre las huestes del faraón. Bernáldez escuchó la música y oyó a los rabinos decir que esta vez, de nuevo, Dios obraría milagros y los sacaría de la esclavitud para llevarlos a la Tierra Prometida.

Esa música volvería a sonar en Tesalónica y en Túnez, en Esmirna y en Constantinopla, en Venecia y La Canea. Estaba perfectamente afinada.

IV. Hasta los confines de la Tierra

Muy lejos de allí, al sur de las Canarias, más allá del lugar donde Cresques Abraham había situado el barquito de Jaume Ferrer navegando lleno de optimismo hacia la desembocadura del río de Oro, pasado el cabo Bojador, el punto tras el cual unas corrientes legendariamente traicioneras arrastraban a los barcos sin esperanza alguna de poder retornar, más allá de todo eso, en medio del océano, se encuentra una gran isla volcánica, descubierta por los navegantes portugueses en 1470, que recibió el nombre de Santo Tomé. A qué latitud se encontraba solo habría podido saberse si el capitán que se dirigía a la isla —Álvaro de Caminha, caballero de la Casa Real— hubiera contado con la ayuda de las tablas astronómicas de Rabí Abraham Zacuto, que, pese a ser originario de Salamanca, había buscado refugio en Lisboa y acabaría siendo de gran utilidad para las ambiciones imperiales de la monarquía portuguesa. El volcán llevaba extinguido el tiempo suficiente para que sus rocas de lava hubieran quedado cubiertas de densa vegetación tropical, pero hasta que los portugueses la descubrieron no había habido ningún ser humano que habitara en ella. Sobre las selvas y las colinas que bajaban hasta

Inscripción de dedicación de Samuel Haleví Abulafía en la sinagoga llamada del Tránsito en Toledo, España, mediados del siglo XIV.

Profusa decoración mudéjar de yesería en la pared este de la sinagoga del Tránsito, mediados del siglo XIV.

Arcos moriscos de herradura de la «sinagoga Nueva» (llamada Santa María la Blanca), Toledo.

Página de tapiz, iluminación de Yosef ibn Hayyim perteneciente a la *Biblia Kennicott* de Isaac de Braga, La Coruña, España, 1476.

Representación del Séder en la *Hagadá de Barcelona*, de entre mediados y finales del siglo XIV. El cabeza de familia coloca el plato de las *matzot* sobre las cabezas de sus hijos, costumbre sefardí que, al parecer, acabó con la expulsión de España. La brillante decoración de animales fantásticos es típica de las *Haggadot* iluminadas de la época.

Iluminación de la *Biblia de Cervera*, obra de «Yosef el Francés». España, 1299-1300.

Ilustraciones de Joel ben Simón, llamado Feibush Ashkenazi, pertenecientes a una Hagadá del norte de Italia, 1469: (*arriba*) «Avodim Hayinu» («Fuimos esclavos en Egipto»); (*abajo*) «Ha lachmah di' anya» («Este es el pan de la aflicción»), donde aparecen dos figuras que sostienen en alto la cesta de las *matzot* circulares. Sigue haciéndose así en los Séder actuales.

305.

חבולה יונה ללחם חזה בת כ"ה פ"ה ישוו ז' חס' בליש וסימנהון
עם לעשוי לכדיה ישוו אתעמרין דיכאו ודישו אותה ישוו את עלי הנבת

ויהי דבר יהוה אל יונה בן אמתי לאמר
קום לך אל נינוה העיר הגדולה וקרא
עליה כי עלתה רעתם לפני ויקם יונה
לברח תרשישה מלפני יהוה וירד יפו
וימצא אניה באה תרשיש ויתן שכרה
וירד בה לבוא עמהם תרשישה מלפני
יהוה ויהוה הטיל רוח גדולה אל הים
ויהי סער גדול בים והאניה חשבה להשבר
וייראו המלחים ויזעקו איש אל אלהיו
ויטלו את הכלים אשר באניה אל הים
להקל מעליהם ויונה ירד אל ירכתי
הספינה וישכב וירדם ויקרב אליו רב
החבל ויאמר לו מה לך נרדם

Iluminaciones de Yosef ibn Hayyim pertenecientes a la *Biblia Kennicott* de Isaac de Braga, La Coruña, España, 1476: (*arriba*) Jonás y el «Gran Pez»; (*derecha*) candelabros del Templo con un león protector recostado a sus pies.

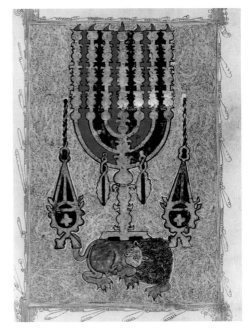

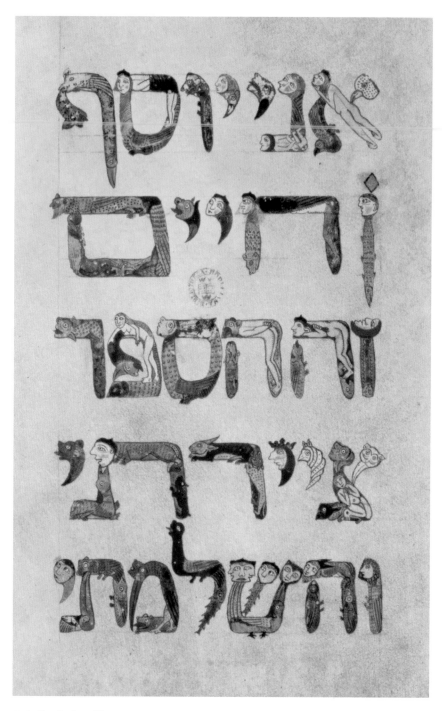

Colofón de la *Biblia Kennicott* o de La Coruña. Dice así: «Yo, Yosef ibn Hayyim, iluminé y completé este libro».

(*Página siguiente*) En una forma artística exclusiva de la cultura judía, un margen con figuras en caligrafía micrográfica formadas por caracteres hebreos de estilo asquenazí circunda el texto del capítulo 32 del Génesis. Esas letras diminutas, a veces microscópicas, a menudo no tienen nada que ver con el texto que ilustran.

בעינך והוה לי הֵן	יעקב כבר חלון משה	אֱלֹהֵי דאברהם ואלהי
תירין וחמירין עאן	משרתא אמן קדם יי	דיצחק ירננון בֵּינָא
ועברין ואמהן וע	דא ויקרא שמיא דא	אהא דאבוהִי ונקים
ושלהית להוֹאה	אתרא ההיא מחנים	יעקב בר טרחיל לֵיה
לרבוני לאשכחא	פ	לאבוהי יצחק ויהב
רחמין בעינך ז	☩	יעקב זבח בהר ויה
וישבו המלאכים	וישלח	ויקרא לאחיו לאכל
אליעקב לאמר	יעקב	להם ויאכלו להם
באנו אל אחיך אל	מלאכים לפניו אל	וילוצו בהר וגלים
עשו וגם הלך לק	עשו אחיו ארעה	יעקב נסבא וטביא
לקראתך וארבע	שעיר שדה אדום	ויקרא לאחוהי למיכל
מאות איש עמו	וישלח יעקב אזגרין	לחם ויאכלו לחם
ותפל אזגריא לות	קרבוהי לות עשו ז	ובית בטורא וישען
יעקב למימר אז	אחוהי לארעא דנ	לבן בכפר ונשיק לבני
אתנא לות אחוך	דשעיר לחקלא ריז	ולבנתיה ויברך אה
לות עשו ואף אתֵי	דארום ויצו אתהם	אתהם וילך וישב ז
לקדמותך וארבע	לאמר כה תאמרון	לבן למקמו ואקם
מאה גברין עמיה	לאדני לעשו כה	לבן בצפרא ונשיק
ודחיל יעקב כמאד	אמר עבדך יעקב	לבנהי ולבנתיה וכֵ
ויצר לו ויחלק את	עם לבן גרתי ואחר	וברך יתהון ואול
העם אשר אתון	עד עתה ופקיד יז	ותב לבן לאתריה
ואת הצאן ואת	יתהון למימר כדן	ויעקב הלך להרפו
הבקר והגמלים לש	תימרון לרבוני לעשו	ויפגעו בו מלאכי ז
לשני מחנה ודחיל	כדן אמר עבדך יז	אלהים ויאמר יעקב אל
יעקב להרא ועקה	יעקב עם לבן כען	לאורחיה וערע ביה
ליה ופליג ית עמא	ואוחרית עד כען	מלאכיא דיי ויאמר
דעמיה וית ענא	ויהי לי שוֹר וחמור	יעקב כאשר ראם
וית תורי וגמליא	צאן ועבד ושפחה	מחנה אלהים זה
לתרין משרין וז	ואשלהה להגיד	ויקרא שם המקום
וַיֹּאמֵר אם יבא עשו	לאדני למצא חן	ההוא מחנים ואמר

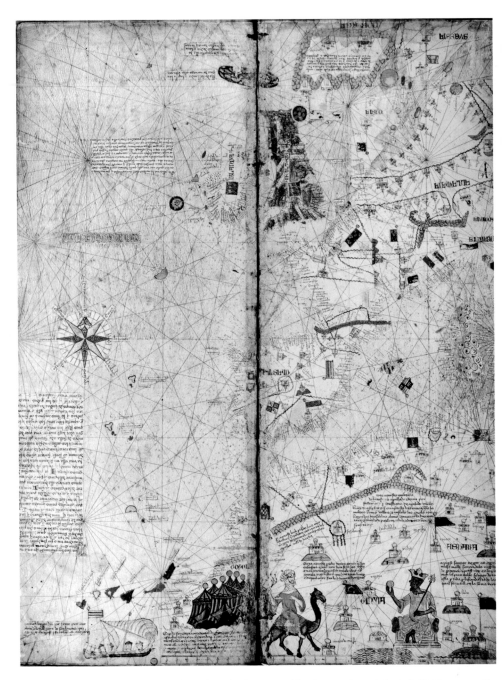

El mapamundi llamado *Atlas catalán*, obra de Cresques Abraham y de su hijo Jafudá Cresques. En el extremo inferior izquierdo puede verse a Jaume Ferrer en su barco, y en el extremo inferior derecho aparece el rey de Malí.

las orillas del Atlántico volaban los ibis oliváceos, los faetones y los milanos, y allí, entre las peñas y la jungla, había en 1494 cientos (algunos dicen que miles) de niños que en otro tiempo habían sido judíos. Muchos de ellos habían nacido y crecido en la Granada musulmana, hogar de centenares de familias judías cuando cayó en manos del ejército de la Reconquista, que fueron expulsadas inmediatamente. Algunos se habían unido a los desterrados de Castilla y habían cruzado a Portugal en respuesta al ofrecimiento de refugio hecho por el rey Juan II. Pero resultó que dicha propuesta era mercenaria y tenía muchas condiciones. Aparte de las 630 familias que el monarca había seleccionado por considerarlas económicamente útiles para su reino, el resto de los judíos españoles, quizá ochenta mil, tendrían que marcharse al cabo de ocho meses y pagar una elevada suma de dinero por el privilegio del breve asilo que se les había concedido y por la obtención del permiso para abandonar el país.[33]

Buena parte de esos judíos, arruinados por los múltiples robos, legales e ilegales, de que habían sido objeto durante los meses de su éxodo, no estaban en condiciones de pagar lo que se les pedía, por lo que Juan II los declaró esclavos, posesión personal suya, y los repartió como cautivos entre sus nobles, cuya perenne actitud levantisca pudo ser amansada gracias al obsequio de esos judíos esclavizados que, pese a estar cubiertos de harapos, tenían la ventaja de su famoso ingenio. El rey se quedó con muchos para su reserva particular, y entre ellos estaban los niños que, una vez separados de sus padres, convertidos en siervos, pudieron ser mandados fuera del país a colonizar Santo Tomé. Obligados a una rápida conversión, cristianizarían la isla y, mezclándose con otros esclavos africanos que también fueron trasladados a ella, crearían una población mulata leal, piadosa y emprendedora, lo que garantizaría su libertad al cabo de unos veinte años.

Si es que sobrevivían. El número de los que desembarcaron en la isla y el de los que no perecieron víctimas de las enfermedades, el hambre y las duras condiciones de vida (aunque no en las fauces de los voraces «lagartos» —cocodrilos— que tanto miedo infundían) son imposibles de precisar con una mínima seguridad. Un historiador del siglo XVI decía que habían sido dos mil, de los que sobrevivieron seiscientos hasta la edad adulta, pero esta cifra parece demasiado alta para la capacidad de las modestas embarcaciones que los llevaron hasta Santo

Tomé, aunque muchos fueran muy jóvenes y abultaran poco. Desde luego debieron de ser varios centenares, y en efecto se quedaron hasta crear una sociedad colonial en miniatura dedicada al cultivo de la caña de azúcar y luego del cacao con el que se produce el mejor chocolate del mundo. Y, como los chuetas de Mallorca, ellos también llevan en sus genes los cromosomas indelebles de sus orígenes.

Juan II murió en 1495 sin dejar herederos directos, pero antes de expirar decidió acabar con el judaísmo en su reino de forma tan radical como sus vecinos de España. Los judíos, por su parte, una vez debidamente abrazado el cristianismo, se volvieron célebres por su utilidad en dos campos que interesaban mucho a la ambiciosa monarquía portuguesa, la ciencia de la navegación y el comercio mundial. Lo único que hacía falta, pues, era extirparles su religión. Por consiguiente, como había ocurrido en España, se cerraron todas sus escuelas y *yeshivot*, y se promulgó la orden de quemar no sus cuerpos sino sus libros, a pesar de que eran ellos los que habían introducido el nuevo arte de la imprenta en Portugal, hasta entonces desconocido en el país. En 1493, los judíos que todavía quedaban en él recibieron la orden de llevar a la Sinagoga Mayor de Lisboa todas sus biblias, libros de oraciones, talmuds, comentarios y obras de filosofía, así como cualquier objeto ritual que contuviera palabras en hebreo, por ejemplo *tefillin* (filacterias) y *mezuzot* (receptáculos colocados en las puertas de las casas), de donde se los llevarían para su destrucción. Para muchísimos de ellos, los sacos y baúles atestados de libros en hebreo que les habían permitido sacar de España eran el único consuelo que tenían por todo lo que habían perdido, casa, jardín, tienda, dinero o país. Los habían tenido consigo en las duras y en las maduras, mientras cruzaban los ríos y los montes de su éxodo, y ahora iban a quitarles su universo de palabras. Rabí Abraham Saba vio como otro judío era golpeado despiadadamente con correas de cuero por «amar sus libros» y aferrarse a ellos. Temblando de miedo, el rabino sacó sus ejemplares más preciosos de la ciudad y los escondió en el hueco de un antiguo olivo. Entre esos judíos amantes de los libros que lograron salvar sus tesoros estaba Isaac de Braga, que había llegado a Lisboa procedente de La Coruña con su obra maestra encuadernada en piel de cabra. Si se hubiera quedado allí —o, peor aún, si como tantos miles de judíos hubiera vuelto a España tras aceptar el bautismo—, todos los libros que hubiera llevado consigo habrían sido confiscados y quemados en la frontera, y el mundo habría perdido el más hermoso de los libros hebreos ilustrados.

No fue eso lo peor que pudieron hacerles los reyes de Portugal a sus nuevos súbditos judíos. El sucesor de Juan II, Manuel I, como su predecesor, dudaba de si el reino podía beneficiarse más expulsando a los judíos o reteniéndolos, aunque, fuera cual fuese la resolución que tomara, había que hacer desaparecer su religión. La decisión final parece que vino determinada por la política matrimonial de la realeza, pues la condición que pusieron Isabel y Fernando a su enlace matrimonial con la infanta Isabel, su hija, que acababa de quedarse viuda, fue que Manuel extendiera la expulsión de los judíos a toda la península Ibérica. De no ser así, pensaban, la frontera entre los dos países seguiría siendo lo bastante porosa como para permitir el regreso de judaizantes clandestinos. De hecho, muchos miles de judíos, abrumados por la pobreza en Portugal, habían decidido aceptar el bautismo y volver a España aprovechando un nuevo edicto promulgado por los Reyes Católicos en noviembre de 1492 (con el que satisficieran quizá la neurosis que desde hacía tiempo existía a cuenta de la verdadera lealtad religiosa de los conversos, aunque también la intensificaran).

Si bien la fecha fijada para la expulsión de Portugal era 1497, Manuel I seguía preocupado por las pérdidas que pudiera suponerle. ¿No habría acaso alguna forma, todavía no experimentada, de inducir a la mayoría de los judíos a aceptar la cruz, evitando así la necesidad de expulsarlos? Quizá la idea se la diera la suerte que habían corrido los niños de Santo Tomé. Así pues, en plena noche, cuando las familias estaban limpiando sus casas de cualquier resto de pan con levadura y preparándose para la festividad de la Pascua, unos soldados se precipitaron sobre los judíos congregados en Évora y luego en todas las ciudades de Portugal, y arrancaron a todos los niños mayores de dos años del regazo de sus padres, que imploraban clemencia. La alegre búsqueda de restos de levadura a la luz de las velas se convirtió en una persecución de niños inocentes. Elías Capseli, que oyó contar la historia a los «marranos» que lograron llegar a Creta, dice que los soldados se pusieron a buscar a los niños pequeños y a los más creciditos «incluso en los rincones y pasillos más recónditos de las casas». Durante la primera noche del Séder volvieron incluso «para robar a los judíos sus tesoros más preciados. Se llevaron a los niños, que no volvieron a ser vistos nunca más».

Miles de padres enloquecidos fueron trasladados a Lisboa, donde les dijeron que serían expulsados en la fecha prevista. Algunos aprovecharon la ocasión para implorar a las autoridades e incluso al rey que les entregaran a sus pequeños. Salomón ben Verga, autor de una crónica de las persecuciones, *Shebet Yehudá*, y criptojudío bautizado que fue testigo de la desgracia, cuenta que una madre que había perdido a seis hijos se acercó desesperada a Manuel cuando salía de la misa dominical. «Le imploró clemencia y se arrojó a las patas de su caballo suplicándole que le devolviera al más pequeño de sus hijos, pero el rey no quiso escucharla ... El rey ordenó a sus criados: "¡Quitádmela de la vista!", pero la mujer siguió suplicándole y gritando más fuerte, mientras los criados la apartaban, a lo que el rey replicó: "Dejadla, porque es como una perra a la que han quitado sus cachorros".» Conocemos los nombres de muchos otros, y podría decirse que tenemos un inventario interminable de calamidades: Isaac de Rua y su esposa, Velida, que perdieron a su hijo de ocho años, Jacob, rebautizado Jorge Lopes; Shemtob Fidalgo y su esposa, Oraboe, que perdieron a una niña de dos años y medio, Reina, rebautizada Gracia, y a un niño de ocho, Abraham, al que luego pusieron por nombre Jorge; Estrela, viuda de Jacob Manjazina, perdió a su pequeña de cuatro años, Cinfana, adoptada durante un período de tiempo desconocido por un vecino cristiano, zapatero de profesión.

Esperando a que se produjera su expulsión —que al menos sería una especie de liberación—, miles de judíos (el historiador Damião de Góis habla de veinte mil, pero la cifra no parece muy verosímil) fueron encerrados y hacinados de mala manera en un antiguo palacio mal ventilado y sin letrinas. Pero lo que tenía pensado Manuel era obligarlos a convertirse por medio del encarcelamiento más brutal posible y la desintegración de las familias, pues no quería perder a sus judíos y permitir que se fueran al extranjero. De vez en cuando ordenaba la suspensión del reparto de pan y agua, en ocasiones durante tres días. Los judíos quedaron atrapados en lo que en realidad se convirtió en una primitiva versión de campo de concentración, sin esperanza alguna de escapar ni de obtener el indulto salvo por medio de la conversión. En semejante ambiente, cuando les venía en gana, los guardianes propinaban una paliza a los judíos, medio muertos de hambre y enfermos, hasta que se cansaban de la broma. Muchos perecieron a causa de los malos tratos, y los que a duras penas lograron sobrevivir fueron arrastrados de los pelos a la pila bautismal, algunos aferrándose a los mantos de oración en los que iban envueltos, para ser convertidos al cristianismo a la fuerza.

Un judío español que se libró de ese destino fue el astrónomo, rabino y estudioso del Talmud Abraham Zacuto.[34] Había pasado a Portugal junto con las decenas de millares de judíos que esperaban encontrar en el país vecino algo parecido a un respiro benevolente. Para entonces ya era famoso por haber inventado un astrolabio de cobre, que proporcionaba unas lecturas más estables que los instrumentos de madera que hasta entonces se usaban en los barcos, y sobre todo por su libro *Ha hibbur ha-gadol*, el *Gran Tratado* o *Compilación Magna*, un almanaque que medía las posiciones del Sol, la Luna y los planetas con una precisión desconocida hasta entonces, escrito en hebreo cuando enseñaba en la Universidad de Salamanca. Era ciencia judía, una disciplina que se remontaba a los escrutadores de los cielos de Qumrán y que quería poseer el resto del mundo, por mucho que también quisiera deshacerse de sus autores. El libro había sido traducido al castellano en 1481, y si Zacuto recibió una acogida especialmente benévola en Portugal fue porque el médico de Juan II, José Vizinho (que también era astrónomo), estaba preparando una traducción de la obra al latín. Zacuto fue conducido al enorme palacio-monasterio de los templarios en Tomar, al norte de Lisboa, con sus escaleras de caracol y sus columnas adornadas con gárgolas, donde se le asignó una celda para que llevase a cabo su trabajo. La presencia del famoso Zacuto quizá explique la supervivencia en Tomar de una solitaria sinagoga portuguesa de finales de la Edad Media, una exquisita casa de oración y culto de pequeñas dimensiones, una sola habitación sostenida por gráciles columnas. Y mientras Zacuto estaba en Portugal sucedió algo trascendental con su obra. Estaba preparándose una nueva edición española, esta vez en el nuevo sistema de imprenta de tipos móviles que haría de ella uno de los primeros manuales científicos impresos en la Península.

Pero el *Almanaque perpetuo para el movimiento de los cuerpos celestes* de Zacuto no tuvo que esperar a la imprenta para cambiar el mundo. Colón ya lo había llevado consigo a bordo de la *Santa María*, mientras aguardaba con impaciencia por las calles de Cádiz a que el puerto quedara despejado de todos los barcos que debían conducir a los judíos a sus diversos destinos y a sus previsibles encuentros con piratas, naufragios y en ocasiones lugares de asilo. Los dos acontecimientos que tuvieron lugar aquel año no se apartarían nunca de la mente de Zacuto. La obra que ya había publicado había servido para reforzar la postura de Isaac Abravanel y del converso Luis de Santángel, que defendían el viaje de Colón hacia el oeste en busca de una nueva ruta que llevara a la India. Y como de todos era sabido que la lengua franca usada en el océano Índico era el árabe, Colón se encargó de llevar consigo como traductor e intérprete experto en árabe al judío Luis Torres, debidamente convertido justo a tiempo para cubrir el expediente durante la travesía. Al final Colón dejaría a Torres en el Caribe, enzarzado en el desafío completamente distinto al imaginado de entender a los «indios» caribes y taínos y hacerse entender por ellos. El diario de Colón empieza con la misteriosa y profunda asociación que rondaba su mente: «Así que, después de haber echado fuera todos los judíos de vuestros reinos y señoríos en el mismo mes de enero mandaron Vuestras Altezas a mí que con armada suficiente me fuese a las dichas partidas de India».

Para todos, la cosa tenía que ver siempre con Jerusalén. Llegar a la India navegando por el oeste era el siguiente paso para la última e irrevocable cruzada, la verdadera reconquista y la llegada de los Últimos Días. Pero ¿por qué no intentarlo por el este? Parece bastante probable que en Tomar Rabí Zacuto se entrevistara con el navegante portugués Vasco da Gama antes de que este emprendiera el viaje que lo llevaría más allá del cabo Bojador y de la isla de los niños huérfanos, a doblar el cabo de Buena Esperanza y a poner de repente rumbo al norte remontando la costa de África. Cuando Vasco da Gama regresó triunfante de su expedición llevando especias, animales exóticos e incluso a un judío polaco que se había establecido en la India, hacía algún tiempo ya que Zacuto se había ido, pero no cabía duda de que el éxito del navegante portugués se había debido a que a bordo llevaba el *Almanaque perpetuo* del rabino, que le había permitido efectuar una lectura exacta de la latitud. Gracias a Zacuto, el gran navegante y fundador del imperio asiático de Portugal pudo saber más o menos dónde estaba.

Pero ¿dónde estaba Abraham Zacuto? ¿Dónde estaba su pueblo? ¿Qué había sido de ellos? ¿Adónde irían ahora que el gran experimento de vivir entre los cristianos parecía haber fracasado? Ni los astrolabios de cobre ni los almanaques celestes eran de utilidad frente a los piratas, y el barco en el que Zacuto viajó al sur, como decenas de miles de correligionarios suyos, de nuevo en busca del mundo musulmán de los estados de Berbería, fue capturado dos veces por unos corsarios, saqueado y finalmente rescatado. Por fin, en torno a 1504, llegó a Túnez, y allí emprendió un viaje totalmente distinto, esta vez no a través del espacio, sino del tiempo. El *Sefer Yohassin*, *El libro del linaje*, no puede compararse con sus obras científicas.[35] Y tampoco, pese a la obsesión de Zacuto por relacionar los acontecimientos del mundo de los gentiles con los del mundo de los judíos, es historia. Los historiadores judíos alemanes del siglo XIX, de mentalidad científica, lo rechazaron por considerarlo una fantasía absurda, incapaz de diferenciar entre el mito y la verdad; pero entonces, equivocándose de lleno, lo mismo habría cabido decir de Heródoto.

Es verdad. La genealogía de Rabí Zacuto no es historia, no al menos como los lectores del presente libro la reconocerían. Pero es un encuentro con multitud de generaciones, desde los patriarcas, los primeros rabinos y sabios, hasta los hombres que el propio Zacuto habría podido conocer. No es historia porque de vez en cuando, y pese a la evidente obsesión del autor por la cronología, todos los personajes que conformaron el pasado judío y que habitaron el mundo judío parecen vivir al mismo tiempo, juntarse en una escandalosa cacofonía de interrupción mutua. Aquí viene Samay discurseando de nuevo; aquí viene Rabí Ismael diciendo: «Ve y dile a Rabí Akiba que ha cometido un error»; aquí Ben Ha-Ha, «quien, según he oído decir, es el mismo que Ben Bag-Bag, pues tienen el mismo valor numérico, o sea, *bet* y *gimel* son igual a cinco»; ahí está Samuel, antes de ser Hanagid, sentado en su tienda de especias de Málaga, sin ser consciente de que iba a convertirse en el primer ministro de un rey bereber; ahí, garabateando cosas en árabe, está Maimónides, cuyos restos fueron llevados a Palestina, donde unos bandoleros se apoderaron del sarcófago y lo habrían tirado al mar de no ser por que ni treinta hombres fueron capaces de levantarlo del suelo, permitiendo así que el gran filósofo fuera enterrado junto a sus antepasados en Tiberíades. Y al fondo están también los huérfanos que fueron llevados «a las islas de la mar Océana».

No se sabe con seguridad si también Zacuto murió y fue enterrado en la Tierra de Israel, como afirma la tradición piadosa, pero no cabe duda de que fue hasta allí en algún momento, casi al final de su vida, y que comulgó aún más estrechamente con las multitudes de judíos que resucitó en sus páginas. No había tumba, por dudosa que fuera su identificación, que Zacuto no quisiera ver y ante la cual inclinar su frente: la de Nun, el padre de Josué, en Timnath; la de Yehudá Hanasí, el príncipe y maestro de la Misná, enterrado en Séforis junto con diez gaones, cinco a su derecha y cinco a su izquierda; el profeta Habacuc en Kafr Yakuk, o Hilel y Samay en Meron, en Galilea.

Luego, ya por su cuenta, se dirigió a Damasco y desde allí viajó en dos días a pie hasta Alepo, donde le mostraron la que se decía que era la tumba de Esdras el Escriba, el autor de los libros de la Biblia, el que recuperó el mundo para los que habían regresado del destierro y habían acampado en medio de las murallas en ruinas de Jerusalén. Allí, en alguna celda mohosa, Abraham Zacuto contempló lo que pensó que era un milagro de supervivencia, una mancha de aceite en el candil que había iluminado a Esdras y que le había permitido escribir su rollo de la Torá.

Los hombres navegaban hasta el extremo mismo de la Creación con su almanaque del Sol, la Luna y los planetas como guía. Los judíos habían vuelto a ser dispersados hasta los confines de la Tierra. Pero ¿dónde estaban los confines de la Tierra? ¿Más allá había verdaderamente un vacío, como Hasdai Crescas, que en paz descanse, no se cansaba de decir, el hueco a partir del cual había sido creado el universo, o había solo un espacio infinitamente dividido y extenso, como pensaba el aristotélico Abravanel, por donde los barcos y las caravanas iban y venían de una travesía a otra?[36] La mente de Zacuto, como la de tantos judíos, estaba atrapada entre lo ancestral y lo visionario, el pasado infinito y el futuro abierto bajo los cielos trasladados a mapas y el vasto océano. ¿Quizá los confines del mundo estaban en el punto más lejano al que llegaban las palabras? A pesar de todos los intentos de quemarlas, de borrarlas y tacharlas, de eliminar y criminalizar la lectura del hebreo, de arrancar a los judíos sus libros a golpes, las palabras viajaban sin parar por el espacio y el tiempo. A veces, como les sucedía a los hombres vendidos en subasta en los mercados de esclavos, eran dejados con vida por sus maléficos captores, interesados ingenuamente en ver cuánto podían sacar por ellos. Zacuto recordaba haber visto un lote de libros así en venta en Marruecos y cómo habían sido adquiridos por unos cristianos de Portugal. Mercados semejantes podían encontrarse también al otro lado del mundo. Francisco de Pinheiro, uno de los nobles portugueses que había viajado en la armada de la India del virrey almirante Francisco de Almeida, se había llevado consigo un baúl de libros hebreos que su padre (magistrado, por supuesto) había saqueado en una sinagoga de Portugal y por los que suponía que habría podido sacar un ducado o dos. En Cochín, en la costa de Malabar, donde en la Antigüedad se había establecido una comunidad de judíos, Pinheiro logró vender su biblioteca. Los libros fueron rescatados y pudieron así empezar una nueva vida, redimidos de las tinieblas.

En la mente de Zacuto quizá resonara un salmo. En las sinagogas sefardíes había la costumbre de cantar todos los sábados y en todas las grandes festividades (y a veces sigue cantándose) el salmo 19 de David entre los himnos o *zemirot*. El *Sefer Yetzirá* —que debido a su fascinación por la cábala Zacuto conocía bien— sostenía que el Todopoderoso había creado los elementos del mundo a partir de las letras hebreas. Así pues, los confines del mundo debían de estar allí donde se posaran las palabras, donde se oyera la voz celeste, a través de todas las imprecaciones y lamentaciones del mundo. Sí, seguro que era eso.

> Los cielos dan cuenta de la gloria de Dios
> Y el firmamento anuncia la obra de sus manos.
> El día habla al día
> Y la noche comunica sus pensamientos a la noche.
> No hay discursos ni palabras,
> No es audible su voz.
> Pero su pregón sale por la Tierra toda
> Y sus palabras llegan a los confines del orbe.

MAPAS

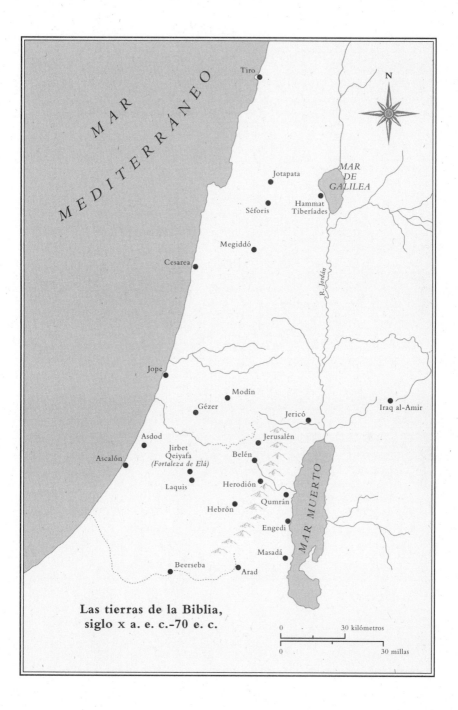

N

MAR
MEDITERRÁNEO

Tiro

Jotapata

MAR
DE
GALILEA

Séforis

Hammat
Tiberíades

Megiddó

Cesarea

R. Jordán

Jope

Modín

Iraq al-Amir

Gézer

Jericó

Asdod

Jerusalén

Ascalón

Jirbet
Qeiyafa
(Fortaleza de Elá)

Belén

Laquis

Herodión

MAR MUERTO

Hebrón

Qumrán

Engedi

Masadá

Beerseba

Arad

**Las tierras de la Biblia,
siglo X a. e. c.-70 e. c.**

0   30 kilómetros

0   30 millas

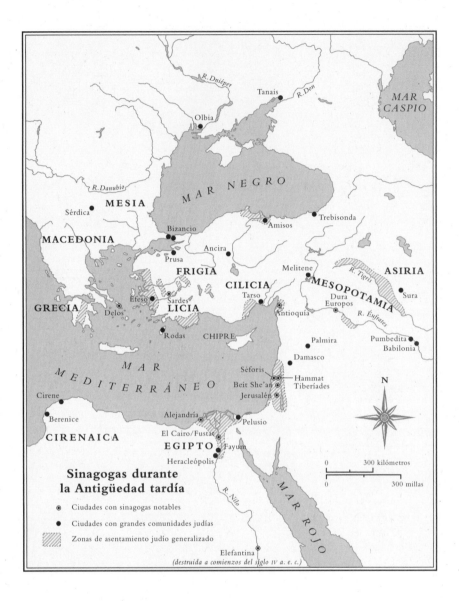

Sinagogas durante la Antigüedad tardía

⊚ Ciudades con sinagogas notables

● Ciudades con grandes comunidades judías

▨ Zonas de asentamiento judío generalizado

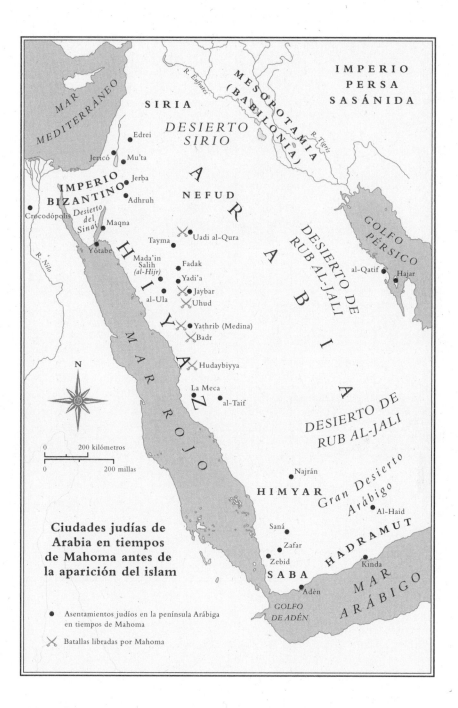

MAR MEDITERRÁNEO

SIRIA

R. Éufrates

MESOPOTAMIA (BABILONIA)

R. Tigris

IMPERIO PERSA SASÁNIDA

DESIERTO SIRIO

Edrei

Jericó · Mu'ta

Jerba

IMPERIO BIZANTINO

Adhruh

NEFUD

Crocodópolis *Desierto del Sinaí*

Maqna

A R A B I A

R. Nilo

Yótabe

Tayma

Uadi al-Qura

GOLFO PÉRSICO

DESIERTO DE RUB AL-JALI

Mada'in Salih *(al-Hijr)*

Fadak

Yadi'a

al-Ula

Jaybar

Uhud

al-Qatif

Hajar

Yathrib (Medina)

Badr

M A R   R O J O

N

Hudaybiyya

La Meca

al-Taif

0   200 kilómetros

0   200 millas

DESIERTO DE RUB AL-JALI

Gran Desierto Arábigo

Najrán

HIMYAR

Al-Haid

Ciudades judías de Arabia en tiempos de Mahoma antes de la aparición del islam

Saná

Zafar

HADRAMUT

Zebid

Kinda

SABA

Adén

MAR ARÁBIGO

GOLFO DE ADÉN

● Asentamientos judíos en la península Arábiga en tiempos de Mahoma

✕ Batallas libradas por Mahoma

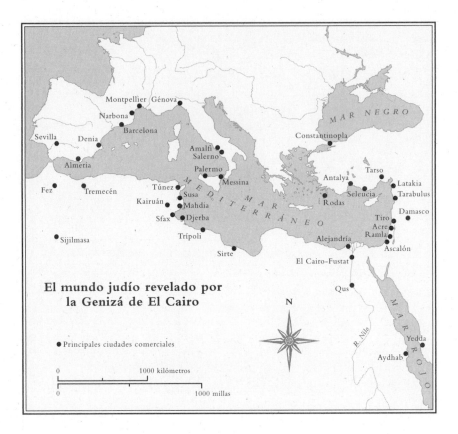

El mundo judío revelado por la Genizá de El Cairo

MAR NEGRO

MAR MEDITERRÁNEO

MAR ROJO

R. Nilo

N

Montpellier Génova
Narbona
Barcelona
Sevilla Denia
Almería
Fez Tremecén
Sijilmasa

Amalfi
Salerno
Palermo
Messina
Túnez
Susa
Kairuán
Mahdia
Sfax Djerba
Trípoli
Sirte

Constantinopla

Antalya Tarso
Latakia
Seleucia Tarabulus
Rodas
Tiro Damasco
Acre
Alejandría Ramla
Ascalón
El Cairo-Fustat
Qus
Yedda
Aydhab

● Principales ciudades comerciales

0   1000 kilómetros

0   1000 millas

Los judíos en la península Ibérica cristiana, *c.* **1390**

0   200 kilómetros

0   200 millas

GOLFO DE VIZCAYA

FRANCIA

REINO DE NAVARRA

La Coruña

León

Pamplona

Perpiñán

Burgos

CORONA DE ARAGÓN

REINO DE CASTILLA

Logroño

Valladolid

Tudela

Zaragoza

Gerona

REINO DE PORTUGAL

Segovia

Calatayud

Lérida

Barcelona

Salamanca

Guadalajara

Ávila

Tortosa

ISLAS BALEARES

MALLORCA

Cuenca

Toledo

Valencia

Lisboa

Cáceres

Mérida

Ciudad Real

Játiva

Orihuela

Córdoba

Jaén

Murcia

MAR MEDITERRÁNEO

Sevilla

Écija

Lucena

Granada

Cabo S. Vicente

N

ESTRECHO DE GIBRALTAR

● Ciudades con comunidades judías

MALLORCA

Sóller

Alcudia

Inca

Palma

Sineu

Matanzas y expulsiones en el mundo cristiano medieval

● Algunas ciudades gobernadas por cristianos de las que fueron expulsados los judíos en diferentes épocas entre 1010 y 1540

▦ Algunos países cristianos de los que fueron expulsados los judíos entre 1012 y 1495

Labels on map:

MAR DEL NORTE

LITUANIA (1495)

N

York
Lincoln
INGLATERRA Y GALES (1290)
King's Lynn
Oxford
Norwich
Winchester
Bury St. Edmunds
Londres
Berlín
Colonia
Gotha
Praga
Cracovia
Ruán
Maguncia
Orleans
París
Worms
Nuremberg
PORTUGAL (1497)
Blois
Gamburg
Würzburg
Loches
FRANCIA (1306 y 1394)
Berna
Viena
Lyon
Budapest
NAVARRA (1498)
Toulouse
Génova
CRIMEA (1016)
ESPAÑA (1492)
PROVENZA (1394)
MAR NEGRO
CERDEÑA (1402)
REINO DE NÁPOLES
MALTA (1492)
SICILIA (1495)
RODAS (1502)
MAR MEDITERRÁNEO

0   500 kilómetros
0   500 millas

CRONOLOGÍA

1500 a. e. c.   *c.* 1200. Creación de la estela de Merneptah, inscripción sobre piedra. Contiene la primera alusión documentada de la historia a Israel

1000 a. e. c.   928. Israel se divide en Israel y Judá
c. 870. Creación de la estela de Tel Dan. Contiene la primera referencia a David que se ha encontrado fuera de la Biblia («Casa de David», *bytdwd*)
721. Destrucción del reino septentrional de Israel por los asirios
715-687. Reinado de Ezequías en Judá
649-609. Reinado de Josías en Judá; Josías introduce grandes reformas
597. Primer asedio de Jerusalén por Nabucodonosor y deportación de la élite de Judá
588-587. Últimos años de la independencia de Judá
587. Destrucción final de Jerusalén y del Templo de Salomón por los babilonios, capitaneados por Nabucodonosor
586. Intentos de Sedecías de arrebatar Jerusalén a los babilonios
538. Ciro, rey de Persia, permite a los judíos de Babilonia regresar a Jerusalén
525. Cambises II conquista Egipto
520-515. Construcción del Segundo Templo

500 a. e. c.   445. Nehemías reconstruye las murallas de Jerusalén
167-161. Los asmoneos se sublevan contra el imperio de los seléucidas, acaudillados por los macabeos
165-137. La dinastía de los asmoneos establece su hegemonía en Judea
134-132. Antíoco VII pone sitio a Jerusalén
74. Nacimiento de Herodes
63. El general romano Pompeyo Magno entra en Jerusalén
37. Herodes derroca a Antígono y establece la dinastía herodiana
4. Muerte de Herodes y división del reino entre sus tres hijos

Ciertas fechas y acontecimientos relacionados siguen siendo objeto de controversia.

Las fechas que se ofrecen están destinadas a orientar al lector, pero están en tela de juicio en algunos estudios.

0	66-73. Los judíos de Judea vuelven a sublevarse contra la ocupación de los romanos
	70. El Segundo Templo es destruido por los romanos y Jerusalén es conquistada
	73. Caída de la fortaleza de Masadá
	115-117. Segunda guerra de los judíos. Grandes sublevaciones de los judíos en Cirene, Chipre, Mesopotamia y Egipto
	132-135. Segunda sublevación de los judíos en Judea contra la ocupación romana durante el reinado del emperador Adriano
	138. Defunción del emperador Adriano y atenuación de la persecución de los judíos
	220. Redacción de la Misná, la primera gran versión escrita de las tradiciones orales judías, por Rabí Yehudá Hanasí
	362-363. El emperador Juliano promete permitir a los judíos regresar a Jerusalén y reconstruir el Templo
	363. Fallecimiento del emperador Juliano y. abandono de sus planes
	[finales del siglo IV]. Conversión del reino de Himyar al judaísmo

500 e. c.	525. El reino judío de Himyar cae en manos de los cristianos etíopes, los axumitas
	570. Nacimiento de Mahoma
	610-632. Aparición del islam en la península Arábiga
	711. Los ejércitos musulmanes invaden España y ocupan grandes zonas del país

1000 e. c.	1013. Caída de Córdoba en poder de Sulaiman al-Mustain
	1066. Matanza de la comunidad judía de Granada
	1070. Los almorávides, procedentes de Marruecos, invaden la península Ibérica y conquistan Granada, seguidos a comienzos del siglo XII por los almohades
	1095. El papa Urbano II predica una cruzada para liberar Tierra Santa
	1096. Matanza de las comunidades judías de las ciudades de Renania
	1099. Los cruzados conquistan (durante un breve período de tiempo) el Templo de Jerusalén y matan a los judíos de la ciudad

1187. Saladino conquista Jerusalén

1190. Matanza de los judíos de York

1278-1279. Contundente campaña de terror y violencia en la que los judíos de Inglaterra fueron acusados de «recortar las monedas». En Londres fueron ahorcados 269 judíos

1290. Eduardo I promulga un edicto ordenando la expulsión de los judíos de Inglaterra

1298. Matanzas capitaneadas por el «rey» Rintfleisch, que arrasan 146 comunidades de Franconia, en el sur de Alemania

1306. La Gran Expulsión. Felipe el Hermoso expulsa de Francia a los judíos

1336-1338. Otra oleada de violencia asola Renania

1391. Disturbios antijudíos y matanzas generalizadas en la Corona de Aragón y en Castilla

1394. Después de que Luis X de Francia invitara a los judíos a volver al país en 1315, Carlos VI promulga un nuevo decreto de expulsión de los judíos de Francia

1467. Intento de ataque contra los conversos de Toledo

1478. Creación de la Inquisición española para garantizar la ortodoxia de los judíos convertidos al cristianismo

1492. Fernando ordena la expulsión de los judíos de España

1497. Expulsión de los judíos de Portugal

1500 e. c.

Notas

1. EN EGIPTO

1. Bezalel Porten, en colaboración con J. J. Farber, C. J. Martin, G. Vittmann *et al.*, *The Elephantine Papyri in English: Three Millennia of Cross-Cultural Continuity and Change*, Leiden, Nueva York y Colonia, 1996, B8, pp. 107-109. La aportación de Porten constituye la obra más completa y rigurosa en torno a los archivos de Elefantina, y lo que cuento aquí se debe enteramente a ella. Véase asimismo su libro *Archives from Elephantine: The Life of an Ancient Jewish Military Colony*, Berkeley, 1996.

2. Todo esto puede deducirse de la detallada descripción que se ofrecía en una carta remitida a Jerusalén de lo que había sido destruido durante los disturbios de 407 a. e. c. Porten, B19, p. 241.

3. Se trata de un argumento (tomado excesivamente al pie de la letra, en mi opinión) planteado por Herbert Niehr, «In Search of YHWH's Cult Statue in the First Temple», en Karel van der Toorn, ed., *The Image and the Book: Iconic Cults, Anticonism and the Rise of Book Religion in Israel and the Ancient Near East*, Lovaina, 1997, p. 81. Niehr está empeñado en la teoría de que debió de haber algún tipo de imagen de culto en el Primer Templo (aunque no en el Segundo), de ahí que para el pueblo de YHWH las ofrendas de pan y de animales no fueran distintas de las que se hacían a los dioses antropomórficos en otros lugares de la parte occidental del Oriente Próximo semita.

4. Stephen G. Rosenberg, «The Jewish Temple at Elephantine», *Journal of the American Schools of Oriental Research*, vol. 67 (marzo de 2004).

5. Pruebas de circuncisión entre los egipcios pueden encontrarse ya en tumbas y otras esculturas de la época del Imperio Antiguo (2500 a. e. c.) en adelante.

6. Porten, B13, pp. 125-126.

7. Para la cronología del matrimonio de Tamet y Ananías sigo a Porten, pp. 208-251. Boulos Ayad Ayad, «From the Archive of Ananiah Son of Azariah:

a Jew from Elephantine», *JNES*, vol. 56, n.º 1 (1997), ofrece una interpretación totalmente contradictoria, que implica la separación de Tamet y Ananías, su vuelta en una segunda boda, y el mismo modelo de separación y vuelta seguido por su hija Jehoishima y su marido, llamado también Ananías. En una comunicación que me envió personalmente, el profesor Porten atribuía esta discrepancia al error que cometía Ayad en su interpretación de la datación aramea de los documentos. Véanse asimismo Emil G. Kraeling, *The Brooklyn Museum Aramaic Papyri*, New Haven, 1953. y Edward Bleiberg, *Jewish Life in Ancient Egypt: A Family Archive from the Nile Valley*, Brooklyn, 2002. Deseo expresar mi agradecimiento a Edward Bleiberg por permitirme estudiar los papiros de Brooklyn en un primer estadio de este proyecto; fue una experiencia cautivadora.

8. Porten, *Elephantine Papyri*, p. 242.

9. Para el archivo de «Mibtaías», véase Porten, pp. 152-201.

2. Las palabras

1. Doy por supuestas, junto con la mayoría de los especialistas más autorizados, como Grabbe, la historicidad de Nehemías y Esdras, y la contemporaneidad aproximada de los libros que llevan sus nombres con los acontecimientos que relatan. No se trata, desde luego, de una idea que no haya sido puesta en entredicho, aunque la mayoría de las dudas las plantean eruditos que sostienen que ningún libro de la Biblia hebrea fue escrito antes de los períodos persa o helenístico, a pesar de la evidente diferencia entre el «hebreo tardío» de esta época, lengua minoritaria incluso entre los judíos, y el «hebreo clásico» de los últimos tiempos de la monarquía de Judá. Para más detalles sobre esta tesis, véase William M. Schniedewind, *How the Bible Became a Book*, Cambridge, 2004. Para la autenticidad y las cuestiones de la autoría de Esdras, véanse Arvid S. Kapelrud, *The Question of Authorship in the Ezra-Narrative: A Lexical Investigation*, Oslo, 1944, y, mucho más recientemente, Juha Pakkala, *Ezra the Scribe: The Development of Ezra 7-10 and Nehemiah 8*, Berlín y Nueva York, 2004; desde un punto de vista más crítico véanse las obras de Sara Japhet, especialmente *From the Rivers of Babylon to the Highlands of Judah: Collected Studies on the Restoration Period*, Winona Lake, Indiana, 2006, especialmente pp. 1-38 y 367-398.

2. Curiosamente, los que defienden una datación posterior al exilio de los inicios de la composición de la Biblia la sitúan precisamente en la época en que la arqueología ha demostrado de forma concluyente que el reino de Judá estaba más gravemente despoblado y empobrecido, llegando incluso algunos a afirmar que había disminuido un 85 por ciento...

3. El «Cilindro de Ciro» escrito en caracteres cuneiformes del siglo VI a. e. c. que se conserva en el Museo Británico confirma la política persa consistente en restablecer los cultos y las poblaciones locales, aunque no menciona específicamente el Templo ni a los judíos de Yahud.

4. Esdras 3, 11.

5. Esdras 6, 1-12.

6. John Curtis, reseña del libro de Amelie Kuhrt, *The Persian Empire: A Corpus of Sources from the Achaemenid Period*, 2 vols., Londres y Nueva York, 2007, en *Palestine Exploration Quarterly*, vol. 144 (1 de marzo de 2012), pp. 68-69.

7. Las tablillas neobabilónicas en caracteres cuneiformes de comienzos del siglo VI a. e. c. descubiertas en la década de 1930 reseñan las cantidades de aceite asignadas a Joaquín y a los «príncipes», y utilizan la expresión «rey de Judá». W. F. Albright, «King Jehoiachin in exile», *BA* (1942), pp. 49-55. Véase asimismo O. Pedersen, *Archives and Libraries in the Ancient Near East 1500-300 BCE*, Bethesda, 1998, pp. 183-184.

8. Kyung-jin Min, *The Levitical Authorship of Ezra-Nehemiah*, Londres y Nueva York, 2004, reabre el debate en torno a la existencia de uno o varios autores. Véase asimismo C. van der Kam, «Ezra-Nehemiah or Ezra and Nehemiah?», en E. Ulrich, ed., *Priests, Prophets and Scribes: Essays on the Formation and Heritage of Second Temple Judaism in Honour of Joseph Blenkinsop*, Sheffield, 1992, pp. 55-76.

9. Para la relación entre recitación y escritura, y la hipótesis de una asamblea de oyentes, véase Daniel Boyarin, «Placing Reading: Ancient Israel and Medieval Europe», en Jonathan Boyarin, ed., *The Ethnography of Reading*, Berkeley, Los Ángeles, y Oxford, 1993, especialmente pp. 11 y ss.

10. Deuteronomio 31, 11.

11. Midrás, Rabbah Génesis, 1/1.

12. Baruc Spinoza, *Tractatus Theologicus-Philosophicus*, Amsterdam, 1670. Véanse Richard Popkin, «Spinoza and Bible Scholarship», en *The Cambridge Guide to Spinoza*, Cambridge, 1996, pp. 383-407, y Nancy Levene, *Spinoza's Revelation: Religion, Democracy and Reason*, Cambridge, 2004, pp. 77-79.

13. Véase Karel van der Toorn, ed., *The Image and the Book*, loc. cit.

14. Resulta irónico que la forma escrita adoptada por el hebreo a lo largo de dos mil años después de que se concluyera el canon bíblico y de que se inaugurara la codificación rabínica de la tradición oral en la Misná, allá por el siglo III e. c., y que en cualquier sinagoga, *yeshivá* o *jéder* todavía se supone que es el hebreo auténtico, la continuación del alfabeto en el que fue escrita la Biblia, sea en realidad arameo cuadrado.

15. Estos textos pueden encontrarse en James M. Lindenberger, *Ancient Aramaic and Hebrew Letters*, Atlanta, 2003, pp. 125-130.

16. Frank Moore Cross Jr., *Canaanite Myth and Hebrew Epic*, Cambridge, MA, 1973, p. 123.

17. Frank Moore Cross Jr. y David Noel Freedman, *Studies in Ancient Yahwistic Poetry*, Grand Rapids, Michigan, 1975, *passim*.

18. Seth Sanders, *The Invention of Hebrew*, Urbana, Illinois, 2009, p. 113. Las inscripciones hebreas del interior, dice Sanders, fueron producto de una técnica autóctona, no de una ilustración salomónica, y en la p. 113 afirma: «El hebreo fue elaborado y difundido, pero no monopolizado, por un grupo de artesanos cualificados geográficamente muy amplio». Sanders subraya la singularidad de esta difusión en el Oriente Próximo antiguo. Más conservadora es la postura adoptada por Christopher A. Rollston en *Writing and Literacy in the World of Ancient Israel: Epigraphic Evidence from the Iron Age*, Atlanta, 2010. Véase asimismo la interesantísima discusión acerca de la relación entre oralidad y crónica escrita en Robert S. Kawashima, *Biblical Narrative and the Death oh the Rhapsode*, Bloomington, Indiana, 2004. La obra de Kawashima es una reacción en particular a la obra ya clásica de Baruch Halpern, *The First Historians: The Hebrew Bible and History*, University Park, PA, 1996.

19. Lindenberger, *Ancient Aramaic and Hebrew Letters*, pp. 62 y 125-126.

20. Ron E. Tappy y P. Kyle McCarter Jr., *Literate Culture and Tenth-Century Canaan: The Tel Zayit Abecedary in Context*, Winona Lake, Indiana, 2008.

21. Lindenberger, *Ancient Aramaic and Hebrew Letters*, pp. 55-60 y 121-124.

22. *Ibid.*, pp. 50 y 109-110.

3. Escarbar, adivinar...

1. Bertha Spafford Vester, *Our Jerusalem: An American Family in the Holy City 1881-1949*, Nueva York, 1950, pp. 92-93. La anécdota se la contó directamente a la autora su hermanastro adoptado, Jacob, cuando pasó a formar parte de la familia Spafford y vivía en la colonia estadounidense de «Vencedores» evangélicos en 1883.

2. Edward Robinson, *Biblical Researches in the Holy Land in the Years 1838 and 1832*, Boston, 1852, 340-341.

3. Yeshayahu Nir, *The Bible and the Image: The History of Photography in the Holy Land 1839-1899*, Filadelfia, 1985; Nissan Perez, *Focus East: Early Photography in the Near East*, Nueva York, 1988; Kathleen Stuart Howe, Nitza Rosovsky *et al.*, *Revealing the Holy Land: The Photographic Exploration of Palestine*, Santa Barbara, 1997.

4. *Journal of Sacred Literature and Biblical Record*, abril-julio de 1864, pp. 133-157. Quien desee comprender mejor este peculiar hermanamiento del entusiasmo cristiano replanteado como investigación científica deberá leer esta publicación. Este número en particular incluía artículos acerca de Eusebio de Cesarea y algunos comentarios escépticos sobre las «estadísticas del Éxodo», en alusión a los dos millones de personas que se dice que abandonaron Egipto con Moisés.

5. Naturalmente eso sería lo que pasó, y en 1868 Walter Besant, matemático que acababa de regresar de la isla Mauricio por motivos de salud y aspirante a novelista e historiador, se convirtió en secretario, cargo que mantendría hasta 1885.

6. John James Moscrop, *Measuring Jerusalem: The Palestine Exploration Fund and British Interests in the Holy Land*, Leicester, 2000, pp. 63-149. Podemos encontrar un relato cautivador, como cabría esperar, de los estudios topográficos en Claude Reignier Conder, *Tent Work in Palestine: A Record of Discovery and Adventure*, Londres, 1887.

7. Prólogo a Edward Henry Palmer, *The Desert of the Exodus: Journeys on Foot in the Wilderness of the Forty Years Wandering*, Londres, 1872.

8. Arthur Stanley, *Sinai and Palestine in Connection with Their History*, Londres, 1857, p. 66, y también xix. «Resulta imposible no asombrarse ante la continua concordancia entre la historia que tenemos registrada y la geografía natural del Antiguo y el Nuevo Testamentos.»

9. Palmer, *The Desert of the Exodus*, p. 54.

10. La historia de esta revisión arqueológica es contada en Israel Finkelstein y Amihai Mazar (ed. de Brian B. Schmidt), *The Quest for the Historical Israel Debating Archaeology and the History of Early Israel*, Atlanta, 2007. Finkelstein ha sido una de las grandes figuras de la revisión de las ideas en torno a lugares como Megiddó Yadin, que se consideraban del período salomónico, y su reasignación a la época de Omrí del reino de Israel. Véanse Israel Finkelstein y Neil Asher Silbermann, *David and Solomon*, Nueva York, 2006 [hay trad. cast.: *David y Salomón: En busca de los reyes sagrados de la Biblia y de las raíces de la tradición occidental*, Madrid, Siglo XXI, 2007] y *The Bible Unearthed: Archaeology's New Vision of Ancient Israel and its Sacred Texts*, Nueva York, 2000 [hay trad. cast.: *La Biblia desenterrada: Una nueva visión arqueológica del antiguo Israel y de los orígenes de sus textos sagrados*, Madrid, Siglo XXI, 2003]. William G. Dever, la otra figura dominante del debate, se ha alejado todavía más de la postura escéptica; véase, por ejemplo, *Who Were the Early Israelites and Where Did They Come From?*, Grand Rapids, MI, 2006. La postura ultraminimalista ha sido defendida sobre todo por P. R. Davies, *In Search of «Ancient Israel»*, Sheffield, 1992, y T. L. Thompson, *Early History of the Israelite People from the Written and Archaeological Sources*, Leiden, 1992. Véase asimismo la respuesta de Baruch

Halpern, «Erasing History: The Minimalist Assault on Ancient Israel», *Bible Review* (1995), pp. 26-35.

11. Véase Morton Smith (ed. de Shaye Cohen), *The Cult of Yahweh*, vol. I, especialmente el minucioso y sutil estudio del capítulo «On the Common Theology of the Ancient Near East», pp. 15-27. Véanse asimismo John Day, *Yahweh and the Gods and Goddesses of Canaan*, Sheffield, 2000 y 2002; Mark S. Smith, *The Early History of God: Yahweh and the Other Deities in Ancient Israel*, Grand Rapids, MI, 2002; Othmar Keell y Christoph Uehlinger, *Gods, Goddesses and Images of God in Ancient Israel*, Minneapolis, 1998. Uno de los mejores repasos del debate erudito más reciente en torno a la aparición gradual del «aniconismo» en la religión de Judá se encuentra en Karel van der Toorn, ed., *The Image and the Book*, ya citado, especialmente Tryggve N. D. Mettinger, «Israelite Aniconism: Developments and Origins», pp. 173-204; Ronald S. Hendel, «Aniconism and Anthropomorphism in Ancient Israel», pp. 205-228, y el estudio más sugerente de todos, Karel van der Toorn, «The Iconic Book: Analogies between the Babylonian Cult of Images and the Veneration of the Torah», pp. 229-248.

12. Amihai Mazar, *Archaeology of the Land of the Bible*; vol. I: *10000-586 BCE*, New Haven y Londres, 1990, pp. 501-502.

13. R. Kletter, *The Judaean Pillar Figurines and the Archaeology of Asherah*, Oxford, 1996.

14. William G. Dever, *Did God Have a Wife? Archaeology and Folk Religion in Ancient Israel*, Gran Rapids, MI, 2005.

15. *Ibid.*, pp. 497-498.

16. Nili Sacher Fox, *In the Service of the King: Officialdom in Ancient Israel and Judah*, Nueva York, 2000, *passim*; Robert Deutsch, *Masrim min Ha'Avar (Messages from the Past, Hebrew Bullae from the Time of Isaiah to the End of the First Temple*, Jaffa, Tel Aviv, 1997; *Biblical Period Hebrew Bullae: The Joseph Chaim Kaufman Collection*.

17. Las excavaciones más recientes y la historia de los trabajos se pueden ver en Yosef Garfinkel, Saar Ganor y Michael Hasel, *In the Footsteps of King David*, Tel Aviv, 2012. Véase asimismo Y. Garfinkel y S. Ganor, *Khirbet Qeiyafa Excavation Report*, vol. I, Jerusalén, 2008.

18. G. Bearman y W. A. Christens-Barry, «Imaging the Ostracon», en Garfinkel y Ganor, *Excavation Report*, pp. 261-270.

4. ¿JUDÍOS CLÁSICOS?

1. Matthew Arnold, *Culture and Anarchy*, Londres, 1869, capítulo IV, *passim* [hay trad. cast.: *Cultura y anarquía*, Madrid, Cátedra, 2010]. Arnold admitía

desde el primer momento que tanto el «hebraísmo» como el «helenismo» eran «augustos y admirables», y citaba a Heine como ejemplo de cambio de expectativas. Aún así, en último término estos dos polos de expresión cultural seguían siendo para él no solo distintos, sino irreconciliables.

2. Josefo, *Antigüedades de los judíos*, 11, 5, 256.

3. J. M. Cowey y K. Maresch, eds., *Urkunden des Politeuma der Juden von Herakleopolis*, Wiesbaden, 2001; véase asimismo A. Kasher, *The Jews in Hellenistic Egypt*, Brill, 1985; y también Robert Kugler, «Uncovering a New Dimension of Early Judaean Interpretations and the Greek Torah: Ptolemaic Law Interpreted by its own Rhetoric», en Hannah von Weissenber, Juha Pakkala y Marko Mattilla, eds., *Rewriting and Interpreting Authoritative Traditions in the Second Temple Period*, Berlín y Nueva York, 2011, pp. 165 y ss. Sobre el estatus y la forma de gobierno del *políteuma*, véase G. Ludertz, «What is the *politeuma*?», en J. W. Henten y P. W. van der Horst, *Studies in Early Jewish Epigraphy*, Leiden, 1994, pp. 204-208.

4. Lee I. Levine, *The Ancient Synagogue: The First Thousand Years*, New Haven, 2005, pp. 81 y ss.

5. Arnaldo Momigliano, *Alien Wisdom: The Limits of Hellenism*, Cambridge, 1971 [hay trad. cast.: *La sabiduría de los bárbaros: Los límites de la helenización*, México DF, FCE, 1999]; la obra ya clásica de Victor Tcherikover, *Hellenistic Civilization and the Jews*, Grand Rapids, MI, 1959; Erich Gruen, *Diaspora: Jews Amidst Greeks and Romans*, Cambridge, MA, 2002; John J. Collins, *Between Athens and Jerusalem: Jewish Identity in the Hellenistic Diaspora*, Nueva York, 1983; Lester L. Grabbe, *A History of the Jews and Judaism in the Second Temple Period*; vol. 2: *The Coming of the Greeks*, Londres, 2008; Joseph Meleze Modrzejewski, *The Jews of Egypt from Ramses II to Emperor Hadrian* (trad. ing. de Robert Cornman), Princeton, 1995, p. 49.

6. Sobre esta y las otras «fábulas», véase Sara Raup Johnson, *Historical Fictions and Hellenistic Jewish Identity: Third Maccabees in its Cultural Context*, Berkeley y Los Ángeles, 2004, pp. 113-120.

7. Josefo, *Antigüedades de los judíos*, 11, 8, 329-340.

8. *Carta*, 158-159.

9. Pero no según el Deuteronomio, cuyas normas son más estrictas y que clasifica las langostas entre los animales que andan sobre patas y tienen alas, y por tanto son una abominación.

10. *Carta*, 152.

11. Véase Christopher Haas, *Alexandria in Late Antiquity. Topography and Social Conflict*, Baltimore y Londres, 1997; y también (para todo el Egipto romano) John M. G. Barclay, *Jews in the Mediterranean Diaspora from Alexander to Trajan (323 BCE-117 CE)*, Berkeley y Los Ángeles, 1996.

12. Rob Kugler, «Dorotheus petitions for the return of Philippa: A Case Study in Jewish Law in Ptolemaic Egypt», en *Proceedings of the 25th Meeting of the Institute of Papyrology*, Ann Arbor, MI, 2007, pp. 387-396.

13. Sobre las normas y las costumbres del sacrificio véase (aunque trata sobre todo del período persa) Melody D. Knowles, *Centrality Practiced: Jerusalem in the Religious Practice of Yehud and the Diaspora in the Persian Period*, Leiden, 2006, especialmente pp. 19-23 y 77-103. Algunas versiones reformadas de las oraciones judías (como las de las sinagogas conservadoras de Estados Unidos) eliminan del orden del día de oraciones, presumiblemente por repugnancia, cualquier alusión a los sacrificios que se ofrecían constantemente en el Templo.

14. Sigo aquí las tesis de David Biale, *Blood and Belief: The Circulation of a Symbol between Jews and Christians*, Berkeley y Los Ángeles, 2007, especialmente pp. 26-27, donde el autor analiza la posibilidad de que los rituales del sacrificio que subrayan la cuidadosa aspersión con la sangre y la preocupación sacerdotal con la pureza quizá estuvieran motivados en realidad por el deseo de diferenciar las prácticas judías de los sacrificios de animales (de cabras en particular) de los griegos.

15. Para muchísimos más detalles sobre este tema, véanse Leonard B. Glick, *Marked in Your Flesh: Circumcision from Ancient Judaea to Modern America*, Oxford, 2005, y, con mayor autoridad, Frederick M. Hodges, «The Ideal Prepuce in Ancient Greece and Rome: Male Genital Aesthetics and their Relation to Lipodermos, Circumcision, Foreskin Restoration and the Kynodesme», *Bulletin of the History of Medicine*, pp. 75 y 375-405.

16. Baba Batra, 60B; Yebamot, 45A-B.

17. Lee I. Levine, *Jerusalem: Portrait of the City in the Second Temple Period 586-70 CE*, Filadelfia, 2002, pp. 72 y ss., subraya la escasez de testimonios arqueológicos acerca del emplazamiento exacto de la Akrá, pero es evidente que su construcción debió de implicar el derribo de viejos barrios densamente poblados.

18. Anathea E. Portier-Young, en su excelente libro *Apocalypse against Empire: Theories of Resistance in Early Judaism*, Grand Rapids, Michigan, 2011, sostiene de manera harto convincente que la ferocidad de las consiguientes matanzas y persecuciones de Antíoco IV en Jerusalén no estuvo motivada por la humillación sufrida en Egipto, sino más bien por la deslealtad de Jasón, la rebelión armada y la toma de Jerusalén, y su consiguiente decisión de romper el «contrato» que había firmado Antíoco III e imponer en lugar de ello a Judea un estatus de «cautiva por la espada», según el cual las vidas y los cuerpos de los habitantes de la región eran considerados totalmente a disposición del soberano que había llevado a cabo su reconquista.

19. 1 Mac 1, 26.

20. 2 Mac 5, 10.

21. 2 Mac 1, 20-22.

22. Shaye Cohen, *The Beginnings of Jewishness: Boundaries, Varieties, Uncertainties*, Berkeley y Los Ángeles, 1999, especialmente pp. 69-135, sitúa el auto-descubrimiento de la «judaicidad» expresamente en el período de los asmoneos, que denomina «redefinición», y en la identificación que establecen los libros de los Macabeos (especialmente, supongo yo, 1 Mac) entre observancia diferenciadora (como la circuncisión) e identidad colectiva. La discusión que no plantea (en mi opinión) esta interpretación tan brillante es si el momento de represión ultrahelenística fue anterior y adoptó o no un carácter formativo en esa autoconciencia. Un antecedente comparable de esa diferenciación parece existir ya en Esdras y Nehemías, tres siglos antes. Véase asimismo, a propósito del lugar que ocupa la epopeya de los macabeos en la formación del estado judío, Seth Schwartz, *Imperialism and Jewish Society, 200 BCE to 640 CE*, Princeton, 2001, especialmente pp. 32-70.

23. Los que se hubieran sentido más molestos habrían sido los descendientes de las culturas filisteas y costeras, que en su mayoría no practicaban la circuncisión, y los que menos, los itureos y los idumeos de la zona montañosa del centro y de las colinas y valles de Transjordania.

24. 2 Mac 9, 10.

25. 1 Mac 2, 26.

26. 1 Mac 4, 55.

27. 1 Mac 14, 8-15.

28. 1 Mac 16, 3.

29. Steven Fine, *Art and Judaism in the Greco-Roman World*, Cambridge y Nueva York, 2005.

30. Josefo, *Antigüedades de los judíos*, 14.3.

31. Jacob Neusner, *The Rabinic Traditions about the Pharisees before 70*, Leiden, 1971.

32. Sobre esta cuestión véase Shaye Cohen, «Was Herod Jewish?», *The Beginnings of Jewishness*, pp. 13-24.

33. Josefo, *Antigüedades de los judíos* 17.152.

34. M. A. Knibb, *The Qumran Community*, Cambridge, 1987; A. R. C. Leaney, *The Rule of Qumran and Its Meaning: Introduction, Translation and Commentary*, Londres, 1966; S. Metzo, *The Serekh Texts*, Londres, 2007.

35. *The Complete Dead Sea Scrolls in English* (trad. y ed. de Geza Vermes, ed. rev., Londres y Nueva York, 2004, p. 234 (en adelante Vermes, *DSS*).

36. Filón, *Embajada a Gayo*.

37. Véase Peter Schäfer, *Judeophobia: Attitudes toward the Jews in the Ancient World*, Cambridge, MA, 1997.

38. Josefo, *Guerra de los judíos*, 2.224.

39. *Ibid.*, 5.13, 541.

40. *Ibid.*, 5.545.

41. El mejor estudio crítico es Seth Schwartz, *Josephus and Judaean Politics*, Leiden, 1990.

42. Josefo, *Autobiografía*, 11.

43. Josefo, *Guerra de los judíos*, 3.8, 357.

44. *Ibid.*, 2.586.

45. *Ibid.*, 4.560-563.

46. Desde la aparición de Eric Hobsbawm, *Primitive Rebels: Studies in Archaic Forms of Social Protest*, Manchester, 1959 [hay trad. cast.: *Rebeldes primitivos: Estudio sobre las formas arcaicas de los movimientos sociales en los siglos* XIX *y* XX, Barcelona, Crítica, 2001], los historiadores han analizado el «bandolerismo» y el «bandidaje», y, lo que es más significativo, la reputación popular de sus líderes como una expresión de antagonismo social y de acción insurreccional, además de una mera clasificación delictiva impuesta por los ricos y los poderosos. Un enfoque similar adoptaba George Rudé en sus estudios sobre la Revolución francesa y también, en un sentido más matizado (pues pensaba que los delitos eran reales), mi viejo amigo y mentor Richard Cobb.

47. Para otras consideraciones de este estilo, véanse especialmente Martin Goodman, *The Ruling Class of Judaea: The Origins of the Jewish Revolt*, Cambridge, 1987, y *Rome and Jerusalem: A Clash of Ancient Civilisations*, Londres y Nueva York, 2007; Susan Sorek, *Jews against Rome*, Hambledon, 2008; y Neil Faulkner, *Apocalypse: The Great Jewish Revolt Against Rome*, Amberley, Glos., 2002.

48. Aryeh Kasher, *Jews, Idumaeans and Ancient Arabs*, Tubinga, 1988.

49. Josefo, *Guerra de los judíos* 4.327.

50. *Ibid.*, 4.327.

51. Jacob Neusner, *A Life of Yohanan ben Zakkai*, Leiden, 1970.

52. Yosef Hayim Yerushalmi, *Zakhor. Jewish History and Jewish Memory*, Seattle, Washington, 1982.

53. Josefo, *Guerra de los judíos* 6.108.

54. *Ibid.*, 6.209-211.

55. *Ibid.*, 6.306-309.

56. *Ibid.*, 6.270-271.

57. Sobre Josefo en Roma, véanse los interesantes artículos incluidos en J. C. Edmundson, Steven Mason y J. B. Rives, *Flavius Josephus and Flavian Rome*, Oxford, 2005.

58. Josefo, *Guerra de los judíos* 7.150.

59. Fergus Millar, «Last Year in Jerusalem: Monuments of the Jewish War in Rome», en Edmundson *et al.*, *Flavius Josephus*, pp. 101-128.

60. Existen, no obstante, algunas discrepancias entre los eruditos sobre la fecha de varios libros de la *Guerra de los judíos*, Véanse los artículos de T. D. Barnes y James Rives incluidos en Edmundson *et al.*, *Flavius Josephus*.

61. Josefo, *Guerra de los judíos* 7.323-335.

62. Barclay, *Jews in the Mediterranean Diaspora*; Silvia Cappelletti, *The Jewish Community of Rome from the Second Century BC to Third Century CE*, Leiden, 2006.

63. Cappelletti, *The Jewish Community of Rome*, adopta una postura más matizada que resulta bastante convincente.

64. Conocemos *De superstitione*, de Séneca, a través de san Agustín.

65. Tácito, *Histories*, trad. ing. de Clifford Moore, Cambridge, MA, 1929, 5.5. [Hay trad. cast.: Tácito, *Historias*, Madrid, Cátedra, 2006.]

66. Josefo, *Contra Apión* 2.86.

67. *Ibid.*, 2.100.

68. Tácito, *Historias*, 5.5.

69. Josefo, *Contra Apión*, 1.60.

70. *Ibid.*, 2.280. Véase asimismo W. W. Hallo, *Origins: The Near Eastern Origins of Some Modern Institutions*, Leiden, 1996.

71. Josefo, *Contra Apión*, 2.291.

72. Para los Manuscritos del Mar Muerto véase, a modo de introducción, el excelente libro de Philip R. Davies, George J. Brooke y Phillip Gallaway, *The Complete World of the Dead See Scrolls*, Londres, 2002 [hay trad. cast.: *Los Rollos del Mar Muerto y su mundo*, Madrid, Alianza, 2002]; para otros estudios recientes, véase Lawrence H. Schiffman, Emmanuel Tov y James Vanderkam, eds., *The Dead Sea Scrolls Fifty Years after their Discovery*, Jerusalén, 2000. Sigo siendo un admirador de la traducción [al inglés] y de la introducción de Vermes, *DSS*, pero disponemos de una nueva traducción de Michael Wise, Martin Abegg Jr. y Edward Cook, *The Dead Sea Scrolls: A New Translation*, Nueva York, 2005. La tesis antiesenia de una «Biblioteca de Jerusalén» es defendida por Norman Golb, *Who Wrote the Dead Sea Scrolls? The Search for the Secret of Qumran*, Nueva York, 1985.

73. Vermes, *DSS*, p. 180.

74. *Ibid.*, p. 166.

75. *Ibid.*, p. 170.

76. Dión Casio, *Roman History*, trad. ing. de E. Cary, Cambridge, MA, 1925, libro VIII, p. 451. [Hay trad. cast.: Dión Casio, *Historia romana*, Madrid, Gredos, 2004.]

77. Sobre el descubrimiento de documentos de Babatha y de Bar Kosiba, véase Richard Freund, *The Secrets of the Cave of Letters: A Dead Sea Mystery Uncovered*, Nueva York, 2004.

78. Sobre la primitiva cruz en forma de árbol, véase mi libro *Landscape and Memory*, Londres, 1995, pp. 214-215.

5. La menorá y la cruz

1. Clark Hopkins, en colaboración con Bernard Goldman, *The Discovery of Dura-Europos*, New Haven y Londres, 1979, p. 131; Ann-Louise Perkins, *The Art of Dura-Europos*, Oxford, 1973; Joseph Gutmann, ed., *The Dura-Europos Synagogue: A Re-evaluation (1932-1992)*, University of South Florida, 1992, (véanse especialmente el artículo de Richard Brilliant, «Painting at Dura-Europos and Roman Art», y el de Jacob Neusner, «Judaism at Dura-Europos»); Annabel Wharton, *Reconfiguring the Post-classical City: Dura-Europos, Jerash, Jerusalem and Ravenna*, Cambridge, 1995, y más recientemente Gail Brody y Gail Hoffman, eds., *Dura-Europos: Crossroads of Antiquity*, Boston y Filadelfia, 2011.

2. Misná, Abodá Zará, 3, 4.

3. Levine, *The Ancient Synagogue*, pp. 260-267.

4. Misná, Baba Qamma 1.

5. *Ibid.*, Avot, 4-5.

6. *Ibid.*, Shabbat, 6.1-3.

7. *Ibid.*, Avot, 5.

8. *Ibid.*, Abodá Zará, 3, 4 y 5.

9. Rachel Hachlili, *Ancient Mosaic Pavements. Themes, Issues and Trends: Selected Studies*, Leiden, 2009; Ze'ev Weiss y Ehud Netzer, *Promise and Redemption: A Synagogue Mosaic from Sepphoris*, Jerusalén, 1997.

10. De modo harto curioso, el gran especialista en historia del arte Meyer Shapiro fue de los primeros en tenerlos plenamente en cuenta en Meyer Shapiro y Michael Avi-Yonah, *Israel: Ancient Mosaics*, Greenwich, CT, 1960, posiblemente guiado por el coautor del libro, destacado especialista en historia de la Antigüedad tardía, aunque la interpretación de los mosaicos es, según Shapiro, sorprendentemente formal y no tiene mucho que ver con la relación que puedan tener con las inscripciones y el judaísmo rabínico de la época.

11. Hachlili, p. 408.

12. Véase, entre las obras más recientes, Eric M. Meyers y Mark A. Chauncey, *Alexander to Constantine: Archaeology of the Land of the Bible*, vol. 3, New Haven, 2012, pp. 269-280.

13. *Ibid.*, p. 277.

14. Tryggve N. D. Mettinger, «Israelite Aniconism: Developments and Origins», en Karel van der Toorn *et al.*, *The Image and the Book*, p. 188.

15. Joseph Dan, *The Ancient Jewish Mysticism*, Tel Aviv, 1993, pp. 9-24.

16. Sobre el diálogo y el «efecto de eco» entre las dos religiones que estaban formándose al mismo tiempo, véanse Israel Jacob Yuval, *Two Nations in Your Womb: Perceptions of Jews and Christians in Late Antiquity and the Middle Ages*, Berkeley y Los Ángeles, 2006, y Shaye D. Cohen y Edward Kessler, *An Introduction to Jewish-Christian Relations*, Cambridge, 2010.

17. Gerard Rouwhorst, «The Cult of the Seven Maccabees and their Mother in Christian Tradition», en Joshua Schwartz y Marcel Poorthuis, eds., *Saints and Role Models in Judaism and Christianity*, Leiden, 2004, pp. 183-204.

18. Véanse Adia Karnikoff, *Sarcophagi from the Jewish Catacombs in Ancient Rome: A Catalogue Raisonne*, Stuttgart, 1986; y Leonard Victor Rutgers, *The Jews in Late Ancient Rome: Evidence of Cultural Interaction in the Roman Diaspora*, Leiden, 2000, y *Subterranean Rome*, Lovaina, 2000, pp. 146-153.

19. Juan Crisóstomo, *Adversus iudaeos*, I, vi.

20. *Ibid.*, IV, 4, 7.

21. *Ibid.*, II, iii, 5.

22. Hechos de los Apóstoles 13, 8.

23. Juan Crisóstomo, *Adversus iudaeos*, VIII, 7, 6.

24. Sobre los amuletos judíos véase Gideon Bohak, *Ancient Jewish Magic: A History*, Cambridge y Nueva York, 2008, pp. 370-376.

25. Juan Crisóstomo, *Adversus iudaeos*, VIII, 8.

26. Sobre la convivencia de los judíos y los cristianos en Antioquía véanse Christine Kondoleon, *Antioch, the Lost Ancient City*, Princeton, 2000, especialmente Bernadette J. Brooten, «The Jews on Ancient Antioch», pp. 29-39, y Glanville Downey, *A History of Antioch in Syria from Seleucus to the Arab Conflict*, Princeton, 1961.

27. Brooten, «The Jews of Ancient Antioch».

28. Hyam Maccoby, *Paul and the Invention of Christianity*, Nueva York, 1986.

29. Gálatas 6, 15; Daniel Boyarin, *A Radical Jew: Paul and the Politics of Identity*, Berkeley, 1997. Para una visión tajante del carácter irreconciliable del judaísmo y el cristianismo véase Jacob Neusner, *Jews and Christians: The Myth of a Common Tradition*, Filadelfia, 1991; véanse asimismo los estudios clásicos de James Parkes, *The Conflict between Church and Synagogue: A Study in Ancient Anti-semitism*, Londres, 1932, y de Samuel Krauss, *The Jewish-Christian Controversy from Ancient Times to 1789*, Tubinga, 1995.

30. Gálatas 3, 11.

31. J. Reynolds y R. F. Tannenbaum, *Jews and Godfearers at Aphrodisias: Greek Inscriptions with Commentary. Proceedings of the Cambridge Philological Society*, Supl. 12, Cambridge, 1987.

32. Baruch M. Bokser, *The Origins of the Seder: The Passover Rite and Early Rabbinic Judaism*, Berkeley, 1984; Hal Taussig, *In the Beginning was the Meal:*

Social Experimentation and Early Christian Identity, Augsburgo, 2009; Yuval, *Two Nations*, pp. 56-75.

33. Juan Crisóstomo, *Adversus iudaeos*, III, 4, 6.

34. Texto adicional, segundo discurso.

35. Juan Crisóstomo, *Adversus iudaeos*, IV, 1.

36. *Ibid.*, I, vii.

37. *Ibid.*, I, 3, vi.

38. *Ibid.*, I, 6, vii.

39. *Ibid.*, VI, 2, x.

40. «Itinerarium burdigalense», en P. Geyer, *Itineraria hierosolymitana saeculi III-VIII*, Viena, 1898, p. 22; Michael Aviv-Yonah, *The Jews of Palestine*, Nueva York, 1976, p. 164.

41. Amiano Marcelino, *The Later Roman Empire*, trad. ing. de Walter Hamilton, Londres, 2004, p. 255. [Hay trad. cast.: Amiano Marcelino, *Historia*, Madrid, Akal, 2002.]

42. *Ibidem.*

43. Paula Frederiksen, *Augustine and the Jews: A Christian Defence of Jews and Judaism*, Nueva York, 2008, pp. 243-244.

44. Gavin L. Langmuir, *Toward a Definition of Anti-Semitism*, Berkeley, 1999, p. 71.

45. Véase William Horbury, *Messianism among the Jews and Christians*, Londres, 2003, pp. 289-308.

46. Nicholas de Lange, «Jews in the age of Justinian», en Michael Maas, ed., *The Cambridge Companion to the Age of Justinian*, Cambridge, 2005, pp. 419-420.

47. Horbury, *Messianism among the Jews and Christians*, p. 151.

48. Yaakov Elman, «Middle Persian Culture and Babylonian Sages: Accomodation and Resistance in the Shaping of Rabbinic Legal Tradition», en Charlotte Elisheva Fonrobert y Martin S. Jaffee, *The Cambridge Companion in the Talmud and Rabbinic Literature*, Cambridge, 2007, p. 181.

49. Pesachim 3 (Gemará), Norman Solomon, *The Talmud: A Selection*, Londres, 2009, p. 151.

50. *Ibid.*, pp. 148-149.

51. Elman, «Middle Eastern Culture», pp. 188-189.

52. Shabbat 2, 31 (Solomon, *Talmud*, pp. 104-105).

53. Gittin 9, 90 (Solomon, *Talmud*, p. 399).

54. Yevamot 4, 47 (Solomon, *Talmud*, pp. 306-307).

55. Andrew Sharf, *Byzantine Jewry from Justinian to the Fourth Crusade*, Londres, 1971, p. 53.

56. Las fuentes cristianas cuentan una historia totalmente distinta acerca de unos acuerdos alcanzados entre Omar y el clero cristiano en virtud de los

cuales el acceso de los judíos a los Santos Lugares seguiría estando prohibido (!). Yehoshua Frenkel, «The Use of Islamic Materials by non-Islamic writers», en Michael Laskier y Yaakov Lev, *The Convergence of Judaism and Islam: Religion, Scientific and Cultural Dimensions*, Gainesville, FL, 2011, p. 97.

6. ENTRE LOS CREYENTES

1. Sharf, *Byzantine Jewry*, p. 33.

2. Nigel Groom, *Frankincense and Myrrh: A Study of the Arabian Incense Trade*, Nueva York, 1981.

3. Gordon Darnell Newby, *A History of the Jews of Arabia from Ancient Times until Their Eclipse under Islam*, Columbia, 1988, p. 40.

4. C. Robin, «Le judaïsme de Himyar», en *Arabie. Revue de Sabéologies*, vol. I, pp. 97-172. La obra de G. W. Bowersock, *The Throne of Adulis: Red Sea Wars on the Eve of Islam*, Oxford, 2013, ha aparecido hace demasiado poco tiempo para que haya podido servirme de toda su exhaustiva erudición.

5. Newby, *A History of the Jews*, p. 61.

6. P. Yule, «Zafar, Watershed of Pre-Islamic Culture», *Propylaeum DOK Digital Repository of Classical Studies*, 2008; véase asimismo Yule, «Zafar: The Capital of the Ancient Himyarite Empire Rediscovered», *Jemen Report*, n.° 36 (2005), pp. 22-29.

7. Sobre la relación inextricable entre las culturas árabe y judía antes del advenimiento del islam y durante el período de formación de este, véase Reuven Firestone, «Jewish Culture in the Formative Period of Islam», en Biale, ed., *Cultures of the Jews*, Nueva York, 2002, pp. 267-305.

8. Batsheva Bonne-Tamir, «Oriental Jewish Communities and their Relations with South-West Asian Populations», en *Indian Anthropologist* (1985).

9. Reuben Ahroni, *Yemenite Jewry: Origins, Culture and Literature*, Bloomington, Indiana, 1986.

10. Charles Pellat, «Sur quelques femmes hostiles au prophète», en *Vie du prophète Mahomet*, coloquio, Estrasburgo, 1980, pp. 77-86; véase asimismo Amnon Shiloah, «Encounters between Jewish and Muslim Musicians throughout the Ages», en Laskier y Lev, *The Convergence of Judaism and Islam*, pp. 273-274.

11. Fred Donner, *Muhammad and the Believers: At the Origins of Islam*, Cambridge, MA, 2010, p. 230.

12. S. D. Goitein, *Letters of Medieval Jewish Traders*, Princeton, 1973, p. 141.

13. Sobre la seda *ibrisim* véase S. D. Goitein, *A Mediterranean Society: The Jewish Communities of the Arab World as Portrayed in the Cairo Geniza*; vol. I: *Economic Foundations*, Berkeley, 1967, p. 60; para la seda india o *lalas*, Goitein, *India*

Traders of the Middle Ages, Leiden, 2008, p. 278; para la *lasin*, la «seda de dese-cho», Goitein, *Mediterranean Society*; vol. IV: *Daily Life*, Berkeley, 1983, p. 168.

14. Yedida K. Stillman, «Costume as Cultural Statement: The Esthetics, Economics and Politics of Islamic Dress», en Daniel H. Frank, ed., *The Jews of Medieval Islam: Community, Society and Identity*, Leiden, 1995, p. 134.

15. Goitein, *A Mediterranean Society*, vol. I, p. 101.

16. Goitein, *A Mediterranean Society*; vol. III: *The Community*, Berkeley, 1971, p. 382.

17. Jonathan Bloom, *Paper Before Print. The History and Impact of Paper in the Islamic World*, New Haven, 2010, p. 42.

18. Joel L. Kraemer, «Women Speak for Themselves», en Stefan C. Reif, *The Cambridge Genizah Collections: Their Contents and Significance*, Cambridge, 2002, p. 196.

19. Kraemer, «Women Speak for Themselves», pp. 197 y ss.; Goitein, *Mediterranean Society*, vol. II, p. 219.

20. Kraemer, «Women Speak for Themselves», p. 194.

21. *Ibid.*, pp. 207 y ss.; Goitein, *Mediterranean Society*, vol. III, p. 227.

22. Sobre Wuhsha, véase Goitein, *Mediterranean Society*, vol. III, pp. 346-352.

23. Sara Reguer, «Women and the Synagogue in Medieval Cairo», en Susan Grossman y Rivka Haut, *Daughters of the King: Women and the Synagogue*, Filadelfia y Jerusalén, 1992, p. 55.

24. En la colección de la Genizá de El Cairo de Cambridge hay una copia de la carta de Hasdai. Esta traducción se basa en la de Franz Kobler, *Letters of Jews through the Ages*; vol. I: *From Biblical Times to the Renaissance*, Nueva York, 1952, pp. 98-101.

25. *Ibid.*, p. 105.

26. P. B. Golden, «The Khazars», en D. Sinor, ed., *The Cambridge History of Early Inner Asia*, Cambridge, 1990.

27. Véase Constantine Zuckerman, «On the date of the Khazar conversion to Judaism and the chronology of the kings of Rus, Oleg and Igor: A study of the anonymous Khazar letter from the Geniza of Cairo», *Revue des Études Byzantines* (1995), vol. 53, pp. 237-270.

28. Kevin Alan Brook, *The Jews of Khazaria*, Nueva York, Toronto y Plymouth, 2006, p. 80.

29. El saco de Córdoba tuvo lugar en abril de 1013, y el poema de Samuel ibn Nagrella «Sobre la marcha de Córdoba», que su hijo Yehosef, el autor del diván que lleva su nombre, dice que fue escrito al tiempo que abandonaba la ciudad, parece que está situado en invierno, lo que hace que probablemente saliera de Córdoba antes, y no después, de la catástrofe.

30. Ibn al-Jatib, crónica de Granada, citada en Ross Brann, *Power in the Portrayal: Representations of Jews and Muslims in Eleventh and Twelfth Century Islamic Spain*, Princeton, 2002, pp. 36-37.

31. Traducción basada (en su mayor parte) en Raymond P. Scheindlin, *Wine, Women and Death: Medieval Hebrew Poems on the Good Life*, Filadelfia, 1986, p. 159. Actualmente hay muchas traducciones del gran canon de poesía hebrea de la España medieval, todas con su característico sabor distintivo. Peter Cole, *The Dream of the Poem: Hebrew Poetry from Muslim and Christian Spain 950-1492*, Princeton, 2007, a menudo es el que ofrece las más libres entre las traducciones recientes, mientras que el erudito Scheindlin suele ser el más comedido, a veces un poco torpe, pero ciñéndose siempre fielmente al texto. A los lectores, en especial a los de hebreo (o a los que están recuperando unos conocimientos ya casi olvidados, como le ocurre al autor de estas páginas), quizá les guste compararlas con el estilo todavía más coloquial de Hillel Halkin, *Grand Things to Write a Poem On: A Verse Autobiography of Shmuel Hanagid*, Jerusalén, 1999. Todas, cada una a su manera, son excelentes, y en particular Scheindlin hace cuanto puede por conservar algo de la métrica que Nagrella tomó de sus modelos árabes. Existe, además, una traducción más literal y por lo tanto un poquito más prosaica, la de Leon J. Weinberger, *Jewish Prince in Moslem Spain: Selected Poems of Samuel ibn Nagrela*, Tuscaloosa, 1973, que de todos modos se esfuerza muchísimo por respetar o al menos registrar los modelos de rima. Weinberger, Scheindlin y Halkin incluyen además el texto hebreo, circunstancia que ayuda mucho cuando se comparan las imágenes elegidas por cada uno de ellos, por ejemplo al final de un famoso poema erótico en el que un «ciervo» que sirve de copero despierta al poeta adormilado, invitándolo a «beber la sangre de la uva entre mis labios», mientras la luna pálida brilla todavía a la luz del amanecer justo detrás del muchacho y el versificador, bebido y dócilmente excitado, yace allí reclinado. Pero ¿cuál es exactamente la forma de esa luna, posiblemente nueva, semejante a una cuchilla curva? En hebreo Nagrella dice simplemente *yod*, la letra «y», que pende como un apóstrofo o una coma suspendida en lo alto. Cole opta por traducir «coma» y Scheindlin se decanta por «C», pero lo más curioso es que Cole se decide por «D» (esto es, la forma de la letra *daled*), que realmente no puede ser lo que pretenda que veamos un poeta tan plástico como Nagrella.

32. Esta vez se trata de la versión de Halkin, verdaderamente encantadora: *Yehuda Halevi*, Nueva York, 2010, p. 29.

33. Cole, pp. 58-59 y 66.

34. *Ibid.*, p. 39.

35. Brann, p. 36.

36. Halkin, *Yehuda Halevi*, p. 33.

37. Según la traducción de Weinberger (ligeramente modificada), p. 55.

38. Halkin (con algunos cambios menores), *Grand Things to Write a Poem On*, p. 92.

39. *Ibid.*, p. 97.

40. Moshe Pearlmann, «Eleventh Century Authors on the Jews of Granada», en *Proceedings of the American Academy for Jewish Research*, n.º 18 (Ann Arbor, 1948), p. 283.

41. *Ibid.*, p. 286.

42. Según la traducción de Halkin, *Yehuda Halevi*, p. 85.

43. Cole, p. 147.

44. Halkin, *Yehuda Halevi*, p. 60.

45. *Ibid.*, p. 79.

46. Cole, p. 159.

47. Yehudah Halevi, *The Kuzari: An Argument for the Faith of Israel*, ed. e introd. de H. Slomisnki, Nueva York, 1964, pp. 98-99.

48. Cole, p. 164.

49. *Ibid.*, pp. 166 y 167; traducción ligeramente modificada por mí. Existe una excelente edición bilingüe de los poemas marinos de Haleví —de hecho, un género nuevo en la poesía hebraica, a menos que nos remontemos al libro de Jonás— en el precioso libro de Yoseph Yahalom, *Yehudah Halevi, Poetry and Pilgrimage*, Jerusalén, 2009, pp. 107 y ss. Los lectores de hebreo podrán apreciar la finura de las onomatopeyas que contienen los poemas, el incesante batir de las olas, que rima con el palpitar aterrorizado del corazón del poeta: «khamu galim, barutz galgalim, ve'avim vekalim, al penei ha yam» («olas vertiginosas, azote de la espuma, nubes corriendo a toda velocidad, sobre la faz del mar»).

50. Yahalom, *Halevi*, p. 108.

51. Cole, p. 169.

52. Halkin, *Yehuda Halevi*, pp. 211-212.

53. En el maravilloso *Libro de Tahkemoni*, de Judá Alharizi, escrito a finales del siglo XII y, por lo tanto, no muchas generaciones posterior a la muerte de Haleví, se habla de todos los que deseaban encontrar el lugar donde había llegado a su fin, pero no lo lograron. Judah Alharizi, *The Book of Tahkemoni: Jewish Tales from Medieval Spain*, traducción, explicaciones y notas de David Simha Segal, Oxford y Portland, OR, 2001, pp. 43, 240-241 y 533.

54. A diferencia de los historiadores anteriores al descubrimiento de los documentos de la Geniżá, que excluían la posibilidad de que Haleví llegara a Palestina por considerarlo una mera ilusión, Goitein creía que las cartas de la Geniżá de El Cairo próximas a la época de su fallecimiento demuestran que en realidad acabó sus días allí.

7. LAS MUJERES DE ASQUENAZ

1. En la Genizá de El Cairo se conserva una carta de la viuda pidiendo auxilio. Véase Judith R. Baskin, «Medieval Jewish Women», en Linda E. Mitchell, ed., *Women in Medieval Western European Culture*, Nueva York, 1999, p. 79; véase asimismo Avraham Grossman, *Pious and Rebellious: Jewish Women in Medieval Europe*, Waltham, MA, 2004, y Elisheva Baumgarten, *Mothers and Children: Jewish Family Life in Medieval Europe*, Princeton, 2004.

2. Robert Chazan, *Medieval Jewry in Northern France: A Political and Social History*, Baltimore, 1973, pp. 37-38.

3. Para un análisis perspicaz y a veces conmovedor de los problemas de historicidad de los relatos hebreos véase Jeremy Cohen, *Sanctifying the Name of God: Jewish Martyrs and Jewish Memories of the First Crusade*, Filadelfia, 2004.

4. Jeremy Cohen, *Living Letters of the Law: The Idea of the Jew in Medieval Christianity*, Berkeley, Los Ángeles y Londres, 1999, p. 155.

5. Alberto de Aquisgrán en Kenneth R. Stow, *Alienated Minority: The Jews of Medieval Latin Europe*, Cambridge, MA, 1992, p. 109.

6. Para la forma en que cada uno de los relatos hebreos trata estas crisis, véase Robert Chazan, *God, Humanity and History: The Hebrew First Crusade Narratives*, Berkeley, 2000, pp. 32-33 y *passim*.

7. Nils Roehmer, *German City, Jewish Memory: The Story of Worms*, Waltham, MA, 2010, p. 13.

8. Los textos son reproducidos en su integridad en Shlomo Eidelberg, trad. y ed., *The Jews and the Crusaders: The Hebrew Chronicles of the First Crusades*, Hoboken, NJ, 1996; véase asimismo David G. Roskies, ed., *The Literature of Destruction: Jewish Responses to Catastrophe*, Filadelfia y Jerusalén, 1989, pp. 75-82.

9. Jacob Marcus, *The Jew in the Medieval World: A Source Book, 315-1791*, Jerusalén, 1938, p. 129; sobre la imagen de Masadá y su adopción intencionada en los relatos, aunque no como cuestión de realidad histórica, Susan Einbinder, *Beautiful Death: Jewish Poetry and Martyrdom in Medieval France*, Princeton, 2002.

10. Marcus, *The Jew in the Medieval World*, p. 167.

11. Cohen, *Sanctifying the Name of God*, pp. 142 y ss.

12. Véase, por ejemplo, Robert Chazan, *Reassessing Jewish Life in Medieval Europe*, Cambridge, 2010, obra que da gratuitamente marcha atrás y se aleja de la fuerza y la profundidad del libro anterior del mismo autor sobre los relatos acerca de las Cruzadas; Marcus, *The Jew in the Medieval World*, y en mi opinión de modo mucho menos convincente Jonathan Elukin, *Living Together, Living Apart. Rethinking Jewish-Christian Relations in the Middle Ages*, Princeton, 2007.

13. Ricardo de Devizes, *Cronicon*, ed. de J.T. Appleby, Oxford, 1963, pp. 3-4; véase asimismo Anthony Bale, *The Jew in the Medieval Book: English Anti-Semitisms, 1350-1500*, Oxford, 2006, p. 27.

14. De Devizes, *Cronicon*, p. 4.

15. Sobre estos ataques véase Anthony Julius, *Trials of the Diaspora. A History of Anti-Semitism in England*, Oxford, 2010, pp. 118 y ss.

16. Para los posteriores cultos, véase Bale, *The Jew in the Medieval Book*, pp. 105-143.

17. Cecil Roth, *A History of the Jews of England*, Oxford, 1941, p. 9.

18. Sobre los «niños judíos metidos en el horno», Miri Rubin, *Gentile Tales: The Narrative Assault on Late Medieval Jews*, Filadelfia, 1999, pp. 10 y ss.

19. *Ibid.*, p. 11.

20. Joe Hillaby, «The ritual child–murder accusation: its dissemination and Harold of Gloucester», *Transactions of the Jewish Historical Society of England*, n.° 34 (1996), pp. 69-109; véase asimismo Joshua Trachtenberg, *The Devil and the Jews: The Medieval Conception of the Jew and its Relation to Modern Anti-Semitism*, Filadelfia, 1983, pp. 124 y ss.

21. Sheila Delaney, ed., *Chaucer and the Jews: Sources, Contexts, Meanings*, Londres, 2002.

22. Emily Taitz, «Women's Voices, Women's Prayers: The European Synagogues of the Middle Ages», en Susan Grossman y Rivka Haut, *Daughters of the King: Women and the Synagogue*, Jerusalén y Filadelfia, 1992, p. 65.

23. Ivan Marcus, «Mothers, Martyrs and Moneymakers: Some Jewish Women in Medieval Europe», *Conservative Judaism*, n.° 38 (primavera de 1986), p. 42.

24. Judith R. Baskin, «Women and Ritual Immersion in Medieval Ashkenaz: The Politics of Sexual Piety», en Lawrence Fine, ed., *Judaism in Practice from the Middle Ages to the Modern Period*, Princeton, 2001, p. 138.

25. Lawrence Hoffmann, «Women at Rituals of Their Children», en Fine, *Judaism in Practice*, pp. 99-114.

26. *Ibid.*, p. 113.

27. *Ibid.*, p. 142.

28. Roth, *A History of the Jews of England*, pp. 15-16.

29. *Ibidem*.

30. Cecil Roth, *The Jews of Medieval Oxford*, Oxford, 1950, pp. 41 y ss.

31. «The Deacon and the Jewess or an Apostasy at Common Law», *Collected Papers of Frederick W. Maitland*, vol. I, 1911.

32. *Ibid.*, 52; Suzanne Bartlet, *Licoricia of Winchester*, Edgware, 2009, pp. 56-57.

33. Zefira Entin Rokeah, «Money and the Hangman in the Late 13th Century England: Jews, Christians and Coinage Offences, Alleged and Real», *Jewish Historical Studies*, n.º 31 (1988-1990), pp. 83-109; n.º 32, pp. 159-218.

34. Zefira Entin Rokeah, ed., *Medieval English Jews and Royal Officials: Entries of Jewish Interest in the English Memoranda Rolls, 1266-1293*, Jerusalén, 2000, p. 380.

35. *Ibid.*, pp. 393-394. Véase Zefira Enkin Rokeah, «Crime and Jews in Late Thirteenth Century England», *Hebrew Union College Annual*, n.º 55 (1984), pp. 131-132.

8. JUICIOS

1. Isadore Twersky, ed., *A Maimonides Reader*, Springfield, NJ, 1972, p. 47.

2. Deuteronomio 30, 15.

3. Twersky, *Maimonides Reader*, p. 50.

4. Joel L. Kraemer, *Moses Maimonides*, Nueva York y Londres, 2008, p. 103. [Hay trad. cast.: *Maimónides: Vida y enseñanzas del gran filósofo judío*, Barcelona, Kairós, 2010.]

5. *Ibid.*, pp. 104-111.

6. *Ibid.*, pp. 116 y ss.

7. *Ibid.*, p. 207.

8. Twersky, *Maimonides Reader*, p. 290.

9. *Ibid.*, p. 457.

10. Twersky, *Maimonides Reader*, p. 290.

11. Kraemer, *Maimonides*, pp. 440-441.

12. Susan Einbinder, «Trial by Fire. Burning Jewish Books», en *Lectures on Medieval Religion at Trinity University*, Kalamazoo, 2000, pp. 1 y ss.

13. «The Dirge of Rabbi Meir von Rothenburg», trad. ing. de John Friedman, en John Friedman, Jean Connell Hoff y Robert Chazan, *The Trial of the Talmud, Paris 1240*, Toronto, 2012, pp. 169-170.

14. Gregorio IX a Luis IX, 20 de junio de 1239, en Robert Chazan, ed., *Church, State and Jew in the Middle Ages*, Nueva York, 1980.

15. Hilel de Verona afirmaba también erróneamente que los libros de Maimónides y el Talmud fueron quemados a la vez en París. Si hubiera habido alguna quema de los primeros, habría sido únicamente en Montpellier.

16. Javier Roiz y Selma L. Margaretten, trad., *A Vigilant Society: Jewish Thought and the State in Medieval Spain*, Albany, 2013, p. 271. [Javier Roiz, *Sociedad vigilante y mundo judío en la concepción del estado*, Madrid, Editorial Complutense, 2008.] Pedro el Venerable fue el primero en insistir, en «Contra la obs-

tinación inveterada de los judíos», en el carácter animalesco de estos: «No me atrevo a calificarte de hombre … pues lo que ha quedado extinguido y yace sepultado en ti es precisamente lo que distingue al hombre de los animales y las fieras y eleva al ser humano por encima de ellos, esto es, la razón». Robert Chazan *et al.*, *The Trial of the Talmud, Paris 1240,* Toronto, 2012, p. 13; Dominique Ionga-Prat, *Order and Exclusion: Cluny and Christendom Face Heresy, Judaism and Islam, 1000-1150,* Ithaca, 2002, pp. 275 y ss.

17. Hyam Maccoby, *Judaism on Trial: Jewish-Christian Disputations in the Middle Ages*, Portland, Oregón, 1982, ofrece una amplia documentación, incluida la *Vikuá* de Nahmánides, y una versión en hebreo de una tercera controversia celebrada en Tortosa en 1413-1414.

18. *Ibidem.*

19. *Ibid.*, p. 119.

20. *Ibid.*, p. 146.

21. Willis Johnson, «The Myth of Jewish Male Menses», *Journal of Medieval History*, vol. 24, n.º 3 (1988), pp. 273-295.

22. «Play of the Saucemakers», *Publications of the Surtees Society* (1911), pp. 155 y ss.

23. Anthony Bale, *Feeling Persecuted: Christians, Jews and Images of Violence in the Middle Ages*, Londres, 2012, p. 46.

24. *Ibid.*, pp. 90-92.

25. Rubin, *Gentile Tales*, p. 45.

26. El inventario más completo de los seres de las ilustraciones hebreas se encuentra en Therese y Mendel Metzger, *Jewish Life in the Middle Ages: Illuminated Hebrew Manuscripts of the Thirteenth to the Sixteenth Centuries*, Nueva York y Friburgo, 1982, especialmente pp. 19-37.

27. Marc Michael Epstein, *Dreams of Subversion in Medieval Jewish Art and Literature*, University Park, PA, 1997, pp. 16-38 y 70-95.

28. Marc Michael Epstein, *The Medieval Haggadah: Art, Narrative and Religious Imagination*, New Haven y Londres, 2013, pp. 19-28.

29. Sobre la obra de los iluminadores cristianos al servicio de patronos judíos véase Eva Froimovic, «Early Ashkenazic Prayer Books and their Christian Illuminators», en Piet van Boxell y Sabine Arndt, eds., *Crossing Borders: Hebrew Manuscripts as a Meeting Place of Cultures*, Oxford, 2009, pp. 45-56.

30. Stanley Ferber, «Micrography: A Jewish Art Form», *Journal of Jewish Art* (1977), pp. 12-24.

9. Destierro del destierro

1. Se han publicado ediciones facsímiles muy hermosas para conmemorar su sexto centenario: Hans-Christian Freiesleben, *Der Katalanische Weltatlas vom Jahre 1375*, Stuttgart, 1977; Georges Grosjean, ed., *Mapamundi: der Katalanische Weltatlas vom Jahre 1375*, Zurich, 1977. Véase asimismo Jean-Michel Massing, «Observations and Beliefs: The World of the Catalan Atlas», en *1492: Art in the Age of Exploration*, Washington DC, 1992, pp. 27-33; J. Brian Harley, «The Map and the Development of Cartography», en J. B. Harley *et al.*, *The History of Cartography*, vol. 1, Chicago, 1987, y Evelyn Edson, *The World Map, 1300-1492: The Persistence of Tradition and Transformation*, Baltimore, 2007.

2. Sobre los portulanos, véase Tony Campbell, «Portolan Charts from the late 13th Century to 1500», en J. B. Harley y David Woodward, eds., *The History of Cartography: Cartography in Prehistoric, Ancient and Medieval Europe and the Mediterranean*, vol. 1, Chicago, 1987; para su relación con Mallorca, véase Felipe Fernández-Armesto, *Before Columbus: Exploration and Colonization from the Mediterranean to the Atlantic, 1229-1492*, Filadelfia, 1987, pp. 13-17. [Hay trad. cast.: *Antes de Colón: Exploración y colonización desde el Mediterráneo hacia el Atlántico, 1229-1492*, Madrid, Cátedra, 1993.]

3. Sobre Cresques Abraham y Jafudá, véase la excelente página web, basada en documentación de archivo, <www.cresquesproject.net>, con artículos de Jaume Riera i Sans, «Cresques Abraham, Master of Mappaemundi and Compasses», y Gabriel Llompart i Moragues, «Majorcan Jews and Medieval Cartography» (trad. ing. de Juan Ceva). Véase asimismo David Abulafia, *A Mediterranean Emporium: The Catalan Kingdom of Majorca*, Cambridge, 1994, pp. 204-208. [Hay trad. cast.: *Un emporio mediterráneo: El reino catalán de Mallorca*, Barcelona, Omega, 1996.]

4. Gabriel Llompart i Moragues, «The identity of Jaume Ferrer the Seafarer», en <www.cresquesproject.net> (trad. ing. de Juan Ceva).

5. Abulafia, *A Mediterranean Emporium*, pp. 75-99; A. Lionel Isaacs, *The Jews of Majorca*, Londres, 1936. [Hay trad. cat.: *Els jueus de Mallorca*, Palma de Mallorca, Miquel Font, 1986.]

6. David Nirenberg, *Communities of Violence: Persecution of Minorities in the Middle Ages*, Princeton, 1996, pp. 231 y ss. [hay trad. cast.: *Comunidades de violencia: La persecución de las minorías en la Edad Media*, Barcelona, Península, 2001], sostiene que las acusaciones de envenenar pozos rara vez son el motivo de los ataques contra los judíos (o contra los musulmanes), sino que estos se deben más bien a la idea de que la peste se debía a la acumulación de los pecados de la gente, incluida la presencia de los judíos en medio de los cristianos. En 1351 el obispo de Valencia escribió al consistorio advirtiendo de que «por

sus pecados [de judíos y musulmanes], el Señor podría enviarnos pestilencias». No obstante, se produjeron efectivamente ataques y asesinatos en Barcelona, Cervera y Tárrega, donde, según el cronista Joseph Ha-Cohen, murieron trescientas personas.

7. Sobre Ferrán Martínez, véase Benzion Natanyahu, *The Origins of the Inquisition in Fifteenth Century Spain*, Nueva York, 1995, vol. 2, pp. 128-148 [hay trad. cast.: *Los orígenes de la Inquisición en la España del siglo XV*, Barcelona, Crítica, 1999], y Yitzhak Baer, *A History of the Jews in Christian Spain*, Filadelfia, 1961. [Hay trad. cast.: *Historia de los judíos en la España cristiana*, Barcelona, Riopiedras, 1998.]

8. Leon Poliakov, *The History of Anti-semitism: From Mohammed to the Marranos*, trad. ing. de Natalie Gerardi, Filadelfia, 2003, vol. 2, pp. 158-159. [Hay trad. cast.: *Historia del antisemitismo*, Barcelona, Muchnik, 1986.]

9. «Rabí» Hasdai Crescas ofrece un relato de las matanzas de judíos de 1391 en España, reproducido en Franz Kobler, ed., *Letters of Jews Through the Ages: From Biblical Times to the Middle of the Eighteenth Century*, Nueva York, 1952, vol. 1, pp. 272-275; Baer, *History*, vol. 2, pp. 104-105.

10. Isaacs, *The Jews of Majorca*, pp. 79-90.

11. Sobre Jafudá y los demás judíos después de 1391, véase J. N. Hillgarth, «Majorcan Jews and Conversos as Owners and Artisans of Books», en Aharon Mirky, Avraham Grossman y Yosef Kaplan, *Exile and Diaspora: Studies in the History of the Jewish People Presented to Professor Haim Beinart*, Jerusalén, 1991, pp. 125-130. [Hay trad. cast.: *Exilio y diáspora: Estudios sobre la historia del pueblo judío*, Madrid, CSIC, 1991.]

12. Sobre Raimundo Lulio y los judíos, véase Jeremy Cohen, *The Friars and the Jews: The Evolution of Medieval Anti-Judaism*, Ithaca, 1982, pp. 199-225.

13. El relato judío de la Disputa de Tortosa (el *Shebet Yehudá* de Salomón ben Verga) y las versiones cristianas, con el nerviosismo de Benedicto XIII por la aparente incapacidad de convencer a los rabinos que veía en Josué Halorquí/Jerónimo de Santa Fe, en Maccoby, *Judaism on Trial*, pp. 168-216.

14. Isaacs, *The Jews of Majorca*, pp. 110-117.

15. Yosef Hayim Yerushalmi, «Exile and Expulsion in Jewish History», en Benjamin R. Gampel, ed., *Crisis and Creativity in the Sephardic World 1391-1648*, Nueva York, 1997, p. 14. Yerushalmi dice que en otro tiempo se creyó que Toledo se llamaba también Toletula, del hebreo *tiltul*, «errar».

16. Jerrilynn D. Dodds, «Mudejar Tradition and the Synagogues of Medieval Spain: Cultural Identity and Cultural Hegemony», en Vivian B. Mann, Thomas F. Glick y Jerrilynn D. Dodds, *Convivencia: Jews, Muslims and Christians in Medieval Spain*, Nueva York, 1992, pp. 113-131; Francisco Cantera Burgos, *Sinagogas españolas*, Madrid, 1985; C. H. Krinsky, *Synagogues of Europe: Architecture,*

History, Meaning, Nueva York y Cambridge, 1985; Ana María López Álvarez, *Catálogo del Museo Sefardí*, Madrid, 1987; Ana María López Álvarez y Santiago Plaza Palomero, eds., *Juderías y sinagogas de la Sefarad medieval*, Ciudad Real, 2003.

17. Por ejemplo, la *Biblia de Toledo* en cuatro volúmenes (cuyos elementos se encuentran ahora divididos), copiada por Israel ben Israel, miembro de una familia que fue transmitiéndose de generación en generación los conocimientos del arte de la copia. Gabrielle Sed Rajna, «Hebrew Illuminated Manuscripts from the Iberian Peninsula», en Mann *et al.*, *Convivencia*, pp. 134-136. Sobre el árbol genealógico de la dinastía de escribas de los Ben Israel, véase Katrin Kogman-Appel, *Jewish Book Art between Islam and Christianity: The Decoration of Hebrew Bibles in Medieval Spain*, Leiden y Boston, 2004, pp. 61-64.

18. Dodds, «Mudejar Tradition», p. 128.

19. Yirmiyahu Yovel, *The Other Within: The Marranos: Split Identity and Emerging Modernity*, Princeton y Oxford, 2009, pp. 111 y 130. El hito que supone el libro de Yovel ha trastocado en gran medida el debate en torno a las relaciones existentes entre los conversos y los judíos que siguieron siendo tales durante el siglo XV, aunque el campo en cuestión sigue, por decirlo suavemente, estando muy discutido. Me baso en él para el relato detallado de las innumerables formas prácticas en que los conversos siguieron en contacto con los judíos y viceversa, pero puede que se refiera con demasiada benevolencia al resentimiento con el que indudablemente habrían visto muchos judíos devotos a los apóstatas, aunque los llamaran *anusim*, los «forzados».

20. Norman Roth, «Anti-converso Riots of the Fifteenth Century. Pulgar and the Inquisition» (online, academia.edu), pp. 368 y ss.; A. Mackay, «Popular Movements and Pogroms in Fifteenth-Century Castile», *Past and Present*, n.º 55 (1972), p. 34.

21. Sobre las implicaciones racistas del Estatuto de Limpieza de Sangre véase John Edwards, «The beginning of a scientific theory of race? Spain 1450-1600», en Yedida K. Stillman y Norman A. Stillman, eds., *From Iberia to Diaspora: Studies in Sephardic History and Culture*, Leiden, Boston y Colonia, 1999, pp. 180-183.

22. Yovel, *The Other Within*, pp. 145-147.

23. *Ibid.*, pp. 149-151.

24. Sed Rajna, «Hebrew Illuminated Manuscripts», pp. 152-153. Véase la introducción de Bezalel Narkiss y Aliza Cohen-Mushlin a la edición facsímil de la *Kennicott Bible*, Londres, 1985, y también Narkiss, Cohen-Mushlin y A. Tcherikover, *Hebrew Illuminated Manuscripts in the British Isles: Spanish and Portuguese Manuscripts*, Jerusalén y Oxford, 1982, vol. 1, pp. 153-159.

25. Sobre la carga polémica que tienen algunos de estos animales véase Marc Michael Epstein, *Dreams of Subversion in Medieval Jewish Art and Literature*,

University Park, 1997, *passim*. Kogman-Apel, *Jewish Book Art*, p. 214, cree que los motivos de los gatos y los ratones quizá procedan de la iconografía de la Alemania meridional.

26. La historia clásica de la Inquisición ha sido Henry Charles Lea, *A History of the Inquisition of Spain*, Nueva York, 1906-1907 [hay trad. cast.: *Historia de la Inquisición española*, Madrid, Fundación Universitaria Española, 1983]; véase asimismo Cecil Roth, *Conversos, Inquisition and the Expulsion of the Jews from Spain* (Madison, WI, 1995); Henry Kamen, *Inquisition and Society in Spain*, Londres, 1985. El gran clásico de la bibliografía histórica moderna, formidable por su erudición y al mismo tiempo profundamente conmovedor por su fuerza literaria, es Haim Beinart, *The Expulsion of the Jews from Spain*, trad. ing. de Jeffrey M. Green, Oxford y Portland, OR, 2002.

27. Yovel, *The Other Within*, p. 162.

28. Benzion Netanyahu, *Don Isaac Abravanel: Statesman and Philosopher*, 5.ª ed., Ithaca y Londres, 1998, pp. 26-41.

29. Sobre el desarrollo del decreto de expulsión, véase Maurice Kriegel, «The Making of a Decree», *Revue Historique*, n.º 260 (1978), pp. 49-90; Beinart, *Expulsion*, pp. 5-54, y «Order of the Expulsion from Spain. Antecedents, Causes and Textual Analysis», en Gampel, ed., *Crisis and Creativity*, pp. 79-95.

30. Yovel, *The Other Within*, pp. 179-180.

31. Sobre las rutas de salida del país y las numerosas dificultades que supusieron la marcha de las ciudades de nacimiento y la salida de España en la fecha señalada, véase Beinart, *Expulsion*, *passim*.

32. *Ibid.*, pp. 523-524.

33. François Soyer, *The Persecution of the Jews and Muslims of Portugal: King Manuel I and the End of Religious Tolerance (1496-7)*, Leiden y Boston, 2007; sobre los niños de Santo Tomé, pp. 130-131; sobre el secuestro de los niños y la conversión forzosa de sus padres y de otros adultos, pp. 210-226.

34. José Chabás y Bernard R. Goldstein, «Abraham Zacuto: Supplemental Note for a Biography», en *Astronomy in the Iberian Peninsula*, Darby, PA, 2000, pp. 6-11.

35. Abraham Zacuto, *Libro del linaje o Sefer Yuhassin* [véase *The Book Lineage or Sefer Yohassin*, trad. ing. y ed. de Israel Shamir, Zacuto Foundation, 2005].

36. Israel Efros, *The Problem of Space in Jewish Medieval Philosophy*, Nueva York, 1917.

Bibliografía

Manuales: En el ámbito monumental de las historias académicas de los judíos, no hay nada que pueda compararse con los dieciocho volúmenes de Salo Baron, *A Social and Religious History of the Jews*, 2.ª ed., Nueva York, 1952-1983 [hay trad. cast.: *Historia social y religiosa del pueblo judío*, Buenos Aires, Paidós, 1968]. Con diecisiete volúmenes menos, aunque no puede decirse que sea un peso ligero, está Howard Sachar, *The Course of Jewish History*, Nueva York, 1958, obra que sigue siendo perfectamente legible, aunque es inevitable que desde el punto de vista arqueológico haya quedado desfasada. Paul Johnson, *A History of the Jews*, Londres y Nueva York, 1987 [hay trad. cast.: *La historia de los judíos*, Barcelona, Ediciones B, 2006], sigue siendo una excelente introducción en un solo volumen. Melvin Konner, *Unsettled: An Anthropology of the Jews*, Nueva York, 1987 [hay trad. cast.: *Caminantes: Una antropología de los judíos*, Lérida, Milenio, 2006], ofrece un panorama peculiar y, en el mejor sentido de la palabra, provocativo, y el gran especialista en poesía hebrea medieval, Raymond Scheindlin, ha logrado llevar a cabo un prodigio envidiable de compresión en su obra *A Short History of the Jewish People From Legendary Times to Modern Statehood*, Nueva York, 2000. Moshe Rosman, *How Jewish is Jewish History*, Portland, Oregón, 2007, ofrece un brillante relato del desarrollo de la historiografía judía. Para un nuevo enfoque, de carácter más inclusivo desde el punto de vista cultural, de la historia de los judíos, la obra fundamental (a la que el presente libro debe muchísimo) es David Biale, ed., *Cultures of the Jews: A New History*, Berkeley y Los Ángeles, 2002, una antología excepcional de artículos académicos e interpretativos, casi todos ellos provocativos en el mejor sentido del término. Una valiosísima colección de fuentes primarias para este período es Franz Kobler, ed., *Letters of Jews Through the Ages: From Biblical Times to the Middle of the Eighteenth Century*, vol. 1, Nueva York, 1952.

Sobre el mundo de las «tropas judías» de Elefantina: Bezalel Porten, *Archives from Elephantine: The Life of an Ancient Jewish Military Colony*, Berkeley, 1968, y *The Elephantine Papyri: Three Millennia of Cross-Cultural Continuity and Change*, Leiden, 1996; Joseph Meleze Modrzejewski, *The Jews of Egypt from Rameses 2 to the Emperor Hadrian*, Filadelfia, 1995; James M. Lindenberger, *Ancient Aramaic and Hebrew Letters*, Atlanta, GA, 2003. Véase asimismo (aunque es todo lo contrario de la edición académica de Porten) Boulos Ayad Ayad, *The Jewish-Aramean Communities of Ancient Egypt*, El Cairo, 1976.

Sobre los orígenes de la Biblia y la evolución de la religión israelita: Actualmente, existe una riqueza excepcional de bibliografía erudita reciente, especialmente en el campo de la epigrafía, el estudio de las inscripciones. Sin embargo, para el gran público Karen Armstrong, *The Bible: A Biography*, Nueva York, 2007 [hay trad. cast.: *La historia de la Biblia*, Barcelona, Debate, 2008] sigue siendo por su claridad una introducción excelente a la «hipótesis documental», la filología historicista de la Biblia que se inició en el siglo XIX. Para algunas lecturas detalladas de los «libros históricos», véanse la perspicaz obra de Sara Japhet, *From the Rivers of Babylon to the Highlands of Judah*, Winona Lake, Ind., 2000, y *The Ideology of the Book of Chronicles*, Winona Lake, Ind., 2009. La obra clásica sobre la génesis de la religión israelita en el paganismo cananeo es Frank Moore Cross, *Canaanite Myth and Hebrew Epic: Essays in the History of the Religion of Israel*, Cambridge, MA, 1973; véase asimismo su libro *From Epic to Canon: History and Literature in Ancient Israel*, Baltimore, 1998. Michael Coogan, *The Old Testament: An Historical and Literary Introduction to the Holy Scriptures*, Nueva York y Londres, 2011; sobre sus formas más arcaicas, véase Steven Weitzman, *Song and Story: The History of a Literary Convention in Ancient Israel*, Bloomington, Ind., 1997. Sobre la lenta, vacilante y errática aparición del monoteísmo a partir del politeísmo y el henoteísmo (los dioses ordenados jerárquicamente): John Day, *Yahweh and the Gods and Goddesses of Canaan*, Sheffield, 2000; Baruch Halpern, *The First Historians*, San Francisco, 1998; Christopher de Hamel, *The Book: A History of the Bible*, Londres, 2001; Richard S. Hess, *Israelite Religions: An Archaeological and Biblical Survey*, Grand Rapids, MI, 2007; Robert S. Kawashima, *Death of the Rhapsode*, Bloomington, Ind., 2004; Christopher Rollston, *Writing and Literacy in the World of Ancient Israel: Epigraphic Evidence from the Iron Age*, Atlanta, GA, 2010; Ron E. Tappy y P. Kyle McCarter, eds., *Literate Culture and Tenth-Century Canaan: The Tel Zayit Abecedary in Context*, Winona Lake, Ind., 2008; Seth Sanders, *The Invention of Hebrew*, Urbana, Ill., 2009; W. M. Schniedewind, *How the Bible Became a Book: The Textualization of Ancient Israel*, Cambridge, 2004; Mark

S. Smith, *The Origins of Biblical Monotheism: Israel's Polytheistic Background and the Ugaritic Texts*, Oxford, 2001; *The Early History of God*, Grand Rapids, MI, 2002; Francesca Stavrokopoulou y John Barton, eds., *Religious Diversity in Ancient Israel and Judah*, Londres, 2010; Karel van der Toorn, *Scribal Culture and the Making of the Hebrew Bible*, Cambridge, MA, 2007, y *The Image and the Book: Iconic Cults, Aniconism, and the Rise of Book Religion*, Lovaina, 2006; Susan Niditch, *Oral World and Written Word: Ancient Israelite Literature*, Louisville, KY, 1996.

Sobre la arqueología del período bíblico: Una buena guía introductoria para el período más antiguo, crítica pero equilibrada, que repasa las novedades más recientes en el terreno de las excavaciones y la interpretación, es Amihai Mazar, *The Archaeology of the Land of the Bible: An Introduction (10000-586 BCE)*, Nueva York, 1990; véase asimismo su colaboración con el «decano» de la escuela «minimalista», Israel Finkelstein, *The Quest for Historical Israel*, Leiden y Boston, 2007, y las numerosas obras del propio Finkelstein, como, por ejemplo, *David and Solomon: In Search of the Bible's Sacred Kings and the Roots of the Western Tradition*, Nueva York, 2006 [hay trad. cast.: *David y Salomón: En busca de los reyes sagrados de la Biblia y de las raíces de la tradición occidental*, Madrid, Siglo XXI, 2007], y en colaboración con Neil Asher Silberman, *The Bible Unearthed: Archaeology's New Vision of Ancient Israel and the Origin of its Sacred Texts*, Londres y Nueva York, 2001 [hay trad. cast.: *La Biblia desenterrada: Una nueva visión arqueológica del antiguo Israel y de los orígenes de sus textos sagrados*, Madrid, Siglo XXI, 2003]. William G. Dever, que inicialmente fue un «minimalista» más, ha abandonado esta postura para adoptar otra más flexible en varias reinterpretaciones marcadas por un nuevo brío; para este cambio de actitud, véase su apasionado libro *Historical Biblical Archaeology and the Future: The New Pragmatism*, Londres, 2010; para su anterior postura, *Sacred Time, Sacred Place: Archaeology and the Religion of Israel*, Winona Lake, Ind., 2002, *Who Were the Early Israelites and Where Did they Come From?*, Grand Rapids, MI, 2003 y *Did God Have a Wife?*, Grand Rapids, MI, 2005. Un importante trabajo nuevo lo encontramos en Assaf Yasur-Landau, Jennie R. Ebeling y Laura B. Mazow, *Household Archaeology in Ancient Israel and Beyond*, Leiden y Boston, 2011. El único estudio completo de las importantes excavaciones de Jirbet Qeiyafa es Yosef Garfinkel, Saar Ganor y Michael Hassel, *In the Footsteps of King David*, Tel Aviv, 2012.

Sobre la evolución del judaísmo durante los períodos helenístico y romano y sus relaciones con la cultura clásica: La máxima autoridad moderna en el ámbito de la evolución del judaísmo es Shaye Cohen; véase su colección de artículos *From the Maccabees to the Mishnah*, Filadelfia, 1987, y *The Beginnings of Jewishness: Boundaries, Varieties, Uncertainties*, Berkeley, 1999. Véase asimismo Jacob Neusner, *From Politics to Piety: The Emergence of Pharisaic Judaism*, Englewood Cliffs, NJ, 1973, *A Life of Yohanan ben Zakkai*, Leiden, 1970, y *First-Century Judaism in Crisis: Yohanan ben Zakkai and the Renaissance of the Torah*, reimp. en 2006. Sobre la Biblia en el momento de su cierre canónico, la obra maestra es James Kugel, *Traditions of the Bible: A guide to the Bible as it was at the start of the common era*, Cambridge, MA, 1998, y también Michael E. Stone, *Scriptures, Sects, and Visions: A Profile of Judaism from Ezra to the Jewish Revolts*, Filadelfia, 1980. La mejor guía para la arqueología es Eric M. Meyers y Mark A. Chauncey, *Alexander to Constantine: The Archaeology of the Land of the Bible*, New Haven, 2012, y *Archaeology, the Rabbis and Early Christianity*, Nashville y Abingdon, 1981. Véanse asimismo Elias Bickerman, *The Jews in the Greek Age*, Cambridge, MA, 1988, *The God of the Maccabees: Meaning and Significance in the Revolt of the Maccabees*, Londres, 1979, y *From Ezra to the Last of the Maccabees*, Nueva York, 1962; Christine Hayes, *The Emergence of Judaism: Classical Traditions in Contemporary Perspective*, Wesport, CT, 2007; las numerosas obras de Erich S. Gruen, especialmente *Heritage and Hellenism: The Reinvention of Jewish Tradition*, Berkeley, 1998, *Diaspora: Jews amidst Greeks and Romans*, Cambridge, MA, 2002 y *Rethinking the Other in Antiquity*, Princeton, 2011; Lee I. Levine, *Judaism and Hellenism in Antiquity: Conflict or Confluence*, Seattle, 1998; Christopher Haas, *Alexandria in Late Antiquity: Topography and Social Conflict*, Baltimore, 1997; Peter Schäfer, *Judeophobia: Attitudes Towards Jews in the Ancient World*, Cambridge, MA, 2007, y *The History of the Jews in the Greco-Roman World*, Londres, 2003; Sara Raup Johnson, *Historical Fictions and Hellenistic Jewish Identity*, Berkeley, 2005; A. Momigliano, *On Pagans, Jews and Christians*, Middletown, CT, 1987 [hay trad. cast.: *De paganos, judíos y cristianos*, México, D. F., FCE, 1992]; Victor Tcherikower, *Hellenistic Civilization and the Jews*, Filadelfia, 1959; Joseph Sievers, *The Hasmoneans and their Supporters: From Mattathias to the Death of John Hyrcanus*, Atlanta, GA, 1990; Steven Weitzman, *Surviving Sacrilege: Cultural Persistence in Jewish Antiquity*, Cambridge, MA, 2005; William Buehler, *The Pre-Herodian Civil War and Social Debate: Jewish Society in the Period 76-40 BC*, Basilea, 1974; Daniel Harrington, *The Maccabean Revolt: Anatomy of a Biblical Revolution*, Wilmington, DE, 1988; Martin Goodman, *Rome and Jerusalem: The Clash of Ancient Civilizations*, Londres, 2007; Susan Sorek, *The Jews Against Rome*, Londres y Nueva York, 2008; Shaye Cohen, *Josephus in Galilee and Rome: His vita and development as an historian*, Leiden, 1979; Jonathan Edmundson, ed., *Flavius Josephus and Flavian Rome*, Oxford, 2005; Frederick Raphael, *A Jew Among Romans: The Life and Legacy of Flavius Josephus*, Londres, 2013.

Sobre los Manuscritos del Mar Muerto: Los estudios clásicos son Geza Vermes, *An Introduction to the Complete Dead Sea Scrolls*, Minneapolis, 2000, y *The Dead Sea Scrolls: Qumran in Perspective*, Filadelfia, 1981 [hay trad. cast.: *Los Manuscritos del Mar Muerto: Qumrán a distancia*, Barcelona, Muchnik, 1994]; pero para una perspectiva radicalmente distinta, véase Norman Golb, *Who Wrote the Dead Sea Scrolls: The Search for the Secret of Qumran*, Nueva York, 1995; véanse asimismo Frank Moore Cross, *The Ancient Library of Qumran*, Minneapolis, 1995; Michael E. Stone, *Ancient Judaism: New Visions and View*, Grand Rapids, MI, 2011; la excelente obra Michael Wise, Martin Abegg y Edward Cook, *The Dead Sea Scrolls: A New Translation*, San Franciscso, 1996; Peter W. Flint y James C. Van der Kam, *The Dead Sea Scrolls After Fifty Years: A Comprehensive Assessment*, Leiden, 1997. Sobre la ciudad en sí hay varios libros recientes estupendos: Lee I. Levine, *Jerusalem: Portrait of the City in the Second Temple Period*, Filadelfia, 2002; Simon Goldhill, *Jerusalem: City of Longing*, Cambridge, MA, 2010, y *The Temple of Jerusalem*, Londres, 2004, y especialmente Simon Sebag-Montefiore, *Jerusalem: A Biography*, Londres, 2012 [hay trad. cast.: *Jerusalén: La biografía*, Barcelona, Crítica, 2011]. Sobre los osarios: Pau Figueras, *Decorated Jewish Ossuaries*, Leiden, 1983; Eric M. Meyers, *Jewish Ossuaries: Reburial and Rebirth, Secondary Burials in their Ancient Near East Setting*, Roma, 1971; Rachel Hachlili, *Jewish Funerary Customs, Practices and Rites in the Second Temple Period*, Leiden, 2005.

Los judíos y el cristianismo primitivo: Para algunas lecturas e interpretaciones brillantes y a la vez provocativas, véase Daniel Boyarin, *Border Lines: The Partition of Judeo-Christianity*, Filadelfia, 2007 [hay trad. cast.: *Espacios fronterizos: Judaísmo y cristianismo en la Antigüedad tardía*, Madrid, Trotta, 2013]; y también su libro *A Radical Jew: Paul and the Politics of Identity*, Berkeley, 1994. Tradicionalmente, la gran autoridad en el tema de la división entre cristianismo y judaísmo es Jacob Neusner; véase en particular su libro *Jews and Christians: The Myth of a Common Tradition*, Binghampton, NY, 2001. Una visión opuesta es la que ofrece Hyam Maccoby, *The Mythmaker: Paul and the Invention of Christianity*, Londres y Nueva York, 1987. Véase asimismo Peter Schäfer, *The Jewish Jesus: How Judaism and Christianity Shaped Each Other*, Princeton, 2012. Sobre los ebionitas y los cristianos judíos, véase Oskar Skarsaune y Reidar Hvalvik, eds., *Jewish Believers in Jesus: The*

Early Centuries, Peabody, MA, 2007; véase asimismo Geza Vermes, *The Religion of Jesus the Jew*, Londres, 1993 [hay trad. cast.: *La religión de Jesús el judío*, Madrid, Anaya & Muchnik, 1996]. Sobre la Misná véase la interesante introducción de Neusner a su magnífico libro *The Mishnah: A New Translation*, New Haven, 1988. Una explicación útil de los orígenes y la ramificación de la cultura rabínica y sus múltiples comentarios puede leerse en Hyam Maccoby, *Early Rabbinic Writings*, Cambridge, 1988. Sobre la evolución del Talmud, Talya Fishman, *Becoming the People of the Talmud: Oral Torah and Written Tradition*, Filadelfia, 2011, y la valiosísima obra de Charlotte Elisheva Fonrabert y Martin S. Jaffee, eds., *The Cambridge Companion to the Talmud and Rabbinic Literature*, Cambridge, 2007. Sobre la «tolerancia agustiniana», véase el brillante estudio de Paula Fredericksen, *Augustine and the Jews: A Christian Defense of Jews and Judaism*, Nueva York, 2008. Sobre la evolución de las instituciones religiosas y el ritual de los judíos, véase la obra monumental e indispensable de Lee I. Levine, *The Ancient Synagogue*, New Haven, 2005; Philip A. Harland, *Associations, Synagogues and Congregations*, Augsburgo, 2003; enormemente sugestivo es el libro de Baruch Bokser, *The Origins of the Seder: The Passover Rite and Early Rabbinic Judaism*, Berkeley, 1984; Leonard Glick, *Marked in Your Flesh: Circumcision from Ancient Judea to Modern America*, Oxford, 2005; sobre las implicaciones del sacrificio, resulta muy persuasivo David Biale, *Blood and Belief: The Circulation of a Symbol Between Jews and Christians*, Los Ángeles y Berkeley, 2007.

Judaísmo e islam: Bernard Lewis, *The Jews of Islam*, Princeton, 1984 [hay trad. cast.: *Los judíos del islam*, Madrid, Letúmero, 2002], sigue siendo el estudio definitivo, además de equilibrado, de las relaciones entre ambos, especialmente en los primeros momentos; véase asimismo su obra *The Multiple Identities of the Middle East: 2000 Years of History from Christianity to the Present*, Londres, 1998 [hay trad. cast.: *Las identidades múltiples de Oriente Medio*, Madrid, Siglo XXI, 2000]. Véanse también S. D. Goitein, *Jews and Arabs: A Concise History*, Nueva York, 1955, y Eliyahu Ashtor, *The Jews of Moslem Spain*, Filadelfia, 1992. Bat Ye'Or, *The Dhimmi: Jews and Christians Under Islam*, Rutherford, NJ, 1985, es mucho más polémico y pesimista, pero, a pesar de todo, en esencia no está completamente equivocado. Sobre muchos aspectos de la complejidad de las relaciones, véase Michael M. Laskier y Yaacov Lev, *The Convergence of Judaism and Islam: Religious, Scientific and Cultural Dimensions*, Gainsville, FL, 2011, y para una lectura comparativa, Mark Cohen, *Under Crescent and Cross: The Jews in the Middle Ages*, Princeton, 1994. Sobre los judíos y los inicios del islam, véase Fred Donner, *Muhammad and the Believers: At the Origin of Islam*, Cambridge, MA, 2010, obra muy animada de síntesis erudita que tiene muy en cuenta los estudios más recientes. G.W. Bowersock, *Throne of Adulis: Red Sea Wars on the Eve of Islam*, Oxford, 2013, apareció por desgracia demasiado tarde para que mi libro tuviera en cuenta la novedad de su estudio, pero véanse (en las notas finales) los artículos de C. Robin y Paul Yule, *Himyar: Spätantike im Jemen*, Aichwald, Esslingen, 2007, e Iwona Gajdar, *Le royaume de Himyar à l'époque monothéiste*, París, 2009, especialmente por el escepticismo y las reservas de la autora, y Reuben Ahroni, *Yememite Jewry: Origins, Culture and Literature*, Bloomington, Ind., 1986. Sobre el descubrimiento de la Genizá de El Cairo, véase el estudio de Peter Cole y Adina Hoffmann, *Sacred Trash: The Lost and Found World of the Cairo Geniza*, Londres y Nueva York, 2011, porque su lectura es maravillosa. Shlomo Dov Goitein pasó su vida académica analizando, editando, traduciendo e interpretando el inmenso tesoro oculto de la Genizá. Su obra maestra en tres volúmenes, *A Mediterranean Society*, Berkeley, 1967-1993, ha sido publicada con gran sensatez en forma abreviada, Berkeley, 1999, lo que incrementa todavía más su utilidad y hace que constituya una introducción perfecta al tema. Véanse asimismo sus maravillosos libros *Letters of Medieval Jewish Traders*, Princeton, 1974, *From the Land of Sheba: Tales of the Jews of Yemen*, Nueva York, 1973, e *India Traders of the Middle Ages*, Leiden, 2008. Para determinados aspectos concretos del mundo descubierto gracias a la Genizá, véase su obra *Indian Traders*. Para un estudio posterior a Goitein, véanse los artículos reunidos en Stefan C. Reif, *The Cambridge Geniza Collections: Their Content and Significance*, Cambridge, 2002.

De la poesía hebrea de la España medieval existen numerosas aunque variadas traducciones, la mayoría con excelentes comentarios críticos y notas biográficas. El libro de Peter Cole *Dream of the Poem: Hebrew Poetry from Muslim and Christian Spain (950-1492)*, Princeton, 2007, abarca toda la producción, desde las obras más antiguas de Dunash ibn Labrat (y su esposa) hasta las que se escribieron en la España cristiana poco antes de la expulsión, incluida una amplia selección de la obra de los otros dos gigantes de la poesía hebrea, Salomón ibn Gabirol y Moisés ben Esdras. Véase asimismo la colección editada por Raymond Scheindlin, *Wine, Women and Death: Medieval Hebrew Poems on the Good Life*, Filadelfia, 1986. T. Carmi, ed., *The Penguin Book of Hebrew Verse*, Londres y Nueva York, 1981, ofrece también una selección excelente, aunque en traducción muy libre. Ross Brann, *Power in the Portrayal: Representations of Jews and Muslims in Eleventh and Twelfth Century Islamic Spain*, Princeton, 2002, es una brillante interpretación de la maraña de influencias y conflictos interculturales que contiene esta literatura. Sobre Samuel Nagrella (Samuel Hanagid), véase Hillel Halkin, *Grand Things to Write a Poem On: A Verse Autobiography of Shmuel*

Hanagid, Jerusalén, 1999; sobre un tipo distinto de traducción, véase Leon J. Weinberger, *Jewish Prince in Moslem Spain: Selected Poems of Samuel ibn Nagrela*, Tuscaloosa, AL, 1973. Sobre Yehudá Haleví, Halkin ha escrito una biografía breve, pero sumamente sugerente y evocadora, *Yehuda Halevi*, Nueva York, 2010. Sobre su peregrinación hay dos libros muy buenos: Raymond Scheindlin, *The Song of a Distant Dove: Judah Halevi's Pilgrimage*, Oxford, 2008, y Yosef Yahalom, *Yehuda Halevi: Poetry and Pilgrimage*, Jerusalén, 2009. Sobre Maimónides, véanse la excelente biografía de Joel Kraemer, *Moses Maimonides*, Nueva York y Londres, 2008 [hay trad. cast.: *Maimónides: Vida y enseñanzas del gran filósofo judío*, Barcelona, Kairós, 2010], y una selección muy bien escogida y editada de sus obras realizada por Isadore Twersky, *A Maimonides Reader*, Springfield, NJ, 1972.

La Europa cristiana medieval y los judíos: Sobre la evolución del judaísmo durante este período véanse Ephraim Kanarfogel, *The Intellectual History and Rabbinic Culture of Medieval Ashkenaz*, Detroit, 2013, y Lawrence Fine, ed., *Judaism in Practice from the Middle Ages to the Early Modern Period*, Princeton, 2001. El estudioso más prolífico en este campo de las relaciones judeo-cristianas es Robert Chazan, que en un libro reciente, *Reassessing Jewish Life in Medieval Europe*, Cambridge, 2010, propone un planteamiento, más equilibrado y menos determinado por la tragedia, del lugar y la experiencia de la vida judía en la Europa cristiana latina, pensando quizá en la historia de la judeofobia, por lo demás perfectamente legible todavía, de Joshua Trachtenberg, *The Devil and the Jews: The Medieval Conception of the Jew and Its Relation to Modern Anti-Semitism*, New Haven, 1944. La historia definitiva de este dilatado fenómeno es Robert Wistrich, *The Longest Hatred: Antisemitism and Jewish Identity*, Londres, 1991. Véase también Leonard Glick, *Abraham's Heirs: Jews and Christians in the Middle Ages*, Syracuse, 1999. Para unos estudios más recientes, fruto de una riquísima labor de investigación, véanse Anna Sapir Abulafia, *Christian-Jewish Relations 1000-1300*, Londres y Nueva York, 2011, y *Christians and Jews in Dispute: Disputational Literature and the Rise of Anti-Judaism in the West 1000-1150*, Aldershot, 1998. Y para otra interpretación comparativa, véase David Nirenberg, *Communities of Violence: Persecution of Minorities in the Middle Ages*, Princeton, 1996 [hay trad. cast.: *Comunidades de violencia: La persecución de las minorías en la Edad Media*, Barcelona, Península, 2001], así como los textos reunidos en Kenneth Stow, *Popes, Church and Jews in the Middle Ages: Confrontation and Response*, Aldershot y Burlington, VT, 2007. Sobre un momento trágico ineludible, véanse los libros de Chazan, *In the Year 1096: The First Crusade and the Jews*, Berkeley, 1996; *God, Humanity, and History:*

The Hebrew First Crusade Narratives, Berkeley, 2000, y su obra *European Jewry in the First Crusade*, Berkeley, 1987. Los textos de los relatos han sido reunidos y editados por Shlomo Eidelberg, *The Jews and the Crusaders: The Hebrew Chronicles of the First and Second Crusades*, Madison, WI, 1977. Sobre el aspecto más doloroso de la literatura y la experiencia, véase Jeremy Cohen, *Sanctifying the Name of God: Jewish Martyrs and Jewish Memories of the First Crusade*, Filadelfia, 2004, y también su libro *Living Letters of the Law: The Idea of the Jew in Medieval Christianity*, Berkeley, 1999. Sobre el caso de Worms, véase la vigorosa historia de la ciudad a lo largo de los siglos de Nils Roehmer, *German City, Jewish Memory: The Story of Worms*, Waltham, MA, 2010. Sobre Eleazar y los pietistas, véase Ivan Marcus, *Piety and Society: The Jewish Pietists of Medieval Germany*, Leiden, 1997, y sobre Francia, véanse los trabajos de Susan Einbinder, en particular *Beautiful Death: Jewish Poetry and Martyrdom in Medieval France*, Princeton, 2002. Sobre la Inglaterra medieval, el libro de Cecil Roth, *A History of the Jews of England*, Londres, 1964, sigue siendo válido, pero la mejor obra de síntesis es Anthony Julius, *Trials of the Diaspora: A History of Anti-Semitism in England*, Oxford, 2010. Tenemos brillantes estudios de los mitos judeófobos habitualmente deprimentes en Miri Rubin, *Gentile Tales: The Narrative Assault on Late Medieval Jews*, Filadelfia 1999, y Anthony Bale, *Feeling Persecuted: Christians, Jews and Images of Violence in the Middle Ages*, Londres, 2010. Sobre los estereotipos literarios, véase Marianne Ara Krummel, *Crafting Jewishness in Medieval England*, Nueva York, 2011, y sobre la historia social y económica, Suzanne Bartlet, *Licoricia of Winchester*, Londres, 2009; Robin Mundill, *England's Jewish Solution: Experiment and Expulsion 1262-1290*, Cambridge, 1998, y *The King's Jews: Money, Massacre and Exodus in Medieval England*, Londres, 2010. Sobre la historia de las mujeres y las familias judías, Elisheva Baumgarten, *Mothers and Children: Jewish Family Life in Medieval Europe*, Princeton, 2004; Simha Goldin, *Jewish Women in Europe in the Middle Ages: A Quiet Revolution*, Manchester, 2011; Avraham Grossman, *Pious and Rebellious: Jewish Women in Medieval Europe*, Waltham, MA, 2004; Susan Grossman y Rivka Haut, eds., *Daughters of the King: Women and the Synagogue: A Survey of History, Halakha and Contemporary Realities*, Filadelfia, 1992, e Ivan Marcus, *Rituals of Childhood*, New Haven, 1996.

Arte, arquitectura y manuscritos iluminados judíos: La interpretación más estimulante de este extraordinario conjunto de obras es Marc Michael Epstein, *Dreams of Subversion in Medieval Jewish Art and Literature*, University Park, PA, 1997, del mismo autor, *The Medieval Haggadah: Art, Narrative and Religious Imagination*, New Haven y Londres, 2013. Véase también Katrin Kogman–Appel, *Jewish Book Art Between Islam and Christianity: The Decoration of Hebrew Bibles in Medieval Spain*, Leiden y Boston, 2004, y su estudio profundamente esclarecedor *A Mahzor from Worms: Art and Religion in a Medieval Jewish Community*, Cambridge, MA, 2012. Para un estudio global organizado por temas, Thérèse y Mendel Metzger, *Jewish Life in the Middle Ages: Illuminated Hebrew Manuscripts of the Thirteenth to the Sixteenth Centuries*, Nueva York y Friburgo, 1982. Además, pueden encontrarse artículos útiles en Piet van Boxell y Sabine Arndt, eds., *Crossing Borders: Hebrew Manuscripts as a Meeting Place of Cultures*, Oxford, 2009, y en Vivian B. Mann, Thomas F. Glick y Jerillyn Dodds, *Convivencia: Jews, Muslims, and Christians in Medieval Spain*, Nueva York, 1992. El catálogo razonado de los fondos británicos es Bezalel Narkiss, *Hebrew Illuminated Manuscripts in the British Isles*, Oxford, 1982. Para la arquitectura, véase C. H. Krinsky, *Synagogues of Europe: Architecture, History, Meaning*, Nueva York y Cambridge, 1985.

Las disputas, las persecuciones y la expulsión en España: Sobre la orientación casi siempre funesta de la teología y los sermones cristianos, véanse Jeremy Cohen, *The Friars and the Jews: The Evolution of Medieval Anti-Judaism*, Ithaca, 1982; Hyam Maccoby, *Judaism on Trial: Jewish-Christian Disputations in the Middle Ages*, Rutherford, NJ, y Londres, 1982; Robert Chazan, *The Trial of the Talmud, Paris 1240*, Toronto, 2012. Véase asimismo la voluminosa obra, todavía importante, de Benzion Netanyahu, *The Origins of the Inquisition in Fifteenth Century Spain*, Nueva York, 1995 [hay trad. cast.: *Los orígenes de la Inquisición en la España del siglo XV*, Barcelona, Crítica, 1999]. El estudio clásico del desenlace al que se llegó en España es Yitzhak Baer, *A History of the Jews in Christian Spain*, Filadelfia, 1982 [hay trad. cast.: *Historia de los judíos en la España cristiana*, Barcelona, Riopiedras, 1998], pero sigue siendo importante Cecil Roth, *Conversos, Inquisition and the Expulsion from Spain*, Londres y Madison, 1995, y por supuesto Henry Kamen, *The Spanish Inquisition: An Historical Revision*, New Haven, 1997 [hay trad. cast.: *La Inquisición española: Una revisión histórica*, Barcelona, Crítica, 1999]. Un estudio siempre desafiante, fruto de una riquísima labor de investigación, acerca de los antecedentes y las consecuencias de la expulsión puede verse en Yirmiyahu Yovel, *The Other Within: The Marranos-Split Identity and Emerging Modernity*, Princeton y Oxford, 2003; y también en el libro del más vigoroso de los discípulos de Baer, Haim Beinart, *The Expulsion of the Jews from Spain* (trad. ing. de Jeffrey M. Green,, Oxford y Portland, OR, 2002. Sobre el terrible desarrollo de los acontecimientos en Portugal disponemos ahora de una obra magistral y conmovedora, François Soyer, *The Persecution of the Jews and Muslims of Portugal: King Manuel I and the End of Religious Tolerance*, Leiden, 2007.

Relación de ilustraciones

Calles de Elefantina, cortesía de Oxford Film and Television Ltd.

Jirbet Qeyafa © Tim Kirby.

Amuleto de plata para bendiciones, cortesía del Museo de Israel, Jerusalén/The Bridgeman Art Library.

Altarcito de piedra procedente de Jirbet Qeyafa © Jim Hollander/epa/Corbis.

Inscripción de Siloam © Tim Kirby.

Estatuillas de Asera © akg-images/Erich Lessing.

Miembros del estudio topográfico del Sinaí, cortesía de la Fundación para la Exploración de Palestina, Londres, Reino Unido/The Bridgeman Art Library.

Llanura de Er Raha desde la hendidura de Ras Sufsafeh, cortesía de la Fundación para la Exploración de Palestina, Londres, Reino Unido/The Bridgeman Art Library.

Osario de piedra caliza con decoración arquitectónica, cortesía del Museo de Israel, Jerusalén/The Bridgeman Art Library.

Osario perteneciente al sumo sacerdote Caifás © Tim Kirby.

Iraq al-Amir © akg-images/Gerard Degeorge.

Candelabro de cerámica cortesía del Museo de Israel, Jerusalén/Donación de Morris y Helen Nozatte a través de la Morris Nozatte Family Foundation/The Bridgeman Art Library.

Prutá de los asmoneos, cortesía del Museo de Israel, Jerusalén/The Bridgeman Art Library.

León y cachorro de Iraq al-Amir © Tim Kirby.

«Tumba de Zacarías» © akg-images/Gerard Degeorge.

Arco de Tito © Tim Kirby.

Escombros del Templo de Jerusalén © Tim Kirby.

Pinturas murales de la sinagoga de Dura-Europos, cortesía del Museo Nacional de Damasco, Siria/Fotos © Zev Radovan/The Bridgeman Art Library.

Mosaicos de Séforis representando los meses de tevet y nisán, cortesía de colección privada/Fotos © Zev Radovan/The Bridgeman Art Library.

Mosaico de Séforis representando una menorá © akg-images/Bible Land Pictures.

Pintura representando un palmeral procedente de Vigna Randanini © Araldo De Luca.

Mosaico de un delfín, cortesía del Museo de Arte de Brooklyn, Nueva York, EE.UU./Museum Collection Fund/The Bridgeman Art Library.

Cuaderno de ejercicios de un niño, T-S K5.13, reproducido con permiso de los síndicos de la Biblioteca de la Universidad de Cambridge.

Cheque de Abu Zikri Kohen, T-S Arabic 30.184, reproducido con permiso de los síndicos de la Biblioteca de la Universidad de Cambridge.

Judío de Bourges, vidriera © Sonia Halliday Photographs.

Caricatura de Aarón © The National Archives.

Chronica Roffense, cortesía de la Biblioteca Británica, Londres, Reino Unido/ The Bridgeman Art Library.

Misné Torá de Maimónides, cortesía de la Biblioteca de la Academia de las Ciencias de Hungría, Budapest/The Bridgeman Art Library.

Hagadá de cabezas de pájaro, cortesía del Museo de Israel, Jerusalén/The Bridgeman Art Library.

Frontispicio del *Moré Nebujim* de Maimónides, cortesía de The Art Library/ Biblioteca Bodleiana, Oxford.

Inscripción dedicatoria de la sinagoga del Tránsito © akg-images/Bible Land Pictures.

Decoración mudéjar de yesería de la sinagoga del Tránsito © akg-images/Bible Land Pictures.

Sinagoga de Santa María la Blanca © akg-images/Album/Oronoz.

Página tapiz de la *Biblia Kennicott*, cortesía de The Art Archive/Biblioteca Bodleiana, Oxford.

Hagadá de Barcelona, cortesía de The Art Library/Biblioteca Británica.

La *Biblia de Cervera*, cortesía del Instituto de la Biblioteca Nacional, Lisboa, Portugal/Giraudon/The Bridgeman Art Library.

«Fuimos esclavos en Egipto», ilustración © The British Library Board (add. 26957 f.39v).

«He aquí el pan de la aflicción», ilustración © The British Library Board (add. 26957 f.39).

Jonás y el «Gran Pez», ilustración, *Biblia Kennicott*, cortesía de The Art Archive/Biblioteca Bodleiana, Oxford.

Menorá, ilustración, *Biblia Kennicott*, cortesía de The Art Archive/Biblioteca Bodleiana, Oxford.

Colofón de la *Biblia Kennicott*, cortesía de The Art Archive/Biblioteca Bodleiana, Oxford.

Microcaligrafía hebrea © The British Library Board (add. 15282 f.45v).

Atlas catalán, cortesía de The Art Archive/Bibliothèque Nationale, París.

Agradecimientos

Una empresa llevada a cabo en dos medios de comunicación distintos supone, como es lógico, que deba dar las gracias al doble de personas o incluso más de lo que es habitual en este tipo de proyectos. Ante todo quiero señalar que estoy profundamente agradecido a mis colegas de la BBC Television por el amable, sabio y generoso apoyo que han dado a este relato en todos sus aspectos. Adam Kemp fue el primero en proponerlo, y luego fueron Martin Davidson y Janice Hadlow, supervisora de BBC2, quienes me encargaron la serie y actuaron en todo momento como leales mentores ofreciéndome sus críticas, siempre constructivas. Manteniéndose a una distancia discreta, Alan Yentob ha sido un cómplice benévolo a la hora de su realización. He contado con el fiel apoyo de Melissa Green, Suzanna McKenna y Mark Reynolds, de BBC Worldwide, en todas las formas imaginables. Mi agente televisivo, Rosemary Scoular, con la ayuda constante de Wendy Millyard hasta unos niveles que superan cualquier ponderación, ha sido mi constante ángel de la guarda.

La serie fue realizada para la BBC por mis colegas de Oxford Film and Television, un grupo incomparable que da nuevo sentido al término afectuoso «mensch» (independientemente del género al que pertenezca el individuo). Me gustaría resaltar la figura de mi querido amigo y socio creativo Nick Kent, sin el cual esta serie habría sido impensable e imposible, y que por fuerza ha compartido todos sus momentos de agonía y de éxtasis, magnificados a la judía, al igual que la de Charlotte Sacher, cuya sabia y sagaz labor de investigación y cuyo elegante montaje y cálido entusiasmo han sido la savia vital del proyecto. Tim Kirby aportó a la tarea de producción de la serie (y de dirección de tres de sus programas) una refinada inteligencia, una inmensa simpatía por el tema y un aguante sobrehumano, especialmente al tener que enfrentarse a giros inesperados de los acontecimientos. Estoy muy agradecido a muchas otras personas del equipo, en particular a Julia Mair por la seriedad de sus investigaciones, su animación en los rodajes en exteriores y sus sabios consejos, y a Kate Edwards por superar el reto de ver por mí las cinco películas enteras y por hacer más de lo que era su obligación, empezando por leerse a fondo los relatos de I. L. Peretz en la parte trasera de un coche mientras recorríamos las carreteras de Ucrania, llenas de profundos baches y constantemente envueltas en la niebla. Vaya mi agradecimiento también para el equipo de los incomparables Jeremy Pollard, Ariel Grandoli y Anthony Burke, y para la amable vigilancia de Jenny Thompson, Annie Lee y Arianwen Flores Jackson. En la posproducción Hannah Cassavetti fue por sí sola una maravilla única. Sam Baum y Josh Baum pusieron su propia marca genial a las letras manuscritas y a los dibujos animados, y Avshalom Caspi, nuestro compositor, y Clara Sanabras, nuestra vocalista, se convirtieron en amigos, además de colaboradores esenciales.

Como de costumbre, mis agentes literarios Michael Sissons y Caroline Michel han sido un prodigio por el apoyo brindado con su sabiduría y su entusiasmo, convencidos desde el primer momento de que habría un público receptivo para una obra como esta. Cargaron heroicamente con todo el peso, especialmente cuando el libro excedió sus márgenes originales, limitados a un solo volumen, al igual que mi editor, Stuart Williams, de Bodley Head, al que podríamos perdonar por pensar que el libro era demasiado judío. Le estoy muy agradecido, y también a Gail Rebuck, de Penguin Random House, por buscar los medios de adaptarse a un plan imprevisto de publicación. En Bodley Head, el libro no habría podido ver la luz sin el heroico trabajo de mi editor, David Milner, de mi correctora de estilo, Katherine Fry, de Katherine Ailes (por diversas tareas), de Caroline Wood por la búsqueda de imágenes, de Anna Cowling por su amabilidad y su rapidez y flexibilidad en las tareas de producción, de las correctoras de pruebas Sally Sargeant e Ilsa Yardley, y del responsable de confeccionar el índice analítico, Douglas Matthews. Rowena Skelton-Wallace, Natalie Wall y Kay Peddle han contribuido también heroicamente a realizar lo que parecía imposible.

Por su ayuda en la labor de investigación acerca del período bíblico y la Antigüedad judía, me gustaría dar las gracias a Ester Murdakayeva, y también a Jennifer Sonntag por ser mi ayudante indispensable en prácticamente todo dentro y fuera de las bibliotecas. El rector John Coatsworth tuvo la amabilidad de concederme una dispensa de mis obligaciones en la Universidad de Columbia que hizo posible la filmación de la serie y la redacción del libro. Y mi deuda es enorme con mi difunto y profundamente añorado colega Yosef Yerushalmi, por mantener viva en mí durante tantos años la llama de la historia de los judíos; su profunda y hermosa meditación *Zajor* sigue ocupando el meollo mismo de mis intereses historiográficos. Muchos otros estudiosos, conservadores de museos y bibliotecas, escritores y amigos se han mostrado en todo momento generosos con sus consejos y su asesoramiento, antes y durante las labores de filmación y de redacción del libro, especialmente la rabina Julia Neuberger, Felicity Cobbing, de la Fundación para la Exploración de Palestina, Micha Bar-Am y Pnina Shor, del Proyecto Manuscritos del Mar Muerto del Museo de Israel, Michal Friedlander, del Museo Judío de Berlín, el profesor Bezalel Porten, que tuvo la bondad de efectuar una lectura crítica del capítulo acerca de Elefantina, Katya Krausova, que tuvo la gentileza de compartir sus profundos conocimientos y sus valiosísimas fotografías de algunas localidades del este de Europa, Haim Admor, que hizo para mí de enlace con la comunidad Beta Israel, y la maravillosa Aviva Rahimi, por el inestimable relato de su éxodo de Etiopía a Israel.

Todo este proyecto habría sido irrealizable sin el generoso apoyo de tantos queridos amigos que a lo largo de los años se han acostumbrado a mis constantes refunfuños en tono menor, así como a mis ideas a medio articular acerca de la historia de los judíos. Especial es la deuda de agradecimiento que tengo con Alice Sherwood por su persistente entusiasmo, su sabiduría crítica y su profunda creencia en la importancia de la empresa. Deseo dar las gracias también a Chloe Aridjis, Clemency Burton Hill, Jan Dalley, Lisa Dwan, Celina Fox, Helene Hayman, Julia Hobsbawm, Elena Narozanski, Caterina Pizzigoni, Danny Rubinstein, Robert y Jill Slotover, Stella Tillyard, Leon Wieseltier y Robert Wistrich.

Chloe, Mike y Gabriel han soportado todos los altibajos del autor, a los cuales ya están acostumbrados, pero es mi esposa, Ginny, la que merece mi gratitud más profunda por aguantar mis cambios de humor, que me llevaban a extremos más dramáticos de lo habitual, y mis prolongadas ausencias, provocadas por los trabajos de filmación y posproducción de la serie, y por hacerlo con la ilimitada reserva de paciencia, generosidad y amor que la caracterizan. Los dos verdaderos autores de mi historia judía, mi madre y mi padre, ya no están en este mundo, pero algo me dice que los oiré hablar mucho del tema en el otro.

Índice alfabético

«**Para viajar lejos no hay mejor nave que un libro**».

EMILY DICKINSON

Gracias por tu lectura de este libro.

En **penguinlibros.club** encontrarás las mejores
recomendaciones de lectura.

Únete a nuestra comunidad y viaja con nosotros.

penguinlibros.club

Penguin
Random House
Grupo Editorial

 penguinlibros